Michel Bussi,
Rouen, a publi
polar français le … édition en bande
dessinée a paru aux Éditions Dupuis. *Un avion sans elle*, pour lequel il a reçu le Prix Maison de la Presse, s'est vendu à plus de un million d'exemplaires en France. Ses ouvrages, qui rencontrent un grand succès international, notamment en Allemagne, en Angleterre, en Italie et en Chine, sont traduits dans 35 pays. Les droits de plusieurs d'entre eux ont été cédés en vue d'adaptations télévisuelles : France 2 a diffusé les six épisodes de *Maman a tort* en 2018. *Un avion sans elle* a été diffusé par M6 en 2019 ainsi que *Le temps est assassin* par TF1. Il est l'auteur, toujours aux Presses de la Cité, de *Ne lâche pas ma main* (2013), *N'oublier jamais* (2014), *Maman a tort* (2015), *Le temps est assassin* (2016), *On la trouvait plutôt jolie* (2017) et *J'ai dû rêver trop fort* (2019). *Gravé dans le sable*, paru en 2014, est la réédition du premier roman qu'il a écrit, *Omaha Crimes*, et le deuxième publié après *Code Lupin* (2006). En 2018, il a publié un recueil de nouvelles chez Pocket, *T'en souviens-tu, mon Anaïs ?* et a réédité l'un de ses premiers romans, *Sang famille* (paru en 2009), aux Presses de la Cité. Des versions enrichies et illustrées de *Code Lupin* et *Mourir sur Seine* ont paru aux Éditions des Falaises, et *Mourir sur Seine* a été adapté en bande dessinée aux Éditions Petit à Petit. Michel Bussi a aussi publié un premier recueil de contes pour enfants, *Les Contes du Réveil Matin*, aux Éditions Delcourt (2018) ainsi que deux albums de contes d'après son roman *Maman a tort* : *Le Grand Voyage de Gouti* et *Le Petit Pirate des étoiles* aux Éditions Langue au Chat (2019). Il est le deuxième auteur français le plus vendu en France en 2018 selon le palmarès du *Figaro*-GFK.

Retrouvez toute l'actualité de l'auteur sur son site :
www.michel-bussi.fr
et sur ses pages Facebook et Instagram

TOUT CE QUI EST SUR TERRE DOIT PÉRIR

LA DERNIÈRE LICORNE

DU MÊME AUTEUR
CHEZ POCKET

UN AVION SANS ELLE
NYMPHÉAS NOIRS
NE LÂCHE PAS MA MAIN
N'OUBLIER JAMAIS
GRAVÉ DANS LE SABLE
MAMAN A TORT
LE TEMPS EST ASSASSIN
ON LA TROUVAIT PLUTÔT JOLIE
SANG FAMILLE
TOUT CE QUI EST SUR TERRE DOIT PÉRIR

T'EN SOUVIENS-TU, MON ANAÏS ?
et autres nouvelles

MICHEL BUSSI

TOUT CE QUI EST SUR TERRE DOIT PÉRIR

LA DERNIÈRE LICORNE

Avant-propos inédit de l'auteur

PRESSES DE LA CITÉ

Cet ouvrage a paru en 2017 sous le titre :
La Dernière Licorne, sous le pseudonyme de Tobby Rolland.

Pocket, une marque d'Univers Poche,
est un éditeur qui s'engage pour la préservation
de l'environnement et qui utilise du papier fabriqué
à partir de bois provenant de forêts gérées
de manière responsable.

ISBN 978-2-266-28549-0
Dépôt légal : octobre 2019

« *Un déluge va envahir la terre pour détruire la semence du genre humain. Telle est la décision, le décret de l'assemblée des dieux [...]. Au septième jour, lorsque le Déluge eut balayé la terre et que l'énorme bateau eut été ballotté par les tempêtes sur les eaux, j'ouvris une fenêtre et j'envoyai une colombe.* »

Tablettes sumériennes, épopée de Gilgamesh,
2500 av. J.-C.

« *Le temps de la destruction des mondes par le Déluge est proche [...]. Tu dois construire une arche bien close. Tu y monteras avec toutes les semences bien protégées les unes des autres. Tu m'attendras dans l'arche, je viendrai, j'aurai une corne sur la tête : à cela tu me reconnaîtras.* »

Le Déluge indien, *Mahabharata*, 500-400 av. J.-C.

« *Jupiter décide d'anéantir le genre humain sous les eaux [...]. Débordés, les fleuves s'élancent à travers les plaines. Deucalion, monté sur une petite barque avec sa compagne et les animaux, aborda le seul lieu que la mer n'eût pas recouvert.* »

Ovide, *Les Métamorphoses*, I, 297-323, 1 av. J.-C.

« *Alors Dieu dit à Noé : Je vais faire venir le Déluge d'eaux sur la terre, pour détruire toute chair ayant souffle de vie sous le ciel [...]. Les eaux soulevèrent l'arche, et elle s'éleva au-dessus de la terre. Tous les êtres qui étaient sur la face de la terre furent exterminés. Il ne resta que Noé, et ce qui était avec lui dans l'arche.* »

La Bible, Genèse, vers 500 av. J.-C.

« *Et Nûh reçut la révélation : construis l'arche sous nos yeux et selon notre inspiration. Ne m'importune plus à propos des iniques : ils sont engloutis. Chargez-y un couple de chaque espèce [...]. Et la voici qui les emporte dans des vagues hautes comme des montagnes.* »

Le Coran, XI, 40-43

« *L'homme s'était rebellé contre les grands dieux. La terre fut ébranlée jusqu'à ses fondations. Elle tomba en morceaux et les eaux qu'elle portait en son sein submergèrent la terre. Fuxi construisit un bateau et monta jusqu'au ciel sur les flots déchaînés. Là, il frappa à la porte et supplia le seigneur du paradis de mettre fin à l'inondation.* »

Yi Jing, *Livre des mutations*, Le Déluge chinois,
VIIIe siècle av. J.-C.

Avant-propos inédit de l'auteur

Ce roman est né il y a très longtemps. J'avais quinze ans quand, après avoir vu le film *L'homme qui voulut être roi*, m'est venue l'envie de mettre en scène un grand mystère légendaire de l'humanité… et de m'intéresser à l'arche de Noé.

Des années plus tard, quand j'en ai eu achevé la première version, cette histoire s'est révélée bien plus noire et plus violente que mes romans habituels… J'ai alors choisi de la publier sous un autre nom que le mien pour ne pas désorienter mes lecteurs. Surtout, je ne voulais pas que vous achetiez ce livre parce que je l'avais signé, mais parce que l'histoire vous séduisait. Il a été amusant d'observer l'accueil favorable de ce « premier roman », loin de tout préjugé sur son auteur.

Mes romans sont aujourd'hui reconnus, je l'espère, pour la variété des genres qu'ils explorent. À l'occasion de la sortie de *La Dernière Licorne* en édition de poche sous son nouveau titre, *Tout ce qui est sur Terre doit périr*, Tobby Rolland peut donc me rendre ma place, d'autant plus que j'espère publier à l'avenir d'autres histoires dans cette veine.

Je me suis beaucoup documenté pour écrire ce roman. Cela vous surprendra sûrement, mais tout est vrai dans ce récit, qu'il s'agisse des témoignages des chercheurs d'arche, de l'énigme scientifique posée par l'anomalie d'Ararat, des révélations sur les animaux unicornes, sur le déluge universel, sur le Livre d'Enoch et les anges. Même si ces thèses vous paraîtront peu croyables, elles sont défendues, en dehors de ce livre, par les scientifiques les plus sérieux comme par les blogueurs les plus farfelus.

De même, j'ai tenu à ce que tous les lieux cités dans cette aventure existent et soient décrits avec précision, tels le parc d'attractions Noah's Ark de Hong Kong, l'université de Kaliningrad, les chaheriz du Nakhitchevan, l'enfer de la bibliothèque du Vatican, les épées de la honte d'Igdir, la fontaine Saint-Jacob ou les croix gravées dans la pierre du gouffre d'Ahora sur les pentes de l'Ararat. Seuls ont été inventés, pour les besoins de mon histoire, les décors du Parlement mondial des religions, du DIRS à l'université de Toulouse et du palais Ishak Pacha.

Rassurez-vous, je ne prétends pas qu'à l'aube des temps, un homme, Noé, Gilgamesh ou Fuxi, rassembla des animaux par paires dans une arche alors que l'eau montait jusqu'à recouvrir les montagnes… Mais vous avouerez qu'il est troublant de constater que, sur chaque continent, l'humanité conserve la mémoire de ce mythe qui lui inspira parmi ses plus beaux chefs-d'œuvre, dont certains composent les étapes de cette quête.

Je ne prétends surtout pas que le secret révélé dans ce livre, protégé ou recherché par mes héros, est une hypothèse historique sérieuse ; mais à ma connaissance, personne, jusqu'à présent, ne s'est essayé à la formuler. J'espère que vous vous amuserez à en démêler les fils autant que moi à la construire.

C'est toujours pour expliquer l'inexplicable, et faire croire à l'incroyable, que les hommes inventent les plus belles histoires.

Michel Bussi
Juillet 2019

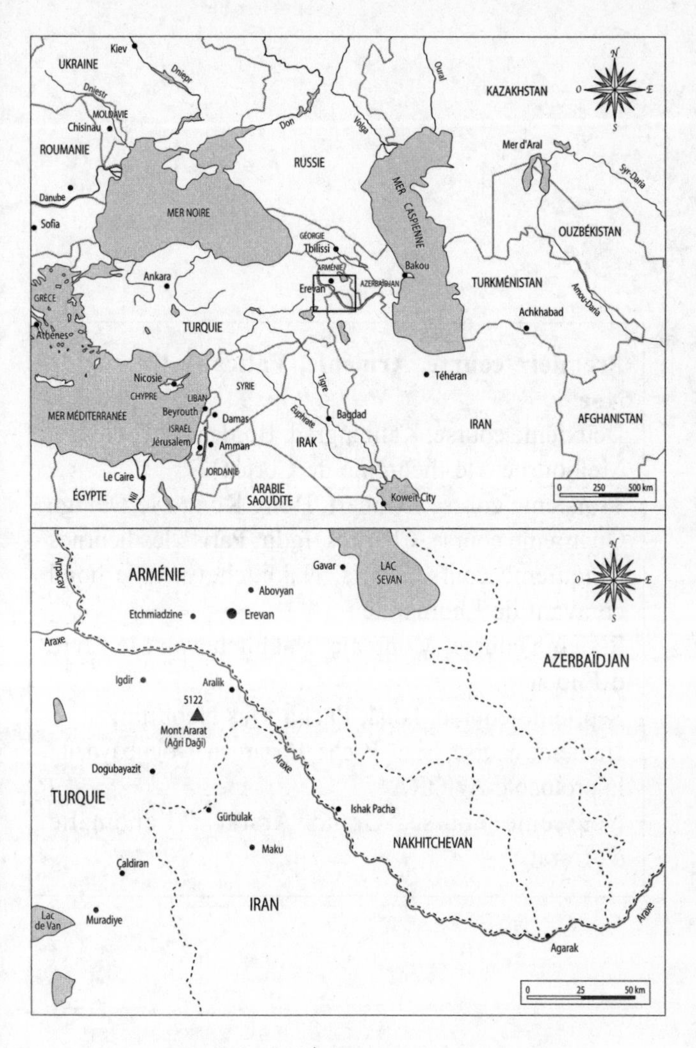

Fragments d'empires autour du mont Ararat

PREMIÈRE COURSE

L'ARCHE DE NOÉ

La plaine s'étendait à perte de vue, trois mille mètres plus bas.

Estêre parvenait pourtant à distinguer, avec une précision stupéfiante, les immeubles de la banlieue d'Erevan, les camions qui filaient de la frontière iranienne vers Dogubayazit, les tanks turcs parqués aux entrées de chaque village.

Les pentes de l'Ararat constituaient un belvédère prodigieux.

— Approche, Aman.

La fillette s'avança. Un peu timide, un peu gauche, ne sachant que faire de sa carcasse trop grande pour son âge. La main tremblante d'Aman caressait Leka, se perdait dans sa fourrure. Pas une fois ces deux-là ne s'étaient quittées depuis qu'elles étaient nées, il y a dix ans, à quelques jours d'intervalle.

— Bon anniversaire, Aman.

Aman reste sans voix. Dans leur tribu kurde, les anniversaires se limitaient à quelques chants, une histoire racontée par l'un des vieux, parfois un objet rapporté en secret du marché d'Igdir. Une poupée. Un animal sculpté. Un bijou.

Estêre posa une main sur l'épaule de sa fille, la forçant à s'asseoir.

— C'est pour toi.

Elle ouvrit sa main, dévoilant son cadeau.

Un collier. Un disque de cuivre retenu par un lacet de cuir. Sur le cuivre étaient gravés deux traits formant une croix, inclinée vers la droite. Un trait long et un trait court.

D'un geste doux, Estêre accrocha le collier au cou d'Aman.

— Garde-le toujours, murmura sa mère. Toi seule dois en connaître la signification.

Les yeux gris d'Aman se troublèrent. Elle ne comprenait pas. Elle se rapprocha encore de Leka, se réchauffa à sa toison, la laissa lécher son bras nu.

Estêre était silencieuse à présent. Elle fixa longtemps la plaine en contrebas puis, lentement, se tourna vers le sommet enneigé du mont Ararat. Enfin, elle prit la main de sa fille et s'expliqua.

— Écoute bien tous les mots que je vais prononcer, Aman. Retiens-les, pour toujours. Le jour est venu ! Tu es grande désormais, tu vas devenir à ton tour une gardienne de notre secret. De notre secret millénaire. Celui de notre famille. De notre tribu. Et, c'est sans doute ce qui t'importera le plus aujourd'hui, celui de Leka et de son troupeau. Mais écoute bien, Aman, même si tu as du mal à me croire. De ce secret dépendent des milliards de vies sur cette terre. Tout ce en quoi les hommes croient, tout ce pour quoi ils vivent, tuent, pillent ou aiment, est lié à ce secret.

Aman ne comprenait toujours pas. Elle se réfugia dans les yeux de Leka qui pétillaient d'intelligence. Estêre serra plus fort encore la main de sa fille.

— C'est le secret transmis par notre plus vieil aïeul, Aman.

La fillette, à son tour, observa la montagne tout autour. Ce refuge inviolable qui les protégeait du monde.

— Il fut le premier à monter jusqu'ici ?

— Non, Aman… Non. Il ne monta pas sur l'Ararat. Il en descendit !

1

Chapelle Sixtine, Vatican

L'enfant roux terrifié s'accrochait à la cuisse nue de sa mère. Elle ne lui jetait pas un regard, indifférente, trop occupée à serrer dans ses bras son autre fils, un gosse d'à peine deux ans, ridé de peur. Le sol craquelé se dérobait sous leurs pieds.

Un arbre sans feuilles, tordu par la tempête, se dressait sur la colline comme leur seul espoir. Une autre femme s'enroulait déjà autour du tronc, telle une liane de chair. Le vent soulevait sa tunique jusqu'aux épaules. Impudique, elle s'en moquait. Tous les autres regards étaient tournés vers le maigre arbuste. Douze ou treize personnes, il était difficile de les compter avec précision. Toutes tentaient de fuir l'eau qui dévorait les berges. Un homme portait sa femme sur ses épaules. Un autre, un précieux sac de toile. D'autres, une table retournée, un coffre, une outre, des fruits.

Quelques mètres plus loin, vingt rescapés tentaient de survivre sous une tente de fortune que la tornade menaçait d'arracher à chaque instant. Des mains se tendaient vers quelques condamnés émergeant encore de l'eau, celles d'un vieillard chauve à barbe blanche, d'une femme, nue elle aussi. Peine perdue. Trop de courant, de distance, de vent.

L'eau triomphait.

Plus loin encore, sur la mer, la barque chavirait. Dans leur lutte désespérée, les hommes tombés à la mer entraînaient les autres dans leur chute. Leurs gestes de panique accéléraient leur inéluctable noyade.

Le cataclysme ne semblait que commencer.

Les nuages noirs s'accumulaient au fond de la scène.

Indifférente, l'arche cubique s'éloignait.

Quelques ultimes survivants étaient parvenus à se hisser sur la plateforme du vaisseau et tentaient de pénétrer à l'abri des murs de bois bitumé. Un refuge clos, privé, hermétique. La dérisoire échelle qu'ils maniaient n'y changeait rien. Eux aussi allaient périr.

Zak se massa la nuque et se tordit à nouveau le cou vers le plafond de la Sixtine. Avec une infinie minutie, il détailla les quatre groupes d'hommes : la colline au premier plan, l'îlot rocheux à droite, la barque chavirée au centre, l'arche au loin. Il avait compté soixante-deux êtres humains peints sur la fresque de la chapelle ; enfants, vieillards, hommes, femmes. Presque tous nus. Zak se fit la réflexion qu'ils représentaient autant de comportements humains. Les résignés, priant sous la tente. Les fous, incapables de se séparer de leurs richesses terrestres. Les salauds, qui cherchaient leur salut au mépris des autres. Les justes, qui jusqu'au bout tendaient la main.

Zak ferma un instant les paupières. Pourtant, tous, bons et méchants, égoïstes et solidaires, allaient périr de la même calamité.

Sans pitié ni discernement.

Sans que quiconque fasse le tri.

— Mesdames et messieurs, je vous prie de passer dans la salle suivante…

La consigne du guide tira Zak de sa torpeur. La centaine de touristes qui se tassaient dans la chapelle Sixtine se dirigea vers la sortie. Un groupe chassait l'autre selon un ballet organisé avec méthode. Zak, seul, demeura immobile quelques instants encore, les yeux dans les nuages.

Tous allaient mourir.

Bien entendu, pensa Zak, le message que Michel-Ange délivrait dans sa fresque était limpide ; limpide et diaboliquement subversif, si l'on y songeait. Contrairement aux autres représentations classiques du Déluge, Michel-Ange n'avait pas peint l'espoir, la descente des eaux, la colombe, l'arc-en-ciel, Noé et ses enfants. Il n'avait pas non plus mis en scène la nature déchaînée, les vagues furieuses, la pluie emportant tout. Non, tout son art s'était concentré sur les êtres humains, étudiant leurs réactions, si diverses face au cataclysme. Poignantes. La fresque ne montrait pas un troupeau conduit à l'abattoir, mais une foule d'individus, un à un différents jusqu'au dernier instant.

Pourtant, tous devaient mourir.

Tous sauf une poignée d'élus cloîtrés derrière les portes de l'arche.

Pourquoi ?

Pourquoi un tel massacre ? semblait hurler le chef-d'œuvre de Michel-Ange. Quelle raison, quel crime, quelle haine pouvait justifier un tel sacrifice universel ?

— Monsieur, il faut sortir, répéta doucement le guide. Nous devons laisser entrer l'autre groupe.

Zak baissa la tête. Il se détendit le cou, endolori depuis bientôt quinze minutes qu'il scrutait au plafond de la chapelle les neuf fresques racontant la Genèse. Habituellement, la plupart des regards des visiteurs se concentraient sur le quatrième tableau, le plus célèbre, celui de la création d'Adam ; Zak, lui, n'avait pu détacher le sien des trois derniers : le sacrifice de Noé, le Déluge, l'ivresse de Noé.

Zak s'avança vers la sortie en consultant sa montre. 12 h 13. Il devait presser le pas. Il ne disposait plus que d'une demi-heure. Le plus difficile était devant lui. Tout en marchant, il tâta le sac qu'il portait en bandoulière, vérifiant que rien ne manquait. Les deux chausses bicolores, la ventouse, le briquet et surtout… le paquet de cigarettes. Aucun objet qui soit suspect, qui puisse attirer l'attention d'un garde suisse.

Poursuivi par l'œil courroucé du guide, Zak se hâta de quitter la chapelle. Il n'était pourtant pas pressé de retrouver le lieu dans lequel il allait passer les douze prochaines heures : un placard d'un mètre sur cinquante centimètres, de la même taille que celui dans lequel il dormait depuis un mois.

2

Erevan, Arménie

Les deux monospaces Mercedes Classe V gris roulaient dans les larges avenues de la capitale arménienne. L'aurore colorait d'un rose intense les façades de tuf des immeubles. Le soleil se dissimulait encore derrière le mont Ararat, à moins de quarante kilomètres au sud-est. Des lambeaux rouges s'étiraient derrière le double sommet enneigé.

« La plus grande montagne au monde », songea Kyrill Eker. Pas la plus haute. Le mont Ararat ne culminait qu'à un peu plus de cinq mille mètres. Mais on lui avait toujours raconté que si l'on mesurait la hauteur non pas du niveau de la mer, mais de la plaine qui l'entourait, le mont Ararat dominait l'Arménie de près de quatre mille quatre cent mètres. Le plus important dénivelé de la planète ! Au soleil levant, l'impression d'un géant écrasant tout autour de lui était plus stupéfiante encore.

Kyrill détailla le GPS sur le tableau de bord. Encore vingt kilomètres avant d'arriver à Etchmiadzine. Il fallait sortir d'Erevan et traverser une interminable banlieue. La capitale arménienne ne cessait d'étendre ses tentacules vers les cinq collines qui l'entouraient.

Kyrill se tourna vers le siège passager. Le jeune Morad ne parvenait pas à masquer son excitation. Sa première mission. Il allait enfin se jeter dans le grand bain... de sang ! Derrière eux, cinq hommes demeuraient fermés à toute expression, indifférents à la misère des immeubles qu'ils laissaient derrière eux. Écouteurs de MP3 dans les oreilles. Lunettes de soleil. Chewing-gum entre les dents. Concentrés. À peine un mouvement de mâchoire.

Les monospaces longeaient à présent les hauts murs de la distillerie de cognac. L'affiche du cognac Ararat s'étalait sur trois mètres sur cinq : les trois étoiles de l'Armenian Brandy s'alignaient devant la plaine d'Etchmiadzine... et l'inévitable silhouette du mont Ararat. Vue du côté arménien, bien entendu.

Kyrill esquissa un sourire de dédain. L'Ararat demeurait le symbole du minuscule État arménien, jusqu'aux étiquettes de leur alcool, alors que le mont appartenait à la Turquie depuis plus d'un siècle. Comme un type qui convoite ce qui ne lui appartient plus, qui continue d'adorer la femme qui l'a quitté. Pitoyable !

Kyrill jeta un coup d'œil dans le rétroviseur intérieur. À l'arrière, les cinq hommes étaient calmes. Trop. Ils connaissaient la mission. Intervenir dans une église n'était pas ce qu'ils préféraient, hantés sans doute par un vieux fond de superstition. Kyrill leur faisait pourtant confiance. Il avait formé sa milice comme on compose une équipe de football, en repérant et recrutant les meilleurs éléments dans tous les camps d'entraînement d'Asie centrale.

Sa quinzaine d'hommes comptait trois Arméniens, un Iranien, deux Turcs, un Géorgien, un Kazakh et quelques autres sans patrie, ou riches de plusieurs. Quelques jeunes chiens fous, tels Ahmet, Nouri, Jalil ; d'autres expérimentés aux combats du Haut-Karabakh, d'Ossétie ou de Tchétchénie. Piller des tombes, massacrer dans des lieux saints, torturer des parents devant leurs enfants, ou l'inverse, ne les effrayait pas. Toute équipe possède son capitaine. Kyrill avait choisi Zeytin, qui conduisait le second véhicule. Difficile de savoir si, sous la cicatrice qui balafrait le haut de son crâne chauve, une partie de son cerveau avait été détruite. Celle des émotions.

Enfin, toute équipe doit choyer sa jeune recrue, son espoir, sa pépite. Morad ! Kyrill l'avait cherché longtemps, dans une vingtaine de camps. Il avait fini par le trouver dans une prison à la frontière entre le Liban et la Syrie. Il n'avait pas treize ans et venait d'égorger avec un couteau de cuisine l'amant de sa mère. Son violeur, selon Morad. Morad était un diamant pur que Kyrill avait ciselé pendant de longs mois. Tout à la fois blond et métis, frêle et décoiffé, un foulard rouge autour du cou, Morad ressemblait vaguement à une version bâtarde du Petit Prince de Saint-Exupéry. Il venait de fêter ses dix-sept ans. Pour l'instant, l'adolescent caressait la corne du manche du poignard coincé entre ses jambes. Un sourire d'enfant lubrique illuminait son visage.

La route d'Etchmiadzine était toujours quasi déserte. Les deux Mercedes doublèrent un vélo, deux charrettes, quelques putes, trois vieilles installant des caisses de légumes. La ville semblait ne jamais s'arrêter.

Les monospaces gris dépassaient maintenant une succession de casinos. Des néons fatigués s'éteignaient dans le jour qui pointait. Un minable Las Vegas de banlieue, songea Kyrill, même s'il était conscient que les casinos de la périphérie d'Erevan rapportaient une fortune aux mafias locales. L'Iran n'était qu'à quelques kilomètres. Les Iraniens fortunés n'hésitaient pas à passer la frontière pour s'adonner aux frissons des jeux d'argent interdits chez eux. Musulmans, chrétiens, juifs. Tous hypocrites !

Deux cents mètres, annonça la voix féminine du GPS.

La cathédrale apparut juste à la sortie du rond-point de la place Komitas, au fond d'une allée goudronnée bordée de réverbères orangés. Kyrill observa la façade de pierres ocre. Ainsi, c'était cela le Saint-Siège de l'Église apostolique arménienne, le Vatican byzantin, la première église du plus ancien État chrétien : cette petite église haute de moins de cinquante mètres, dont l'architecture semblait avoir été bricolée, restaurée sans cohérence catastrophe après catastrophe.

Les deux Mercedes se garèrent. Par réflexe, Kyrill détailla les alentours. Il était un peu plus de 6 heures du matin. Personne ne traînait encore sur l'esplanade. L'heure idéale, avec pour seul gardien des lieux le mont Ararat.

Kyrill se fit la réflexion qu'il ne remarquait même plus l'immense montagne, depuis le temps qu'il bourlinguait dans le coin, qu'il passait les frontières de ces confettis d'empire qui se mélangeaient autour de l'Ararat. Turquie, Iran, Irak, Arménie, Azerbaïdjan,

Nakhitchevan. D'habitude, il oubliait le géant. Pas aujourd'hui.

Zeytin sortit du second monospace, accompagné de ses six hommes. Il s'avança vers Kyrill en ajustant la bandoulière de sa kalachnikov. Lui aussi se tourna vers le mont Ararat.

— C'est vrai ce qu'on raconte, Kyrill ? Que les moines de la cathédrale Sainte-Etchmiadzine pouvaient voir d'ici, à la lunette, l'arche de Noé échouée sur le mont ? Qu'ils la montrèrent aux voyageurs pendant des siècles ?

— Vrai, confirma Kyrill. Sauf qu'on sait depuis Navarra que ce n'était pas l'arche qu'ils voyaient, mais un piton rocheux qui lui ressemblait vaguement.

Zeytin sourit. Il alluma une cigarette.

— Et la relique alors ? Le morceau de poutre de l'arche dans la cathédrale ?

— Tout ce dont je suis sûr, dit Kyrill, c'est la fortune qu'elle représente. Pour le reste…

Un mercenaire se glissa derrière eux. Jalil, un Arménien.

— C'est saint Jacob qui l'a descendue. C'est ce qu'on me raconte depuis que je suis môme. Jacob était un moine perdu sur l'Ararat. Mort de soif. Un ange est apparu, a fait jaillir une source et lui a confié un morceau de bois de l'arche. Jacob est redescendu et on en a fait un saint. Ils ont construit la cathédrale autour d'un morceau d'arche. La source existe toujours là-haut, le seul point d'eau de tout l'Ararat, à ce qu'il paraît.

Jalil cracha son chewing-gum avant de poursuivre.

— L'ange avait prévenu Jacob. Le morceau d'arche était une preuve qui dispensait les hommes de gravir l'Ararat. Depuis, tous les Arméniens considèrent le mont comme sacré.

Kyrill s'avança avec un rictus méprisant :

— Alors reste dehors, Jalil, si tu as peur des profanations.

L'Arménien crispa les doigts sur le canon de son fusil d'assaut et ouvrit la bouche pour bredouiller des excuses. Kyrill ne lui en laissa pas le temps.

— Depuis Jacob, un paquet de tarés ont grimpé sur l'Ararat pour chercher les traces de cette putain d'arche. Alors Jalil, me fais pas chier avec tes légendes de lieux protégés par les anges pour éloigner les curieux ! On va juste faire notre travail, récupérer ce qui reste de l'arche. Quelques reliques. Quelques reliques dispersées dans le monde. Ou des preuves, appelle ça comme tu veux. Le boulot pour lequel on nous paye est de les rassembler.

— Pourquoi ? glissa Zeytin.

— Va savoir. Pour le fric au moins. Ça te suffit ?

— Ouais.

— Allons-y.

Les quatorze hommes armèrent leurs kalachnikovs et franchirent les quelques mètres qui les séparaient de la porte de la cathédrale.

3

Bibliothèque apostolique vaticane

La Bibliothèque apostolique vaticane est la troisième au monde par le nombre de livres qu'elle abrite : près de deux millions, rangés sur plus de quatre-vingts kilomètres de rayonnages. Livres liturgiques mérovingiens, évangéliaires médiévaux, exemplaires en vélin de la Bible, codex aztèque… Autant de trésors excitant la curiosité des milliers de visiteurs romains ou venus de toute l'Europe, frustrés cependant de ne pas avoir accès aux trois salles des fameuses archives secrètes du Vatican, créées en 1610 par Paul V.

Depuis l'an 2000, l'ensemble de ces archives secrètes est ouvert aux chercheurs : une poignée d'universitaires, une centaine par jour au maximum, qui bénéficient des plus hautes recommandations scientifiques.

Zak avait mis des mois pour obtenir l'autorisation ! Il consulta une nouvelle fois sa montre tout en se penchant distraitement vers un registre des bulles papales du XVIIIe siècle. Les salles des archives n'étaient ouvertes que de 8 heures à 13 heures. Dans quelques minutes, tous les visiteurs allaient être invités à sortir. Zak observa avec discrétion la pièce, les yeux plissés, feignant la concentration du chercheur qui ne remarque plus l'incroyable beauté de la salle, le parquet lambrissé, l'enchevêtrement de fresques peintes sur la voûte, les murs recouverts d'immenses placards de chêne, tous débordant d'archives poussiéreuses.

Un lieu improbable.

Zak s'empara d'un nouveau registre, 1761-1762, le tint quelques instants dans ses mains, puis le rangea, presque au même endroit. Pas tout à fait. Une étagère au-dessus.

Un frisson d'angoisse lui parcourut le dos, même s'il savait que ni les bibliothécaires ni les universitaires ne remarquaient son manège ; pas plus aujourd'hui que les jours précédents. Il était prudent. Il ne déplaçait qu'un livre ou deux par heure, jamais plus. Des gouttes de sueur perlaient dans son cou. Il venait de changer la place du dernier volume ! Livre après livre, en une semaine, il était parvenu à libérer dans le placard de chêne un espace d'un peu plus d'un mètre sur une profondeur de cinquante centimètres. Une dérisoire étagère vide parmi les kilomètres de rayonnages dissimulés derrière les portes massives… Quel bibliothécaire aurait pu le remarquer ?

Un garde suisse entra dans la salle et agita une petite cloche de cuivre. C'était le discret signal du départ. Un bref instant, la salle de méditation connut un semblant d'agitation. Serrant la ventouse au creux de sa main, Zak évalua une dernière fois les regards espions. Il ne craignait rien des caméras de surveillance, il avait choisi la seule portion de placard qu'elles ne couvraient pas, dans l'angle nord-ouest de la pièce. Les alarmes, elles, n'étaient enclenchées qu'une fois le dernier visiteur sorti. Les bibliothécaires lui tournaient le dos, rangeant les ouvrages consultés dans la matinée.

Maintenant !

Zak se pencha et exécuta en moins de deux secondes les gestes auxquels il s'exerçait depuis un mois : coincer son corps dans le minuscule espace, sans un bruit, et, dans le même mouvement, coller la ventouse sur la façade intérieure de la porte de chêne du placard et la refermer sur lui.

Se terrer dans l'obscurité totale.

Attendre.

4

Etchmiadzine, Arménie

Les quatorze mercenaires, arme au poing, pénétrèrent dans la cathédrale Sainte-Etchmiadzine. Immédiatement, la maigre assistance cessa de chanter. Elle se réduisait à une douzaine de personnes. Des vieilles femmes pour la plupart. Une mère avec ses deux enfants. Quelques hommes.

Au fond de la cathédrale, près de l'autel, le prêtre et son diacre se figèrent, telles deux statues de cire dans leur soutane rouge vif cousue d'or. Les mains du prêtre se crispèrent sur la lourde croix de bois devant lui. À ses côtés, seul l'encensoir d'argent continuait de se balancer au bout du bras du diacre.

— Le Khengargoutioun, glissa Jalil en pointant son arme. La cérémonie de l'encensement. Le début du rite byzantin.

Le timbre rauque du prêtre déchira le silence.

— Qui êtes-vous ?

Kyrill embrassa d'un regard circulaire l'intérieur de la cathédrale, indifférent au charme des mosaïques persanes. Il devait faire vite, ne laisser aucun témoin derrière lui. Sa réponse claqua.

— Ce ne sera pas long. Les clés du reliquaire. Celui qui contient le fragment de l'arche.

Kyrill avait étudié les plans avec précision. Le reliquaire reposait dans le transept nord. La voix du prêtre tonna à nouveau.

— Vous êtes dans la maison de Dieu ! La plus vieille église au monde. Cette relique est…

Sans même attendre la fin de la réponse de l'ecclésiastique, Kyrill esquissa un signe de tête vers Morad. L'adolescent passa sa main dans sa tignasse blonde pour l'ébouriffer, serra le poignard de corne dans sa main et avança vers l'homme le plus proche, un vieillard courbé et ridé qui n'avait cessé, depuis leur entrée, de murmurer des prières.

L'homme comprit.

Ses lèvres remuèrent plus vite encore. Il ne fit aucun autre mouvement à part écarquiller vers Morad ses immenses yeux bleus et serrer ses mains sur sa casquette de velours. Un souffle d'air. Le geste du bras de Morad ressembla à celui que l'on fait pour écarter un moustique. Presque élégant.

La lame du poignard trancha net la gorge du vieillard. Il s'écroula en renversant trois chaises.

La mère couvrit les yeux de ses enfants. Une vieille se signa. D'autres chaises grincèrent. Le prêtre lâcha la croix de bois qui tomba dans la nef dans un vacarme assourdissant.

— Mon Dieu, qui êtes…

— Pressés. Nous sommes pressés. Les clés du reliquaire, vite…

Derrière eux, des pas résonnèrent sur le pavé. Le son d'une course désespérée. Kyrill ne prit même pas la peine de se retourner. Zeytin s'en chargea. Le fuyard sortait d'une chapelle du déambulatoire, dissimulé par un pilier. L'homme devait avoir une cinquantaine d'années, il était vêtu de ce costume gris usé que portent les miséreux qui n'ont pas encore vendu leur dignité. Il eut juste le temps de poser la main sur la lourde porte de bois. La rafale le cloua sur place. Une vingtaine de balles se plantèrent indifféremment dans le corps de l'homme et dans la porte de chêne.

— Pauvres fous, fit le prêtre.

Sa main glissa sous sa soutane rouge. Il en sortit un jeu de clés.

— Soyez maudits…

À son côté, les maillons de la chaîne de l'encensoir s'entrechoquaient en un carillon obsédant au bout de la main tremblante du diacre.

— Voilà qui est plus raisonnable, murmura Kyrill.

Le chef des mercenaires pivota vers Morad et Zeytin, distribuant ses ordres à voix haute.

— Finissons-en. Morad, tu m'égorges le prêtre et son diacre sur l'autel. Zeytin, tu me fais sortir tout ce beau monde dehors, on va les fusiller derrière l'église.

Au commandement de Kyrill, treize fusils d'assaut se braquèrent sur les fidèles, interdisant tout mouvement de panique. L'Arménienne hurla en serrant ses enfants contre elle. Soudain, dans la nef, un homme se jeta à genoux.

— Non. Je vous en supplie.

Zeytin pressait déjà la détente de sa kalachnikov, visant le cœur de l'homme à terre. Kyrill tendit le bras.

— Stop…

L'homme agenouillé avait supplié en français !

Kyrill prit quelques secondes pour réfléchir. Il pouvait se permettre de tuer douze Arméniens, des femmes, des enfants, un prêtre… Cela déclencherait une vive émotion dans tout le pays, mais ils auraient alors passé la frontière depuis longtemps… La communauté internationale se ficherait de ce massacre, une boucherie presque quotidienne chez ces barbares orientaux.

Mais en revanche, s'il tuait un Français…

Il avait beaucoup appris de ses longs séjours en Europe. Les hommes politiques occidentaux étaient prisonniers des médias et les médias prisonniers de l'émotion publique. Un Français assassiné en Arménie… Il connaissait l'engrenage. Un juge antiterroriste serait désigné, un président de la République en ferait une affaire personnelle, ainsi que des associations, des journalistes, la famille, la diaspora. Un mandat international serait lancé contre le commando.

Une affaire d'État ! Ils ne lâcheraient pas l'affaire avant d'avoir un coupable à livrer en pâture à l'opinion occidentale.

Kyrill marmonna un juron pour lui-même. Un Français dans l'église ! Le grain de sable imprévu. Ce type avait déjà vu un Arménien se faire égorger et un autre se faire cribler de balles. Il ne pouvait pas se permettre de le laisser assister au reste du massacre, mais le tuer, c'était se coller un gros sac d'emmerdes sur le dos.

5

Bibliothèque apostolique, Vatican

Les heures obscures défilaient. Zak patientait, perclus de crampes, comme enterré vivant dans un cercueil trop petit. Une atroce odeur de poussière mêlée de détergent antimoisissure récurait sa gorge et ses narines. C'était le seul détail qu'il n'avait pas prévu. Pour le reste, son plan s'était déroulé avec une simplicité enfantine. Il lui avait suffi d'un peu d'observation. En se documentant, Zak avait appris que tous les tours de grande illusion, des malles des Indes aux femmes coupées en deux, se fondaient sur le même principe : la capacité du corps humain à se contorsionner pour entrer dans un espace minuscule. Une simple question d'entraînement et de volonté. Depuis un mois, dans son appartement Via delle Quattro Fontane, Zak dormait dans un buffet Ikea de la taille de l'étagère de la bibliothèque. Jour après jour, au réveil, les courbatures étaient devenues moins douloureuses.

Sept heures déjà qu'il se terrait dans le placard. Dans le silence de la salle vide des archives secrètes, Zak laissait son esprit s'envoler librement… Invariablement, ses pensées voguaient vers l'enfer. N'était-ce pas pour franchir ses portes qu'il soumettait son corps à une telle torture ?

L'enfer, dans toutes les grandes bibliothèques du monde, est le nom donné à la salle fermée au public où sont remisés les ouvrages interdits. Mais de tous les enfers, celui de la Bibliothèque apostolique vaticane était sans aucun doute le plus fascinant. Sur tous les forums Internet, on décrivait l'enfer de la bibliothèque du Vatican comme un lieu où seul le pape était autorisé à pénétrer ! Les blogs que Zak avait lus en boucle fantasmaient sur la pièce la plus secrète de la planète, où l'Église aurait stocké les ouvrages censurés depuis le Moyen Âge, manuels de sorcellerie, bibles noires, formules d'alchimistes…

Mais l'enfer renfermait surtout les textes apocryphes : l'ensemble des récits bibliques ou évangéliques que, pour diverses raisons, l'Église n'avait pas retenus comme officiels. Loin d'être gravée dans le marbre, la Bible n'est en réalité qu'une compilation de textes, de récits et de poèmes disparates, sélectionnés, triés, modifiés au fil du temps, au moins jusqu'au XIXe siècle.

Zak tenta de soulager son coude douloureux coincé contre la porte de chêne en se déplaçant avec précaution de quelques centimètres. La plupart de ces récits apocryphes présentaient peu d'intérêt, et c'est d'ailleurs pour cela que les canons chrétiens les avaient écartés. Le plus souvent, ces textes prétendument secrets étaient consultables en intégralité simplement en tapant leur nom sur un moteur de recherche d'Internet.

En théorie…

Car qui, à l'exception des rares élus entrés dans l'enfer de la bibliothèque du Vatican, pouvait comparer le texte original avec les traductions jetées en pâture aux internautes ? Que contenaient en réalité les Évangiles de Thomas, Pierre, Judas, Philippe ? Les Testaments des douze patriarches ? Les Psaumes de Salomon ?

Et surtout, secret parmi les secrets, quelle vérité se dissimulait dans le plus convoité de tous les récits apocryphes, celui pour lequel Zak souffrait le martyre depuis sept heures, jouait sa vie sur un coup de dés, sur un numéro de funambule échafaudé depuis des semaines ?

Le Livre d'…

Zak tressaillit. Il venait d'entendre distinctement un bruit de porte dans la salle 2. Nous y sommes, pensa-t-il, soulagé.

Rester concentré. Ne surtout faire aucun bruit.

On approchait. Deux hommes, un pas lourd et un autre plus léger. Comme prévu.

Zak, au fil de ses recherches, avait appris que les légendes entourant la salle de l'enfer, par exemple celle prétendant que seul le pape pouvait y pénétrer, n'avaient aucun sens. L'enfer, au fond, n'était qu'une salle de bibliothèque comme les autres. Et une bibliothèque doit respirer, faire l'objet d'attentions précises, professionnelles, de soins d'autant plus fréquents que les livres à conserver sont anciens, précieux, fragiles. Plus que dans toute autre salle, il était impératif de surveiller la température et l'hygrométrie de l'enfer ;

de nettoyer, aérer, restaurer. Et même, désormais, à l'ère informatique, de numériser.

Conserver, vaincre la morsure du temps, revenait à agir souvent et efficacement. L'enfer, comme les autres pièces de la bibliothèque, avait droit à sa toilette quotidienne.

Les bruits étaient maintenant tout proches, comme si on stationnait derrière la porte de chêne. Zak s'efforça de ne pas paniquer : les sons dans la salle vide résonnaient en un écho de cathédrale, les travailleurs de la nuit s'activaient dans toute la bibliothèque, pas spécialement devant son placard.

N'empêche… Zak n'osait même plus respirer.

Le plus difficile l'attendait, pourtant.

Dans quelques heures, il devrait passer à la seconde étape de son plan. Un pari d'une audace insolente.

6

Etchmiadzine, Arménie

Dans la cathédrale, l'odeur d'urine se mêlait aux parfums d'encens. Le Français se tenait maintenant juste devant Kyrill, l'entrejambe de son pantalon inondé.

— *Victor Peyre*, fit Kyrill en épelant chaque syllabe. 5, avenue Daumesnil. Paris.

Il rangea la carte d'identité dans sa poche et confia le portefeuille à Zeytin.

— Fous le camp ! J'ai ton nom, ton adresse. Si avant une heure tu préviens quelqu'un, la police ou n'importe qui, si tu racontes le moindre détail de ce que tu viens de voir, on te retrouvera. Toi. Ou si ce n'est pas toi, ta famille. N'importe quand, n'importe où. Ta fille, ta mère, on trouvera. Tu m'as bien compris ?

Victor Peyre tremblait comme une feuille. Kyrill colla la kalachnikov sur son front.

— Compris ? Tire-toi. Et oublie.

Le mercenaire ouvrit la lourde porte de chêne. Il suivit des yeux le Français et le vit courir maladroitement, chercher ses clés, démarrer son 4×4. Un Nissan

Patrol rouge. Accélérer dans l'allée. Disparaître après la place Komitas.

Kyrill afficha un rictus de dédain en voyant fuir le Français…

— Mieux vaut ne pas traîner, glissa-t-il. On nettoie tout et on file.

Le commando de Kyrill n'avait que quelques kilomètres à franchir pour se mettre à l'abri, au Nakhitchevan, la république autonome azérie. La frontière était théoriquement fermée entre l'Arménie et l'Azerbaïdjan, mais, dans ces confins d'empire, le pouvoir appartenait à ceux qui pouvaient payer… C'est-à-dire à ceux qui faisaient fonctionner le commerce, les filles, la drogue, le pétrole, les gosses… À ceux qui étaient capables de se foutre des douanes. Le cercle vertueux des mafieux !

— Allez, on termine le travail…

Les dix fidèles étaient alignés, adossés au mur de la cathédrale. Côté nord, invisible de la rue. La mère et ses deux enfants. Trois vieilles. Une fille un peu forte d'une quarantaine d'années. Trois hommes, plutôt âgés.

Les six mercenaires tenaient les Arméniens en joue, n'attendant que le feu vert de Kyrill pour tirer. Morad et Zeytin étaient restés dans la cathédrale, avec cinq hommes, pour s'occuper du prêtre, du diacre, récupérer la poutre de l'arche et piller au passage ce qu'ils trouveraient : autres reliques, tableaux, sculptures…

Kyrill dévisagea les condamnés. Il n'éprouvait que du mépris pour ces inconnus, le même que pour ce Français qui avait fui en se pissant dessus. Ces Arméniens se laissaient abattre sans même protester, juste accrochés à leur putain de foi. Cette mère ne tentait rien pour sauver ses enfants. Les doigts de cet homme s'accrochaient à un chapelet, ne recherchaient aucune arme de fortune, n'importe quoi, une pierre, une branche. Au fond, ces moutons n'avaient que ce qu'ils méritaient.

L'abattoir.

Kyrill allait baisser son bras pour signifier aux six mercenaires alignés en peloton d'exécution d'en finir, d'envoyer ces ruminants pâturer pour l'éternité les prairies de leurs paradis promis.

Un crissement de pneus lui fit tourner la tête.

Il ne percevait qu'un bruit de moteur, des graviers projetés à l'angle de l'église. Un brutal coup de frein, un véhicule qui accélérait, qui se rapprochait.

Instinctivement, Kyrill braqua son arme devant lui.

La voiture surgit de derrière l'église. L'espace d'un instant, Kyrill crut qu'il rêvait.

Impossible, pensa-t-il. Cela n'a aucun sens.

7

Bibliothèque apostolique,
salle des archives secrètes, Vatican

Un orteil se réveilla. Puis un autre.

Zak bougeait chacun de ses membres avec application, centimètre par centimètre. C'est la méthode que lui avait indiquée le kiné pour éviter toute courbature. Il était 1 heure du matin, Zak patientait maintenant depuis douze heures dans le placard. Le bruit des agents d'entretien s'était un peu éloigné. Zak percevait le son étouffé du moteur d'un aspirateur, dans une autre salle.

C'était le moment, l'étape la plus technique de son plan : une opération de transformisme à l'aveugle !

Zak portait sur lui une partie de l'uniforme, il devait déboutonner sa chemise et ôter son jean par de savants mouvements reptiliens ; seules les longues chausses bicolores étaient rangées dans son sac. Avec un peu d'entraînement, il n'y avait là rien de bien compliqué. Le plus difficile avait été de dénicher la tenue. Zak avait versé une fortune à une sorte d'intermédiaire mafieux qui lui avait fourni un uniforme de garde suisse plus vrai que nature, le costume cramoisi réservé aux officiers, plus rare et moins folklorique que celui au pantalon bouffant rayé rouge, jaune et bleu des soldats du Vatican.

À force de contorsions silencieuses, Zak parvint à enfiler sa panoplie. Dans un instant maintenant, il surgirait du néant, mais il restait un dernier détail à régler pour que sa mise en scène soit complète. Pas le plus désagréable… La main de Zak glissa dans le sac et tira une cigarette du paquet. La lumière du briquet éclaira brutalement l'obscurité de l'alcôve. Zak cligna des yeux. Il fuma longuement, savourant chaque bouffée, déjà concentré sur la suite de son plan.

Lorsque la cigarette ne fut presque plus qu'un mégot, Zak tendit une nouvelle fois l'oreille. Les seuls bruits provenaient des autres salles. Il poussa doucement du pied la porte de chêne. La lumière blanche lui explosa la rétine. Il remua ses jambes pour disperser les dernières fourmis qui couraient le long de ses membres, ajusta rapidement son pantalon rouge, puis marcha en direction des bruits sourds dans la pièce voisine.

Volontairement, il fit claquer ses semelles dans les immenses couloirs vides. Il fallait que les agents d'entretien l'entendent arriver.

Un visiteur ? À 1 heure du matin ?

L'effet de surprise jouait un rôle crucial dans son plan insensé.

Eugenio et Guido se figèrent en entendant le bruit de pas dans la seconde salle des archives. Depuis bientôt trois ans qu'ils passaient leurs nuits à assurer l'entretien de la Bibliothèque apostolique vaticane, il était excessivement rare qu'ils croisent quelqu'un. Les vigiles ne montaient pour ainsi dire jamais jusqu'ici. Les deux Italiens n'eurent guère le temps de se poser davantage de questions, l'ombre masqua la porte quelques instants, puis avança dans la lumière.

Ils reconnurent d'abord l'uniforme cramoisi. Un officier.

Visage fermé.

Détail supplémentaire, extravagant dans cette pièce.

Le gradé tenait dans sa main gauche un mégot de cigarette.

L'officier dévisagea longuement les deux agents, statufiés, balai à la main. Il ne prononça qu'un mot, en montrant le mégot.

— Qui ?

Eugenio et Guido se regardèrent, incrédules. Aucun n'ouvrit la bouche.

L'officier attendit encore un moment, soupira, puis reprit d'une voix lasse.

— Bien. Je suppose qu'aucun de vous n'est au courant.

Il n'avait toujours face à lui que deux masques muets de stupéfaction.

— Je vais donc devoir entrer dans les détails, fit le gradé. Il y a un mois, le gardien de la salle 3, en ouvrant la bibliothèque le matin, a découvert un mégot dissimulé dans la bouche d'aération des toilettes du troisième étage. L'incident s'est reproduit deux fois depuis. Après une discrète enquête, il n'existe qu'une explication : le fumeur agit la nuit et il est suffisamment familier des lieux pour ne pas déclencher les détecteurs de fumée. Or, vous êtes bien placés pour le savoir, une seule équipe effectue en nocturne le ménage de ces étages.

L'officier marqua une pause, puis continua.

— Une seule équipe. Vous deux !

Un silence de mort ponctuait chaque phrase du gradé.

— Je ne vous fais pas de dessin, messieurs. Fumer dans les salles du Vatican…

Eugenio et Guido semblaient deux marionnettes de chiffon accrochées à leurs manches de balai. L'homme à l'uniforme cramoisi considéra longuement le moignon de cigarette.

— J'ai trouvé un mégot, il y a quelques minutes. Dans les toilettes, toujours au premier étage. Je vais donc supposer qu'il n'y a qu'un seul coupable… Je fais alors deux hypothèses. Vous vous prénommez Eugenio et Guido, c'est bien cela ?

Les deux agents livides hochèrent la tête.

— Donc, Eugenio, Guido, un seul fumeur. Deux solutions. Soit celui qui ne fume pas est au courant du manège de son petit camarade et le dénonce. Je ne promets pas qu'il pourra pour autant conserver son emploi, mais il bénéficiera, disons, de circonstances atténuantes. Soit, seconde solution, celui qui ne fume pas ne sait rien, et son petit camarade a alors tout intérêt à se dénoncer… Parce que, vous avez compris, je suppose, si aucun de vous ne parle… c'est le renvoi assuré pour tous les deux. Doublé d'une plainte retentissante.

Les quatre yeux se fixèrent sur le mégot. Eugenio et Guido semblaient perdus dans leurs pensées, comme s'ils cherchaient à se souvenir de chaque détail des longues nuits passées ensemble dans ces salles voûtées.

Zak se raidissait d'indignation. Sous son masque de marbre, il pouvait deviner avec précision le cheminement des pensées des deux agents d'entretien. Chacun se savait innocent ! Chacun était donc persuadé que le coupable, c'était l'autre… et attendait qu'il se dénonce.

Guido contre Eugenio.

Deux amis qui avaient passé près de mille nuits ensemble.

L'hypothèse que l'officier en face d'eux soit un imposteur n'entrait pas en ligne de compte. Pas encore. Zak faisait durer. Son visage sévère jouait l'instituteur inflexible. Le temps jouait pour lui. Plus les secondes passaient, plus la haine entre les deux hommes d'entretien s'insinuait, montait, engloutissait des années d'amitié.

Eugenio contre Guido.

Chacun des deux avait maintenant la certitude que l'autre n'était qu'un salaud, qui non seulement l'avait entraîné dans cette galère en clopant en douce dans la galerie – quelle folie ! –, mais, de surcroît, cet enfoiré refusait de se dénoncer et lui faisait porter le chapeau, l'entraînant avec lui au fond de ce précipice : la perte d'un poste en or ; la certitude, ensuite, de ne jamais en retrouver un autre dans tout Rome.

Guido et Eugenio s'épiaient.

Guido tenta de sortir la tête de l'eau.

— Vous… vous êtes certain que c'est l'un de nous deux ? Cela… cela ne me semble pas possible. Le système d'alarme n'est débranché que dans les pièces où nous passons. Nous travaillons ensemble presque toute la nuit. Sauf quelques minutes lorsque nous changeons de pièce mais…

Zak tendit le mégot sous le nez des deux Italiens, puis souffla dessus. Le bout de cigarette rougit un peu et éclaira un sourire de flic sadique.

— Qui ? Qui d'autre que vous deux, à cette heure, dans les couloirs du Vatican ?

Guido baissa la tête.

Zak la leva, droit devant lui.

— Bien. Après tout, nous pourrons régler cela demain. Vous aurez une nuit pour réfléchir, pour vous souvenir des détails. Pour vous aider, sachez que l'on a retrouvé les autres mégots dans la salle 5 et…

Zak prit une pause calculée et pria intérieurement pour que sa voix ne tremble pas :

— Le deuxième mégot a été retrouvé, écoutez-moi bien, non pas dans les toilettes cette fois, non ! On l'a retrouvé dans l'enfer !

Des gouttes de sueur perlèrent sur le front d'Eugenio.

— D'ailleurs, en attendant que la mémoire vous revienne, je vais me permettre une inspection plus approfondie…

Zak tendit la main.

Les clés !

Guido n'hésita pas une seconde. Penaud, il confia à l'officier l'épais trousseau qui pendait à sa taille.

— Merci. Je vais faire le tour des pièces. J'espère de tout cœur pour vous que je ne vais pas sentir ailleurs d'odeur de tabac, découvrir un autre…

Zak ne termina pas sa phrase. Eugenio et Guido transpiraient à en tremper la serpillière à leurs pieds.

— Continuez le ménage en m'attendant !

Sous le regard consterné des deux agents, Zak s'éloignait déjà, le trousseau de clés tintant au bout de sa main. Il se retenait de marcher trop vite. Il connaissait par cœur les plans de la bibliothèque, il savait que l'enfer se trouvait tout au bout d'un dédale de couloirs, derrière une porte lambrissée.

Attendre encore, fureter, donner le change.

Ne pas se précipiter tout de suite en direction de cette pièce. L'enfer du Vatican. L'alcôve inviolable abritant tous les fantasmes de la planète.

Son cœur cognait à toute vitesse sous son pourpoint cramoisi. Zak ne parvenait pas à y croire. Il avait gagné. Seul contre tous.

Derrière ces lambris, tous les secrets du monde.

Un en particulier.

Le Livre d'Enoch.

8

Etchmiadzine, Arménie

La poussière ocre dansa sur le parvis de la cathédrale Sainte-Etchmiadzine.

« Impossible », hurla mentalement Kyrill.

Cela ne dura qu'un instant. Kyrill écarquilla les yeux. Ses paupières furent les seuls muscles qui eurent le temps de bouger. Le Nissan Patrol rouge dévora les quelques mètres qui le séparaient encore du mercenaire et de ses hommes alignés.

La seule pensée qui inonda le cerveau de Kyrill, comme un torrent en crue, fut qu'il venait de commettre la seule erreur d'appréciation de sa vie de mercenaire. La seule et la dernière.

Pourquoi ce Français qui venait de pisser dans son froc, qui avait fui à toutes jambes, revenait-il ?

Seul.

Kyrill aperçut en une fraction de seconde son visage derrière le volant. Un masque froid de détermination qui n'avait plus rien à voir avec celui d'il y a quelques minutes, celui de l'Occidental terrifié. Ce salaud lui avait joué la comédie…

L'instant suivant, Kyrill vola au-dessus du pare-buffle. Le 4×4 lancé à toute allure faucha comme autant de quilles les sept mercenaires. *Strike !* Pas un n'eut le temps de modifier l'orientation de sa kalachnikov. Pas un coup de feu n'avait été tiré.

Le sang coulait devant les yeux de Kyrill. Il sentait qu'irrémédiablement il perdait le contrôle de chacun de ses muscles, incapable même de ramper. Il devinait dans un flou rougi les neuf Arméniens, femmes, vieillards et enfants, s'entassant en hâte dans le Nissan.

Pouvait-on avoir entendu de l'intérieur de l'église le bruit du moteur ? Le choc des corps ? Morad ? Zeytin ? Qu'est-ce qu'ils fichaient ?

Il refusait de mourir ainsi, dans le caniveau, tel un bovin destiné à l'étal du boucher. Au prix d'un effort démentiel, Kyrill bougea le bras, fouilla dans sa poche.

Il commit alors sa seconde erreur. La deuxième en moins de quinze secondes. La loi des séries sans doute, lui qui se prétendait infaillible.

Il sortit son téléphone portable.

Deux clics.

Morad entendrait, Morad viendrait. Le bras de Kyrill se replia doucement. Son poignet le faisait affreusement souffrir, mais son pouce pouvait encore bouger. Cela suffirait.

Le bruit du moteur se rapprocha. L'odeur de caoutchouc brûlé s'intensifia, jusqu'à devenir insupportable. Ce fut la dernière impression de Kyrill.

La roue crantée du 4×4 s'immobilisa sur son bras. Deux tonnes. En un éclair, la portière s'ouvrit, une main se pencha et récupéra le téléphone portable au creux de la main pétrifiée.

Aussitôt, le Nissan démarra.

Le 4×4 avait disparu depuis de longues secondes lorsque Morad se précipita au secours de Kyrill. Il prit dans ses bras le corps du mercenaire secoué de spasmes, indifférent aux six autres mercenaires allongés quelques mètres plus loin, morts pour la plupart. Handicapés à vie au moins.

— On se casse, beugla Zeytin. J'ai cette putain de poutre.

Morad ne se retourna pas. Le sang de Kyrill maculait son pull vert et son écharpe rouge. Il se pencha encore, approcha son oreille de la bouche de son mentor. Kyrill Eker s'exprimait d'une voix rauque, presque sans articuler.

— Je… je l'ai mérité, Morad. On doit payer ses erreurs. Cash. Souviens-t'en, Morad. Retourne au Nakhitchevan, à Ishak Pacha. Parastou Khan te protégera. Il est puissant, la police, l'armée, les imams ne peuvent rien contre lui.

Kyrill toussa. Sa gorge n'était qu'un lac inondé de sang.

Zeytin s'agitait derrière. Le moteur de la Mercedes rugissait déjà. Kyrill chuchotait désormais.

— Ne crois pas aux religions, Morad, aux superstitions, aux légendes. Seul compte l'argent.

Kyrill cracha des glaires écarlates avant de continuer.

— Surtout, n'oublie jamais la règle. Le théorème de Cortés. C'est la seule règle qui compte, Morad. Tu es doué. Rapide. Intelligent. Réunis les pièces de l'arche.

Toutes les pièces. Avec la protection de Parastou Khan, tu ne craindras rien. Achève la mission. Rassemble les preuves, aux quatre coins du monde. Mais… mais n'oublie pas le plus important.

Ce n'était plus qu'un murmure, Morad dut encore se pencher.

— Le plus important, Morad. Toutes ces pièces n'ont de sens que si tu retrouves le témoin… le seul témoin qui ait raconté la véritable histoire… le seul qui puisse nous mener au secret de l'arche…

Les paupières du mercenaire clignèrent une dernière fois.

— Enoch… Lui seul savait. Enoch… et ceux avec qui il a partagé son secret.

Kyrill ferma doucement les yeux. Sa tête tomba en arrière.

— Non ! hurla Morad.

L'adolescent agita un bras désespéré vers Zeytin, puis fouilla rapidement les poches de son protecteur. Il extirpa la carte d'identité du Français. Victor Peyre. Un sauvage désir de vengeance déforma ses traits juvéniles.

Zeytin klaxonna. Quand Morad se releva, un objet brillant sur le trottoir attira son attention. À côté du corps inerte de Kyrill, il saisit entre ses doigts une minuscule chaînette en or, presque un bracelet d'enfant. Un bijou banal, à une seule exception : le pendentif.

Une licorne. En or elle aussi.

9

L'enfer, Bibliothèque apostolique vaticane

Zak ferma derrière lui la porte de l'enfer. Dans l'instant qui suivit, il déclencha le chronomètre de sa montre réglé très exactement sur trois minutes. Depuis des semaines, il avait minutieusement programmé le temps qu'il devait passer dans la pièce secrète, répétant chaque geste avec la même précision qu'un chercheur de trésor qui plonge en apnée pour fouiller une épave. Il ne devait surtout pas laisser l'ivresse le gagner face à la profusion de trésors. Le stratagème de Zak reposait sur l'effet de surprise. Le choc émotionnel. De combien de temps disposait-il avant qu'Eugenio et Guido, deux employés exemplaires, ne doutent de sa version ?

Trois minutes ?

C'est la durée maximale que Zak avait estimée crédible. Il appuya sur l'interrupteur. Des ampoules à basse résolution éclairèrent l'enfer d'un halo blafard. Zak traversa le long corridor à grandes enjambées. Il se permit juste un regard de droite à gauche, sans ralentir l'allure. L'enfer ressemblait à la réserve d'une gigantesque brocante. Des dizaines de sculptures, de toiles, d'œuvres d'art diverses étaient entreposées, ne laissant au visiteur qu'une mince allée pour déambuler.

Zak ne put s'empêcher de sourire, aussi troublé que subjugué.

Ainsi, la légende disait vrai…

L'enfer du Vatican n'était qu'un immense musée pornographique !

La plupart des tableaux, des bronzes, des marbres représentaient des hommes et femmes nus… positionnés par les artistes dans des acrobaties sans équivoque ! Prêtres sodomites, moines échangistes, saintes partouzes, papes priapiques. D'après les fantasmes des spécialistes, l'enfer du Vatican renfermait la plus grande collection au monde de livres et d'œuvres érotiques, le butin millénaire confisqué par une Église puritaine.

Deux minutes trente.

Malgré lui, Zak s'arrêta.

Sur un immense bas-relief de marbre était sculptée une ronde d'anges enlacés ; l'artiste avait muni les êtres ailés de flatteurs attributs génitaux masculins et féminins… Visiblement en parfait état de fonctionnement.

Le sexe des anges, pensa Zak. Une preuve de plus.

Deux minutes quinze.

Zak se secoua. Ne pas tomber dans le piège. Contempler, butiner. Il ne devait penser qu'à l'objectif. Lui seul.

Le Livre d'Enoch.

À force de recherches, de conversations et de lectures, Zak avait appris que le fameux manuscrit apocryphe était conservé dans la seconde partie de l'enfer, couloir sud-ouest. Zak avait passé des heures à mémoriser le plan de la pièce légendaire. Sans hésiter, il s'enfonça dans les couloirs, comme s'il avait passé sa vie à errer dans le labyrinthe.

Une minute cinquante.

Il s'immobilisa soudain, tremblant d'excitation.

Tout était véridique !

Le Livre d'Enoch l'attendait, dans les entrailles de l'enfer, posé quelques mètres devant lui sur un lutrin de bois sculpté.

Continuer, ne surtout pas perdre une seconde.

Zak tira de sa poche deux gants de latex puis un minuscule appareil photographique numérique. Une merveille de miniaturisation qui lui avait coûté une fortune. Il se pencha sur le livre. Les fragments de manuscrits avaient été collés avec une infinie minutie sur un carton épais beige.

« Les fragments des manuscrits de la mer Morte », murmura Zak.

Il peina quelques instants à manipuler son appareil. Ses doigts de caoutchouc glissaient sur les minuscules boutons. Il pesta.

Une minute quarante.

Un premier éclair blanc.

Zak s'efforça de tourner sans précipitation la page cartonnée. Des gouttes de sueur froide lui coulaient le long des bras. Combien d'hommes, avant lui, avaient eu accès à ce texte ? Une poignée d'initiés ; une dizaine tout au plus ?

Un autre éclair, une autre page.

Zak travaillait de façon mécanique, comme il l'avait prévu. Il ne pouvait cependant empêcher son esprit de vagabonder. Le Livre d'Enoch était sans doute le plus célèbre des récits apocryphes. Enoch était un prophète cité dans les premières pages de la Bible, dans la Genèse. Il était le septième patriarche d'avant le Déluge, le père de Mathusalem et l'arrière-grand-père de Noé. Écarté de la Bible juive et chrétienne lors du Concile de Laodicée en 364, le Livre d'Enoch avait cependant continué d'appartenir aux canons de l'Église éthiopienne orthodoxe. C'est d'ailleurs d'Éthiopie, en 1773, que, pour la première fois, l'explorateur franc-maçon écossais James Bruce avait rapporté trois exemplaires du fameux livre du prophète, recherchés par les Occidentaux depuis des siècles. Depuis, les originaux pouvaient être consultés à la Bodleian Library d'Oxford et à la Bibliothèque nationale de Paris… et leur traduction intégrale en tapant « Enoch » sur n'importe quel moteur de recherche. Par la suite, aux quatre coins du monde, à Akhmim en Égypte, dans le Michigan aux États-Unis, on avait retrouvé d'autres fragments du livre, en éthiopien, en grec, en latin, en syriaque, en copte, attestant de l'authenticité du texte. Sauf que…

Zak s'épongea le front d'un revers de manche.

Une quinzième page.

Une minute vingt.

Zak se retenait de chercher à déchiffrer les lignes qui dansaient devant ses yeux. Il en aurait tout le loisir plus tard, chez lui, à l'abri. Il ne devait penser qu'à sa quête. Le Livre d'Enoch, et ses incroyables révélations depuis James Bruce, avait perdu son fabuleux statut de texte secret… Sauf que le manuscrit original, en araméen, était considéré comme perdu à jamais… Jusqu'à la fameuse découverte des manuscrits de la mer Morte à Qumrân en 1947. Des centaines de pages, et parmi elles l'incroyable pépite, le premier Livre d'Enoch ! Cette formidable trouvaille confirma l'importance du prophète dans la littérature juive dès le début de l'ère chrétienne. Mais après 1947, jamais l'Église ne rendit publics les fragments du manuscrit original, attisant ainsi les pires rumeurs, tout en les cantonnant habilement au statut de délires ésotériques.

Zak s'épongea le front.

Cinquante secondes.

Il devait sortir maintenant. Photographier quelques dernières pages et fuir. Tant pis pour la fin du texte.

Zak feuilleta avec fébrilité les pages. Il voulait à tout prix atteindre le chapitre 58. La mythique Apocalypse de Noé. Le texte mentionné par les Anciens, dont jamais la preuve de l'existence n'avait été formellement fournie.

Quelques éclairs supplémentaires.

Trente secondes.

Maintenant !

Zak reposa le livre sur le lutrin à l'emplacement exact où il l'avait trouvé. Il s'éloigna à pas rapides en ôtant ses gants et en rangeant son appareil photographique dans sa poche. L'alarme de sa montre émit un discret carillon alors qu'il atteignait le couloir de la sortie. Il adressa un dernier regard aux anges lubriques, poussa la porte et plaqua sur sa figure le masque de sévérité qui convenait à son statut d'officier de la garde suisse courroucé.

— Je n'ai trouvé aucun autre mégot, lança Zak. Une chance…

Guido était plus pâle que le marbre du couloir. Eugenio s'accrochait à son manche de balai comme au mât d'un esquif dans la tempête. Zak plaça délicatement, du bout de ses deux doigts, le reste de cigarette dans un sac transparent.

— Demain, fit-il, 10 heures, à mon bureau. Au Saint-Siège !

Il leva le sachet devant les yeux des deux hommes et ajouta :

— J'espère que nous n'aurons pas à effectuer des tests ADN… Sa Sainteté n'aime pas trop ça…

Un trait d'humour un peu déplacé, pensa Zak. Il avait hésité à l'introduire dans le script.

Les deux autres se regardèrent et grimacèrent.

— Assez perdu de temps, conclut Zak en quittant la pièce. En dehors de cette pitoyable affaire, vous êtes tout de même payés pour faire le ménage. Non ?

Zak savait qu'il n'avait aucune chance de sortir de la Bibliothèque apostolique vaticane pendant la nuit. Alarmes, gardes, chiens, les bâtiments étaient aussi surveillés que les appartements du pape…

La ventouse glissa dans la main de Zak. La perspective de passer encore six heures dans le réduit de l'étagère lui paraissait désormais presque douce. Il lui suffisait de penser à la carte mémoire cachée dans la doublure de sa poche. Le secret le mieux gardé du Vatican tenait sur un rectangle d'un centimètre carré épais d'un millimètre.

L'ultime étape de son plan reposait sur l'hypothèse que ni Eugenio ni Guido ne parleraient à quiconque de cette affaire avant le rendez-vous de 10 heures. Ils quittaient leur service vers 6 heures du matin. La bibliothèque ouvrait au public à 8 h 45. Il lui suffirait alors de sortir discrètement, de se glisser parmi les universitaires matinaux et de quitter rapidement la bibliothèque.

Avant de tirer la porte de chêne sur lui et d'entrer à nouveau dans la nuit, Zak fut parcouru d'un frisson. Cette aventure ne faisait que commencer, il en était conscient. La course-poursuite était engagée. Il avait appris, quelques jours auparavant, l'effroyable massacre dans la cathédrale arménienne Sainte-Etchmiadzine. Les tueurs étaient à la recherche des fragments de l'arche, des extraits du récit d'Enoch sans doute aussi, de preuves, de toutes les preuves.

Ils étaient nombreux, puissants, déterminés.

Lui était seul. Contre une armée.

La partie allait maintenant se jouer simultanément dans différents points du monde, partout où une part du secret de Noé était dissimulée, à Kaliningrad, à Hong Kong, au Nakhitchevan bien entendu, à Melbourne aussi, à Palerme, à Paris… Et, dans quelques jours, à Bordeaux.

Avant même d'être sorti de cette prison de poussière, il se força à penser à la prochaine étape. Le musée d'Aquitaine.

Zak ne pourrait pas être partout. Mais à Bordeaux, au moins, il devait être présent.

Avant eux.

Mont Ararat, 4372 av. J.-C., automne

Otek cassa la branche en deux morceaux, un long et un court, puis les enfonça dans la neige, légèrement inclinés, pour que les deux segments de bois se croisent en formant un angle droit. Le vent de la montagne faisait voler la neige en bourrasques, les traces de pas d'Otek s'effaçaient presque aussitôt derrière lui, comme s'il marchait dans une rivière ; les branches permettraient de retrouver son chemin vers la grotte.

Otek huma l'air glacé. Il avait longtemps hésité à sortir. Il faisait trop froid pour chasser, mais ses enfants, Alum, Gana et Bilik, n'avaient pratiquement plus rien à manger. Sa femme Majka n'avait presque plus de lait pour le bébé. À ses côtés, Leka trottait, les poils blancs de neige, humant toute trace de vie du museau. Toute trace de vie à tuer, pour qu'eux-mêmes survivent.

Otek leva les yeux. Ses ancêtres lui avaient montré jusqu'où s'étendait leur territoire. Parfois plus bas, mais jamais plus haut, jamais vers le sommet. Ici, Otek connaissait chaque dieu de la nature, il avait appris à les apprivoiser. Otek se baissa, accueillit un flocon dans le creux de sa paume et le regarda briller malgré l'absence totale de soleil. Otek savait que, parfois, les étoiles du ciel tombaient sur la terre. Elles restaient, puis elles disparaissaient, et d'autres dieux surgissaient, de sous la terre, plus puissants encore. Des cheveux verts des dieux, capables de respirer et de se nourrir sans même se déplacer, sans chasser, sans tuer.

Tels étaient ses dieux et Otek les respectait.

Mais il savait aussi que plus haut existaient d'autres monstres. Seuls les oiseaux pouvaient les voir. Otek ne connaissait de ces monstres que les immenses langues blanches qui descendaient sur les côtés de la montagne, d'une force telle qu'elles pouvaient briser en deux les plus épais rochers. Ces langues rampaient sur leur territoire sans même qu'on les voie avancer, pour y dévorer la vie, pour les prendre au piège et les hisser jusqu'à la bouche du monstre. Il fallait se méfier. Même si les langues blanches étaient lentes, très lentes.

Leka s'arrêta soudain. Elle avait flairé quelque chose. Otek ne se précipita pas. Il disposa avec calme deux nouvelles branches croisées. Quoi qu'il arrive, il devrait retrouver son chemin. Et s'il ne revenait pas, les branches aideraient son fils Bilik à suivre ses pas.

Otek venait de repérer des traces dans la neige. Des traces d'ours. Il serra entre ses mains la lance de bois taillée.

Otek fit signe à Leka de rester en retrait. L'ours se tenait devant lui, énorme, haut de deux fois sa taille. Lui aussi avait faim. C'était sa chance, pensa Otek. L'ours attaquerait le premier.

Otek enfonça sa lance dans le sol, inclinée, il savait qu'il n'aurait pas la force de lutter contre l'animal.

Tout alla très vite. Leka sauta sur un rocher au-dessus d'eux. L'ours chargea, sans même voir le pieu pointé entre lui et sa proie coincée entre les rochers. La lance s'enfonça dans la chair de l'animal, à hauteur de sa poitrine. Il grogna, mais pourtant continua.

Immédiatement, Otek comprit. D'ordinaire, l'ours se serait enfui, emportant avec lui le pieu planté dans son cœur. Otek aurait suivi ses marques de sang, aurait pisté l'animal, à distance, jusqu'à ce qu'il tombe pour ne plus se relever.

Pas cette fois. L'ours n'avait rien mangé depuis des jours, la faim était plus forte que la douleur dans sa poitrine ; il sentait l'odeur de chair au bout de ses griffes, plus proche à mesure que la lance traversait son corps.

L'ours était condamné. Lui ne le savait pas.

Otek, si.

Lui aussi allait mourir.

Il ferma les yeux pour revoir une dernière fois sa fille, la jolie Gana ; son fils Bilik, trop jeune pour s'occuper de la famille comme un homme devait le faire. Et Majka, bien entendu ; la douceur de la peau de Majka. Il la sentait contre lui, comme une interminable caresse, lorsque le coup de griffe lui déchira la moitié du visage ; un autre, presque simultané, planta cinq flèches dans son ventre.

Ainsi, c'était cela, mourir.

L'ours titubait devant lui. La bête le fixa un long moment, comme si elle ne parvenait pas à comprendre comment un être aussi inoffensif avait pu lui faire autant de mal. Puis, doucement, la lumière dans les yeux de l'ours s'éteignit. Otek savait que les deux petites étoiles qui illuminaient le regard de l'ours allaient rejoindre le ciel, tout comme les siennes, un peu plus tard. C'était ainsi. Les vivants devaient quitter la terre pour peupler le ciel.

Un jour, dans très longtemps, lorsqu'il y aurait eu des morts, des morts et encore des morts, le ciel ne serait plus qu'un champ entier d'étoiles, aussi nombreuses et serrées que les fleurs dans les champs. Alors, la nuit n'existerait plus.

Les paupières d'Otek pesaient plus lourd qu'une pierre. Il trouva la force de donner l'ordre à Leka de retourner à la grotte. Son fils Bilik pourrait sortir, suivre ses repères de bois, trouver le cadavre de l'ours. Tous pourraient manger pendant plusieurs lunes.

Tout était bien.

Otek sentait le sang tiède couler contre sa peau. Jamais, depuis le temps de la mort des feuilles, il n'avait eu aussi chaud. Il ferma doucement les yeux. Il allait pouvoir rejoindre les autres étoiles, celles de l'ours, des loups et des oiseaux ; vivre avec elles en paix.

Jusqu'à la fin de la nuit.

Première course, Arménie, Vatican : l’arche de Noé

Deuxième course, Kaliningrad, Bordeaux, Toulouse, Melbourne : le théorème de Cortés

Troisième course, Ambert, Hong Kong : le Déluge

Quatrième course, Chartres, Igdir, Paris : les licornes

Cinquième course, Paris, Nakhitchevan : le bond en avant de l’humanité

Sixième course, Monreale, Nakhitchevan : le Livre d’Enoch

Septième course, Ishak Pacha : les Nephilim

Huitième course, Ishak Pacha, Bazargan, Dogubayazit : le protocole AHORA

Neuvième course, Grand Ararat : l’anomalie d’Ararat

DEUXIÈME COURSE

LE THÉORÈME DE CORTÉS

10

Porte royale, Kaliningrad, Russie

Le petit Kremlin multicolore tournait sur lui-même en carillonnant *Kalinka* avec entêtement. La ritournelle était censée attirer les rares touristes de la place de la Porte royale.

Pas ceux-là, en tout cas, pensa Alexei Pionerski, en observant avec méfiance les véhicules qui stationnaient quelques mètres devant lui. La moto, une rutilante Suzuki GSX-R1000, attendait déjà depuis une dizaine de minutes. Une Mercedes 190 venait de se garer à quelques mètres d'elle le long du trottoir.

Des mouettes s'envolèrent. Le vent de la mer Baltique charriait jusqu'au centre-ville les bruits du port.

Instinctivement, Alexei Pionerski se recula derrière sa table pliante de vendeur ambulant sur laquelle s'entassaient quelques pauvres bibelots ; outre le Kremlin musical, des écussons et étoiles de l'Armée rouge, des chapkas miteuses à fourrure synthétique, des poupées russes, des icônes orthodoxes, des médailles militaires en toc… Tout un bordel postsoviétique que n'achetaient plus ni les Russes, ni les Baltes, ni les Polonais. Restaient quelques Allemands égarés. Tout le stock d'Alexei tenait dans une valise qu'il baladait aux quatre coins de la ville.

Juste devant lui, le type à la moto ôta son casque. Une énorme cicatrice balafrait son crâne chauve, comme les nervures d'une immense feuille desséchée. Une tête de tueur, de porte-flingue d'un petit caïd local, le type dans la Mercedes sans doute.

Les mafias régnaient sur l'oblast désormais. Depuis soixante et onze ans qu'Alexei habitait Kaliningrad, il avait tout connu : la république allemande, le Troisième Reich, le régime soviétique, l'exode des Allemands après les accords de Potsdam, l'arrivée des Biélorusses et des Ukrainiens, puis l'ouverture après 1989... Le retour des Allemands, par trains entiers, venant de Berlin pour visiter en touristes la ville royale de la Prusse cédée aux Soviétiques, redécouvrir Königsberg, le nom de jeune fille de Kaliningrad du temps où elle était encore la capitale culturelle de la Baltique et abritait la plus célèbre université d'Europe. Puis les touristes allemands se lassèrent. En 2004, la Pologne et la Lituanie entrèrent dans l'Union européenne. L'oblast de Kaliningrad devint un étrange territoire russe coincé au milieu de l'Union européenne. Poutine en profita pour faire revenir les chars, les sous-marins et les missiles Iskander. Kaliningrad restait plus que jamais un lieu surréaliste, à la fois île et port, prison de misère pour les uns et plaque tournante du crime pour les autres. Alexei avait beau parler cinq langues, russe, allemand, polonais, anglais et lituanien, cela ne l'empêchait pas de crever de faim.

En face d'Alexei, le motard balafré s'était approché de la Mercedes. Un étrange détail surprit le vendeur ambulant : à l'extrémité du capot, l'étoile Mercedes avait été remplacée par une petite licorne en argent.

Une ville de dingues, pensa Alexei.

Son regard s'arrêta sur la voiture et ses occupants. Un peu trop longtemps peut-être. La portière de la Mercedes s'ouvrit et le motard tendit un téléphone au type assis sur le fauteuil passager. Alexei ne distinguait de lui qu'un long manteau noir. Le visage de l'homme était presque entièrement dissimulé par une large capuche, un foulard qui lui dévorait le menton et des lunettes de soleil inutiles à cette heure matinale.

Alexei se fit la réflexion que, à l'exception des mouettes faméliques, il était le seul témoin de la scène. Il était trop loin pour entendre ce que l'inconnu sous sa capuche racontait au téléphone. Tout juste percevait-il quelques mots épars lorsque le vent de la Baltique soufflait dans le bon sens.

— Morad ? Nous sommes à Kaliningrad, comme prévu. Et toi ?

— Comme prévu. En France. À Bordeaux.

— Ça se présente comment ?

— On a fait un tour discret devant le musée d'Aquitaine et étudié en détail sur Internet les plans de cette petite exposition minable. À l'exception de la poutre, évidemment. (Un rire cristallin résonna dans le combiné.) La nuit, apparemment, il n'y a que deux gardes. Ce n'est même pas certain qu'il y ait un système d'alarme.

— Restez tout de même sur vos gardes, fit la voix sous la capuche. En Arménie aussi, ça devait être un jeu d'enfants. Vous êtes sur le sol français ! Ce ne sera pas aussi simple de vous exfiltrer jusqu'à Ishak Pacha. L'influence de Parastou Khan a des limites, surtout en France.

Morad toussa.

— OK, OK.

— Et le rapport RS2A ? Des infos ?

— On réglera ça après Bordeaux. Une étape après l'autre. Le labo est à Toulouse, en plein campus universitaire, c'est à peine à deux heures de route. Je ne pense pas qu'ils s'attendent à notre visite.

— D'accord. Prudence. Pas de témoins, hein ?

— Non. J'ai retenu la leçon, répondit Morad sur un ton glacial. J'ai payé pour ça. J'apprends vite, crois-moi. On ne fera pas deux fois la même erreur. Et vous, à Kalin ?

— C'est pour demain. On ne devrait pas non plus avoir de mauvaises surprises. L'université d'État Emmanuel-Kant, ce n'est pas le Kremlin… Les mafieux du coin ne se donnent pas rendez-vous dans les bibliothèques. Demain soir au plus tard, on devrait avoir entre les mains une pièce supplémentaire du puzzle. Il ne restera plus que Hong Kong… Et ensuite…

— Bingo ! (Morad laissa à nouveau éclater un rire d'adolescent.) Retour chez nous.

— Ouais. De cette putain d'enclave russe à la nôtre, le Nakhitchevan.

Morad hésita.

— Et… je devrai t'appeler comment ?

— Cortés, répondit sans hésiter l'homme au manteau noir. Appelle-moi Cortés. C'est plus prudent.

— Cortés ? Comme le théorème ?

— En effet, tu apprends vite, Morad ! Va. Sois prudent.

— Sûr. Prends soin de toi… Cortés.

Ils raccrochèrent. Le motard balafré referma la portière, regarda autour de lui la place déserte, puis frappa deux fois sur le toit de la Mercedes. La voiture s'éloigna lentement pendant que l'homme de main enfilait son casque et enfourchait sa moto.

Alexei commençait à mieux respirer. Il s'était efforcé de conserver l'attitude distraite du type qui astiquait ses fausses médailles, qui observait les mouettes au loin, qui n'avait rien écouté, rien compris, qui n'avait pas vu la peau du type sous la capuche. Vision d'horreur ! Il en avait encore les poils dressés.

Alexei n'était qu'un témoin muet. Une tombe.

Au loin, une mère et deux enfants marchaient sur la place royale. La corne d'un porte-container, plein ouest, vers le port, fit exploser le silence, couvrant le bruit de la moto qui démarrait. Alexei souffla.

La main droite du motard disparut dans la poche de son blouson de cuir. Dans l'instant qui suivit, la main gantée réapparut. Elle serrait une arme de poing.

Alexei reconnut immédiatement la forme sombre d'un Makarov PM, l'arme favorite de l'Armée rouge.

Dans cette ville de dingues, ce n'était pas le premier qu'il voyait.

Ce fut le dernier.

La seconde suivante, la balle lui traversa le front.

11

Musée d'Aquitaine, Bordeaux, France

Zak souleva le couvercle du congélateur et sortit la tête pour vérifier qu'il n'y avait personne dans la pièce avant d'enjamber le bac. Décidément, avec un peu d'imagination et d'audace, il était facile de pénétrer dans n'importe quel lieu interdit.

Improvisation totale, cette fois.

Zak était entré il y a trois heures au musée d'Aquitaine, presque à l'heure de la fermeture. Il avait cherché un coin discret et avait découvert cette remise, derrière les distributeurs de sandwichs, de confiseries et de boissons fraîches. La suite lui avait pris moins de deux minutes : débrancher le congélateur, vider les cartons, entrer dans le coffre, attendre.

Pas toute la nuit, cette fois, seulement deux heures.

Zak errait seul dans les couloirs du musée, simplement éclairés de quelques veilleuses au-dessus des portes. Il apprécia le cadre sobre du bâtiment construit à la place de l'ancien couvent des Feuillants : marbre rose, colonnes d'albâtre, hauts plafonds. Il se laissa guider par le fléchage : « Exposition temporaire *Trésors d'ailleurs* ». Les panneaux jaunes indiquaient la direction du grand hall, au premier étage. Les quelques caméras de surveillance, disposées à l'angle des pièces, n'étaient pas difficiles à éviter en rasant les murs.

Zak s'arrêta dans l'encadrement de la porte.

Trésors d'ailleurs.

Une façon comme une autre pour la ville de Bordeaux d'assumer son passé de port négrier, pensa-t-il. Un zeste d'exotisme, une grande louche d'amitié entre les peuples, trois pincées de développement durable. Exposés sur les tables, les masques dogons jouxtaient les sagaies kanakes, les poupées inuits, les fétiches yakas... Autant de trophées rapportés en Gironde par des explorateurs plus ou moins célèbres.

Un seul, parmi eux, intéressait Zak.

Fernand Navarra.

Zak n'eut aucun mal à trouver son emplacement. De grandes affiches présentaient l'aventurier bordelais. Toujours les mêmes. Zak reconnut la fameuse page de *Paris Match* du 20 octobre 1956 et le titre emphatique « L'homme qui a retrouvé l'arche de Noé ! ». Divers articles internationaux reprenaient le scoop, ainsi que la couverture de son fameux livre, aujourd'hui épuisé, *J'ai trouvé l'arche de Noé*. Un montage de photos en noir et blanc montrait Fernand Navarra sur l'Ararat, au pied du glacier Parrot, posant avec son fils Raphaël devant la poutre sciée plus haute que le gamin. Tout était délicieusement désuet dans l'équipement des alpinistes : les casquettes de tweed portées par les Navarra, les longues chaussettes de laine, leurs pantalons de Tintin…

Zak s'approcha.

Le morceau d'arche était simplement placé sur la table. En réalité, il ne s'agissait que d'un gros éclat, long d'une dizaine de centimètres et épais de quinze millimètres. Fernand Navarra et ses héritiers, avec un sens des affaires aiguisé, avaient divisé la section de poutre rapportée de l'Ararat il y a cinquante ans en plusieurs allumettes, destinées à être offertes à quelques privilégiés, à être confiées à des laboratoires, ou, plus rarement, à être exposées.

À côté du morceau de bois, quelques feuilles tamponnées attestaient de son authenticité. Le regard de Zak glissa sur les expertises de l'Instituto Forestal de Investigaciones y Experiencias de Madrid, de la faculté des Sciences de Bordeaux, du Centre technique du bois. Toutes certifiaient que le bois fossilisé, identifié comme du *Quercus robur,* un chêne provenant de Mésopotamie, datait de la haute antiquité.

Une vénérable poutre vieille de cinq mille ans !

Zak remarqua qu'un fil de fer était agrafé au bois, puis cloué à la table. Le dispositif de sécurité n'avait pas l'air redoutable, mais tout laissait penser qu'il était relié à une alarme. Un bref examen confirma ce doute : sous les tables, un fouillis de fils électriques se mêlait en une pelote que Zak n'avait aucune compétence pour dénouer.

Il devait réfléchir. Ne pas se jeter dans la gueule du loup.

Zak rebroussa chemin. Toujours en évitant les caméras de surveillance, il se rendit au rez-de-chaussée.

Il avait repéré la loge des vigiles, à l'entrée du musée, en face du cours Pasteur. Il descendit avec précaution l'escalier monumental, puis se colla contre le mur. Du palier, il pouvait apercevoir la loge : les deux gardes, occupés à jouer aux cartes, semblaient totalement se désintéresser des écrans de surveillance derrière eux ; une partie de poker, à en juger par les jetons de plastique posés devant eux. Zak envisagea rapidement quelques solutions. Arracher le fragment de son fil de fer et tenter de fuir au moment où l'alarme se déclencherait… Mais il faudrait alors passer devant le poste des gardes. Tenter de débrancher l'alarme ? Faire diversion ? Com…

Les pensées de Zak se figèrent.

Une petite pastille rouge dansait au plafond de la salle de garde, juste au-dessus des vigiles.

Zak sentit son sang se glacer. Il se pressa contre la pierre froide du mur de l'escalier.

La tache rouge descendait lentement, comme un insecte méfiant, puis, soudain, se posa sur la veste bleue d'un des deux gardes. Un type brun d'une trentaine d'années. Carré, sportif, le genre à aimer vivre la nuit, à apprécier les sensations fortes, à plaire aux femmes, à hésiter entre sa tribu de surfeurs sur l'Atlantique et faire un môme avec une jolie fille. La vie devant lui, croquée à pleines dents. Il leva les yeux de ses cartes, sans doute à cause de la grimace qui défigurait le visage de son collègue, celui qui tournait le dos à Zak.

Son doigt désigna la pastille rouge.

La détonation traversa le hall.

L'instant suivant, le cœur du vigile trentenaire explosa. Son menton carré tomba dans les jetons de plastique. L'autre garde se jeta de sa chaise. Le point rouge courut dans la pièce. Deux autres détonations brisèrent encore le silence. Deux coups de tonnerre. Un écran de surveillance vola en éclats. L'autre balle se ficha dans l'épaule du vigile à terre. Il poussa un cri de douleur mais parvint à ramper encore quelques mètres sous la table, le nez dans le sang de son coéquipier qui gouttait au sol entre les planches. Son bras se plia, comme s'il cherchait à atteindre un objet dans la poche de sa veste.

La pastille se colla un peu au-dessus de l'oreille droite du vigile.

Une troisième détonation. Sèche.

Un geyser poisseux gicla de la tempe grise du vigile.

L'alarme se déclencha juste après.

Le cœur de Zak battait à se rompre.

Les tueurs, déjà...

L'alarme hurlait dans les couloirs déserts.

Zak réfléchit à toute vitesse. Le musée se situait au cœur du vieux Bordeaux. La police serait sur place dans quelques minutes. Les tueurs ne pouvaient pas se douter qu'il était là. Il disposait d'une courte avance !

Ne plus perdre une seconde.

Zak s'élança dans l'escalier, gravit les marches deux à deux. Sur le palier du premier étage, il se dissimula dans l'angle du mur. Trois hommes armés de fusils à lunette se tenaient dans le hall. Zak faillit se trahir en lâchant un juron : pour être précis, il n'avait pas affaire à trois hommes. Dans le hall avançaient deux tueurs… et un adolescent ! À peine plus de seize ans, évalua Zak.

Une face d'ange aux boucles blondes qu'on aurait mieux vue occupée à draguer les filles à la sortie du lycée.

Zak s'élança dans le couloir qui menait à la grande salle d'exposition sans se soucier cette fois des caméras de surveillance. Il dérapa sur le marbre lisse lorsqu'il surgit entre les stands. Des frissons électrisaient ses jambes de haut en bas.

Vite, vite.

Les tueurs n'auront pas le temps de monter, songea Zak pour se rassurer. Ils devront fuir pour ne pas se faire cueillir par la police. Ils n'avaient sans doute pas prévu qu'un des vigiles déclencherait l'alarme.

Sur les photos, Fernand Navarra souriait, les pieds dans le glacier, portant la poutre de l'arche comme le Christ sa croix. Zak arracha le morceau de bois du fil de fer. L'attache métallique ne résista pas. Immédiatement, une seconde sirène se déclencha, plus stridente, moins puissante que la précédente.

Et maintenant ?

Zak passa sa main sur son front trempé de sueur.

Impossible de redescendre et de croiser les types. Impossible de fuir par la porte d'entrée. Impossible d'attendre ici les flics. Ou, pire, les tueurs.

Par la fenêtre de la salle, au loin, Zak crut deviner la lumière d'un gyrophare, même si le vacarme des deux alarmes l'empêchait de distinguer le moindre son provenant de la rue. Il tendit l'oreille.

Des pas dans l'escalier !

Était-ce le fruit de son imagination ? L'écho de son cœur affolé ? Ou le piétinement des assassins, alertés par la seconde alarme ? Zak n'avait pas le temps de se poser davantage de questions. Il dirigea son regard vers la fenêtre, fit en un éclair l'effort de visualiser de mémoire la façade du musée d'Aquitaine. À quelle hauteur le premier étage du musée se situait-il par rapport au trottoir ? Quatre mètres ? Six mètres ?

Dans son dos, la porte du hall d'exposition s'ouvrait, béante, sur le couloir. D'une seconde à l'autre Zak s'attendait à voir se poser sur lui la mortelle pastille rouge.

Ne plus calculer !

Dans une inspiration subite, Zak arracha de la table voisine un masque dogon, un Kanaga, en forme de crocodile. Il serra le morceau de la poutre de Navarra dans son autre main, puis courut droit devant lui.

Il colla le masque contre son visage au moment où il traversa la vitre.

À bout de forces, Zak s'arrêta quai Louis-XVIII. Sa cheville le faisait un peu souffrir, un énorme hématome violaçait sa cuisse gauche, quelques coupures entaillaient ses bras, mais finalement, il avait eu de la chance. Au moment où il s'était relevé après sa chute, la police surgissait déjà de la rue Tustal, éclairant la cathédrale Saint-André et la tour Pey Berland d'une lumière bleue froide et syncopée.

Il avait fui en claudiquant.

Aucune trace des tueurs ! Le Petit Prince du crime et ses deux complices s'étaient eux aussi fondus dans la nuit. Zak s'efforça de trouver quelques forces supplémentaires, de ne pas céder à la tentation de s'asseoir sur un banc. Il devait s'éloigner, s'engager sur le pont de pierre, franchir la Garonne. Il avait abandonné le masque dogon en passant devant le monument aux Girondins, place des Quinconces. Il l'avait juste posé sur le visage de la jolie fille de pierre topless, celle représentant la Dordogne, ou peut-être la Garonne d'ailleurs, il ne savait plus.

Il s'arma de courage et reprit sa marche. Ses doigts caressaient dans sa poche le bois rugueux de la poutre de Navarra. Dans la nuit, Zak se fendit d'un sourire de satisfaction. Il avait sauvé l'essentiel.

Seul contre tous.

Zak traversa le fleuve. L'eau de la Garonne, dans le reflet de l'éclairage romantique des réverbères du pont de pierre, semblait se parer de pailles d'or.

Zak se projetait déjà dans l'étape suivante.

Le premier train de Bordeaux vers Toulouse partait ce matin à 5 h 26.

La ligne A du métro toulousain menait directement à l'université du Mirail, au pied du DIRS, le plus grand laboratoire de télédétection d'Europe.

Sa prochaine destination.

Après les trois types armés de fusils à lunette, il allait devoir affronter cette fameuse docteur Cécile Serval. Un petit bout de femme d'un mètre cinquante-cinq. Un génie, à ce qu'il avait pu lire. Il allait devoir la convaincre de le laisser mettre son nez dans le rapport RS2A-2014… Et d'après ce qu'il avait appris sur le caractère de cette Cécile Serval, sortir le Livre d'Enoch du Vatican, à côté, n'était qu'une plaisanterie…

Deux amoureux s'embrassaient contre la rambarde de fer du pont de pierre.

La cuisse de Zak le faisait un peu moins souffrir.

12

Parlement mondial des religions,
Melbourne, Australie

— Les dossiers RS2A-2014 sont disposés devant vous. Nous allons commencer.

Le métropolite[1] Viorel Hunor éloigna ses lèvres du micro de la tribune. Le léger brouhaha dans l'amphithéâtre d'une centaine de places diminua d'intensité. Les différents représentants s'installèrent derrière les pupitres high-tech équipés d'écrans tactiles, de systèmes de vote électronique et de commandes manuelles accessibles dans une trentaine de langues. Le confort douillet du petit hémicycle ne laissait pas deviner l'important dispositif l'entourant, qu'il s'agisse des dizaines d'interprètes derrière les vitres fumées ou des services de sécurité à l'extérieur, tout le long des docks. Le siège du Parlement mondial des religions ressemblait au siège de l'ONU à New York, mais en plus

1. Évêque orthodoxe ayant la responsabilité de plusieurs diocèses.

confidentiel… et en plus exotique. À peine le tiers des représentants portait le classique costume-cravate. Leur gris anthracite tranchait avec l'orange vif de la robe du moine bouddhiste ou le rouge carmin du cardinal, mais la palme revenait au chaman animiste qui arborait fièrement plumes, os et peaux sur son corps tatoué.

À la tribune, Viorel Hunor se contentait d'une sobre chasuble noire le couvrant des pieds jusqu'au ras du cou, auquel pendait une croix de bois.

Le métropolite se pencha à nouveau vers le micro.

— Prenez place, je vous en prie.

Il leva les yeux. Sur le mur face à lui était affiché un discret portrait de Jenkin Lloyd Jones, le fondateur du Parlement mondial des religions, à Chicago, en 1893. À la droite du tableau, les lieux et dates des sessions précédentes étaient gravés sur des plaques de marbre, jusqu'à Melbourne, en 2009, devenu le siège de l'assemblée.

Viorel Hunor s'éclaircit la voix et commença :

— Bienvenue à tous à Melbourne dans nos locaux flambant neufs. Certains connaissent déjà depuis des années notre fonctionnement, d'autres siègent pour la première fois. Pour tous, je rappelle que le Parlement mondial des religions n'est qu'une simple association qui cherche à faire cohabiter pacifiquement les religions du monde et à réfléchir ensemble au rapport entre le sacré et le profane dans la société contemporaine. Si vous suivez les multiples travaux de nos commissions, vous avez dû lire ces derniers mois notre rapport sur la bioéthique. Celui sur le statut des femmes doit être bouclé avant la fin de l'année.

Quelques rires fusèrent dans l'assistance. Le cardinal plaisantait avec l'ayatollah assis à côté de lui. Viorel Hunor leva la tête et comprit. La quarantaine de représentants des religions du monde ne comptait aucune femme. Il tapa du bout des doigts sur son micro.

— S'il vous plaît, messieurs…

Il marmonna des mots incompréhensibles dans sa barbe. Viorel Hunor avait été élu président du Parlement mondial des religions au Cap, il y a plus de dix ans. On aurait pu imaginer que les religions du monde élisent à la tête de l'organisation interconfessionnelle un président modéré, un homme de dialogue, un esprit ouvert au syncrétisme, ce mélange entre les croyances… En désignant Viorel Hunor, l'assemblée avait donné exactement le message inverse. Viorel Hunor était le métropolite de Moldavie et Bucovine, au nord-est de la Roumanie, à la frontière de l'Ukraine. Il avait affronté pendant des années la dictature de Ceausescu, sans céder un pouce au dictateur, passant dix-sept années de sa vie dans un cachot de Bucarest. Après 1989, il était ressorti en héros, juste la barbe plus longue et plus blanche, fustigeant les Roumains qui se précipitaient dans les églises libérées avec le même empressement qu'ils investissaient les nouveaux centres commerciaux. Viorel Hunor n'était pas du genre à tenir les discours œcuméniques lénifiants habituels. « Toutes les religions se valent, il n'existe au fond qu'un même Dieu pour tous, les seules différences tiennent aux rites ou aux coutumes… »

Oh non !

Accepter ces inepties, c'était abaisser les religions au rang de superstitions ringardes. Viorel Hunor était un dur de l'orthodoxie. Sans doute, les autres représentants du Parlement mondial avaient-ils pensé que, si Hunor était capable de défendre avec force sa propre religion, il se battrait avec la même ardeur pour les autres une fois élu président. La politique du métropolite tenait en deux principes : un pacte de non-agression entre les différentes religions du monde et une politique de grande fermeté vis-à-vis du pouvoir séculier, des progrès de la science à la libération sexuelle, du diktat de l'économie mondialisée à l'apologie de la réussite individuelle.

Le métropolite toussa puis continua :

— Messieurs, s'il vous plaît. Je vous rappelle l'objectif de la séance, faire la synthèse du rapport que le Parlement mondial des religions a commandé au DIRS de Toulouse. *The Remote Sensing Ararat Anomaly.*

Le métropolite hésita.

— Et, bien entendu, en discuter les conclusions.

Un frisson parcourut l'assistance.

13

Campus universitaire du Mirail,
Toulouse, France

Les filles étaient toutes plus belles les unes que les autres. La plus proche était une petite bombe bruyante perchée sur des talons de dix centimètres, ce qui lui permettait d'agiter les piercings punaisés sur son visage à peu près à la hauteur de la barbe savamment négligée du garçon, taillé comme un trois-quarts du Stade toulousain. Ça draguait déjà, de bon matin, dans le hall de l'université de Toulouse-Le Mirail.

Zak observait, amusé, les parades amoureuses depuis près d'une demi-heure. Les étudiants ne semblaient même plus remarquer autour d'eux les murs tagués, le linoléum fatigué, la peinture écaillée. Zak, en revanche, se demandait comment des locaux aussi mal entretenus pouvaient abriter le Department International of Remote Sensing, l'une des unités de recherche les plus réputées au monde.

Il reconnut immédiatement Cécile Serval.

8 h 27.

Comme prévu, la fille était ponctuelle !

D'après ses informations, elle prenait tous les matins la ligne A du métro, traversait le hall de la fac entre 8 h 25 et 8 h 29 pour être la première à ouvrir les locaux du DIRS à 8 h 30.

Zak la suivit du regard. Ce qui le frappa immédiatement, c'est la différence vestimentaire entre la chercheuse et les étudiantes qui roucoulaient devant lui depuis trente minutes. Si les jeunes filles peuplant l'université rivalisaient de charme, de jupes courtes, de décolletés généreux et d'attitudes provocantes, Cécile Serval traversait le couloir avec une allure démodée, vêtue d'un long manteau gris, les cheveux noués en un chignon sévère, courbée par le poids d'un cartable trop lourd. Moins de dix ans séparaient pourtant la chercheuse de ses étudiantes.

Zak monta discrètement l'escalier derrière Cécile Serval, veillant à laisser un demi-étage entre elle et lui. Parvenue au cinquième, la chercheuse, selon un rituel de vieille fille, ouvrit la porte du laboratoire du DIRS, accrocha son manteau hideux à une patère, posa son cartable sur une table juste à côté d'un immense écran d'ordinateur, alluma le poste informatique puis fit trois pas vers une bouilloire électrique qu'elle remplit d'eau avant de la reposer sur son support.

Le voyant rouge s'alluma. Cécile Serval s'assit face à l'écran et tapa rapidement son mot de passe. La page d'accueil de Yahoo apparut presque immédiatement. Cécile Serval se plongea dans la lecture de ses e-mails.

Une seconde.

Elle se retourna subitement. Une ombre se tenait derrière elle.

Dans le laboratoire.

Un homme. Une longue silhouette.

Zak souriait. La chercheuse l'apostropha d'un ton sévère :

— Qu'est-ce que vous faites ici ? Si vous cherchez un secrétariat…

Le sourire de Zak s'élargit.

— Rassurez-vous, je sais parfaitement où je me trouve. Qui dans ce bâtiment ne connaît pas le DIRS ? Je suis pressé, mademoiselle Serval. Je n'ai pas le temps d'entrer dans les détails. Ma question va donc être directe. J'aimerais que vous me remettiez une copie du rapport RS2A-2014, celui que vous venez de rendre au Parlement mondial des religions.

— Pardon ?

— Vous m'avez parfaitement compris !

— Vous plaisantez ?

— Non. Je sais que j'ai l'air tout à fait sympathique au premier abord, mais je peux être… très persuasif. Je tiens même à vous avertir, sous ma veste, je suis armé.

La bouilloire siffla.

Cécile Serval éclata de rire.

— Rien que ça. Je ne sais pas qui vous êtes, mais je ne tiens pas à le savoir. Nous nous sommes assez amusés. Maintenant, déguerpissez. J'ai du travail…

Zak ne bougea pas. La bouilloire s'énervait, comme si elle allait exploser. Cécile soupira.

— Vous êtes qui ? Un prof ? Un étudiant attardé ?

— Ni l'un ni l'autre. Disons… Disons que je m'intéresse à l'arche de Noé.

Cécile se leva, éteignit la bouilloire et poussa un soupir appuyé.

— Ça devait arriver… J'avais bien dit à Arsène que bosser sur l'Ararat allait attirer sur nous tous les tarés de l'univers…

— Vous dites cela pour moi ?

Cécile embrassa des yeux la pièce vide.

— Oui, ça me semble l'évidence.

Zak, à son tour, prit le temps d'observer la jeune femme debout devant lui. Il se fit la réflexion qu'elle n'était pas si vilaine, au final. Deux yeux marron incroyablement brillants derrière des petites lunettes d'acier. Un petit visage pointu d'institutrice posé sur un corps de poupée : une taille très fine, assez sexy. Cette énergie canalisée dans ce corps mince et galbé évoquait bizarrement dans la tête de Zak la courbure d'une tour de réacteur nucléaire. Un mélange étrange de perfection épurée et de violente explosion potentielle.

— Merci du compliment, reprit Zak. Mais vous avez raison, arrêtons de plaisanter. Il y a urgence. Transmettez-moi ce rapport, s'il vous plaît.

Sans même lui accorder un regard, Cécile se servit une tasse de thé et retourna s'asseoir devant son ordinateur.

— Désolée, je suis débordée ce matin. Vous m'avez l'air bien renseigné. Vous savez comme moi que ce rapport est strictement confidentiel. Sortez avant que j'appelle la sécurité.

Zak avança d'un pas et haussa le ton. Il hésita à sortir son arme.

— Vous ne m'écoutez pas ! Je vous parle d'un danger réel. Mortel.

Cécile fit pivoter son fauteuil.

— Puisque vous êtes si bien informé, vous devez savoir que le rapport RS2A-2014 ne porte pas sur l'arche de Noé, mais sur les glaces du mont Ararat.

Zak regarda sa montre et s'approcha de la chercheuse.

— Vous les traitez comme ça, vos étudiants ?

— Vous n'êtes pas étudiant.

— Je n'ai pas dit cela, mais vous ne m'avez pas répondu. Vous les traitez toujours comme ça, vos étudiants ?

— Comment ?

— Eh bien, pendant qu'on vous parle, vous lisez vos e-mails, avec cette allure de fille débordée qui se fout des autres.

Cécile mit un instant à réagir.

— Dégagez ou j'appelle…

Zak recula. Un instant, Cécile Serval crut qu'il allait sortir. Au contraire, il referma la porte du laboratoire et tourna le verrou.

— Qu'est-ce que vous faites ?

Le timbre de la voix de la chercheuse avait changé. Un léger soupçon de crainte troublait la surface lisse de son assurance.

— Je vous l'ai dit, mais vous n'écoutez pas. Je recherche le rapport RS2A-2014. Au minimum les principales conclusions. Ne m'obligez pas à me montrer plus persuasif. Ce n'est pas dans ma nature, mais…

Le fauteuil était à nouveau orienté vers l'ordinateur. La page personnalisée de Yahoo livrait les actualités du monde en temps réel. Soudain, les yeux de Cécile Serval furent happés par une dépêche qui occupait plus d'une moitié de l'écran.

« Massacre au musée d'Aquitaine ».

Le hurlement de la chercheuse se bloqua dans sa gorge. Elle fixa la photographie sur l'écran. Une intense panique la submergea.

Le type dans son labo était un tueur. Un tueur traqué par toute la police du Sud-Ouest.

14

Parlement mondial des religions,
Melbourne, Australie

Le frère Mosavi faisait glisser ses doigts sur l'écran tactile encastré dans la tablette individuelle d'acajou. Impressionné. Dans son dispensaire d'Oruro, en Bolivie, au cœur des Andes, le seul ordinateur valide venait de fêter ses vingt ans. Les pasteurs mennonites, en Bolivie comme ailleurs, ne roulaient pas sur l'or.

Tout avait été très vite pour lui. Le représentant titulaire des mennonites au Parlement mondial des religions, un pasteur suisse, s'était effondré une semaine auparavant sur un trottoir de Zurich terrassé par un infarctus. Son suppléant, au Belize, avait argué d'un agenda de ministre pour refuser de se rendre en Australie au pied levé. Mosavi avait reçu un coup de téléphone de La Paz. Un an auparavant, il s'était fait remarquer par ses écrits engagés ; aujourd'hui on lui proposait de partir pour Melbourne. Illico ! Lui qui n'avait jamais vu d'étendue d'eau plus vaste que le lac Uru Uru s'était retrouvé à traverser l'océan Indien à bord d'un Boeing 737.

Le frère Mosavi observa son reflet dans l'écran sombre : tout en lui contrastait avec la majorité des autres représentants cléricaux. Son allure de séminariste trentenaire et son teint hâlé d'indigène andin, éclairé de deux yeux noirs derrière des lunettes d'écaille posées sur un nez en bec de condor.

S'il était novice, il n'était pas naïf. Il mesurait son pouvoir au sein de cette assemblée : les mennonites ne regroupaient qu'à peine plus d'un million de fidèles dans le monde, mais ils possédaient la particularité d'être dispersés sur les cinq continents. Partout minoritaires, ils ne disposaient donc d'aucun soutien politique national, mais n'endossaient du coup la responsabilité d'aucun conflit. Est-ce pour cela qu'on l'avait tant choyé ? Hôtel au luxe disproportionné, Mercedes de fonction et poignée de main appuyée du président Viorel Hunor.

Oui, il se sentait choyé…

… et mis à l'écart !

Comme un bleu, un gamin non encore initié. Il n'avait pas été convié à ces réunions en catimini réservées aux grandes religions monothéistes. Il avait ressenti à chaque instant des complicités, des apartés discrets, des accords tacites dont il se sentait étranger. Comme si les séances publiques du Parlement n'étaient que la représentation d'une pièce écrite dans les couloirs.

Sans parler de ce rapport, *The Remote Sensing Ararat Anomaly-2014*. La fonte des glaces de l'Ararat était-elle la principale préoccupation des religions d'un monde dont toutes les coutures sociales et culturelles craquaient ?

Étrange. Irréel, pour ainsi dire.

Le frère Mosavi fit glisser de l'index l'icône qui commandait la traduction simultanée en espagnol. En tout cas, si le Parlement souhaitait un figurant docile, il n'avait pas invité la bonne personne.

La parole calme de Viorel Hunor se répandit dans l'amphithéâtre avec une sonorité d'une qualité digne d'un ténor de l'Opéra de Sydney.

— Messieurs, vous pouvez tous consulter les dossiers. Nous allons aller à l'essentiel. Je suppose que chacun d'entre vous est conscient des enjeux. Nous avons commandé au meilleur laboratoire de télédétection d'Europe, le Digital Image Remote Sensing de Toulouse, un rapport sur l'englacement du mont Ararat. Je ne reviens pas sur l'histoire de l'arche de Noé. Je suppose que…

Une main se leva. Tous se retournèrent vers l'impertinent.

— Je vous prie de m'excuser, fit une voix douce mais assurée, je suis le pasteur Mosavi, de Bolivie. Je fais partie des ecclésiastiques qui siègent pour la première fois. Pour ma part, j'aimerais au contraire connaître tous les détails sur l'histoire de l'arche.

Le cardinal et le grand rabbin le toisèrent. Un imam soupira derrière le pasteur bolivien. L'adventiste, quelques rangs plus haut, sembla agacé. À l'inverse, le visage émacié de Viorel Hunor ne sourcilla pas. À peine un pincement de lèvres dissimulé sous sa barbe.

— Bien entendu, frère Mosavi. Il est capital que chacun d'entre nous possède le même niveau de connaissance. C'est l'essence même de notre Parlement. Notre institution, dans le cadre de ses missions de réflexion sur les liens entre progrès de la science et exégèse, s'est penchée en détail sur l'histoire de l'arche. Selon les traditions juive, chrétienne et musulmane, Noé était un des premiers prophètes bibliques. Dieu, pour punir les hommes, décida du Déluge et…

Le pasteur mennonite éclata d'un rire franc en levant à nouveau la main.

— Je suis confus, président. Ma question ne portait pas sur l'histoire de Noé. Comme tous les occupants de cet amphithéâtre, j'ai suivi de longues études de théologie. Je connais la Bible, rassurez-vous. Le Déluge, la pluie qui tombe quarante jours, la colombe qui rapporte dans son bec une branche d'olivier, l'arc-en-ciel qui salue le retour sur terre et scelle l'alliance entre Dieu et les hommes… Toute la symbolique. C'est… c'est l'histoire du mont Ararat que je souhaiterais connaître. Celle des chercheurs d'arche…

Dans l'amphithéâtre, le représentant adventiste avait tiqué au terme de « symbolique ». Viorel esquissa un sourire et intervint avant lui.

— Je comprends, frère Mosavi. Votre question est légitime. Il est important de rappeler l'histoire de la conquête du mont Ararat avant d'aborder les conclusions du rapport RS2A. Comme nous le savons tous, l'arche se serait échouée sur le mont Ararat, même si seule la Bible mentionne explicitement le nom de cette montagne, le Coran évoquant le mont Al Joudi, qui signifie simplement « hauteurs ».

Sur les gradins, l'imam acquiesça.

— Mais intéressons-nous à l'Ararat. Je passe rapidement sur le récit du moine Jacob, redescendu du mont en portant une poutre d'arche offerte par un ange… Dans les circonstances présentes…

Tous les regards se dirigèrent vers le représentant du patriarcat d'Arménie.

— Je ne pense pas nécessaire de rappeler ici l'effroyable massacre commis il y a quelques semaines dans la cathédrale arménienne d'Etchmiadzine, reprit Hunor d'une voix blanche. Un massacre qui nous rappelle s'il en était besoin l'urgence des décisions que nous avons à prendre…

Il toussa, comme s'il cherchait jusqu'où il devait pousser son argumentation. Il joignit ses doigts et continua sans cesser de fixer le frère Mosavi.

— Le récit qui va suivre va vous sembler étrange, mon frère, mais les détails que je vais vous donner sont rigoureusement exacts…

Sans consulter la moindre note, Viorel Hunor se lança dans l'histoire de la conquête de l'Ararat : l'Estonien Friedrich Parrot avait été le premier à le gravir, en 1839, accompagné d'une équipe de scientifiques. À sa suite, les expéditions sur le mont se multiplièrent, mais l'Anglais James Bryce fut le premier à mentionner la découverte d'une poutre de l'arche dans les glaces. Son exposé devant la Société de géographie fut qualifié de farce ridicule. En 1882, la dernière éruption volcanique du mont, doublée d'un tremblement de terre, ensevelit les flancs nord-ouest de l'Ararat. Le village d'Ahora et le monastère Saint-Jacob, seules habitations permanentes sur le massif, furent détruits. L'armée turque intervint dans les jours qui suivirent sur les ruines. Plusieurs journaux occidentaux rapportèrent alors les propos d'ouvriers turcs et du glaciologue britannique Gascoyne qui supervisait les secours, jurant avoir découvert un vaisseau pris dans les glaces. Aucune preuve ne fut apportée par les témoins, à l'exception de leur bonne foi, et le *New York Times* tourna en dérision ces témoignages. L'arche continua cependant à faire parler d'elle. En 1883, l'ambassadeur apostolique malabar, Jean Joseph Nouri, prétendit lui aussi avoir découvert un assemblage de poutres rouges sur l'Ararat. Il s'adressa alors à une jeune institution...

Le métropolite modifia brusquement le ton de son exposé. Les représentants, qui pour la plupart écoutaient distraitement une histoire qu'ils connaissaient déjà, levèrent les yeux.

— Il va s'adresser à nous ! martela Hunor. Au Parlement mondial des religions ! À Chicago, en 1893. Il lève des fonds et propose de monter une expédition scientifique. L'argent, heureusement, ne suffit pas. (Un sourire énigmatique s'afficha sur le visage du métropolite.) Les autorités turques font savoir qu'elles s'opposeront à toute exportation de reliques trouvées sur l'Ararat... Quelques mois plus tard, Jean Joseph Nouri est agressé aux États-Unis. Il n'y perdra pas la vie, mais y laissera sa santé mentale. Le prélat terminera son existence dans un asile...

Hunor prit le temps d'une respiration avant de continuer, comme pour laisser le parfum de malédiction se diffuser dans l'hémicycle.

— Les autorités turques ne peuvent pourtant pas s'opposer à toutes les incursions vers l'Ararat.

Notamment aux expéditions aériennes. En 1916, en mission de reconnaissance militaire, un pilote russe, le fameux Vladimir Roskovitsky, survole l'Ararat et déclare avoir vu un gigantesque vaisseau pris dans un lac gelé, au-dessus de la gorge d'Ahora. Son supérieur, le capitaine Koorbatoff, survole lui aussi la zone et confirme ses dires. Leur témoignage, cette fois, est pris au sérieux. Le tsar Nicolas II délègue sur place une importante expédition militaire et scientifique. Des témoignages locaux certifient que les Russes gravissent l'Ararat, retrouvent le lac gelé, multiplient les notes et les photographies. Mais les hasards de l'histoire sont parfois stupéfiants. (Une ironie discrète se dessina sur les lèvres du métropolite.) Quelques semaines plus tard, la révolution russe éclate ! Les bolcheviques prennent le pouvoir, et toutes les traces de la mission Ararat déléguée par le tsar disparaissent dans la tourmente. Depuis un siècle, tous les chercheurs d'arche ont tenté de percer le mystère du rapport Roskovitsky. Existe-t-il seulement ? A-t-il été confisqué par les Soviétiques ? Perdu ? Oublié ? Archivé ? Dissimulé ? L'un des chercheurs d'arche les plus tenaces, Eryl Cummings, obtiendra des années plus tard plusieurs témoignages convergents d'officiers russes et de paysans kurdes, dont celui de Jacob Radtke, âgé de soixante-deux ans, qui confirmera que son régiment s'est approché d'un vaisseau de bois émergeant d'un lac, sans toutefois parvenir à l'atteindre.

Hunor se servit un verre d'eau qu'il but à petites gorgées. Il observa le frère Mosavi. Son cerveau cherchait à évaluer le danger que représentait ce pasteur un peu trop curieux, un peu trop malin, un peu trop bavard…

Par réflexe, le métropolite pressa ses doigts sur la croix autour de son cou. Sa peau conserva quelques instants les marques du bois sculpté, un infime moment, pourtant suffisant pour distiller en lui le courage de poursuivre. Lui seul connaissait la force de cette croix. La puissance de feu qu'elle pourrait déclencher, le temps venu. Une foudre tombée du ciel, qui s'abattrait sur ceux qui s'approcheraient trop près de la vérité.

L'anomalie d'Ararat.

Viorel Hunor essuya les gouttelettes qui perlaient sur sa barbe et poursuivit :

— Année après année, les témoignages se multiplient. Convergents. Du bois dans la glace ! Mais, frère Mosavi, vous n'êtes pas au bout de vos surprises. Comme vous allez le constater, tous ceux qui s'approchent de l'arche semblent frappés d'une étrange malédiction…

15

Université d'État Emmanuel-Kant,
Kaliningrad, Russie

Dans la nuit pâle, les ombres des arbres dansaient une farandole de géants sur l'immense façade blanche de l'université d'État Emmanuel-Kant. La Mercedes 190 passa sous de timides réverbères et se gara au pied d'un if centenaire. Quelques instants plus tard, trois Suzuki se dissimulèrent à leur tour dans la pénombre du parc. La petite dizaine d'hommes s'activa en silence. Cuirs et pantalons sombres, kalachnikov en bandoulière, poignards noués à la ceinture ou la cheville.

Zeytin ôta son casque et ouvrit la portière arrière de la Mercedes. La longue silhouette sombre se déplia, dominant d'une dizaine de centimètres les autres hommes. Une voix calme déchira le silence.

— Combien de gardes ?

— Trois, fit Zeytin. D'habitude… C'est une boîte privée, Сейф, qui assure la sécurité de l'université. On a arrosé les vigiles de ce soir. Cinq cent mille roubles chacun. Aucun problème, Сейф n'a rien à foutre des bouquins de l'université d'État. Ce marché, pour eux, c'est peanuts à côté de la sécurité des installations militaires de Kaliningrad.

— J'espère, Zeytin. J'espère. À Bordeaux non plus, il ne devait pas y avoir de problèmes. Deux gardes. Pas d'alarme. Mais le fragment d'arche de Navarra nous a filé entre les doigts.

Les pas de Zeytin crissèrent dans les graviers.

— Morad apprend vite, Cortés. Il ne lâchera pas sa proie. Il va finir le travail au DIRS. Les locaux du laboratoire sont situés au cinquième étage… un véritable piège à rats.

— Espérons…

Cortés réajusta le col relevé de son long manteau. L'ample capuche couvrait la majeure partie de son visage et un foulard de soie beige entourait son cou jusqu'au menton. De larges lunettes de soleil achevaient de dissimuler son visage. Seuls les contours des lèvres du milicien dévoilaient quelques centimètres de peau. Cortés se retourna vers la poignée d'hommes.

— Allons-y, messieurs.

Comme prévu, ils ne rencontrèrent aucun garde pendant qu'ils avançaient vers l'université d'État. Ils passèrent au pied de l'immense statue équestre d'Albert Frédéric de Prusse, puis progressèrent en silence sous les arcades de pierre blanche. Zeytin poussa avec décontraction la porte du bâtiment principal. Aucune alarme ne se déclencha. Zeytin afficha un large sourire en laissant entrer le reste du commando.

— Сейф est une boîte de sécurité à qui on peut faire confiance…

Ils entrèrent sans un bruit. La plupart des hommes contemplaient avec étonnement le luxe des locaux de l'université : pavés et bois verni, murs laqués, sculptures et portraits d'inconnus illustres encombrant les murs et les couloirs. Chaque détail à l'intérieur des bâtiments tranchait avec l'état de délabrement de la ville de Kaliningrad. La misère, les ruines et la pollution.

Ils montèrent en silence un vaste escalier de bois soutenu par d'imposantes colonnes corinthiennes. Seuls d'immobiles visages glacés de savants morts depuis des siècles semblaient en mesure de s'opposer à l'intrusion du commando. Cortés observa avec dédain les indications en cyrillique :

— Laisser de tels locaux à des étudiants russes, c'est donner du caviar à des porcs. Des porcs et des truies. Même la femme de Poutine a fait ses études ici…

— La bibliothèque, dit calmement Zeytin. Juste en face.

La porte de bois céda sous les épaules de deux miliciens. Ils découvrirent une pièce, haute comme la nef d'une cathédrale, abritant des milliers d'ouvrages.

— Je crois que nous allons avoir besoin d'aide, commenta Cortés.

Zeytin consulta son plan.

— La chambre du bibliothécaire est à côté. L'agence Сейф m'a confirmé qu'il dormait sur place. Les vigiles le surnomment le fantôme de Königsberg, quelque chose comme ça.

— Va le chercher.

Zeytin sortit, accompagné de deux hommes. À peine cinq minutes plus tard, ils revinrent, traînant derrière eux un vieil homme serré dans un peignoir usé. Le bibliothécaire écarquilla des yeux épouvantés lorsqu'ils l'assirent sur un banc. Zeytin lui tendit une paire de lunettes brisées.

— Vous risquez d'en avoir besoin…

Il se retourna vers la porte de bois fendue :

— On a trouvé ça aussi.

Le dernier mercenaire poussait devant lui une femme d'une cinquantaine d'années, un peu plus jeune que le bibliothécaire. On devinait qu'elle avait été belle à sa longue chevelure ébouriffée, la raideur de son maintien, ses yeux clairs qui lançaient des éclairs. Sa robe blanche était déchirée jusqu'à mi-cuisse et son échancrure fatiguée bâillait, dévoilant ses seins lourds à chaque mouvement de révolte. Le mercenaire lâcha le bras qu'il tordait et la jeta sans ménagement aux pieds des autres hommes du commando.

Cortés baissa des yeux méprisants vers le couple.

— Zeytin, il faudra gronder l'agence Сейф. Ce n'est pas un fantôme qui hante l'université de Kaliningrad, mais deux. Deux petits fantômes qui doivent pleurer sur leur salaire de misère de fonctionnaires russes.

Cortés fixa le bibliothécaire dans les yeux. L'homme tentait de maintenir ses lunettes cassées en équilibre sur son nez.

— Tu dois les haïr, hein, ces nouveaux riches. Ces petits chefs de gang qui se payent des putes, des bagnoles de luxe, des villas avec piscine. Mais c'est toi, salopard, le vrai privilégié. Compare ce palace à la misère dehors.

— Que cherchez-vous ? bredouilla le bibliothécaire.

Cortés se pencha encore.

— Un document. Un seul parmi ces milliers d'archives. Le rapport Roskovitsky. 1917. Un document officiel avec le sceau de Nicolas II. Nous savons que le dossier fut envoyé ici en 1951. L'état-major soviétique aimait ce genre de stratégie tordue : archiver ce rapport recherché comme le Graal par des milliers d'orthodoxes, non pas au fond de la Russie, au-delà de l'Oural, mais quelque part entre la Pologne et la Lituanie, dans la bibliothèque de Königsberg. Le dernier endroit où les fanatiques religieux iraient le chercher.

— Vous vous trompez, je vous assure. Je n'ai jamais entendu parler d'un tel rapport.

Zeytin balança sans sommation la crosse de sa kalachnikov sur le menton du bibliothécaire. Les lunettes volèrent. L'homme roula sur lui-même, laissant une traînée de sang sur les dalles blanches de la pièce.

— Dimitri ! hurla la femme.

Zeytin allait déjà abattre à nouveau sa crosse sur le visage du bibliothécaire lorsque Cortés leva doucement le bras pour le retenir.

— Non, Zeytin. Du calme, mon grand. Je suis certain que Dimitri est disposé à coopérer et à nous révéler tout ce que nous voulons savoir.

16

Campus universitaire du Mirail,
Toulouse, France

La page d'accueil de Yahoo crachait son puzzle de publicités, de photographies, d'informations people et de faits divers sordides. Parmi le savant mélange, Cécile Serval ne parvenait pas à détacher ses yeux du titre de l'article qui s'affichait sur l'écran plat de 32 pouces.

Massacre au musée d'Aquitaine.

Deux gardiens du musée abattus.

Le bref article évoquait la fuite du suspect, recherché par toutes les polices du Sud-Ouest. La dépêche était illustrée d'une photographie, un cliché flou, l'image arrêtée d'une caméra de surveillance : un homme passait en courant dans le couloir du musée, quelques secondes après la tuerie.

Cécile Serval sentait le froid gagner chaque parcelle de sa peau.

Aucun doute n'était permis.

Sa voix grelotta.

— C'est… c'est vous !

Zak scrutait l'esplanade du Mirail par les fenêtres du laboratoire.

— C'est moi ?

— Bordeaux… le musée d'Aquitaine. Le type qui a abattu les deux gardes. C'est vous ?

Zak se retourna, découvrit l'ordinateur, comprit.

— Non…

Le fin visage de Cécile Serval semblait se crevasser. Des rides se marquaient, comme autant de petites vallées de la mort. Un doigt courbé désigna la photographie grise de l'écran. Zak s'approcha et grimaça.

— Non… J'étais dans les murs du musée… C'est moi, sur la photo, mais je ne suis pas le tueur. Les tueurs, d'ailleurs… Ils sont plusieurs. Des professionnels. Ils me cherchent. Ils vous cherchent également. Le DIRS est leur prochaine étape.

De nouveau, Zak se pencha vers la fenêtre. Sur l'esplanade, il n'apercevait que des étudiants tranquilles, certains pressés, d'autres oisifs. Aucune trace des assassins.

Cécile Serval reprenait petit à petit ses esprits.

— Foutez le camp. Je ne suis pas du genre à vous balancer à la police. Alors saisissez votre chance, tirez-vous.

— Je vous l'ai dit, ce n'est pas moi le tueur.

— Qui alors ?

— Les Nephilim.

La chercheuse leva les yeux au plafond. Consternée.

— Délire ! Fichez le camp ou j'appelle les flics.

Zak détacha son regard de la vitre. Lentement, il se tourna. Il tenait un revolver dans sa main, braqué vers Cécile.

Les rides se creusèrent encore. Érosion d'effroi.

— Vous… vous êtes un dingue… Un malade en cavale.

— Je ne suis pas fou.

Cécile fit pivoter son siège, assura sa voix.

— Et qu'est-ce que c'est, vos Nephilim ?

— C'est compliqué. Une association de riverains du mont Ararat, si vous voulez. Du genre pas vraiment contente qu'on aille fouiner là-haut chez elle. Une armée de défense des secrets de l'arche de Noé, vous voyez le style, un peu créationniste sur les bords… Ça m'arrive de les croiser. Le monde des chercheurs d'arche est un petit monde.

— Je vois… même passion, mais il y a les bons et les méchants.

— C'est un peu ça…

— Pourquoi ce nom ? Nephilim ?

— C'est du chaldéen. Les Nephilim sont les héros des premières lignes de la Bible. Des « géants », selon la traduction usuelle, mais le terme de Nephilim revêt plusieurs significations. D'ailleurs, si…

— OK, coupa Cécile. J'ai saisi l'essentiel ! Va pour vos Nephilim. Et vous, vous êtes qui ? Indiana Jones ? Benjamin Gates ?

Sans cesser de serrer la crosse du revolver, Zak esquissa un sourire.

— Il y a de ça, oui… Un passionné d'arche. C'est une longue histoire.

— Mais pacifiste ?

— Ouais.

— Ben voyons…

Zak jeta un nouveau coup d'œil discret par la fenêtre avant de répondre.

— Ne plaisantez pas, mademoiselle Serval. Ces Nephilim sont des assassins. Ils sont à nos trousses. Ils…

La question gicla :

— Cette boucherie en Arménie, dans la cathédrale d'Etchmiadzine, c'étaient les Nephilim ?

— Vous coupez toujours ainsi la parole aux gens ?

La chercheuse répéta sur le même ton :

— La tuerie en Arménie, c'était eux ?

Zak soupira.

— Comment êtes-vous au courant ?

— Je travaille jour et nuit, depuis six mois, sur les images satellite de la région. Il m'était difficile de passer à côté d'un tel fait divers. Vous ne m'avez pas répondu ! C'était eux ?

— C'était eux. À Bordeaux aussi. Et… et ce n'est que le début du jeu de massacre.

Cécile observa un long instant, incrédule, la page d'accueil de Yahoo.

— Et, bien entendu, vous allez me dire que vous ne pouvez rien raconter à la police parce que vous êtes recherché et qu'ils vous coffreraient avant que vous n'ayez pu prononcer un mot… Et pourtant, vous seul pouvez sauver ce qui peut l'être encore. La face du monde. Le secret de l'arche de Noé.

— Exact, mademoiselle Serval. C'est exactement cela.

Il baissa son arme de quelques centimètres.

— Puisque vous abordez le secret de l'arche de Noé, allons-y. Remettez-moi une copie de ce rapport RS2A-2014. Avant que les Nephilim ne…

La réponse cingla, coupante.

— Le rapport RS2A-2014 ne porte pas sur l'arche de Noé mais sur les glaces du mont Ararat ! D'accord ? Depuis ce rapport commandé par le Parlement mondial des religions, je suis la risée de tous les laboratoires de la planète ! Alors je préfère le préciser : la commande reposait sur une simple expertise glaciologique à partir d'images satellite.

— D'accord. Une simple expertise glaciologique… Et vos conclusions ?

— Quoi, mes conclusions ?

La chercheuse explosa :

— Est-ce que l'arche de Noé se trouve au sommet du mont Ararat, c'est bien cela votre question ? Écoutez-moi bien, je suis une scientifique, bac plus huit auxquels vous pouvez ajouter quelques années de post-doc dans divers labos américains. Alors ce n'est pas moi qu'il faut consulter si vous pensez que Noé a construit un bateau sur ordre de Dieu ; qu'il y a mis tous les animaux du monde, un couple des cent mille espèces recensées, y compris les kangourous, les lamas, les pingouins, les espèces endémiques des îles inaccessibles… En les tassant bien ! Puis l'eau est montée jusqu'au sommet du mont Ararat, à plus de cinq mille mètres, et l'arche s'est posée bien gentiment. Elle s'y trouve encore, elle attend juste qu'on la déterre. Vous en trouverez des types sur terre pour croire à cela… C'est certain. Mais pas moi ! OK ? Pas moi !

Zak attendit calmement que la tirade de Cécile Serval se termine, comme on patiente face à une brève averse, en conservant un œil vers la fenêtre. Un petit sourire s'esquissa sur le coin de ses lèvres. Une folle envie de débattre avec cette scientifique pétrie de certitudes le taraudait. Sauf que le temps pressait.

Un dernier regard par la vitre. L'esplanade du Mirail.

Une décharge soudaine l'électrisa.

Les tueurs de Bordeaux.

Zak se colla à la vitre, fébrile. Au bout de l'allée du Mirail, un étudiant plus jeune que les autres avançait à pas rapides. À peine dix-sept ans. Une allure de surdoué du campus.

Le Petit Prince du crime.

Derrière lui, deux autres types, manteaux serrés le long du corps. Armés, sans aucun doute. Ils fendaient avec détermination des groupes d'étudiants indolents. Zak le savait, les mercenaires n'hésiteraient pas à tirer dans une foule insouciante de jeunes gens.

Il se retourna vers la chercheuse.

— Ils sont là…

Les yeux de Cécile s'écarquillèrent, louchant derrière lui, comme si elle cherchait à articuler un mot qui ne voulait pas sortir.

L'instant suivant, la douleur irradia le crâne de Zak. Un objet lourd. Quelqu'un dans son dos venait de le frapper.

Sans même qu'il ait le temps d'apercevoir son agresseur, tout bascula.

17

Parlement mondial des religions,
Melbourne, Australie

Le petit manège de Viorel Hunor agaçait au plus haut point le frère Mosavi. Ce défi de le fixer comme s'il était seul dans l'amphithéâtre, par exemple, alors que les autres membres du Parlement écoutaient distraitement l'histoire de l'arche, ou cette façon de l'apostropher, cette manie de toucher sa croix de bois autour de son cou chaque fois qu'il s'arrêtait pour boire une gorgée d'eau. Ce jeu d'œillades avec son assistante aussi, la petite Pakistanaise qui se tenait droite comme un I sur le côté de la tribune. Émissaire discret et docile des secrets partagés entre initiés.

Viorel Hunor ne l'impressionnait pas. Il y avait plus de vingt ans que le chantre de l'orthodoxie était sorti des geôles de Ceausescu… Mosavi n'avait pas de leçons à recevoir. En Bolivie, avant l'élection de l'Amérindien Evo Morales, il avait presque quotidiennement offert son torse aux fusils de la junte de La Paz pour protéger la cause des Indiens Quechuas. Mosavi braqua son regard sur la tribune avec la ferme intention de ne pas le baisser.

Viorel Hunor finit par détourner les yeux. Un sourire se perdit dans sa barbe. Mosavi était un idéaliste, c'était classique chez les représentants qu'il n'avait pas eu le temps d'informer. Pour l'instant, raconter en détail l'histoire de l'arche lui permettait de gagner du temps, et les auditeurs étaient toujours sidérés des troublants rebondissements de cette épopée. Lorsque viendrait le moment d'aborder le véritable enjeu de leur session, l'anomalie d'Ararat, le rapport RS2A-2014 du DIRS, il devrait trouver le moyen de faire taire le jeune impertinent.

Viorel Hunor s'éclaircit la voix.

— Si le rapport Roskovitsky semble définitivement perdu dans les tiroirs de la bureaucratie soviétique après 1917, d'autres témoignages viendront alimenter le mystère de la présence de l'arche de Noé sur le mont Ararat. En 1936, Hardwicke Knight, un archéologue anglais, parti explorer les vestiges du monastère Saint-Jacob, soutient avoir découvert des poutres de bois dans les glaces de la gorge d'Ahora. Il en recueille un morceau détrempé, qui s'effrite dans sa main, puis qu'il finit par perdre. Malédiction ! Il s'obstinera pendant plus de trente ans, mais jamais, malgré une dizaine d'expéditions, il ne retrouvera l'endroit… En 1943, ce sont deux pilotes américains qui affirment avoir découvert les contours d'un vaisseau des milliers de mètres en contrebas. Ils prennent des photographies, les publient même dans l'édition tunisienne de *Stars and Stripes*… Beaucoup de témoins se souviennent de ces clichés… Mais curieusement tous semblent s'être volatilisés, y compris les vieilles éditions de *Stars and Stripes*. Aucune preuve n'a survécu ! Le mystère va s'épaissir encore avec George Jefferson Greene, un ingénieur pétrolier qui pour le compte de sa compagnie, en 1952, survole l'Ararat, en hélicoptère cette fois. Alors qu'il passe au-dessus de la tranchée d'Ahora, il découvre une proue émergeant de la glace. Il s'approche, prend une pellicule de photographies, suffisamment précises, d'après lui, pour distinguer les planches sur la coque… L'ingénieur rationnel se métamorphose en chercheur d'arche convaincu. Il court les médias, lève des fonds aux États-Unis et parvient à monter une expédition pédestre… Elle ne verra jamais le jour ! Il est assassiné lors d'une mission minière en Guyane. Tous ses biens sont perdus. Malgré des recherches assidues depuis cinquante ans, on ne retrouvera jamais les clichés de Greene.

Viorel marqua une pause, comme pour souligner l'étrangeté du destin commun promis aux témoins de l'arche de Noé : assassinés, disparus, agressés, au mieux dépouillés de leurs biens. Un incroyable cumul de coïncidences. Le métropolite n'inventait pourtant rien.

Il observa avec satisfaction le trouble gagner le frère Mosavi.

— Les chercheurs d'arche possèdent, vous l'avez remarqué, frère Mosavi, une fâcheuse tendance à égarer leurs preuves.

Un rire léger parcourut les rangs de l'hémicycle. Sourire aux lèvres, Viorel Hunor reprit son exposé. Par chance, expliqua-t-il, il existait des témoins oculaires. Des témoins locaux ! Parmi eux, deux étaient demeurés célèbres. Le premier était un fermier turc nommé

Résit, qui prétendit avoir découvert l'arche, et même l'avoir montrée aux habitants de son village. Son récit fut repris en 1948 dans de multiples journaux locaux et occidentaux… mais, malgré des investigations considérables, personne, par la suite, n'était parvenu à retrouver dans la région de l'Ararat un berger appelé Résit acceptant de confirmer cette version ! Canular ? Histoire inventée de toutes pièces ? Ou témoin sommé de se taire ? Le second récit digne de foi est celui de George Hagopian, un Arménien qui après avoir servi dans l'armée russe termina citoyen américain. Il raconta en 1970 à Eryl Cummings qu'en 1908, alors qu'il avait huit ans, son oncle l'avait emmené au-delà de la gorge d'Ahora, après la source Saint-Jacob, pour lui montrer l'arche. Hagopian fournit une description particulièrement précise du vaisseau, qu'il toucha et tenta même d'érafler avec la pointe de son couteau. Sans succès… Hagopian passa avec réussite au détecteur de mensonge. Il dessina même, de mémoire, une arche qui correspondait étrangement à celle décrite par les pilotes qui prétendaient l'avoir repérée au même endroit. On n'en saurait guère plus, Hagopian allait mourir quelques mois plus tard.

Le métropolite se tut à nouveau. L'accumulation finissait par produire son effet.

Désinformation. Disparition. Mort.

Mosavi ne savait plus que penser. Quelle était la part de superstition ? De réalité ? De hasard ou de complot ourdi au fil des décennies pour protéger un secret immémorial ?

La plupart des autres représentants dans l'hémicycle semblaient plus distraits qu'étonnés. Beaucoup lisaient avec avidité le dossier RS2A. Mosavi, machinalement, ajusta ses lunettes sur son nez.

Viorel Hunor vida un verre d'eau et passa la langue sur sa moustache humide. Il avait trouvé l'idée pour faire taire Mosavi. Tout en reprenant son exposé, il jeta un regard à son assistante, Padma, pour qu'elle approche de la tribune. Cette fille était la discrétion incarnée. Hunor leva les yeux vers les gradins :

— Rassurez-vous, frère Mosavi, l'histoire de l'arche de Noé n'est pas achevée. L'Ararat va finir par livrer son secret… Le rebondissement le plus spectaculaire sera l'œuvre d'un Français, Fernand Navarra. Et pour la première fois, non seulement ce témoin survivra, mais il fournira des preuves !

18

Université d'État Emmanuel-Kant,
Kaliningrad, Russie

Tel un moine inquisiteur, Cortés conservait son visage dissimulé dans l'ombre de sa capuche. La bibliothèque fournissait le décor idéal d'un procès en sorcellerie. Devant lui, le bibliothécaire tremblait, clignant des yeux de hibou myope. Sa femme s'était agenouillée à ses côtés ; dans un réflexe de pudeur, elle avait tenté de recouvrir sa poitrine à demi dénudée en faisant glisser sur ses seins ses longs cheveux blonds.

— Je suis certain que Dimitri va rapidement retrouver la mémoire, répéta Cortés en s'adressant à Zeytin.

Cortés tendit le bras pour que son adjoint lui confie son arme.

— À condition que nous l'aidions un peu…

L'instant suivant, la crosse s'abattit sur la tempe de la femme agenouillée. Ses longs cheveux clairs se teintèrent d'une bouillie rougie qui coula le long de sa joue.

— Non ! hurla Dimitri. Natacha ne sait rien. Elle est assistante, elle gère les inscriptions, les inventaires…

— Bien entendu…

La femme, couchée sur le dos, tentait de reculer vers son compagnon. Cortés pivota sur lui-même et, avec une vitesse foudroyante, sa botte de cuir frappa de plein fouet l'entrejambe de la femme. Natacha poussa un cri atroce. La semelle du mercenaire se posa sur le ventre de la femme. Elle n'osa plus remuer, comme si elle était uniquement concentrée à retenir les spasmes qui agitaient son corps. Muette. Seuls ses yeux embués de larmes bougeaient, s'agitaient fébrilement, telles deux mouches prises au piège, pour se poser sur Dimitri, suppliants.

— Allons, Dimitri, fit Cortés, sois raisonnable. À quoi tiens-tu le plus ? À tes livres ou à ta pute ? Une ancienne étudiante que tu as baisée, hein, petit profiteur ?

— Je ne comprends pas ce que vous voulez, gémit Dimitri. Je n'ai jamais vu ce rapport Roskovitsky. Vous vous trompez, il n'y a que des livres ici. Des manuscrits. Des originaux…

Cortés embrassa du regard les immenses rayonnages.

— Lesquels sont les plus précieux ?

— Par… pardon ?

— Parmi les ouvrages archivés ici, lesquels possèdent le plus de valeur ?

— Il… il y en a des dizaines. Des ouvrages médiévaux, des traités de mathématiques, de médecine, de zoologie…

Le pied de Cortés pressa le ventre de Natacha. Une traînée de sang descendait dans le cou de la femme, jusqu'à sa poitrine qui soulevait la chemise souillée au rythme affolé de sa respiration haletante.

— Il va falloir être plus précis, Dimitri.

Le bibliothécaire se leva tout en serrant son menton blessé. Il désigna une rangée de livres posée sur sa droite.

— Les traités d'astronomie d'Heinrich Olbers, par exemple.

Il écarquilla les yeux comme si, sans ses lunettes, il ne percevait plus qu'une réalité floue. Les paroles se bousculaient dans sa gorge.

— Les précis de mathématiques du XVIe siècle sont aux archives, au-dessus. J'ai la clé si vous voulez. Il y a aussi dans la pièce d'à côté les recueils du minéralogiste Franz Ernst Neumann. Et les livres de Kant, évidemment, plus d'une centaine…

Cortés fit signe à Zeytin de suivre le bibliothécaire. Un quart d'heure plus tard, le mercenaire, aidé de deux autres hommes, avait empilé au milieu de la bibliothèque plusieurs centaines de livres, jetés pêle-mêle les uns sur les autres. Le monticule s'élevait sur près d'un mètre. Le bibliothécaire observa avec horreur ce sacrilège. Il avait passé sa vie à conserver chacun de ces ouvrages précieux, uniques, fragiles… jetés en tas par ces sauvages comme des détritus dans une décharge publique. Natacha était parvenue à ramper vers lui, elle frissonnait en s'agrippant à sa jambe.

Un rictus déforma la seule partie visible du visage de Cortés, ses lèvres.

— À quoi ce tas de livres te fait-il penser, Dimitri ?

Le bibliothécaire n'osa pas prononcer un mot.

— Eh bien, Dimitri ? Tu n'as pas deviné ? Si, bien entendu. Il te fait penser à un bûcher, hein ? À un putain de bûcher.

Cortés se contenta de lever la main.

— Allez-y.

Un mercenaire, resté en retrait, se débarrassa d'un mouvement de reins de son sac à dos. Il en sortit un jerrycan de plastique souple et s'approcha du tas de livres anciens. L'odeur d'essence envahit la pièce dès qu'il dévissa le bouchon. Sans état d'âme, il aspergea le monticule.

Dimitri et Natacha reculèrent, le visage déformé par la peur et le dégoût. Le liquide épais gouttait d'un livre à l'autre, assombrissait les reliures, gondolait les pages. Cortés s'approcha et arrêta le bras du mercenaire avant qu'il n'ait complètement vidé le jerrycan.

— Conserves-en un peu, Youri. Si on veut lui délier la langue, il ne faut oublier aucun des trésors chers à Dimitri.

Youri arbora un sourire sadique, fier d'avoir compris les ordres de son chef à partir d'un simple sous-entendu. Il se tourna et vida d'un trait le dernier litre d'essence sur Natacha. La femme suffoqua de terreur. Le liquide coulait sur son visage, son cou, ses seins, trempant sa chemise blanche. Les mains de Natacha se crispèrent sur la jambe de son compagnon. Dimitri gémit :

— Vous êtes fous…

— Oh non, Dimitri, répondit Cortés. Rassure-toi. Nous sommes cupides. Monstrueux sans doute. Mais pas fous. La folie, c'est croire en ces livres. Passer sa vie à les chérir. Être prêt à tout perdre pour les protéger. Le rapport Roskovitsky, par exemple.

Cortés contempla avec mépris le tas de livres poisseux.

— Nous sommes au contraire très rationnels, Dimitri… Nous ne croyons pas à toutes ces foutaises, religions, philosophie, astrologie. Nous croyons juste à leur valeur marchande. Comme tu le vois, il n'y a pas plus pragmatique que nous. Mais assez discuté, Dimitri, maintenant, il faut choisir.

— Qu… quoi ?

— Ta pute ou les livres ?

Natacha lança un regard implorant. Le pantalon de Dimitri était maculé de sang et d'essence mêlés. Le bibliothécaire se força à dévisager Cortés.

— Mettre le feu à ces livres n'a aucun sens. Vous croyez à leur valeur marchande, c'est cela ? Tous valent une fortune. Rien que chaque ouvrage de Kant pourrait se négocier plusieurs millions de roubles.

Cortés ne parut nullement ébranlé par l'argument.

— Et le rapport Roskovitsky ?

— Vous délirez. Il n'y a jamais rien eu de tel ici.

Cortés prit lentement, au hasard, un livre de la pile, arracha une feuille et la roula en cône. Zeytin lui tendait déjà un briquet.

— Alors, Dimitri ?

Le bibliothécaire tremblait, incapable de prononcer un autre mot.

— Tes livres ou cette poufiasse que tu ne dois plus baiser depuis longtemps ?

La page s'enflamma. La lumière dansa entre les enluminures des livres humides et la chair blanche de Natacha. Cortés laissa de longues secondes la torche de papier se consumer, jusqu'à ce qu'elle lèche ses doigts. Il ne grimaça pas lorsque la flamme mourut, noircissant ses ongles.

Le mercenaire éclata de rire.

— Tu as du cran, Dimitri. C'est bien. Alors, d'après toi, les manuscrits de Kant valent des millions de roubles ?

— Oui, bredouilla le bibliothécaire. Emmanuel Kant est né et mort ici. Il a été recteur de l'université de Königsberg. Nous conservons ses manuscrits, absolument tous. Ils appartiennent au patrimoine de l'humanité…

— Lequel est le plus précieux ?

La voix de Dimitri sembla retrouver un peu d'assurance. Une lumière au bout du labyrinthe. Un radeau de survie dans la tempête.

— *La Critique de la raison pure*… Nous possédons les cinq versions annotées par Kant. Toutes uniques. Ce sont les livres au-dessus de la pile. Prenez-les, partez avec, votre fortune est assurée.

Cortés se pencha, saisit un livre et l'examina.

— Tu as raison, même si ce n'est pas ce que je suis venu chercher, il n'y a pas de petit profit. Pas vrai ?

Il se tourna vers Zeytin.

— J'en garde un seul. Celui-ci. 1787. Zeytin, mets le feu aux autres bouquins.

Le mercenaire approcha son briquet du bûcher.

Dimitri roulait des yeux éberlués, stupéfait par l'ordre irrationnel de Cortés. Le chef des mercenaires haussa les épaules.

— Mon pauvre Dimitri, tu ne comprends plus rien à rien, pas vrai ? Tu me plais, dans ton genre, alors je vais t'accorder une faveur. Je vais t'expliquer pourquoi on me surnomme Cortés. Après tout, nous avons le temps. Toute la nuit, n'est-ce pas ?

Natacha, aux pieds du bibliothécaire, était parvenue à s'asseoir. Elle posa sa tête contre la cuisse de son compagnon. Dimitri ne bougea pas.

Cortés s'approcha encore.

— Dimitri, tu es quelqu'un de cultivé, je n'en doute pas. Connais-tu le théorème de Cortés, celui qu'Hernán Cortés a appliqué lors de la conquête du Mexique ?

Dimitri secoua négativement la tête. À cet instant, il eut presque l'impression que tout cela n'était qu'une mise en scène pour les impressionner. Ce type n'avait ni l'intention de les tuer ni de brûler cette pile de…

Obéissant à un ordre invisible, Zeytin lança son briquet devant lui. La flamme dansa en l'air, tel un insecte incandescent.

L'instant suivant, les centaines de livres empilés s'enflammèrent en un immense bûcher.

19

Campus universitaire du Mirail,
Toulouse, France

Un immense éclair blanc, puis le noir, pendant une fraction de seconde.

Sous le choc, Zak roula à terre.

Sans lâcher le revolver.

L'intense douleur qui résonnait encore dans son cerveau faisait danser des étoiles lumineuses autour de ses yeux. Il braqua le revolver devant lui au hasard.

Son agresseur s'immobilisa sous la menace de l'arme. Zak, encore sonné, se concentra pour observer l'homme qui se tenait devant lui. Une soixantaine d'années, mince, serré dans un élégant costume de laine grise ; une certaine classe un peu décalée, presque britannique. Il serrait encore, l'air penaud, le clavier d'ordinateur avec lequel il avait tenté d'assommer Zak.

— Vous ne pouviez pas frapper plus fort ?

Les deux hommes se retournèrent vers Cécile Serval. La chercheuse serrait les poings, comme si elle regrettait de ne pas avoir eu l'occasion de défoncer elle-même le crâne de Zak. L'homme au clavier posa des yeux confus sur elle.

— Désolé, Cécile… J'ai… j'ai improvisé. Qui… qui est cet homme ?

— Un fou ! Mais, rassurez-vous, il nous protège…

L'homme au clavier écarquillait les yeux.

— De qui ?

— D'autres fous, je suppose, mais encore plus dangereux que lui, paraît-il.

Zak se leva, retrouvant avec peine son équilibre.

— Vous pourriez peut-être faire les présentations ?

Il tituba vers la fenêtre. Le sang pulsa dans ses veines, réveillant son corps endolori. *Les trois tueurs se tenaient toujours sur l'esplanade au milieu des étudiants !* Le plus jeune collait un téléphone portable à son oreille. Zak agita le bras, sa main, le revolver au bout.

— Rapides, les présentations. Il ne va pas falloir traîner ici.

— Arsène Parella, fit le sexagénaire. Professeur émérite. Fondateur et directeur du DIRS.

— Enchanté. Impressionné, même. Zak Ikabi. Allons-y…

Arsène Parella toussa avec délicatesse.

— Au risque de paraître impertinent, j'aimerais tout de même connaître le motif de votre présence dans mon laboratoire, arme au poing, pointée sur Mlle Serval…

Cécile répondit la première, avec détachement.

— Il cherche l'arche de Noé.

— L'arche de Noé… (Un fin sourire s'esquissa sur le visage de Parella.) C'est donc cela… C'est plutôt amusant non ? Vous vous souvenez, Cécile, lorsque nous avons accepté ce contrat sur l'Ararat du Parlement mondial des religions, vous m'aviez averti. On allait nous prendre pour des dingues… ou les attirer…

Zak scrutait par la fenêtre. Fébrile. L'ado blond s'accrochait toujours à son portable. Les deux porte-flingues patientaient à côté.

— Dépêchons-nous, ordonna-t-il.

Il s'adressa à Parella.

— Vous m'avez l'air moins obtus que votre protégée. Il faut que je récupère une copie de votre rapport RS2A-2014. Ensuite nous disparaissons…

La voix aiguë de Cécile Serval s'éleva dans la pièce.

— Hors de question !

— Je parle à votre chef !

— Ce n'est pas mon chef !

Zak soupira.

— Professeur Parella, on vous les impose, vos thésardes, ou vous les choisissez ?

— Cela dépend… Mais Cécile a raison, ce rapport est hautement confidentiel…

Zak serra son arme et haussa le ton.

— Nom de Dieu, allez-vous comprendre ? Les Nephilim vont grimper cet escalier d'une seconde à l'autre. On sera coincés. Ils vont nous liquider…

L'agitation de Zak tranchait avec le flegme d'Arsène Parella. Le professeur émérite se tourna vers Cécile Serval.

— M. Ikabi n'a pas l'air bien dangereux. Juste un peu exalté peut-être…

Cécile leva les yeux au ciel.

— Vous trouvez toujours le mot juste, Arsène. Juste un peu trop *exalté*. Sachez que par léger excès d'exaltation, M. Ikabi a abattu la nuit dernière deux gardes au musée d'Aquitaine de Bordeaux. En ce moment même, tous les flics de France sont à la recherche de cet homme.

Parella vira au cramoisi, peinant à respirer, comme si le nœud coulant de sa cravate s'était brusquement rétréci.

Zak explosa.

— Puisque je vous dis que…

Soudain, il s'avança, arme au poing.

— Reculez-vous !

Zak s'approcha de l'ordinateur de Cécile Serval en sortant une clé USB de la poche de sa veste.

— Puisque vous ne voulez pas comprendre… Copier quelques gigas de votre disque dur ne prend que quelques secondes. Je ferai le tri plus tard.

Un silence pesant s'installa dans la pièce pendant qu'une partie des documents passait de l'ordinateur à la clé. Zak écoutait le moindre bruit extérieur, braquant le revolver vers la porte. Cécile Serval, à l'inverse, plissait les yeux vers l'écran, comme si elle cherchait à repérer quels dossiers Zak avait piochés au hasard.

Les noms de fichiers défilaient à toute vitesse. Illisibles.

Cécile pestait intérieurement contre ce viol. Ikabi s'immisçait dans ce qu'elle avait de plus intime, les données de son ordinateur, pour ainsi dire l'avatar électronique de toutes les heures de sa vie à l'exception de celles où elle dormait. Elle regardait avec méchanceté le périphérique que Zak avait enfoncé dans son ordinateur. Il portait d'ailleurs un titre étrange.

CIARCEL...

Inexplicablement, ce mot éveillait comme une intuition. CIARCEL. Il signifiait quelque chose d'évident, tel un code enfantin qui dissimulerait une vérité capitale.

CIARCEL.

Une anagramme ? Un rébus ? Une astuce littéraire quelconque ?

Cécile renonça à deviner, son esprit était trop embrouillé pour chercher.

Zak arracha la clé, courut à la fenêtre.

L'adrénaline gonfla d'un coup toutes ses artères.

Les trois tueurs avaient disparu !

— On décampe ! Vous avez une voiture ?

Parella et la chercheuse se consultèrent, livides.

— Cécile, non. Moi, j'en ai une.

— Très bien, professeur. Vous allez chercher votre voiture, vous vous garerez derrière le bâtiment.

Il évalua la situation d'un regard panoramique.

— Là-bas, juste derrière les haies. Quelle marque, votre voiture ?

— Une Volvo. Bleue.

— OK. Donnez-moi votre téléphone portable. Tous les deux.

Arsène Parella et Cécile Serval confièrent avec résignation leur appareil. Sous leurs yeux médusés, Zak en fourra un dans sa poche et écrasa l'autre du talon.

— Allez-y, professeur, ajouta-t-il. Comme garantie de votre collaboration discrète, je reste avec votre élève. Nous vous rejoignons à la voiture dans cinq minutes.

— Et si je refuse ?

— Je suis armé, je peux tirer.

— Vous ne le ferez pas !

— Ce n'est pas un jeu, professeur. (Zak étouffa un juron.) Jouons-la scientifique, alors. En deux mots, deux hypothèses. Soit je suis le tueur fou qui a assassiné ces vigiles à Bordeaux, et dans ce cas, si vous tenez à la vie, vous n'avez pas d'autre choix que de m'obéir… Soit je dis la vérité, des tueurs sont à nos trousses et ce laboratoire sera leur prochaine boucherie.

Les yeux bleus d'Arsène Parella se posèrent avec douceur et complicité sur la chercheuse.

— Ce type est loin d'être idiot, Cécile, il raisonne juste, je n'ai pas le choix.

Il se tourna vers Zak.

— Si jamais vous lui faites du mal…

— Cinq minutes, professeur, derrière la haie. N'avertissez personne. Surtout pas.

Parella fila. Zak attendit, puis jeta un nouveau coup d'œil par la vitre.

— OK, allons-y, ne laissons rien derrière nous.

Il avança de trois pas et, sans lâcher son arme, arracha la tour de l'ordinateur de Cécile Serval. Des câbles pendirent, inutiles.

— Que faites-vous ?

Pas de réponse, juste un geste de lanceur de poids. La tour centrale explosa contre le mur dans un vacarme épouvantable.

20

Parlement mondial des religions,
Melbourne, Australie

Padma s'approcha de la tribune. Elle déposa sur la table, devant Viorel Hunor, une petite feuille de bristol, une enveloppe bleue et un fin stylo argenté. Elle s'effaça comme une ombre. Efficace.

Le métropolite apprécia, esquiva le regard du frère Mosavi, et s'appliqua à la suite de son récit.

— Les affirmations de Fernand Navarra demeurent encore aujourd'hui une énigme. Est-il le premier homme à avoir découvert une preuve irréfutable de la présence de l'arche de Noé sur l'Ararat, ou un génial imposteur ? Navarra fera quatre voyages en Turquie, presque tous clandestins. Il les raconte en détail dans plusieurs ouvrages aujourd'hui épuisés. Au cours du troisième, en 1955, seulement accompagné de Raphaël, son fils de treize ans, il prétend, photos à l'appui, avoir découvert sur les flancs de l'Ararat, dans une des grottes du glacier Parrot, une poutre de deux mètres de long. Aidé de son fils, il la hisse hors des glaces, la scie, la glisse dans son sac, franchit la frontière à la barbe des douaniers en la faisant passer pour du bois de chauffe… Treize ans plus tard, il monte une nouvelle expédition, officielle cette fois, accompagné d'une dizaine de scientifiques, équipé de sept cents kilos de matériel montés jusqu'au camp de base à plus de quatre mille deux cents mètres. Il atteste du sérieux de leurs travaux par des heures de films tournés sur place. Après sept jours d'exploration sur le site de 1955, il extrait à nouveau plusieurs fragments de bois pris dans les glaces. Comme les premiers échantillons, le bois sera envoyé à divers laboratoires de datation. La grande majorité des expertises seront formelles : le bois des poutres descendues de l'Ararat est identifié comme du *Quercus*, connu pour être un bois de chêne lourd et compact de la région méditerranéenne, utilisé pour les constructions navales depuis la haute antiquité… Les estimations affirment que l'âge du bois de Navarra se situe aux alentours de cinq mille ans…

Les yeux noirs du père Mosavi lançaient des éclairs. Il effleura l'écran tactile pour demander la parole. Sa question se démultiplia dans les enceintes encastrées aux murs.

— Navarra était-il un homme digne de foi ?

Les représentants s'agitèrent devant la promesse d'un dialogue. Le métropolite afficha un sourire énigmatique.

— Digne de foi, frère Mosavi ? Eh bien, si c'est ce que vous sous-entendez, Fernand Navarra n'avait rien d'un fanatique de Dieu, il était chef d'entreprise, père de famille… Un aventurier qui semble avoir toujours privilégié la dimension scientifique dans ses investigations…

Devant la moue circonspecte du prêtre mennonite, le métropolite ajouta que personne n'avait jamais mis en cause la crédibilité de Fernand Navarra. Il était clair aujourd'hui que son action n'était en rien commanditée par un quelconque mouvement religieux. D'ailleurs, la recherche de l'arche de Noé ne s'arrêta pas à sa découverte. La fondation Search, qui avait aidé Navarra lors de sa dernière mission, continuait encore aujourd'hui ses prospections… sans véritable succès. La plupart des expéditions depuis 1970, bien que parfois très médiatisées, étaient revenues bredouilles. Presque toutes étaient des projets américains, financés par des mécènes proches des théories créationnistes. Elles obligèrent également la CIA et le Foreign Office à s'intéresser discrètement à la question. Outre les affirmations bibliques prises au pied de la lettre par des Américains influents, l'Ararat restait au cœur d'une poudrière géopolitique par laquelle passait, en pleine guerre froide, l'une des lignes de contact Est-Ouest.

Viorel Hunor jeta un regard furtif en direction de William Creek, le représentant adventiste, qui s'agitait avec impatience sur son siège. Il se hâta d'enchaîner.

— Ainsi, l'un des plus célèbres chercheurs d'arche pendant les dernières décennies fut le colonel James Irwin, l'un des douze astronautes à avoir marché sur la Lune. Il se lancera à l'assaut de l'Ararat de 1972 à 1982. (Le métropolite marqua un bref silence.) Il ne trouvera jamais l'arche, pas plus que le Bulgare John Liiby et ses huit missions, Eryl Cummings ou Richard Bright… Ensuite, les expéditions deviendront de plus en plus complexes à organiser. La guerre civile éclate entre Turcs et Kurdes, et le mont Ararat, classé en zone militaire, devient quasiment inaccessible aux étrangers. Dès lors, seules les images satellite permirent d'espionner l'Ararat… Autre temps, autres techniques !

— Viooorel !

Le pasteur adventiste s'était levé, le visage rubicond.

— Viooorel ! Tu arrêtes l'histoire un peu tôt, non ? Tu as oublié de parler de l'expédition de 2007 ?

La barbe du métropolite dissimula un soupir.

— J'y venais, William, j'y venais…

De l'autre côté de l'hémicycle, le frère Mosavi apprécia l'incident. Un grain de sable inattendu venait enfin perturber le discours bien huilé de Viorel Hunor.

Le métropolite poursuivit.

— En 2007, après la réouverture du mont Ararat par les autorités turques, un événement attendu depuis des années par les chercheurs d'arche, une expédition est partie de Hong Kong pour marcher sur les traces de Navarra. Même lieu, même objectif, même rigueur dans le protocole scientifique, mais avec une technologie de cinquante ans plus perfectionnée. Aux yeux du monde, via YouTube ou Dailymotion. Cette expédition prétend elle aussi avoir exhumé du bois fossilisé des grottes du glacier Parrot. À près de quatre mille mètres, bien au-dessus du seuil de la limite de végétation ! Les échantillons ont été examinés par le Département des sciences de la Terre de l'université de Hong Kong. L'expertise est sans appel : il s'agit de bois pétrifié qui date de plusieurs milliers d'années… Seule petite différence avec Navarra, l'expédition n'était pas financée par un aventurier isolé, mais par l'Église adventiste…

Le poing triomphant de William Creek écrasa la tablette d'acajou.

— Tout à fait ! Le fragment d'arche de Noé est d'ailleurs en ce moment même exposé à Hong Kong, dans le parc d'attractions Noah's Ark que nous avons ouvert en 2009 sur l'île Ma Wan. Le premier parc éducatif et évangélique qui…

Un brouhaha de protestation enfla dans les rangs de l'hémicycle. Le frère Mosavi s'amusait beaucoup à présent. Le métropolite toussa dans le micro.

— D'accord, William. Nous avons compris. Tu connais nos règles en ce qui concerne le prosélytisme à cette tribune…

L'adventiste bafouilla pour la forme de vagues excuses.

— Si vous voulez. Une seule précision alors. Soyons clair. L'expédition Hong Kong 2007 était financée par l'Église adventiste, mais les hommes qui sont montés sur l'Ararat, qui ont trouvé le bois pétrifié, qui l'ont expertisé ne sont ni des moines ni des pasteurs. Il s'agit de scientifiques reconnus ! Des glaciologues, des paléontologues, des archéologues…

Quelques membres soupirèrent encore. Le pasteur afficha un sourire satisfait.

— Bien entendu, William, glissa Viorel Hunor.

Il toisa le frère Mosavi avant de continuer.

— Donc, pour en terminer avec cette surprenante histoire de la quête de l'arche de Noé, nous sommes à peu près certains que du bois équarri, vieux de plusieurs milliers d'années, a été trouvé sur les pentes de l'Ararat, entre quatre mille et cinq mille mètres d'altitude. (William Creek hochait la tête en cadence.) Ce fait avéré n'empêche d'ailleurs aucunement les sceptiques de développer leurs arguments. Il pourrait s'agir des restes d'un temple construit jadis en haut du mont ou de reliques antiques hissées des siècles plus tard par des croyants, ou encore d'une habile manipulation montée de toutes pièces par des aventuriers avides de gloire.

Creek sauta sur son micro.

— Ou de la preuve formelle de l'existence de l'arche de Noé…

Les deux tiers de l'assistance sourirent à la dernière affirmation du pasteur, principalement les représentants des grandes religions monothéistes. Comme s'ils partageaient une vérité inconnue des autres, s'étonna le frère Mosavi.

L'arche de Noé sur l'Ararat, quelle bonne blague !

Viorel Hunor enchaîna avec détermination avant que le brouhaha ne s'effiloche en un silence troublant.

— Merci, William. Il ne nous appartient pas ici de trancher, surtout pas. Frère Mosavi, ai-je comblé vos lacunes ?

Le prêtre bolivien acquiesça.

Que répondre d'autre ?

Viorel Hunor profita de la courte pause pour appeler Padma à la tribune. Il glissa le bristol dans l'enveloppe puis inscrivit quatre mots. *Pour le frère Mosavi.* Viorel Hunor était parfaitement capable, tout à la fois, d'occuper la tribune par un long monologue, d'arbitrer les débats dans l'hémicycle… et de rédiger en toute discrétion un billet à destination des représentants trop curieux. Il était conscient que, à partir de cet instant, aucune fausse note n'était autorisée. Les choses sérieuses allaient enfin commencer.

La partition avait soigneusement été répétée.

Il toussa dans son poing fermé. Trois petits coups, comme au théâtre.

— Bien, puisque chacun est éclairé, passons maintenant à ce qui nous réunit ici. L'anomalie d'Ararat. Nous ne parlons plus seulement d'une poutre sur les flancs du mont, cette fois-ci…

Il fit mine de chercher ses mots.

— Nous parlons des glaces éternelles qui recouvrent depuis toujours le sommet d'Ararat. Huit cent mille mètres cubes. Et… pour vous dresser un brutal résumé des conclusions du rapport du DIRS, si la communauté internationale ne réagit pas, dans quelques décennies… ces mètres cubes de glace n'existeront tout simplement plus.

Un silence de mort s'abattit sur la salle lorsque ses derniers mots furent traduits en trente langues.

21

Université d'État Emmanuel-Kant,
Kaliningrad, Russie

Les dizaines de livres vénérables se consumaient sous les yeux horrifiés de Dimitri. Pourtant, le bibliothécaire n'accordait aucune importance à ce trésor qui partait en cendres, ce patrimoine inestimable de la civilisation européenne qu'il avait passé sa vie à préserver, comme des générations de conservateurs passionnés avant lui. Toute l'énergie de Dimitri était consacrée à tirer Natacha par la taille, à l'éloigner du bûcher, centimètre après centimètre.

Sa compagne empestait l'essence.

La moindre étincelle pouvait la transformer en torche.

Quelques livres enflammés s'effondrèrent de la pile. L'un d'eux glissa, toucha presque la peau blanche de Natacha.

Elle hurla.

Un instant, elle eut l'impression que l'intense chaleur allait l'embraser. Vivante.

Dimitri voulut l'éloigner encore. Zeytin lui colla la kalachnikov sur le front.

— Ta chérie va rester là, juste à la bonne distance pour qu'elle rôtisse… sans dorer trop vite.

Le bibliothécaire ruisselait dans la fournaise. Il prit la main de Natacha et la serra de toute la force qu'il lui restait. Le bûcher s'était momentanément stabilisé et brûlait comme un banal feu de bois. La voix cynique de Cortés le rendait fou.

— Dimitri, Dimitri, je fais l'effort de t'enseigner des vérités essentielles, alors concentre-toi un peu. (Cortés s'approcha ; dans l'ombre de la capuche, un trou béant semblait remplacer son visage.) Le principe du théorème de Cortés est assez simple, en fait, mais pour le comprendre, il faut que tu oublies toutes tes connaissances mathématiques. Dimitri, imagine par exemple un objet rare, je ne sais pas, tiens, un vase chinois, du genre Ming. Imaginons qu'il n'en reste que quatre exemplaires au monde. Ces vases sont estimés, disons, à trois millions de dollars chacun. Appliquons le théorème de Cortés : tu brises deux de ces vases. À ton avis, combien vaudront les deux derniers exemplaires ?

Des larmes coulaient des yeux rougis de Dimitri. Il ne pouvait détacher ses pupilles de la peau de Natacha qui lui semblait fondre dans le halo flou des flammes, gonfler en cloques puis partir en lambeaux.

Une illusion, se rassura Dimitri. Une simple illusion.

Ne pas lâcher Natacha. Ne pas céder à la panique. Tout cela n'était qu'une mise en scène pour l'impressionner, le faire parler.

Cortés hurla.

— Réponds, putain !

Dimitri bredouilla.

— Six. Les derniers vases intacts valent six millions.

Cortés éclata d'un rire dément.

— Eh non ! Tu n'as pas réfléchi, Dimitri, tu es tombé dans le piège. Quatre vases uniques. Si on en brise deux, on ne divise pas par deux la valeur marchande du bien, mais on la multiplie ! Au carré ! Les deux derniers vases ne valent plus trois millions chacun comme auparavant, mais neuf. Pourquoi, Dimitri ? Parce qu'ils sont plus rares, tout simplement. L'estimation dépend uniquement de la rareté de l'objet. Pourquoi l'or, l'argent, les diamants, les émeraudes valent-ils une fortune ? Ce sont des métaux et des pierres comme les autres, de vulgaires cailloux. Leur seule valeur, c'est leur rareté. Réfléchis, Dimitri, on paye des types des millions simplement parce qu'ils sont les seuls au monde à savoir faire quelque chose, n'importe quelle connerie. Une façon différente de balancer un ballon dans un but, de gueuler dans un micro, de se foutre à poil devant une caméra. N'importe quoi, ce qui compte, c'est l'unicité. Tu as compris, maintenant, Dimitri, le théorème de Cortés ? Mes deux derniers vases Ming sont estimés à neuf millions chacun. J'en brise encore un. Combien vaut l'unique survivant ?

Tout se brouillait dans la tête de Dimitri. Le feu. La main moite et molle de Natacha. Le canon glacé de la kalachnikov. Les délires de ce Cortés. Le bibliothécaire fit un effort de concentration.

— La… la loi du carré. Le dernier vase vaut son prix au carré…. Quatre-vingt-un millions…

— Gagné ! Quatre-vingt-un millions ! Un prix de fou, non, comparé aux douze millions de départ, la valeur des quatre vases… Dimitri, tu comprends maintenant, le bûcher ? S'il reste cinq originaux de Kant, tout le monde s'en fiche. Mais si je possède le seul manuscrit, l'unique, le dernier d'une œuvre mythique… alors, je dispose d'une véritable fortune entre les mains. Le pouvoir absolu. Dimitri, sais-tu pourquoi cette équation fondamentale a été baptisée théorème de Cortés ?

Les joues du bibliothécaire étaient inondées de larmes.

— N… non…

— Si tu en as assez, Dimitri, nous pouvons abréger. Tu m'indiques où est conservé le rapport Roskovitsky et nous repartons comme nous sommes venus. Tout cela n'aura été qu'un mauvais rêve…

— Pour l'amour du ciel, je vous jure que je ne sais pas ce que…

La capuche de Cortés se balança de droite à gauche.

— Comme tu veux. Nous continuons, donc. Sache, Dimitri, qu'Hernán Cortés inventa ce théorème et l'expérimenta, grandeur nature, si l'on peut dire. Je ne suis qu'un amateur à côté de lui. Quelques bouquins en allemand ou en latin réduits en cendres… Hernán Cortés, lui, en quelques mois, a détruit une civilisation millénaire, par simple cupidité, par simple désir de richesse et de gloire. En quelques semaines, pschitt !, effacées des tablettes les civilisations maya et aztèque. Dimitri, sais-tu ce qui est arrivé à la grande bibliothèque de l'actuel Mexico ?

Imperceptiblement, Natacha rampait et s'éloignait du brasier. Dimitri l'aidait, craignant à chaque instant que la main de sa femme ne lui glisse entre les doigts. Son esprit bouillonnait comme une lave en fusion.

Quel rapport pouvait-il y avoir entre ce rapport Roskovitsky sur l'arche de Noé et cette fascination morbide pour les conquistadors ?

— N… non, articula péniblement Dimitri.

— Cela va t'intéresser. Les Mayas étaient parvenus à une société particulièrement avancée, ils étaient notamment capables de calculs extraordinaires en astronomie. Les Mayas furent renversés par les Aztèques vers 1500, mais les deux cultures se fondirent en une seule, et les Aztèques conservèrent les milliers d'ouvrages mayas dans le Yucatán, toute la mémoire d'un peuple. Dimitri, à ton avis, que firent Cortés et ses hommes en 1521 ?

D'autres pensées continuaient d'incendier le crâne du bibliothécaire. Peu à peu, une étrange vérité prenait corps : il existait un lien entre la légende de Noé et celle d'Hernán Cortés. Un lien simple, évident… et pourtant sidérant dans ses conséquences. Les mots de Cortés cognèrent à ses tempes :

— Ce n'est pas compliqué, Dimitri. Théorème du carré oblige, Cortés détruisit tout ! Secondé par le moine catholique Diego de Landa, il brûla tous les écrits, toutes les traces de la culture maya… Soixante-dix tonnes de documents, à ce que l'on raconte. Des sauvages, vas-tu me dire, Dimitri ? Des fanatiques, des êtres stupides croyant avoir affaire à des indigènes incultes ? Oh, que non ! Hernán Cortés était un homme cultivé… Diego de Landa parlait la langue aztèque… Mais ils appliquèrent à la lettre le théorème : ils détruisirent absolument tout, à l'exception d'un codex, un seul codex qu'ils envoyèrent à Philippe II, le roi d'Espagne. Ce codex se trouve encore au musée des Amériques, connu dans le monde entier sous le nom de codex de Madrid, la seule trace écrite d'une des plus brillantes civilisations que la terre ait portées. Non, Dimitri, Hernán Cortés n'était pas fou, bien au contraire. Quel présent plus prestigieux aurait-il pu offrir à son souverain ? Des galions aux cales emplies de butin ? Certes, mais rien ne pouvait atteindre, en pouvoir, en puissance, en prestige, l'équivalent de ce codex de Madrid. Le pouvoir absolu, en un seul et unique objet. Comprends-tu maintenant ?

Noé.

Hernán Cortés.

Le rapport Roskovitsky.

Natacha dont la main semblait fondre dans sa paume comme une poupée de plastique abandonnée au bord d'un âtre.

Impossible de connecter davantage ces éléments entre eux.

— Ou… oui.

Cortés serrait le volume rouge de *La Critique de la raison pure* entre ses bras. Il posa son regard sur le bûcher.

— Un pur génie, cet Hernán Cortés…

Tout à coup, Cortés toucha le brasier de sa botte. Une épaisse fumée s'éleva. Une dizaine de livres glissèrent. La kalachnikov de Zeytin s'approcha de Dimitri pour lui interdire tout mouvement.

La robe blanche de Natacha prit feu.

Dans un réflexe désespéré, la femme se recroquevilla et posa ses deux paumes sur les flammes naissantes.

Elle les étouffa pendant que l'insoutenable douleur de ses mains brûlées vives déformait chaque muscle de son visage.

— Avançons, Dimitri. Alors, ce rapport Roskovitsky ?

Natacha leva vers Dimitri des yeux implorants. Elle n'avait pas seulement été belle. Elle l'était encore. Le serait encore, des mois, des années, dans ses bras.

— Au second étage, fit Dimitri d'un ton monocorde. Salle 302. Quatrième rangée, troisième étagère. Un carton bleu. Banal. Discret. Personne ne peut le savoir, sauf moi. L'intégralité du rapport Roskovitsky se trouve là. Personne ne l'a ouvert depuis cinquante ans. Pas même moi.

Cortés fit signe à Zeytin.

Le mercenaire revint deux minutes plus tard et tendit un dossier cartonné à son chef. Cortés en vérifia le contenu. Le visage sombre sous la capuche, comme bercé par les flammes, acquiesça de satisfaction.

— Une pièce de plus, murmura Cortés. Au moins, celle-ci ne nous échappera pas. Tirons-nous maintenant. On appellera dès que l'on pourra Morad à Toulouse.

Cortés se tourna vers le couple de bibliothécaires. Natacha avait rampé à plus d'un mètre du brasier. Elle empestait encore l'essence. Elle respirait plus lentement maintenant, comme un plongeur qui reprend son souffle après une descente en apnée. Dimitri, debout à côté d'elle, contenait sa colère en observant Zeytin ranger le rapport Roskovitsky dans son sac.

— Eh bien, tu vois, Dimitri, ce n'était pas si difficile.

Ni le bibliothécaire ni Natacha ne virent, au bout de la manche du long manteau noir, les deux doigts de Cortés se superposer perpendiculairement pour former, une fraction de seconde, une croix. Zeytin, chien fidèle, attendait le signal. La crosse de la kalachnikov balaya l'espace puis heurta avec violence le sommet des livres enflammés. Le bûcher s'écroula. Natacha n'eut le temps d'esquisser aucun geste avant de se transformer en torche vivante.

Cortés, Zeytin et ses hommes sortaient déjà.

Natacha se releva. De hautes flammes bleues dévoraient sa robe, son cou, son visage. Elle ouvrit les bras, croix de feu d'une secte de l'enfer.

La porte de la bibliothèque claqua.

Dimitri fixa les gesticulations désespérées de sa femme, hébété, incrédule. Ses yeux rougis embrassèrent une dernière fois les immenses rayonnages de la pièce ; la seconde suivante, le bibliothécaire se jeta dans les bras incandescents de Natacha.

Ensemble, ils basculèrent dans le bûcher.

22

Campus universitaire du Mirail,
Toulouse, France

Les deux étudiants nus faisaient l'amour acrobatiquement, elle sur lui, coincés entre leurs deux parents endormis de chaque côté du lit.

« Pénurie de logements étudiants », dénonçait l'affiche choc.

Zak et Cécile passèrent devant, indifférents. Ils descendaient quatre à quatre les marches de l'escalier. Zak se tenait légèrement en retrait, la main armée cachée dans sa veste, pointée en direction de la chercheuse. Il avisa les affiches déchirées et la peinture décollée.

— Vos locaux sont vraiment immondes. C'est incroyable que le meilleur laboratoire d'Europe soit situé dans un tel taudis.

— Eh bien, moi, ça ne me choque pas qu'un laboratoire public de recherche soit situé près des salles de cours au milieu d'un campus !

Zak haussa les épaules. Ils parvinrent en bas des cinq étages. Il posa soudain une main ferme sur l'épaule de Cécile.

— Ils sont là.

— Qui ?

Zak se recula discrètement. Il attira la chercheuse contre le mur tapissé d'affiches déchirées.

— Le type devant la porte. C'est un des Nephilim.

— À quoi vous voyez ça ?

— Vous trouvez qu'il a une allure d'étudiant ?

Cécile observa l'homme d'une trentaine d'années, vêtu d'un jean et d'une veste de cuir. Un étudiant attardé. Comme il en existe quelques-uns.

— Vous êtes malade…

— C'est un des tueurs. Il était au musée d'Aquitaine la nuit dernière.

— Bon, d'accord. Pas la peine de me resservir le coup des deux hypothèses. Je suis une scientifique rationnelle, je fais le pari de la moins pire. Ce type est un assassin. Mais qu'est-ce qu'il peut bien représenter comme danger, votre Nephilim, en plein jour, au milieu de la foule ?

— Un carnage. Comme en Arménie. Eux aussi connaissent mon visage, à cause d'Internet et de cette foutue caméra de surveillance.

— Mais je suis certaine que vous avez un plan, Indiana…

— Demi-tour ! Il y a une autre sortie ?

— Non.

— Vous plaisantez. Il existe forcément une sortie de secours.

Cécile hésita, agacée. Des groupes d'étudiants les dépassaient. L'homme en cuir attendait immobile devant la porte, laissant juste traîner le regard sur les cuisses dénudées des filles. Cécile lui trouva l'air coincé d'un type qui s'est fait poser un lapin par une plus belle et plus jeune que lui. Elle chuchota à l'oreille de Zak.

— La seule issue de secours se situe derrière l'amphi 300… Mais il est impossible de passer par là.

— Nom de Dieu ! Pour quelle fichue raison ?

— Il y a cours !

Zak fronça les sourcils, incrédule.

— Et ils se barricadent, ici, lorsqu'ils font cours ?

— Non, mais…

Zak n'écoutait plus. Il leva les yeux : sur le mur, la direction de l'amphi 300 était indiquée sur leur gauche. Il s'assura que le guetteur ne regardait pas dans leur direction et entraîna Cécile.

— On y va.

Ils se fondirent parmi les étudiants qui campaient dans le couloir, gobelet ou photocopies à la main. Cinquante mètres plus loin, ils parvinrent devant la porte de l'amphi 300.

Une grande porte battante rouge.

— Entrez. Vite.

— Vous rigolez ? C'est un de mes collègues qui fait cours. Je ne vais pas traverser l'amphi ainsi, devant lui et ses élèves, avec vous qui me collez aux fesses. Je suis directrice de recherche au CNRS et je…

Zak poussa violemment la chercheuse. La porte s'ouvrit d'un coup. Cécile se retrouva sur le seuil de l'amphithéâtre. Zak s'engagea juste derrière elle.

Cent paires d'yeux se dirigèrent vers Cécile.

Plus une sur l'estrade.

— Bonjour, Hubert. Euh, je te présente… Piotr, un collègue, euh, polonais. Une… une voiture avec chauffeur attend derrière la sortie de secours. Un avion. Urgent. Désolé.

Des rires explosèrent à tous les étages des bancs de l'amphithéâtre. Sous les yeux stupéfaits du professeur toulousain, Cécile et Zak sortaient déjà par la porte de secours, de l'autre côté de l'estrade.

— Vous me le paierez, glissa Cécile dès qu'ils furent sortis.

Zak ne releva pas, aux aguets. D'autres tueurs tournaient sans doute sur le campus. Ils marchèrent vingt mètres.

La Volvo du professeur Parella les attendait, comme prévu, au bout de l'allée, légèrement dissimulée par une haie de charmille. Le canon du revolver dans la poche de Zak pressa la taille cambrée de Cécile. Le bas du dos de la jeune femme ruisselait. Sueur. Peur. Fureur.

Zak ouvrit la portière.

— Montez devant, Cécile.

Il s'introduisit à l'arrière de la Volvo, continuant de scruter les alentours du campus.

— Démarrez, professeur.

— Où allons-nous ?

— Roulez, roulez, sortez du campus.

La Volvo rejoignit l'allée du château qui longeait le parc ceinturant le Mirail. Les routes étaient quasi désertes. Quelques secondes plus tard, ils atteignaient le périphérique et perdaient de vue les immeubles du Mirail.

— Quelle direction ?

— Plein nord. Je vous dirai.

Cécile Serval utilisa le col de son manteau pour s'éponger le cou. Elle se tourna vers Zak, narquoise.

— Plein nord, jusqu'au prochain commissariat. Vous êtes stupide ! Arsène a eu tout le temps de prévenir les flics.

Les mains du professeur tremblaient sur le volant.

Zak sourit franchement.

— À votre place, je n'en serais pas certaine.

Cécile se pencha vers Parella.

— Ne me dites pas qu'il a raison, Arsène ? Vous aviez tout le temps. Vous pouviez emprunter le téléphone portable de n'importe quel étudiant…

Les yeux gênés du professeur suivaient la voiture devant lui. Il bredouilla.

— Mais… mais vous étiez retenue en otage par ce fou, Cécile.

Cécile se laissa aller sur son siège. Lasse, excédée. Zak lui trouva un joli profil, le regard perdu à l'horizon.

Le périphérique de Toulouse défilait, monotone. Ils passèrent le canal du Midi.

— On va loin ? grogna Cécile.

Zak se pencha vers elle.

— Pourquoi ?

— Je n'ai plus d'iPhone. Plus d'ordi portable. Pour vous donner une idée, en temps normal, je reçois dix mails à la minute. Tous urgents et capitaux. Vous vous rendez compte du retard accumulé ?

— Je vous ai…

— Je sais, je suis la pire des ingrates de me plaindre. Vous m'avez sauvé la vie ! Sans vous, à l'heure qu'il est, je baignerais dans mon sang au cinquième étage du Mirail, égorgée dans mon laboratoire par ces affreux Nephilim.

Elle poussa un petit rire. Zak adorait quand cette fille s'énervait.

— On va loin ? répéta Cécile.

— Oui... Quelques centaines de kilomètres. Direction l'Auvergne. La vallée de la Dore plus précisément, entre le Forez et le Livradois. Nous allons rendre visite à un vieil ami. Vous verrez, il va vous intéresser. C'est une sorte de chercheur d'arche, lui aussi, mais dans son genre, avec une théorie très personnelle sur le Déluge et ses produits dérivés...

Arsène et Cécile ne prononcèrent plus un mot pendant de longues heures. Zak se retourna souvent pour être certain qu'aucune voiture ne les suivait. Ils passaient les gorges du Viaur à la hauteur de Tanus.

Quelques minutes plus tard, sur la même nationale déserte, l'Opel Vivaro grise franchissait à son tour la vallée du Viaur. Derrière les vitres fumées, deux mercenaires dormaient. Un autre jouait en réseau avec son téléphone portable. Seuls Morad et le conducteur fixaient la route avec attention.

— Doucement, Andreï, dit Morad. Doucement. Inutile de les rattraper tout de suite puisque nous savons où ils se rendent.

23

Parlement mondial des religions,
Melbourne, Australie

Dans l'amphithéâtre du Parlement mondial des religions, seul le bruit obsédant des pages froissées troublait le silence. Le rapport RS2A-2014 était feuilleté par tous comme s'il s'agissait d'un grimoire maléfique, le livre d'un diable capable d'effrayer toutes les religions.

Padma attendait sur le côté, discrète, les bras croisés sur son tailleur marine. Elle observa l'assemblée, elle adorait cette ambiance, ce mélange incroyable d'hommes de foi venus des quatre coins du monde, cette ruche spirituelle où l'on parlait toutes les langues de la terre. Elle se concentra et observa le frère Mosavi devant elle : il tournait avec application les pages du rapport RS2A-2014. Elle serra la petite enveloppe bleue entre ses doigts manucurés. Elle était une flèche tendue qui atteindrait sa cible le moment venu.

À la tribune, Viorel Hunor se pencha sur le micro.

— Je suppose que la plupart d'entre vous ont lu le dossier.

L'expression « anomalie d'Ararat », expliqua-t-il, était née après les observations aériennes américaines de l'US Air Force en 1949. Sur les clichés, une tache sombre apparaissait au sommet du mont Ararat, de forme ovale, longue d'une petite centaine de mètres, comme prise dans les glaces. Les films de 1949 seraient classés secret Défense pendant près de cinquante ans par la CIA, mais d'autres photographies de l'anomalie d'Ararat seraient prises régulièrement par d'autres missions aériennes, en 1956, 1973, 1976, 1990 et 1992. Presque toujours en été, lorsque la fonte des neiges est maximale. Depuis une vingtaine d'années, l'anomalie d'Ararat pouvait être visualisée en temps réel par les images satellite. À la différence des découvertes de Fernand Navarra ou de l'équipe de Hong Kong en 2007, réalisées dans la gorge d'Ahora, sur le flanc nord-ouest du mont, entre trois mille neuf cents et quatre mille trois cents mètres d'altitude, l'anomalie d'Ararat était localisée à proximité du sommet, sur le plateau occidental, à plus de cinq mille mètres d'altitude.

Sans ralentir son débit, Hunor leva les yeux vers Padma. C'était le signe.

— Vous l'avez donc compris, il existe deux théories distinctes. Celle d'Ahora est la principale. Pour résumer, c'est celle de Navarra, de Roskovitsky, de Knight, de Greene, de Nouri, du berger Résit et du soldat Hagopian, et depuis 2007 de la délégation adventiste de Hong Kong… Une belle cohorte de témoins, qui s'oppose pourtant à la théorie de l'anomalie d'Ararat :

une masse prise dans les glaces au sommet. Nous nous trouvons donc face à deux faisceaux de preuves, chacun assez convaincant, mais contradictoires… (Un grand sourire fendit la barbe du métropolite ; il ne put s'empêcher de regarder William Creek.) Deux arches, c'est au moins une de trop, même les adeptes de la lecture la plus littérale de la Bible en conviendront avec moi.

Quelques rires discrets se dispersèrent dans l'hémicycle. William Creek s'agita sur son siège, appréciant modérément le trait d'humour du métropolite.

Padma se faufilait dans les travées.

— Pour en revenir à l'anomalie d'Ararat, continua Viorel Hunor, divers experts en télédétection démontrèrent que la tache sombre pouvait avoir de multiples autres explications que celle d'un vaisseau pris dans les neiges éternelles : une différence d'épaisseur des couches de glace ; des roches affleurantes ; des ombres créant une illusion d'optique. Toutes ces théories sont exposées en détail dans le dossier devant vous, des pages 12 à 25. Elles ne sont cependant pas suffisantes pour convaincre les chercheurs d'arche de Noé ! En 2004, l'anomalie d'Ararat fit pour la première fois la une des journaux. L'homme d'affaires hawaïen Daniel McGivern acheta des images satellite originales de la région d'Ararat et commanda des traitements spécifiques. Il annonça aux médias du monde entier, images à l'appui, qu'une masse sombre de la forme théorique de l'arche attendait dans les glaces en haut du mont Ararat qu'on vienne la dégager. Et puisque Daniel McGivern était milliardaire, il ajouta qu'il mettait près d'un million de dollars pour monter une expédition jusqu'au sommet, tout en commençant à envisager sérieusement des moyens pour déblayer les huit cent mille mètres cubes de glace au sommet… Mais…

Padma posa l'enveloppe bleue sur la tablette d'acajou devant le frère Mosavi et s'éclipsa dans le même mouvement gracile. Au même instant, plus bas dans l'hémicycle, une voix s'éleva, surprenant l'auditoire. On aurait pu croire que l'enchaînement avait été savamment préparé entre les deux hommes, Viorel Hunor et le représentant kurde.

— Monsieur le président, fit l'ecclésiastique kurde. J'étais à Van en 2004, aux premières loges, pour ainsi dire. Le projet de McGivern échoua, non pas par manque d'argent, de conviction ou de soutien populaire, mais tout simplement parce que les autorités turques refusèrent catégoriquement l'accès au sommet.

Le métropolite reprit la balle au bond.

— Tout à fait, dans les semaines qui suivirent, la CIA puis la National Geographic Society accusèrent McGivern d'avoir truqué les images. Le projet fou du milliardaire, déblayer les glaces de l'Ararat à coups de milliers de dollars, était définitivement enterré. Mais…

« Pour le frère Mosavi », lut, étonné, le mennonite. Il déchira l'enveloppe et déchiffra les mots griffonnés.

— Mais, poursuivait Hunor, quelques années plus tard survint un nouvel élément que personne n'avait prévu lorsque le projet de McGivern fut discrédité. Un nouvel élément que nous devons affronter aujourd'hui.

Il toussa et continua.

— Selon le rapport RS2A-2014 du DIRS de Toulouse, l'épaisseur de glace en haut de l'Ararat a fondu de dix pour cent en deux ans. Cela signifie, en d'autres termes, que ce que ce milliardaire d'Honolulu voulait faire pour des millions de dollars, la nature s'en charge, gratuitement… et nous n'y pouvons strictement rien !

Un étrange silence, mélange d'inquiétude, de tension et d'incompréhension, envahissait peu à peu l'amphithéâtre.

— Il faut voir le côté positif des choses, glissa William Creek sur le ton d'un convive qui tente de dégeler l'atmosphère avec une bonne blague. C'est au moins un bon motif pour convaincre les dirigeants de la planète de lutter contre le réchauffement climatique !

Quelques rires gênés s'élevèrent dans l'amphithéâtre.

Les mots dansaient devant les yeux de Mosavi.

Mon frère,

Faites-moi confiance. Laissez aujourd'hui s'exprimer ceux qui détiennent la juste connaissance. Gardez le silence. Rencontrons-nous dès demain. À l'aurore. Plage de Saint Kilda. Seuls. Je vous initierai, si du moins vous souhaitez porter sur vos épaules un secret lourd au point d'ébranler toutes les convictions qui jusqu'à ce jour ont commandé vos actes.

Sincèrement. Viorel Hunor.

Le pasteur mennonite passa une main moite sur son front. Les pensées de Mosavi se bousculaient.

D'évidence, la majorité des prêtres présents connaissaient la véritable nature de la forme prise dans les glaces de l'Ararat. Cette vérité qu'Hunor affirmait lui révéler…

Dans l'hémicycle, le cardinal leva un doigt déterminé.

— Viorel, de combien de temps disposons-nous ?

— Tout dépend, Lorenzo, le rapport RS2A dit que…

— Ce satané rapport comporte des dizaines de pages d'équations ! Sois précis, Viorel…

Le couperet tomba.

— Vingt ans si le réchauffement continue à ce rythme. Quarante peut-être, si la communauté internationale réagit.

C'était comme si une immense vague de froid avait brusquement saisi l'amphithéâtre.

— Et, continua le cardinal. Il… il existe un plan ?

— Un plan ?

L'ayatollah, à la droite du cardinal, s'exprima à son tour :

— Je pense que la question du cardinal Sordi est celle qui nous brûle les lèvres à tous : existe-t-il un plan pour préparer l'opinion mondiale ?

D'autres mains se dressèrent avec force. Pas une forêt, juste quelques mains dispersées des représentants shintoïste, rastafari, vaudou. Pas celle de Mosavi.

— Bien, fit Viorel Hunor. Du calme, messieurs.

Il savait qu'à ce moment précis il avait besoin du renfort des quelques initiés, les représentants des principales religions monothéistes, de leurs efforts coordonnés. Le cardinal Sordi se leva. Comme convenu. Le micro s'alluma aussitôt devant lui.

— Mes frères, je propose de donner carte blanche à l'exécutif de notre Parlement. C'est-à-dire à vous, Viorel. Il y a là un enjeu qui concerne plus des trois quarts des croyants dans le monde.

La diode rouge des micros, indiquant l'ordre de parole dans l'hémicycle, exécuta une danse synchronisée. L'imam sunnite confirma. L'ayatollah également.

Faites-moi confiance, relisait Mosavi.

Le grand rabbin prit calmement la parole.

— Viorel, nous sommes tous conscients qu'il ne faut pas céder à la panique, même si le temps joue contre nous. Le temps long, la fonte des glaces du mont Ararat. Mais également le temps court. De malheureux fidèles ont été assassinés il y a quelques semaines dans la cathédrale Sainte-Etchmiadzine. Deux hommes ont été abattus au musée d'Aquitaine de Bordeaux, sauvagement assassinés pour un des fragments d'arche de Fernand Navarra. Il ne peut seulement s'agir de coïncidences.

La voix de l'adventiste William Creek s'éleva en écho :

— Entièrement d'accord avec le rabbin Ullmann. Il existe forcément un lien entre la diffusion de ce rapport confidentiel et cette succession de massacres. Viorel, disposes-tu d'informations nouvelles sur ces fanatiques ? Ces… ces Nephilim ?

— Aucune, William. On ne connaît des Nephilim que ce qu'ils veulent bien révéler d'eux-mêmes sur leur site Internet. Nos services de sécurité travaillent en collaboration étroite avec Interpol. Pour l'instant, nous savons seulement que les Nephilim défendent le secret de l'arche, le caractère inviolable du mont Ararat dans la lignée des prophéties de Jacob, sans oublier quelques références au Livre d'Enoch (il y eut quelques murmures dans la salle), et qu'ils ont pour symbole la licorne… S'agit-il d'un groupuscule de fanatiques terroristes ? D'une organisation sectaire ? D'une mafia qui dissimule ses trafics derrière un vernis ésotérique ? Il est tout aussi impossible de connaître leur nombre, leur force, leur motivation. Mais rien ne permet d'affirmer que ces Nephilim sont liés aux récents attentats…

Muslim Al-Bukhari, l'imam sunnite, reprit la parole :

— Épargnez-nous les détails, Viorel. Vous avez toute notre confiance pour prendre les bonnes décisions. Le Parlement, j'espère, va voter en ce sens à l'unanimité.

Un murmure d'approbation ponctua les propos du représentant musulman.

À cet instant, pour la première fois, Viorel Hunor se demanda s'il était digne de leur confiance. S'il disposait de la moindre marge de manœuvre. Tout s'accélérait, aux quatre coins du monde. Ces Nephilim, insaisissables. Ces meurtres atroces. Ces pièces de l'arche que quelqu'un rassemblait quelque part. Pour quelle mystérieuse raison ?

Le temps jouait contre eux.

Il repensa une nouvelle fois aux conclusions du rapport RS2A-2014. Le compte à rebours était enclenché. Un jour prochain, c'était une certitude désormais, la vérité éclaterait aux yeux du monde. Une vérité qui balaierait la raison de vivre de milliards de croyants, toutes religions confondues.

Il n'avait pas le pouvoir d'empêcher les glaces de l'Ararat de fondre.

Faire taire les hommes auparavant, en revanche…

Il toucha sa croix, pensa à la foudre qu'elle avait le pouvoir de déclencher.

Faire taire le frère Mosavi, également.

Demain.

24

Aéroport de Kaliningrad, Russie

La Mercedes 190, encadrée des Suzuki, roulait vers l'aéroport de Kaliningrad. Les véhicules doublaient un lent flux presque ininterrompu de camions. Nouri, le chauffeur, baissa le volume de l'autoradio qui diffusait une chaîne d'information polonaise.

— Allô, Morad ? C'est Cortés. Où êtes-vous ?

Cortés attendit quelques instants avant que le mercenaire ne réponde.

— Espalion. Un trou. Tu ne vas pas me croire, ici, on traverse des déserts pires qu'au Kirghizistan.

— Et le DIRS, à Toulouse ?

— Nous sommes arrivés trop tard. De peu, mais trop tard. Juste un ordinateur éventré pour nous accueillir.

Cortés pesta. Le rire de Morad jaillit dans l'appareil.

— Rassure-toi, Cortés, c'est l'affaire de quelques heures. Nous contrôlons la situation. Nous les suivons à bonne distance.

— Je l'espère, Morad. Je l'espère. Cela fait deux pièces du puzzle qui te filent entre les doigts. La poutre de Navarra d'abord. Le rapport RS2A-2014 ensuite…

Le jeune mercenaire répondit d'une voix assurée, presque enjouée.

— Deux pièces de perdues… mais peut-être la plus importante de toutes retrouvée… À portée de main !

Cortés s'impatienta.

— Précise, bordel.

— Le Vatican… Une fichue pagaille. Nos informateurs ne parlent que de ça ici… Quelqu'un est entré dans l'enfer… Un homme, seul. Avec dans sa poche un joli appareil photo miniature !

— Zak Ikabi ?

— Oui. Aucun doute. Tous les témoignages correspondent.

Le ton de Cortés se fit plus pressant encore.

— Trouve-le, Morad. Trouve le livre. Sans le récit d'Enoch, rassembler les fragments d'arche ne servira à rien…

— Fais-moi confiance, Cortés. Ce fou d'Ikabi a fait le travail le plus difficile. Pour nous ! Dès que c'est réglé, nous vous rejoignons à Ishak Pacha au Nakhitchevan. Avec toutes les pièces. Sans laisser aucun témoin derrière nous, rassure-toi.

Le rire de Morad explosa à nouveau.

— Morad ?

— Ouais ?

— Fais attention à toi.

— OK, Cortés. T'en fais pas.

Ils raccrochèrent. Cortés s'avança vers le mercenaire assis à l'avant sur le fauteuil passager.

— Ahmet, appelle-moi Hong Kong. C'est là que le coup suivant va se jouer.

Mont Ararat, 4371 av. J.-C., hiver

Le bébé allait mourir, c'était certain maintenant.

Alum ne pleurait plus.

Majka, les seins vides, ne pouvait plus rien pour lui à part bercer son pauvre petit corps froid qui n'aurait connu de la terre que cette grotte sombre, qui n'aurait pas eu le temps de survivre assez de lunes pour connaître les fleurs ou les feuilles aux arbres, qui ne saurait jamais qu'il existait un soleil brûlant au-delà des murs gris de la caverne.

Majka posa le nourrisson sur le sol froid de la grotte, près du feu. Elle devait aussi s'occuper de son fils Bilik. Bilik devait vivre. Il était jeune, fort, lui seul pouvait remplacer son père Otek à la chasse, quitter la grotte et trouver du bois dans la montagne, suivre les traces des animaux ; les protéger.

Majka se leva et approcha, du bout d'un long bâton courbé, les braises de la peau nue de Bilik. Il continuait de saigner. Pour pouvoir s'approcher du cadavre de l'ours tué par son père, Bilik avait dû écarter les loups à l'aide d'une torche enflammée. Il n'avait pu sortir que lorsque la neige avait cessé de tomber ; il s'était écoulé plusieurs nuits et plusieurs jours avant qu'il ne puisse enfin suivre les croisillons de bois laissés à son intention. Lorsqu'il était arrivé, guidé par Leka qui trottait devant lui, les loups avaient déjà dévoré le corps d'Otek.

Une chance, avait pensé Bilik.

Il préférait, pour survivre, devoir manger la chair de l'ours plutôt que celle de son père. Les loups l'avaient mordu au bras, à la jambe, mais avaient fini par reculer face au feu qu'il agitait devant leurs crocs.

Les blessures ne le faisaient presque plus souffrir, maintenant. Majka avait appliqué des herbes de la montagne sur ses plaies, des cheveux de dieux bienfaisants qu'elle arrachait à la terre, puis qu'elle faisait sécher pendant des lunes. Parfois, elle leur en faisait boire, mêlées à de la neige fondue. Pendant des jours, Majka avait passé son doigt enduit d'herbe dans la bouche d'Alum, jusqu'à ce que la bouche minuscule et bleue du bébé n'ait même plus la force de téter.

Majka caressait les cheveux de Bilik, tout en frottant de la glace sur sa peau pour qu'elle se referme, comme une bouche qui n'a plus faim. Il suffisait d'attendre.

Bilik était conscient qu'il devrait ressortir avant que la neige disparaisse sous la terre. Les lambeaux de chair d'ours qu'il avait arrachés aux loups ne suffiraient pas à passer l'hiver. Désormais, il devait nourrir sa famille. Sa mère Majka, sa sœur Gana, son frère Alum et son grand-père, Avo. Avo était maintenant trop vieux pour chasser. Depuis des lunes, il restait recroquevillé au fond de la grotte, silencieux, à regarder les ombres danser sur les murs de la caverne.

Sa sœur Gana était trop jeune et trop fragile, elle se serrait contre les épais poils de Leka qui, depuis qu'elle était revenue sans Otek, n'avait plus jamais quitté les bras de Gana, sauf pour accompagner Bilik à la chasse, ou, de temps en temps, pour se poster à l'entrée de la grotte, comme si elle attendait que la haute silhouette de leur père surgisse au milieu de la plaine blanche.

Pauvre Leka, songea Majka. De sa main droite, elle continua de passer un morceau de glace sur les blessures de son fils. De l'autre, elle tourna avec précaution la viande de l'ours dans le feu. Bilik ne pourrait pas retourner chasser avant longtemps. Elle avait beaucoup discuté avec Otek, avant qu'il ne sorte une dernière fois défier la montagne. S'il n'avait pas tué cet ours, s'il était revenu sans la moindre prise, alors, ils n'auraient pas eu d'autre choix. Ils auraient dû tuer Leka pour s'en nourrir. Elle devrait le faire bientôt, si les étoiles froides continuaient de se poser sur la terre. Elle devrait le faire, et sa fille Gana s'en laisserait mourir de chagrin.

Majka ne comprenait plus rien. Otek lui manquait. Elle ne savait plus quelles étaient les bonnes décisions à prendre. Laisser son fils blessé partir seul dans la montagne, comme Otek ? Manger Leka ? Elle se pencha vers son bébé et le rapprocha du feu pour qu'il ait moins froid. Son petit corps respirait à peine. Sa peau, lorsqu'on la touchait, était aussi dure que celle d'un oiseau mort.

Otek lui avait parlé d'autre chose, avant de rejoindre le ciel. Il lui avait parlé de la plaine. Il lui avait juré qu'il existait un lieu où les feuilles ne tombaient jamais des branches des arbres, où l'eau était si chaude qu'on pouvait y entrer sans qu'elle vous morde, où les étoiles restaient pour toujours accrochées dans le ciel. Il lui avait promis qu'ils descendraient, tous, dès que les cheveux des dieux repousseraient de la terre ; que plus jamais ils n'attendraient dans la grotte, laissant la montagne aux ours et aux loups.

Majka devait tenir la promesse d'Otek. Ils devaient survivre, quelques lunes encore. Puis, s'ils étaient encore vivants, ils partiraient rejoindre les autres hommes, ceux dont lui avait parlé Otek ; ceux qui vivaient dans la plaine.

TROISIÈME COURSE

Le Déluge

25

Moulin de Nouara, Ambert, France

Les cinquante retraités traversaient la départementale avec une désinvolture de manifestants emmerdant les automobilistes coincés. Le mille-pattes argenté s'extrayait avec lenteur du car qui mordait la moitié de la chaussée pour s'agglutiner de l'autre côté de la route devant le guichet du moulin Richard de Bas ; « Musée historique du papier », annonçaient de grands panneaux de bois.

La Volvo bleue attendait que le convoi dégage la voie. Arsène Parella tapotait nerveusement le volant. Zak Ikabi, à l'arrière, fixait au loin les courbes arrondies de la double ligne de crête : les monts du Forez à sa droite, ceux du Livradois à sa gauche. Un océan de forêts.

La dernière chance, pensa Cécile. Après ce village, avait précisé Ikabi, ils seraient arrivés. Les doigts de la chercheuse tâtonnèrent, se refermèrent sur la poignée de la portière passager et tirèrent.

Bloquée !

Cécile pesta intérieurement. Pour quelle foutue raison Arsène Parella avait-il activé la sécurité enfant de sa voiture ? À sa connaissance, le professeur émérite n'était pas du genre à jouer les taxis pour véhiculer d'hypothétiques petits-enfants…

La Volvo laissa passer un dernier couple de vieux et s'engagea à nouveau dans les étroits lacets de la route de montagne grignotée sur leur droite par des branches de pin vertes et noires. Sur leur gauche, ils longeaient maintenant depuis une centaine de mètres un domaine clos par un double grillage électrique haut de deux mètres.

— Nous y sommes, fit la voix enjouée de Zak Ikabi.

Moins d'une minute plus tard, l'immense portail électrique défendant l'entrée du moulin de Nouara se refermait derrière la Volvo bleue.

Piégés !

Tout en observant les hauts murs de pierre de granit dévorés par le lierre, Cécile essaya de faire le point. Zak Ikabi avait passé la dernière partie de la route à s'extasier sur les somptueux paysages de volcans éteints qu'ils traversaient, sans oublier de leur dresser un portrait détaillé de l'hôte iconoclaste chez qui il les invitait… à la pointe du canon de son revolver.

Noël Archer.

Un nom d'emprunt… « Logique, pour un banquier », avait plaisanté Zak. D'après Ikabi, Noël Archer était un ancien trader de la City qui un beau jour avait décidé de tout plaquer pour s'installer en Auvergne, dans le val de Lagat, un coin perdu à plus de cent kilomètres de la première préfecture… « Enfin, tout plaqué, vous verrez, c'est beaucoup dire », avait-il conclu. Ikabi semblait incapable de livrer une information sans la ponctuer par un sous-entendu… Épuisant !

— Continuez tout droit…

Arsène Parella obéit. La Volvo bleue s'engagea dans un étroit chemin de gravier qui montait en pente raide entre un mur de pierre et la façade lézardée du bâtiment. Quelques dizaines de mètres plus loin, le véhicule s'immobilisa dans une cour, bordée de chaque côté par les deux longues façades de bois sombre de l'ancien moulin à papier.

Un type jeune et corpulent les attendait sur le seuil, engoncé dans un tee-shirt trop moulant blanc et noir barré d'un énorme WWF. D'ailleurs, les petites lunettes rondes et fumées de l'homme, en contraste avec sa peau laiteuse, lui donnaient une allure de panda grassouillet.

— Alors, Zak, plaisanta l'hôte dès que les nouveaux venus sortirent de la Volvo, tu as les Nephilim et toutes les polices de France aux trousses ? J'ai lu l'actualité. Tu fais fort !

— Les nouvelles vont vite, s'amusa Zak. Je demande asile, pour moi et des amis. Pour tout t'avouer, ils sont plus ou moins d'accord.

Le panda leur tendit la main.

— Noël Archer. Bienvenue au moulin de Nouara, authentique moulin à papier du XVe siècle. Abandonné pendant deux siècles, il a été rénové après la guerre par une armée de bénévoles pour faire une colonie de vacances pour enfants des villes. Un petit bijou ! Jusqu'à ce que les gosses ne viennent plus… et que je le rachète il y a trois ans pour en faire mon quartier général. Mon arche de Noé, si vous préférez.

Noël Archer se fendit d'un sourire d'adolescent à l'intention de Cécile et Arsène.

— N'ayez pas peur de Zak, il a l'air un peu dingue au premier abord, mais il n'est pas dangereux. Mieux que cela, c'est sans doute grâce à lui si vous êtes encore vivants. La meilleure preuve de sa bonne foi, si vous en voulez une, c'est qu'il vous a amenés ici. À Nouara. Dans mon bunker. Ici, personne ne rentre sans mon autorisation.

— Et personne ne sort, répliqua sèchement Cécile. Vous êtes au courant, je suppose, que votre ami nous retient en otage ?

Zak encaissa. Noël ne broncha pas.

— Nous en reparlerons. Mais otage est un peu exagéré, non ? Et je peux vous assurer que Zak a raison au moins sur un point : les Nephilim sont des types très peu recommandables. Je vous fais visiter le domaine ?

Cécile haussa les épaules et se tourna avec résignation vers Arsène Parella. Noël Archer les précédait en jouant les guides enthousiastes.

— On va commencer par les caves voûtées. Nous mangerons ensuite au-dessus, dans la salle de la Roue. Vous devez être affamés.

Noël Archer s'exprimait avec la volubilité d'un ermite qui croise une caravane.

— Zak a dû vous raconter mon histoire ; il y a encore trente-six mois, j'étais *trader*. Je ne vous fais pas un dessin. Cravate, City, stress… La valse des millions de dollars. Et puis, allez savoir pourquoi, un beau jour, j'ai tout envoyé promener. Coup de folie, illumination de génie, appelez cela comme vous voulez…

Noël ménagea son effet. Ils passèrent à proximité d'un imposant pick-up bleu métal garé dans le sens de la pente.

— Je suis devenu biotrader.

Cécile s'arrêta net. Le vent piégé dans la cour s'engouffrait dans les étendoirs de bois ouverts sous les toits de schiste. Arsène Parella évaluait la somptueuse architecture des lieux comme un Parisien à la recherche d'une résidence secondaire de caractère.

— Biotrader ? répéta Cécile.

Le panda se rengorgea.

— Oui. Le concept est de moi. Je suis le seul biotrader au monde, je crois. (Archer grimpa trois marches.) Entrez, entrez…

Ils pénétrèrent dans une pièce voûtée rappelant la chapelle d'un manoir. Ils se figèrent, stupéfaits. Le mur qui leur faisait face était recouvert d'une immense fresque peinte directement sur la pierre.

Une vision d'épouvante.

Des dizaines d'animaux luttaient, se noyaient, se dévoraient entre eux, les yeux injectés de sang. Crocs dehors, griffes sorties, cornes pointées ; autant d'armes inoffensives face au Déluge figuré par des traînées de peinture sombre jetées sur le mur.

Tous promis à une mort certaine.

— C'est… c'est vous qui avez peint ça ? balbutia Arsène.

Le panda vira au rose.

— Oui, je le confesse. C'était entre ma carrière de trader et celle de biotrader, je m'ennuyais un peu, je me cherchais, disons. Cette fresque m'a mis sur la voie.

Je me suis inspiré de celle de Michel-Ange à la Sixtine, j'ai remplacé les humains par des animaux…

Cécile sentait son malaise grandir devant ces dizaines d'yeux exorbités, tels cent lasers braqués sur elle. Pour couronner le tout, une insupportable odeur de cadavre empestait la voûte. Une irrépressible montée de bile incendiait sa gorge.

Noël Archer ne semblait pas remarquer son trouble.

— Le concept de biotrader repose sur un principe d'une simplicité géniale, vous allez le constater. Tout le monde sait que la biodiversité se casse la gueule. Entre faune et flore, c'est entre dix-sept mille et cent mille espèces qui disparaissent de notre planète chaque année ! Cela représente dix pour cent de bestioles et de plantes différentes en moins à chaque décennie. Donc, pour le dire autrement en langage de banquier, l'offre diminue de façon vertigineuse. Que faut-il faire en bon trader quand l'offre diminue ?

— Acheter, très rapidement, fit Zak. Avant que l'offre ne se raréfie encore et que les prix flambent.

— Exact ! Vous avez tout compris, il n'y a rien à expliquer de plus…

— Attendez, fit Arsène, que voulez-vous dire ? Vous achetez quoi ? Des animaux rares ?

Archer se redressa, fier comme un gamin lors de la remise des prix.

— Ça dépend, j'achète des espèces, je les fais capturer, ou encore je les soigne, je les confie à des réserves, des musées, des zoos. Parfois je les revends, parfois j'investis. En fonction du cours des animaux menacés, vous voyez !

— N'importe quoi ! commenta Cécile.

Zak regarda son ami d'un air désolé. Archer ne s'offusqua pas.

— Mais non, mademoiselle, bien au contraire, c'est un business très sérieux. Non seulement je gagne une fortune avec ces animaux, mais, en bonus, je sauve la planète ! Lorsque vous êtes trader à la City, avec vos millions de primes, la seule chose que vous ne pouvez pas acheter, c'est une conscience. Cela peut vous sembler un caillou dans une chaussure Vuitton, mais croyez-moi, cette saleté de conscience peut finir par vous gâcher le goût des plaisirs. Alors que moi…

Cécile n'écouta même pas la fin de la tirade. Elle se rapprocha de son directeur et lui chuchota à l'oreille :

— On est tombés sur un nid. Celui-là m'a l'air encore plus fêlé que l'autre…

Arsène Parella hésita entre sourire et grimace.

— Nous passons à côté ? invita Noël Archer.

Ils baissèrent la tête pour pénétrer dans l'autre cave, celle d'où provenait l'odeur de putréfaction.

Cécile releva la tête et, immédiatement, porta la main à sa bouche.

Un nid de dingues ?

C'était encore pire que tout ce qu'elle avait pu imaginer.

26

Hong Kong Island

Comme des millions d'autres habitants de Hong Kong, Hou-Chi se leva avec l'aurore. Comme cent mille autres Chinois dans la ville, Hou-Chi vivait dans une maison-cage.

Bien davantage une cage qu'une maison, d'ailleurs.

Dans ces taudis destinés aux plus pauvres parmi les pauvres, les lits étaient empilés les uns sur les autres par blocs de onze, puisque la loi chinoise exigeait des normes sanitaires plus strictes à partir de douze lits par pièce. Chaque lit était entouré d'un grillage, destiné à protéger *a minima* les maigres biens de chacun. Les habitants quittaient leurs lits par une trappe découpée dans le grillage, puis la refermaient ; les privilégiés possédaient un cadenas.

Hou-Chi appartenait à ceux-là. Chaque fois qu'il sortait, il prenait soin de dissimuler ses économies sous sa couverture et de verrouiller la grille de sa cage. Des économies qui se réduisaient à quatre dictionnaires achetés il y a déjà cinq ans au marché de Jade.

Un portugais, un espagnol, un français et un hindi. Hou-Chi connaissait déjà le mandarin et l'anglais, comme tous les Hongkongais. Et le turc, ce qui était plus original mais ne lui servait pas à grand-chose.

À l'exception de cette mission.

Hou-Chi consacrait chaque instant de répit où sa maison-cage ne se transformait pas en tripot, en bordel ou en mouroir à étudier ses quatre dictionnaires. Le monde s'ouvrait à Hong Kong. L'avenir appartiendrait à ceux qui sauraient se débrouiller au milieu de ce va-et-vient de touristes, de marchands ou de réfugiés. Ici ou ailleurs.

L'occasion finirait bien par se présenter.

Le reste de ce qu'il possédait tenait dans sa poche ou sur son dos : un sac, un couteau et un téléphone portable. Qui, même au plus profond de la misère, pourrait survivre aujourd'hui sans un téléphone portable ? Celui-ci n'était pas un luxe pour les plus pauvres, c'était tout l'inverse : l'assurance d'une solidarité communautaire, permanente et sans limites, entre bannis des mégalopoles. La revanche des oubliés.

Hou-Chi s'assit sur son lit d'une saleté répugnante. Située au deuxième étage, sa cage accumulait la merde des trois lits au-dessus. Il détailla une dernière fois le dépliant froissé du Ma Wan Park. Noah's Ark. Comme les autres Hongkongais, il avait entendu parler du parc pendant dix ans avant qu'il n'ouvre. Les Chinois avaient longtemps hésité avant d'accepter la construction d'un parc d'attractions entièrement organisé autour du mythe de l'arche de Noé… même si le parc ne coûtait rien à la ville, puisque le projet était intégralement financé par des milliardaires évangéliques. Les autorités chinoises avaient exigé que le parc reste un lieu de distraction pour les gosses, pas un centre d'embrigadement religieux.

Une sacrée hypocrisie, pensa Hou-Chi en mémorisant le prospectus. La publicité autour d'un Disneyland écolo et citoyen, c'était du baratin. C'était connu, le parc d'attractions était financé par des chrétiens pleins aux as. Les jeux pour enfants, les animaux en plastique et le discours sur la paix dans le monde et la planète à sauver n'y changeaient rien : les fondateurs du Ma Wan Park n'avaient que deux buts : vendre leur soupe créationniste et se faire un maximum d'argent avec les tickets d'entrée.

Hou-Chi ferma les yeux et fit l'effort de mémoriser tous les lieux du parc présentés sur le plan du dépliant. Il n'y avait jamais mis les pieds, mais il devait pourtant parvenir à connaître par cœur chaque sentier de l'île.

Il était prêt.

Il ferma le grillage au cadenas, enfila la clé autour de son cou, puis attrapa son sac de toile.

La Yun Ping Road était incroyablement bruyante. Hou-Chi avait beau être habitué, il se sentait écrasé par les immeubles et les tours autour de lui, comme un rat entre les meubles d'une maison. L'image le fit sourire. Il tâta son sac pour s'assurer que son arme secrète s'y trouvait toujours. Il leva la tête vers les tours les plus hautes. L'International Commerce Center, les Two Towers, la Bank of China. Un jour, il quitterait son lit superposé pour des bureaux empilés. Il troquerait sa cage de fer pour une cage de verre.

Tout en haut.

Le nouveau monde commençait ici, au point de rencontre entre les civilisations chinoise et occidentale.

Hou-Chi sauta dans un tramway à impériale. Le bus remonta l'interminable Nathan Road. Les passants s'écartaient devant lui. Hou-Chi était chaque jour un peu plus surpris à Hong Kong par le contraste entre l'hypermodernité de la mégalopole et cet attachement aux traditions anachroniques, les galeries commerçantes les plus luxueuses jouxtant les marchés traditionnels… Ou ce vieux bus à deux étages. On ne conservait sans doute ces souvenirs démodés que pour les Anglais nostalgiques de la période coloniale.

Le tramway le laissa au Star Ferry, juste en face de l'île Ma Wan. Tradition et modernité, encore, la taille imposante du ferry qui assurait la traversée en quelques minutes contrastait avec la fragilité des jonques dispersées sur la mer de Chine.

La sirène effraya un couple de pélicans qui s'envola devant lui. Hou-Chi courut et attrapa le Star Ferry juste avant qu'il quitte la rive. Le bateau passa sous l'élégant pont autoroutier Tsing Ma. Au fur et à mesure qu'il approchait de l'île Ma Wan, Hou-Chi voyait grossir l'immense arche de bois. Le bâtiment était impossible à manquer : l'arche de Noé était l'attraction majeure du parc de loisirs, reproduite aux proportions exactes de celles décrites dans la Bible… Quatre cent cinquante pieds ! À la différence près qu'elle avait été érigée pour devenir un hôtel de luxe.

Au moment d'accoster dans Noah's Ark, Hou-Chi résuma son plan dans sa tête. Si l'on pouvait parler de plan… On lui avait promis une fortune pour cette mission.

Pourquoi lui ? Parce qu'il était débrouillard ? Parce qu'il était discret ? Parce qu'il était musulman, comme son commanditaire ? Ou parce qu'il parlait turc, par son grand-père, parti d'Istanbul il y a cinquante ans pour construire des barrages en Chine ?

Cinq cents dollars à la commande. Hou-Chi avait confié les billets à son oncle qui tenait un restaurant dans les Nouveaux Territoires.

Cinq mille dollars à la réception. S'il réussissait.

De quoi se payer une nouvelle cage. Avec des barreaux en or.

Il entra dans le parc. Les créateurs avaient gagné leur pari, Noah's Ark attirait les foules ! Des centaines de familles se pressaient entre les différentes attractions : AdventureLand, Heritage Center, les boutiques de la Rainbow Gallery… et bien entendu l'Ark Garden, avec son troupeau baroque d'animaux en plastique grandeur nature : girafes, éléphants, lions, hippopotames… Tous en couple, comme il se doit.

Affreux !

Les nombreux panneaux d'information ne l'incitaient pas à changer d'opinion. Tout ce décor de carton-pâte n'avait pour but que de bourrer le crâne aux gamins.

Il avança, indifférent aux yeux tendres des deux gazelles pétrifiées au bord du chemin. Après tout, ce n'était pas son problème… Son problème, c'était une équation à cinq mille dollars. C'était trouver le moyen de sortir le morceau de poutre de l'arche du grand hall de l'Ark Expo. Celui dont tout le monde parlait ici, depuis la conférence de presse des adventistes chinois en avril 2010.

27

Moulin de Nouara, Ambert, France

Noël Archer avança dans la cave voûtée. Cécile et Arsène suivirent pendant que Zak fermait la marche. La pièce semblait conçue pour que tous les sens des visiteurs éprouvent une répulsion immédiate : odeur de décomposition, chaleur oppressante de la pièce soufflée par des tuyaux d'aluminium, lumière blafarde diffusée par des néons agressifs… et vision cauchemardesque des longs vivariums alignés devant eux. Dans le premier, une dizaine d'énormes araignées jaune et noir se serraient contre la vitre en une monstrueuse grappe grouillante.

— Mes *Heteropoda*, expliqua Noël avec entrain. On ne les trouve plus que dans de rares régions de Malaisie. Les pauvres se font exterminer dans l'indifférence générale ! C'est certain que, sur un tee-shirt WWF, elles font moins sympa qu'un panda, non ? Vous savez quoi ? Pour leur donner une chance de survivre, les scientifiques ont rebaptisé l'*Heteropoda* « araignée David Bowie » ! Cool, les mecs, non ?

La valeur marchande de mes araignées a pris trois cents pour cent depuis qu'elles sont devenues des rock stars !

Cécile se sentait envahie d'une irrépressible chair de poule.

— Et eux ? s'inquiéta Arsène en désignant timidement le vivarium suivant.

Des serpents gris et blanc paressaient dans leur bocal rectangulaire.

— Des crotales de l'Ontario, les seuls serpents venimeux canadiens ! Les malheureux ont beau figurer parmi les plus dangereux serpents au monde, ils ne font pas le poids face aux chasseurs canadiens qui continuent de les massacrer malgré les interdictions formelles. Ils sont reconnus aujourd'hui comme quasi disparus. Alors, j'investis. J'en ai une dizaine ici, pour le fun, mais j'entretiens un vivarium à Chicoutimi avec le plus gros de mon élevage. Un jour ou l'autre, le gouvernement canadien m'offrira une fortune pour remettre tous ces charmants serpents à sonnette en liberté.

Devant les reptiles visqueux enroulés les uns sur les autres, Cécile retint une furieuse envie de gratter jusqu'au sang sa peau hérissée ; ou de s'enfuir en courant, de vomir ses tripes. Cette fois, Noël Archer s'en aperçut.

— Allez, sortons. Rassurez-vous, mademoiselle, je n'héberge pas que des monstres. J'ai aussi dans mon portefeuille de gentilles bébêtes. Sur l'île de Bali, je conserve dans un lagon fermé dix-sept dauphins de l'Irrawaddy. Il en restait officiellement moins de soixante-dix au monde en 2008 et huit sont morts dans des filets de pêche en 2009.

Noël baissa la tête et sortit à nouveau dans la cour du moulin.

— Pour chaque dauphin de l'Irrawaddy qui meurt, continua-t-il, chacun des miens, dans mon sanctuaire de Bali, gagne au minimum trente pour cent de sa valeur. J'ai cédé il y a trois mois, j'en ai revendu un couple au parc zoologique d'Orlando, en Floride. Cent cinquante mille dollars chacun…

Cécile souffla en retrouvant l'air extérieur. Elle n'arrivait pas à déterminer si ce type devant elle, à l'allure d'adolescent attardé fan de jeux vidéo, se complaisait dans un pur délire, ou s'il était véritablement un multimilliardaire persuadé de sauver le patrimoine de l'humanité. Arsène ne semblait pas se poser la question et buvait avec fascination les explications de Noël Archer.

— Je ne vais pas vous faire la liste de mon stock d'actions, ce serait un peu long, mais pour vous donner une idée, sur les soixante derniers rhinocéros de Java recensés sur la planète, je subventionne la survie de huit d'entre eux dans un parc animalier à Kalimantan ; j'ai aussi un faible pour mes trois gorilles dos argenté du Congo, sans parler de mes deux couples de tigres de Sibérie. Ça monte, ça monte, le tigre de Sibérie, avec le réchauffement. Pas autant que l'ours polaire, mais presque…

Cette fois-ci, ce fut Zak qui coupa la parole à son ami.

— Vous voyez, Arsène et Cécile. Noé existe ! Il est trader en Auvergne et ce moulin est son arche…

Arsène sourit. Cécile ne s'en donna pas la peine. Elle scrutait les alentours du domaine dans l'espoir de trouver une issue.

Un moyen quelconque de fuir ce repaire de détraqués.

Son regard s'arrêta sur les pales vermoulues de la roue à aubes du moulin, entraînée par la force du courant du torrent de montagne qui traversait le domaine.

— La roue est d'origine ? demanda Cécile.

— Non, fit Noël, j'ai tout rénové. Mais le bief remonte au XIIe siècle.

— Et où descend le torrent ?

— Tout droit jusqu'à Ambert, sous-préfecture du Puy-de-Dôme, à un peu plus de cinq kilomètres.

— Mais le torrent est grillagé, ajouta Zak. Ne vous faites aucune illusion, Cécile, seule l'eau de la montagne est autorisée à sortir !

Cécile se pencha et jeta avec une rage contenue un caillou dans l'eau vive.

— Je vois… Combien de temps espérez-vous nous retenir ici avant que la police ne nous localise ?

— Le temps de déjeuner, au moins, intervint Noël Archer. Allons, à table.

Ils remontèrent la cour en pente douce vers l'escalier de pierre qui menait au moulin. Des herbes folles poussaient entre les blocs de granit. Noël Archer en cueillit une, la porta à sa bouche et se retourna vers la chercheuse.

— Vous avez l'air de me prendre pour un fou, Cécile, mais vous êtes une scientifique, vous devez bien savoir que je ne suis pas le seul à rejouer la scène de l'arche de Noé ? Ne me dites pas que vous n'avez jamais entendu parler de l'arche végétale dans l'Arctique, en Norvège, dans l'archipel de Svalbard.

— Vaguement…

— Vaguement ? Vous rendez-vous compte ? Près de trois cent mille échantillons de semences, de graines et de végétaux y sont conservés à plus de cent mètres sous le niveau de la mer. Dans des caissons de béton capables de résister aux tremblements de terre ou aux explosions nucléaires. L'arche de Noé du XXIe siècle ne flotte pas sur l'eau mais repose sous les glaces, à mille mètres du pôle Nord !

— D'accord, monsieur Archer, intervint Arsène. Mais d'après ce que je sais de ce projet, il s'agit là d'une opération financée à coups de milliards d'euros par les institutions internationales et supervisée par une armée de scientifiques…

Cécile saisit la balle au bond.

— Pas d'un illuminé qui conserve des bestioles de l'enfer dans son moulin, aidé par son copain *serial killer*. Allez jusqu'au bout, Noël ! Qui vous a confié la mission de sauver la planète ? Dieu ? Des anges descendus du ciel ? Vous n'êtes qu'un intermédiaire entre eux et les hommes, un maillon de la chaîne, qui prend sa marge au passage. Il sera de combien, le ticket d'entrée sur votre arche pour les quelques privilégiés et leurs animaux de compagnie ?

Noël Archer cracha la tige d'herbe.

— Charmante, Zak, ta copine…

— Ce n'est pas ma copine ! (Un grand sourire élargit son visage.) Mais à titre personnel, je ne sais pas pourquoi, j'aime bien son petit côté psychorigide. (Cécile grimaça de rage.) Et il paraît qu'elle est hyper-compétente dans son domaine, la glaciologie par télé-détection. Pas vrai, Arsène ?

— La meilleure, fit Parella presque joyeusement. Vous n'aviez pas dit « À table » ?

Devant l'attitude désinvolte de son professeur, Cécile crut devenir folle !

Cécile, affligée, observait les graines bouillies dans son assiette. Si Arsène, Noël Archer et Zak dévoraient de bon cœur le plat bio réchauffé quelques minutes au micro-ondes, la chercheuse n'y avait pas touché.

Des plantes péruviennes rares, d'après Archer. Hautement nutritives ? Cécile avait à l'inverse l'impression d'être enfermée dans une arche depuis quarante jours et d'entamer les dernières rations de survie.

Derrière les convives, sur le mur opposé à la cheminée, une demi-douzaine d'écrans de télévision étaient alignés : ils diffusaient tous en permanence les images filmées par les caméras de surveillance disposées dans le parc du moulin. Noël Archer, méfiant, levait régulièrement les yeux vers eux.

— Monsieur Archer, demanda Arsène entre deux bouchées, comment avez-vous connu notre dévoué garde du corps, Zak Ikabi ?

— La passion… Une passion commune, vous vous en doutez.

— L'arche de Noé ?

Noël Archer cracha ses graines en s'étranglant de rire.

— L'arche de Noé ? Vous plaisantez, professeur ? Qui pourrait bien croire à cette fable !

La remarque étonna Cécile. Zak leva sa fourchette, prêt à débattre. Noël Archer enchaîna.

— Soyons sérieux. J'ai discuté des nuits entières de tout cela avec Zak, l'anomalie d'Ararat et le reste. Je sais que vous avez pondu un rapport sur cette question pour l'ONU des curés. La fonte des glaces et tout le tintouin. Vous êtes des scientifiques, vous pouvez donc expliquer à Zak que l'on peut trouver pas mal de choses à un sommet de plus de cinq mille mètres… mais pas un bateau ! N'est-ce pas, professeur ?

Arsène Parella commençait à hocher la tête lorsque Zak sortit brusquement de sa poche un chiffon blanc qu'il déplia. Il contenait un éclat de bois d'une dizaine de centimètres.

Cécile se figea en découvrant le morceau de bois. *La preuve, à charge.* Ce ne pouvait être que le fragment d'arche de Fernand Navarra, celui exposé au musée d'Aquitaine, le vol qui avait coûté la vie à deux gardiens.

— Et ce fragment ? répliqua Zak. C'est un cure-dents ? Fais-le expertiser, Noël, tu verras. Du *Quercus robur*, du chêne vieux de cinq mille ans. Découvert dans les glaces de l'Ararat !

Le trader éclata à nouveau de rire.

— Une poutre de l'arche de Noé ? Tu parles ! Navarra était un mythomane rusé qui a fait sa publicité sur ce coup bien monté. Il n'y a qu'à lire son bouquin. Il pue la mise en scène à plein nez : la découverte avec son fils de treize ans, la poutre passée à la barbe des soldats turcs, le retour sur l'Ararat des années plus tard avec les tonnes de matériel et les kilomètres de films…

Zak soupira. Cécile s'amusait beaucoup et en profita même pour goûter une graine du bout de son couteau.

— Si ce n'est pas l'arche, insista Arsène, quelle passion commune vous a réunis ?

Noël hurla presque.

— Le Déluge. Le déluge universel ! Attention, je ne vous parle pas de superstition, cette fois, je vous parle de science, professeur.

Cécile avala difficilement sa plante tiède au goût désespérément fade. Arsène Parella se cala sur sa chaise.

— Continuez, monsieur Archer. Continuez. Ces histoires de Déluge réveillent le vieux sédimentologue qui sommeille en moi.

Cécile poussa son assiette devant elle avec dégoût et se leva.

— Je peux au moins aller aux toilettes ?

— Deuxième porte à droite, fit distraitement Noël Archer.

— Il y a des caméras ?

— Non, répondit Zak. Mais pas de fenêtres non plus.

Cécile haussa les épaules en s'éloignant. Lorsqu'elle passa la porte, Noël Archer entamait déjà un long monologue sur l'existence réelle d'un déluge planétaire dont la mémoire des hommes aurait conservé la trace.

Zak, au moins, ne mentait pas sur ce point : ni caméras ni fenêtres dans les toilettes.

Cécile monta sur la cuvette et se hissa sur la pointe des pieds. La seule issue se limitait à une bouche d'aération circulaire de dix centimètres de diamètre, protégée par une grille de plastique blanc.

Cécile pesta. Elle devait trouver une solution, n'importe laquelle. Agir. Prévenir la police, au minimum, si elle ne pouvait pas s'enfuir. Il était impossible de compter sur cet irresponsable d'Arsène Parella qui ne semblait pas comprendre la gravité de la situation.

Cécile tendit l'oreille. Par la bouche d'aération, elle entendait distinctement le torrent dont le lit longeait le moulin, de l'autre côté du mur. Elle détailla longuement la pièce confinée puis se décida.

Son idée était complètement folle !

La chercheuse sortit de sa poche une pièce et, toujours hissée sur la pointe des pieds, entreprit de dévisser le cache de plastique. Cela lui prit moins d'une minute. Lorsque la grille tomba, Cécile put jeter un œil : comme prévu, le torrent passait juste au-dessous de l'ouverture.

La chance lui souriait.

Elle sauta par terre et attrapa le désodorisant posé sur la tablette : une bouteille de plastique qu'elle dévissa et dont elle versa nerveusement le contenu dans la cuvette.

Elle se demanda si tout son manège ne prenait pas trop de temps, si Zak ou Noël n'allait pas venir cogner à la porte des toilettes. Dans ce cas, la parade serait toute trouvée : prétendre que ces foutues graines bio n'étaient pas vraiment copines avec ses intestins !

Le flacon était maintenant vide. Elle le posa sur le carrelage, puis sortit de sa poche son agenda auquel était en permanence accroché un petit stylo feutre. Elle arracha une page d'un geste sec puis écrivit, en gros caractères bâtons.

SOS
TUEUR MUSÉE D'AQUITAINE ICI
MOULIN DE NOUARA
PRISE EN OTAGE
PRÉVENIR POLICE

Elle relut rapidement, perplexe, puis observa la bouteille de plastique en grimaçant.

Trop tard pour reculer...

Elle tomba à genoux et attrapa le flacon. Ses ongles grattèrent avec une furie de harpie l'étiquette. Le papier s'effilochait. Cécile pinça les lèvres puis plongea la bouteille dans la cuvette. Une fois, deux fois. Gratta à nouveau, essuya le tout avec du papier toilette. Au bout de quelques secondes, le flacon de désodorisant fut entièrement transparent. La chercheuse y glissa la feuille d'agenda, prenant conscience de l'infime chance de succès de son plan. Refermer la bouteille ; la jeter dans le torrent, espérer qu'elle descende jusqu'à une maison, un hameau, Ambert, la sous-préfecture. Que quelqu'un se donne la peine de la ramasser.

Plus elle y pensait, plus elle se rendait compte à quel point toute sa stratégie était ridicule. Quel passant pourrait se donner la peine de se pencher pour ramasser un détritus dans une rivière ?

Aucun !

Cécile se mordit encore les lèvres.

Tant pis !

En un tournemain, elle ôta sa montre et la fourra dans le flacon. Un crétin dont elle se rappelait à peine le prénom la lui avait offerte il y a une éternité, elle devait encore valoir un bon prix. Elle hésita, puis passa les mains derrière son cou. Elle décrocha son pendentif. Un soleil en or. Un cadeau de son père. Le seul, le dernier. L'heure n'était pas au sentimentalisme. Le collier bascula par le goulot. La chercheuse referma le tout. Elle ne devait plus traîner maintenant, ne surtout pas chercher à évaluer rationnellement les chances de succès. Cécile remonta sur la cuvette. Elle s'assura de la distance du torrent, posa le flacon dans la bouche d'aération, puis, d'un mouvement sec, le poussa.

Cécile suivit des yeux quelques instants sa bouteille à la rivière, bousculée de pierre en pierre par le courant.

Une seconde de plus et elle avait disparu.

Le flacon continua sa course dans le val de Lagat. Parvenu au pont qui enjambait la départementale dans le hameau de Valeyre, à moins de quatre kilomètres d'Ambert, il s'accrocha un long moment contre la berge meuble, en équilibre instable. Finalement, hasard de l'onde ou du vent, il reprit son chemin et passa sous la voûte de pierre.

Quelques minutes plus tard, une Opel Vivaro grise, après avoir longé le torrent sur cent mètres, franchissait le pont de Valeyre. À son bord, cinq hommes armés s'étiraient, visiblement pressés de se dégourdir les jambes.

28

Île de Ma Wan, Hong Kong

Hou-Chi pénétra dans l'Ark Expo. Impressionné. Des centaines de familles, toutes générations confondues, formaient une foule remuante et bruyante dans l'immense hall, se pressant autour des multiples animations pédagogiques à destination des plus jeunes. Présentation multimédia de l'histoire de l'arche de Noé et de sa morale pour le monde d'aujourd'hui et du futur ; cinéma à cent quatre-vingts degrés racontant une journée de déluge ; ateliers interactifs sur les météorites, les animaux microscopiques, les plantes les plus étranges. Rien de bien méchant, au fond, si ce n'est le sponsor dont le logo apparaissait sur chaque panneau : The Media Evangelism Ltd.

Peu importait à Hou-Chi. Il s'approcha de l'exposition temporaire de l'équipe Noah's Ark Ministries International. Il avait franchi sans encombre la première étape : à l'entrée du hall, il n'avait subi qu'une fouille légère. On lui avait demandé d'entrouvrir son sac, rien de plus. Comme il l'espérait, le hall était peuplé en majorité d'enfants et de leurs mères. Jusqu'à présent, tout se déroulait comme il l'avait imaginé.

Le fragment d'arche était là, devant lui, derrière une mince paroi de verre.

Hou-Chi avait entendu parler de cette fameuse expédition de 2007. Les journaux s'en étaient donné à cœur joie. Une équipe de quatorze explorateurs et de scientifiques chinois et turcs était montée sur le mont Ararat. Hou-Chi, sino-turc, avait suivi toute cette affaire avec une attention amusée. L'expédition avait rapporté un film et, surtout, ils affirmaient, documentaire vidéo à l'appui, avoir trouvé dans les glaces du mont des poutres de bois, à l'endroit précis où un Français avait fait la même découverte, cinquante ans auparavant. La conférence de presse du 26 avril 2010, à Hong Kong, avait fait grand bruit : l'association Noah's Ark Ministries International prétendait qu'après un examen des fragments de bois au carbone 14 on pouvait les dater avec précision : 4800 avant notre ère. Même datation, semblait-il, que celle des anciennes trouvailles du Français. Le réalisateur chinois avait poussé le bouchon jusqu'à déclarer devant toutes les télévisions : « Nous ne sommes pas certains à cent pour cent qu'il s'agisse de l'arche de Noé, mais nous le sommes à 99,9 %. » L'affaire avait provoqué la colère du ministre turc de la Culture, étonné que des vestiges découverts sur son territoire puissent se retrouver en Chine sans autorisation des autorités locales. Il avait même demandé à l'Unesco l'inscription du site au patrimoine mondial afin d'éviter à l'avenir tout pillage…

Cette polémique dépassait Hou-Chi. Tout ce qui lui importait, c'était ce fragment, devant lui ! Une pièce de bois de vingt centimètres sur dix. Il jeta un coup d'œil circulaire. Une petite dizaine de gardiens surveillaient le hall, dont un, droit devant lui, ne quittait presque pas la vitrine des yeux.

Ne pas douter maintenant.

Hou-Chi était conscient que son plan était loin d'être parfait, mais c'est le seul qu'il avait trouvé… à la hauteur de ses moyens. Il sortit de son sac une sorte de kebab au thon. Il traversa la foule en prenant bien soin de faire tomber derrière lui une traînée de miettes, de morceaux de poisson et de salade. Une mère de famille l'observa, écœurée.

Ne pas se faire trop remarquer tout de même.

Hou-Chi avança jusqu'à la rotonde centrale, un jardin japonais composé de cubes de bois, de branches d'olivier et de colombes en plastique. Délicieusement kitsch, pensa Hou-Chi. Il fit tomber le reste de son sandwich dans la terre, s'assura que personne ne prêtait attention à lui, ouvrit son sac… et attendit.

Le rat mit à peine quelques secondes à sortir de la poche intérieure. Titubant. Pas très en forme. Il n'était pas difficile de trouver un rat dans cette ville, surtout dans une maison-cage. Hou-Chi devait faire vite maintenant. Il s'éloigna, laissant le rongeur grignoter les miettes de poisson.

Hou-Chi se tenait devant la vitrine de la poutre de l'arche depuis moins d'une minute lorsque le hurlement d'une femme retentit. Ce premier cri fut immédiatement suivi d'une dizaine d'autres. Tout le monde se retourna. Gardes compris.

Maintenant !

Le poing d'Hou-Chi, enfilé dans une écharpe de laine, traversa avec violence la paroi de verre. Dans le même geste, il saisit la pièce de bois.

L'alarme se déclencha aussitôt, provoquant un mouvement de panique supplémentaire dans le hall. Avant que les gardes ne fassent la distinction entre les cris de panique des touristes et la vitrine fracturée, Hou-Chi avait dissimulé son larcin dans son sac et se fondait dans la foule.

Les portes du hall se fermèrent automatiquement.

— Personne ne sort ! hurla un garde.

Trois autres gardes constataient, hébétés, le verre brisé et la vitrine vide.

Hou-Chi savait qu'ils ne laisseraient sortir personne sans l'avoir fouillé méticuleusement. Mais cela prendrait du temps, beaucoup de temps, avant d'évacuer les centaines de familles… Le Sino-Turc observa les gardes se précipiter pour examiner le moindre recoin du hall, des ateliers ludiques aux toilettes. D'autres se postaient devant chaque issue.

Le hurlement de la sirène s'arrêta enfin.

On expliqua au micro que les touristes devaient se ranger en file devant chaque sortie, qu'on allait les faire sortir un par un, après une fouille complète. L'annonce provoqua un tonnerre de protestations. Certains, pressés, se hâtèrent pour être les premiers dehors. D'autres prenaient calmement leur mal en patience.

Des renforts arrivaient de partout. Un vieux policier chauve tentait de donner des ordres à une armée de types impassibles derrière leurs grosses lunettes de soleil occidentales. Hou-Chi attendit encore un quart d'heure puis se dirigea vers les toilettes. Il savait qu'il devait faire vite maintenant.

Le grand pari !

Comme prévu, il n'y avait aucune issue dans les toilettes et aucun garde n'avait trouvé utile d'y rester posté, le lieu ayant déjà été fouillé. Hou-Chi tira le verrou, posa la section de poutre sur la cuvette, sortit son couteau de poche et entama le bois. Sans difficulté, il détacha un fragment de quatre centimètres.

Cela suffirait. Les ordres étaient clairs, son commanditaire n'en demandait pas davantage. En quelques gestes précis, il fit ensuite comme on le lui avait ordonné. Il ouvrit du pied la poubelle de métal et y jeta le bout de bois. Il sortit de son sac la bouteille d'eau minérale pleine d'alcool, la versa, gratta une allumette et quitta les toilettes pendant que la poubelle derrière lui flambait comme un brasero.

Combien de temps mettrait la poutre à se consumer ? Un quart d'heure ? Davantage ?

Hou-Chi serra le morceau de bois dans sa paume en avançant vers l'une des files de visiteurs. Toutes semblaient figées dans une interminable attente. Calmement, Hou-Chi décrocha son collier pendu à son cou, celui auquel il accrochait la clé de sa maison-cage. Une petite pince de fer pendait à la chaîne : les mâchoires se refermèrent sur le mince morceau de bois. Avec la clé, le tout repassa autour de son cou.

La meilleure cachette, c'est bien connu, est la plus visible. Qui pourrait soupçonner un jeune Chinois qui porte la clé de sa maison-cage autour de son cou ?

Après de longues minutes de patience, Hou-Chi sortit dans l'Ark Garden, sans être inquiété le moins du monde par les gardes. Le reste de la poutre devait s'être consumé, maintenant. Hou-Chi s'appuya au cul d'un éléphant en plastique, souffla, et se demanda pourquoi son commanditaire n'avait exigé qu'un mince éclat, et surtout… pourquoi il avait tant insisté pour que le reste de la poutre soit détruit. En se creusant la tête, il aurait sans doute pu trouver un moyen pour sortir un plus gros morceau. Un plus gros morceau d'arche de Noé devait valoir davantage. Enfin, cela lui semblait logique. Visiblement, son commanditaire ne possédait pas la même règle à calculer.

Il s'en foutait après tout.

La seule question qui importait, maintenant, était de se faire payer. À y réfléchir, il ne savait rien de ce type qui parlait turc et qu'il devait revoir après-demain à Langham Place. À moins qu'il ne l'appelle avant. Le type lui avait laissé son numéro de portable, au cas où. Hou-Chi était pressé d'échanger ce cure-dent contre cinq mille dollars.

Il passa sa main sur la trompe rugueuse et froide de l'éléphant. Tout en caressant le pachyderme, une question bizarre lui vint : son rat s'en était sorti lui aussi ?

À trois mètres derrière Hou-Chi, dissimulé derrière les formes rebondies du couple d'hippopotames, l'homme vérifia qu'aucun flic ne traînait dans les parages. Il tira le revolver de sa poche, s'assura rapidement que le cran de sécurité fonctionnait, puis le dissimula à nouveau sous sa veste. Il ne lui restait plus qu'à suivre discrètement ce petit malin de gosse chinois ; attendre un coin tranquille et lui fourrer le canon sous la nuque.

29

Moulin de Nouara, Ambert, France

La neige grise tombait sans discontinuer sur l'eau du torrent. Cécile, sagement assise à table, fixait face à elle l'écran de la caméra de surveillance dirigée vers la rivière.

Une bouteille de plastique à la dérive.

Espoir dérisoire.

Noël Archer, intarissable, parlait depuis vingt minutes de la théorie du déluge universel. Dans l'esprit fatigué de la chercheuse, le flux du courant de montagne, serpentant de pierre en pierre, se mélangeait au flot de paroles du trader.

— Six cents ! s'emportait Archer. Plus de six cents légendes dans le monde racontent la même histoire. Strictement la même ! Pas seulement le Déluge, mais les mêmes détails. Des dieux décident de punir les hommes désobéissants et immoraux, à l'exception d'un petit noyau de privilégiés, une famille initiée qui bâtit un navire pour sauver toutes les espèces d'animaux connues. Selon plus de la moitié de ces histoires, le bateau s'échoue en haut d'une montagne. La famille survit pour assurer la réconciliation avec les dieux qui fait suite au cataclysme. Vous ne me croyez pas ? Vous voulez des exemples ?

Zak écoutait avec attention, mais Arsène Parella, surtout, ouvrait des yeux fascinés. Noël Archer reprit à peine sa respiration.

— Dans les récits fondateurs de l'Inde rassemblés dans le Mahabharata, Manou et sept compagnons échappèrent au Déluge grâce au dieu poisson Vichnou et échouèrent au sommet de l'Himavet, c'est-à-dire l'Himalaya. Selon la tradition perse, Yima et mille couples survécurent aux inondations. Dans l'Irlande préchrétienne, la reine Cesair et sa famille survécurent pendant sept ans et demi à une crue océanique… Plus étonnant encore, les conquistadors espagnols furent stupéfaits de découvrir dans le Nouveau Monde des indigènes qui racontaient l'histoire de Noé ! L'arche devient un canoë, un tronc d'arbre, un kayak… Selon la légende des Hurons, un grand-père installa sa famille et des animaux sur un radeau couvert, et les animaux se plaignirent tant de la promiscuité qu'à leur retour sur terre ils furent privés de parole. Pour les Navajos, l'arche s'échoua sur le pic de San Francisco. Selon la légende inca, un lama parlant prédit le Déluge. Dans la tradition aztèque, le bateau fut fait de bois de cyprès, proche du gopher de la Bible, et Coxcox, le Noé local, ne lâcha pas une colombe, mais un colibri qui rapporta une feuille d'arbre… Vous en voulez encore ? Autres continents, même légende ! Pour les Aborigènes, le déluge australien fut provoqué par un dieu grenouille qui, ayant bu les eaux de la terre, les recracha brusquement. En Chine, Noé se nomme Fuxi, et les hommes y furent punis pour s'être rebellés contre les grands dieux, dans un désordre cosmique qui provoqua un immense tsunami. En Afrique, chez les Masaï, la fin du Déluge fut annoncée par quatre arcs-en-ciel !

Archer continua, exalté, devant son auditoire captivé.

— Cela ne vous suffit pas ? Attendez, je ne vous ai pas encore parlé de l'histoire la plus sidérante, celle de l'Anglais George Smith, un archéologue amateur qui déchiffra en 1872, à la barbe de tous les scientifiques, les tablettes assyriennes de Ninive. Savez-vous ce que racontaient ces tablettes, qui sont considérées comme le plus vieux récit de l'humanité ? (Il ne laissa à personne le soin de répondre.) L'épopée de Gilgamesh ! Un récit sumérien en tout point comparable à celui de Noé, dans lequel on retrouve au détail près tous les épisodes de l'arche de Noé : le lâcher de colombe, le rameau d'olivier, l'échouage sur la montagne… Plusieurs millénaires avant que le récit biblique de Noé ne soit rédigé !

Arsène Parella dévora trois graines et parvint enfin à couper le biotrader :

— Tout esprit instruit sait aujourd'hui que la Bible n'est qu'un récit qui a puisé à de multiples traditions écrites et orales. Sans aucun doute, l'histoire juive de Noé fut inspirée de l'histoire sumérienne antérieure, celle de Gilgamesh…

— Justement ! rebondit Noël Archer. L'histoire de Noé est inspirée de la tradition sumérienne. Mais également des traditions chinoise, et africaine, et péruvienne, et indienne… Comment expliquer l'inexplicable ? Peut-on imaginer que ces légendes soient nées de simples inondations en Mésopotamie et que leur récit se soit diffusé ensuite… jusqu'en Australie ou en Alaska ? C'est scientifiquement impossible, n'est-ce pas ? Reste alors une seconde hypothèse, la seule vraisemblable, au fond : ces légendes sont la mémoire sur tous les continents d'un cataclysme universel ! Les pistes scientifiques crédibles ne manquent pas : météorite, changement d'orbite de la Terre, éruption solaire, réchauffement, fonte des glaces. Tout cela ne vous rappelle rien ?

Zak Ikabi sourit avant de répondre.

— Noël, tout ce que tu racontes, déluge, cataclysme, inondations, ne fait qu'apporter de l'eau à mon arche…

— Restons sérieux ! Je veux bien, à la limite, qu'un tel déluge universel ait englouti une île, appelez-la l'Atlantide si vous y tenez. Mais de là à soulever un bateau à plus de cinq mille mètres ! (Le biotrader était de plus en plus excité.) Nos hôtes glaciologues pourront le confirmer, même si toutes les glaces de la terre fondaient, le niveau de la mer ne s'élèverait pas de plus de quelques dizaines de mètres. Non, ce qui importe, dans les récits anciens du Déluge, ce n'est pas la bouillie mystique qu'en ont tirée toutes les religions du monde, mais la valeur d'exemplarité de cette histoire : l'inconscience des hommes, la terre qui se venge, la condamnation de l'humanité à l'exception de quelques justes… Vous comprenez ce que…

Cécile sembla se réveiller brusquement. Les trois hommes sursautèrent au son de la voix de la chercheuse :

— Le Déluge, l'eau qui déferle, le traumatisme des populations locales, je veux bien, admettons.

Un changement climatique planétaire qui fait naître partout le même type de récits mythiques, pourquoi pas après tout. En revanche, vos histoires de poignées d'hommes et d'animaux sauvés, se réfugiant sur une coque de noix, la même de la Chine aux Incas, ça ne colle pas avec le reste ! Pourquoi trier les animaux pour en sauver certains ? C'est stupide !

— C'est ce que je fais pourtant, se défendit Archer.

— Non ! Vous les élevez, vous les multipliez. Dans les légendes diluviennes que vous nous avez racontées, c'est l'inverse. Les animaux sont tous détruits, délibérément sacrifiés par des dieux en colère, tous sauf quelques-uns. Pourquoi ? Ça n'a pas de sens. Elle est là, pas ailleurs, l'énigme !

Zak regarda étrangement la chercheuse, à la fois troublé et impressionné, comme si Cécile avait touché un point sensible. Sur l'instant, Cécile eut l'impression que Zak jouait la comédie, que toute cette quête légendaire n'était qu'un écran de fumée pour masquer autre chose, une vérité bien plus prosaïque ; que Zak en savait beaucoup sur ces questions légendaires et que, par le plus grand des hasards, elle avait visé juste. Foutaises ! pensa-t-elle la seconde suivante. Un seul objectif comptait. Se tirer d'ici ! Mettre de la distance entre elle et ces détraqués.

— Tous… tous les animaux ne furent pas sauvés, bafouilla Zak. N'oubliez pas les licornes. Les licornes ne montèrent pas dans l'arche. Elles disparurent avec le Déluge.

Écran de fumée, pensa encore Cécile. Baratin. Il noie le poisson avec ses licornes.

— Hélas, fit Noël Archer avec un sourire amusé. Hélas… Découvrir une licorne, vivante, ce serait le Graal de n'importe quel biotrader, non ? (Il se leva.) En attendant, excusez-moi, c'est l'heure du repas de mes crotales…

Avant qu'il sorte, Cécile l'apostropha.

— Captez-vous Internet dans votre bunker ?

— Bien entendu. Comment sauver le monde aujourd'hui sans Internet ?

La chercheuse se tourna vers Zak, retira ses lunettes en s'ébouriffant les cheveux. Provocante.

— Si notre ravisseur l'autorise, j'aimerais bien me connecter sur un moteur de recherche pour vérifier certaines de ses affirmations. Y compris ce qui concerne la prétendue secte contre laquelle il nous protégerait. Ces invisibles Nephilim.

Trois hommes, gantés, armés de pinces, découpaient méticuleusement une bande d'environ un mètre de grillage barbelé. Ils ne semblaient pas avoir remarqué la caméra de surveillance dissimulée sous les combles du moulin.

L'erreur aurait pu leur coûter cher : l'intrusion des trois hommes passait en direct sur l'un des six écrans de la salle de la Roue.

Heureusement pour eux, il n'y avait aucun spectateur.

Zak, Arsène et Cécile tournaient le dos aux écrans de contrôle, le regard convergeant vers l'ordinateur de Noël Archer.

30

Aéroport de Bakou, Azerbaïdjan

Le Tupolev Tu-204 commençait sa descente sur Bakou.

Dans l'avion, Cortés appuyait avec énervement sur les touches de son téléphone portable. Assis à sa droite, côté hublot, Zeytin penchait la tête pour observer les côtes de la mer Caspienne entre les épais nuages des raffineries de la zone portuaire, perdu dans ses pensées. L'avion venait de survoler la Géorgie et une foule de sales souvenirs semblaient encore flotter dans l'air. Zeytin toucha sa cicatrice. Des souvenirs vieux d'une vingtaine d'années. Il dirigeait alors un petit commando cosmopolite en Ossétie du Sud pour le compte de l'armée géorgienne. Du classique ! Ils avaient carte blanche pour refroidir les ardeurs indépendantistes… Les morts chez les Ossètes, en 1991, se comptèrent par milliers. Son commando était intervenu dans un petit village, mais les hommes avaient déjà fui dans le Caucase. Le viol des femmes faisait partie des avantages en nature… Les Caucasiennes étaient jolies, fières et élégantes, mais lui avait préféré la seule qui l'avait défié du regard : une matrone de plus de cent kilos retranchée dans sa cuisine derrière ses huit enfants. Sa robe de paysanne s'ouvrait sur deux seins énormes.

Une belle femme ! Forte. Sauvage. Comme il les adorait.

Ses hommes avaient éloigné les gosses, il l'avait prise sur la table de la cuisine. La routine…

Mais quelque chose avait dérapé, cette fois-là. Alors qu'il pesait sur elle de tout son poids, le pantalon sur les chevilles, la femme avait trouvé le moyen de le mordre. Elle avait planté sa mâchoire en haut de son crâne et ne l'avait pas lâché avant qu'un morceau de chair long comme un steak ne cède entre ses dents. Zeytin s'était effondré en hurlant sur la terre battue de la cuisine. La femme avait continué de le frapper avec tout ce qu'elle trouvait, casseroles, plaques de fer, cruches de cuivre. Ses hommes étaient intervenus juste avant qu'elle ne lui tranche la gorge avec un hachoir.

Hilares ! Forcément… Leur capitaine battu à mort par une matrone à gros seins, comme un vulgaire mari qui rentre en ayant bu un verre de trop…

À Tbilissi, des porcs de médecins géorgiens l'avaient recousu. Dans le commando, des connards de Turcs l'avaient surnommé *Zeytin*. Zeytin signifiait « olivier », en turc : d'après ces cons, la marque des points de suture sur sa figure ressemblait à un rameau… *Zeytin*… *Olivier*… Le comble… Le symbole de la paix ! Celui qui figurait sur le drapeau de l'ONU !

Cortés, à côté, continuait de s'énerver sur son téléphone portable.

Zeytin, à l'époque, était loin de se douter qu'il se retrouverait quelques années plus tard sous les ordres d'un type dont l'obsession aurait un rapport direct avec le rameau d'olivier, celui rapporté dans son bec par la colombe… Un type persuadé qu'il y avait une montagne de fric à se faire en s'intéressant à l'arche de Noé !

— Tu captes ? demanda nerveusement Cortés.

Zeytin se pencha et alluma son téléphone portable.

— Non. Toujours pas.

Cortés étouffa un juron. Zeytin hésita un instant. Il avait beau connaître Cortés, il se méfiait de ses réactions incontrôlables.

— On sera à Bakou dans un quart d'heure, finit par avancer Zeytin. Au Nakhitchevan deux heures plus tard. Ça nous fera du bien à tous de retrouver le palais d'Ishak Pacha.

Cortés tourna vers son lieutenant un regard dédaigneux. Zeytin pouvait se vanter d'être l'un des seuls hommes à connaître jusque dans leurs moindres détails les expressions du visage perpétuellement masqué de Cortés. Par exemple la nuance entre l'agacement, la colère et la furie.

Zeytin se serait bien passé de ce privilège !

— Du bien ? insista Cortés. Ça nous fera du bien si tout se déroule comme prévu en France et à Hong Kong. Toujours aucune nouvelle de Morad ?

Zeytin hocha la tête.

— On descend. On va bientôt savoir.

— J'ai un sale pressentiment. Je n'aurais jamais dû laisser Morad y aller seul. J'aurais dû t'envoyer, Zeytin.

— Morad est doué. Il piste Ikabi, Serval et Parella. Il fera ce qu'il faut.

Des lumières dans l'habitacle clignotèrent, signe qu'ils devaient attacher leurs ceintures.

— Et Hong Kong ? reprit Cortés. Des nouvelles de Hong Kong ?

— Pas plus. Béchir contrôle la situation. Il a trouvé un gamin débrouillard, à ce qu'il paraît. Et qui parle turc, en plus. Il liquidera le gosse dès qu'il lui aura refilé le morceau de poutre.

La figure de Cortés s'éclaira presque d'un sourire. Zeytin pouvait aussi se vanter d'être le seul à connaître les expressions du visage de Cortés lorsqu'il souriait. Un privilège plus rare encore.

Rare et éphémère.

Cortés s'était aussitôt refermé.

— Les histoires de Nephilim rendent les adventistes chinois nerveux. Espérons que, cette fois-ci, aucun grain de sable ne viendra se fourrer dans nos affaires.

Il marqua une brève pause avant de poursuivre.

— Mais en attendant de leurs nouvelles, on ne va pas rester les bras croisés… Nous savons qui nous devons chercher maintenant, le rapport Roskovitsky décrit parfaitement ces bergers kurdes… les confidents directs de ce vieil Enoch ! Grands, très grands, de longs cheveux noirs et des yeux étrangement gris… Il ne devrait pas être difficile d'en repérer quelques spécimens.

31

Île de Ma Wan, Hong Kong

Toutes sirènes hurlantes, dix vedettes de la police avaient accosté en urgence sur la plage de Tung Wan. Hou-Chi s'éloigna de l'embarcadère du parc de Noah's Ark. Il avait le temps, le ferry ne partait pas avant un bon quart d'heure. Toute cette agitation l'amusait, il ne craignait plus rien maintenant. Il passa devant la Windmill Station, au toit ostensiblement surmonté de deux éoliennes. Chaque attraction de Noah's Ark se voulait un modèle d'écologie afin d'éduquer les générations futures. Interdiction de fumer, même à l'extérieur. Quelques huttes autour de l'Heritage Center, un peu plus loin, rendaient hommage aux peuples primitifs.

Quelles foutaises ! À l'exception de ce sanctuaire, toutes les autres îles de Hong Kong comptaient parmi les plus polluées au monde.

Hou-Chi avait pris sa décision. Il n'allait pas attendre le surlendemain. Il allait téléphoner à son contact turc, lui remettre son fragment d'arche, toucher ses cinq mille dollars. En finir au plus vite avec cette histoire.

Il avait enregistré le numéro sur son téléphone. Hou-Chi rechercha un coin discret. Au-dessus de lui, dans le parc Adventureland, des gamins faisaient de la voltige dans des filets de corde et de fer accrochés entre des mâts de bois. L'attraction devait coûter une fortune. Hou-Chi se fit la réflexion que, s'il avait de l'argent, la dernière chose qu'il ferait serait de s'enfermer ainsi dans un grillage suspendu en hauteur.

De l'argent… Un instant, il se demanda s'il avait intérêt à faire monter les enchères. Il repoussa presque aussitôt cette tentation. Il n'allait pas jouer au plus malin. Si ses commanditaires étaient satisfaits, peut-être lui confieraient-ils d'autres missions.

Il déambula à l'ombre du Rainbow Wall. Sept fresques criardes aux couleurs de l'arc-en-ciel proposaient des visions pacifistes du monde dans un graphisme néo-manga assez atroce. Hou-Chi pensa que le fric de ces évangéliques aurait été mieux dépensé en le distribuant aux Hongkongais les plus pauvres plutôt qu'à fabriquer un monde idéal en trompe-l'œil.

Il se dirigea vers la Gathering Plaza, à l'extrémité du parc, pour s'isoler sous un bosquet d'arbres artificiels peints en blanc. Peut-être que, selon la saison, on peignait les arbres d'une autre couleur ou qu'on leur accrochait des feuilles en plastique…

Peu importe. Il était seul.

Occupé à chercher le numéro de téléphone sur l'écran rayé de son portable, Hou-Chi ne vit pas l'ombre approcher dans son dos. Tout alla alors trop vite pour qu'il réagisse. Une main puissante l'empoigna et le colla par terre, derrière le bosquet d'albâtre, à l'abri des regards indiscrets. Un canon de revolver se colla sur sa tempe. La main, sans sommation, arracha le collier pendu à son cou et le fourra dans sa poche.

Un flic ?

Impossible.

Ses commanditaires ?

Son agresseur, un type blond et musclé comme un joueur de tennis suédois, n'avait physiquement rien à voir avec le gars qui lui avait donné cinq cents dollars.

— Tu comprends le turc ? fit l'inconnu.

— Oui, souffla Hou-Chi.

— Sais-tu comment s'appelle ce que tu viens de faire ?

— N… non…

— Une profanation. Au Moyen Âge, on brûlait vifs les profanateurs.

Hou-Chi tremblait, incapable d'effectuer le moindre geste.

— Tu ne lis pas les journaux ? Les massacres partout dans le monde ? Tu n'as pas entendu parler de la malédiction de ceux qui s'approchent du secret de l'arche de Noé ?

— Non…

— Et les Nephilim ? Tu n'as jamais entendu non plus parler des Nephilim, évidemment. Tu n'imagines pas dans quel guêpier tu as fourré ton nez, petit.

— Je… je ne sais rien…

— Mais tu devines. Tu es un malin. À ton avis, quel est le seul moyen de s'assurer que tu ne recommenceras jamais ?

— Je… je… non…

Hou-Chi peinait à respirer. L'homme appuyait sur sa cage thoracique. Le canon du revolver se rapprocha encore de sa peau.

— Devine !

— Me… me tuer.

— Gagné ! C'est le plus simple, non ? Après tout, tu l'as bien mérité.

Hou-Chi ferma les yeux. Il venait brusquement de comprendre qu'il allait mourir.

32

Moulin de Nouara, Ambert, France

Dès que Zak alluma l'ordinateur de Noël Archer, une fenêtre blanche apparut en haut à gauche de l'écran.

Worldometers. Statistiques mondiales en temps réel.

Devant les yeux écarquillés de Zak, Cécile et Arsène, une cinquantaine de lignes de chiffres défilèrent : nombre de naissances et de décès dans le monde depuis le début de la journée, et toute une série d'autres informations politiques, sociales, environnementales. Les concepteurs du site avaient simplement recueilli des statistiques connues de croissance ou de décroissance, mais leur génie avait consisté à faire défiler les chiffres en temps réel. Le résultat était stupéfiant. L'internaute observait la planète se peupler de nouveaux individus chaque seconde, dépenser des milliers de produits de consommation, détruire des hectares d'espaces vierges…

— Incroyable, ce site, glissa Arsène.

— Complètement malades, commenta sobrement Cécile. Alors, ces Nephilim ?

— On y va, fit Zak en détournant le regard de Worldometers.

Zak fit glisser la souris puis, en quelques clics, afficha une page personnelle. Une nouvelle fois, le nom de domaine fit sursauter Cécile.

www.CIARCEL.net

Avant qu'elle ne réagisse, Zak avait tapé un code pour entrer sur son blog. Une dizaine de caractères. Elle se contenta de mémoriser l'adresse Internet, se promettant d'utiliser le premier moment de répit pour se creuser la tête et percer le sens dissimulé derrière ces lettres.

Dans le coin de l'ordinateur, en une minute, le stock de pétrole restant dans le monde avait diminué de quatre-vingt mille barils, l'énergie déployée pour faire tourner la planète augmenté de cent vingt mille mégawatts, et cinq cent cinquante personnes supplémentaires sur la terre n'avaient plus accès à un point d'eau potable.

— J'ai transféré sur ce site tout ce que j'ai pu trouver sur les Nephilim. Forums. Blogs. Réseaux…

Arsène et Cécile se penchèrent. Immédiatement, une intense sensation de malaise saisit Cécile. Elle se trouvait face au plus sectaire des sites créationnistes. Les mots dansaient devant ses yeux. Critique du darwinisme. Copies de manuels scolaires raturés. Photos de tags ultraviolents sur des murs d'universités.

Zak ouvrit une autre page. D'autres photographies s'affichèrent. Cécile eut un haut-le-cœur. Devant ses yeux apparaissaient des corps mutilés, des croix de feu, des cérémonies cagoulées. Le mot « Nephilim » revenait presque toujours, sur des affiches portées par des fanatiques masqués ou inscrit en lettres de sang lors de scènes macabres.

Cécile leva les yeux.

Une autre minute dans le monde.

Neuf millions de cigarettes fumées, quarante hectares de forêts détruits, cent soixante-dix mille dollars dépensés en jeux vidéo.

— Alors, convaincue ? fit Zak. Une autre page ?

Des forums défilèrent. Les internautes signaient sous différents pseudos ; Noé, Enoch, Uriel, Japhet. Les blogueurs anonymes se présentaient tous comme des Nephilim et rivalisaient de menaces contre les autorités religieuses gangrenées, les scientifiques expliquant l'origine de l'Univers, les hommes politiques prônant la laïcité. Les menaces de mort faisaient écho à des revendications d'attentats, de crimes, de torture, en Asie, en Russie, au Mexique…

Une immense chaleur irradiait la nuque de Cécile chaque fois qu'elle déchiffrait de nouveaux propos fanatiques. Incrédule. Par leur outrance, les échanges virtuels apparaissaient presque irréels.

Déluge, CIARCEL, licornes.

Les Nephilim maintenant.

Elle ne pouvait se départir de cette impression d'être face à un écran de fumée, une mascarade, une manipulation. Était-elle à ce point psychorigide pour refuser l'évidence devant ses yeux ? Une déformation professionnelle de chercheuse ? Douter. Exiger toujours davantage de preuves. Non, cela n'avait rien à voir. Simplement, quelque chose clochait sur ces pages consacrées aux Nephilim… sans qu'elle parvienne à percevoir exactement quoi. Cécile pesta intérieurement contre son entêtement. Après tout, il ne s'agissait que de slogans… Les Nephilim n'étaient sans doute qu'une bande de réactionnaires qui se défoulaient sur le Net. Pas des assassins.

Zak délirait.

Penser à autre chose.

Une autre minute dans le monde.

Quarante millions de messages électroniques envoyés, six mille téléphones portables vendus, cinquante-trois enfants morts de faim.

— Vous en avez assez vu ? fit Zak.

Arsène ne cessait de lire, envoûté.

— Non ! s'écria Cécile.

Elle voulait encore approfondir, étudier, confronter ces images, ces forums.

— Qui sont ces Nephilim ? demanda la chercheuse.

— C'est difficile à dire, répondit Zak. Bras armé d'une Église ? Mafia déguisée sous un bla-bla mythico-religieux ? Poignée d'irréductibles venus du fond des temps ? Impossible de savoir…

Zak cliqua encore. Des photographies de corps nus apparurent ; tous les Nephilim dans le monde pouvaient se reconnaître à un détail : une licorne tatouée sur leur épaule ! Cécile détaillait les commentaires, consternée. Elle explosa.

— Comment peut-on adhérer à un tel obscurantisme ? Penser que le monde a été créé en six jours et Dieu dans son hamac qui se repose le septième ! Adam et Ève, puis Noé. Ses fils qui sortent de l'arche et se dispersent, formant les races de la terre, les bonnes et les mauvaises, les races élues des dieux et celles réduites en esclavage…

— Il y a une marge, répliqua calmement Arsène, entre le ridicule et détestable créationnisme intégriste de ces sites Nephilim, et, comme le font Zak et Noël, observer dans la mémoire des hommes des faits convergents et troublants, chercher la part entre le mythe et la réalité.

— Des faits convergents ? Pour commencer, il faudra m'expliquer le rapport avec les licornes. Tout comme ces références ésotériques. Tenez, pour n'en prendre qu'une qui revient toutes les trois lignes sur ces forums. Le Livre d'Enoch…

Zak se tortilla sur sa chaise.

— Vous n'avez jamais entendu parler du Livre d'Enoch ? s'étonna sincèrement Parella.

— Non, Arsène. Désolée. Je suis une petite fille issue de l'école publique laïque. Père instituteur et mère postière. Donc, votre Livre d'Enoch…

Arsène Parella et Zak Ikabi échangèrent un regard dans lequel on aurait presque pu deviner une complicité.

— Après vous, Zak, fit le professeur.

— Eh bien, Cécile, commença doctement Zak, le Livre d'Enoch est la clé de tout. Il peut être considéré comme…

Zak ne put prononcer un mot de plus.

Un vacarme de verre brisé couvrit sa voix, prolongé d'un hurlement qui les figea d'effroi.

33

Île de Ma Wan, Hong Kong

La pression sur le torse d'Hou-Chi se desserra soudain.

— Suis-moi, entendit-il. Marche un mètre devant moi. Si tu essayes quoi que ce soit, je t'abats.

Hou-Chi ne tenta rien, considérant déjà comme un miracle que son agresseur n'ait pas appuyé sur la détente et abandonné son cadavre derrière le bosquet d'arbres blancs.

Ils parvinrent au Beach Commercial Complex. Un peu plus loin, entre les boutiques longeant le quai et l'embarcadère du ferry, les flics continuaient de s'activer. Aucun secours à espérer de leur côté. Se faire remarquer, c'était se suicider. L'inconnu désigna une minuscule jonque.

— Monte !

Hou-Chi obéit. Quelques minutes plus tard, ils voguaient sur le détroit de la mer de Chine. Le vent soufflait doucement sur une mer d'huile, piquetée de milliers de voiles colorées. Le bateau était long d'à peine cinq mètres. Au centre du pont, des boules de charbon rougies brûlaient dans un brasero.

Hou-Chi se recula à l'avant de la jonque, le plus loin possible du feu.

— Tu vois, petit, fit l'homme à la barre. Il n'y a pas que toi qui sais faire du feu. Brûler une relique, tu te rends compte ? Un morceau de l'arche de Noé. Toute l'humanité court après depuis cinq mille ans, et toi, tu la réduis en cendres.

— Je ne... on m'a ordonné de...

— Trop tard pour les remords, petit. Allez, ouvre ta chemise.

Hou-Chi roula des yeux étonnés. L'homme avait glissé son revolver dans sa ceinture.

— Je ne plaisante pas, montre-moi ton omoplate.

Quel autre choix que d'obéir ? Hou-Chi se déboutonna, fit glisser le tissu. Le sourire sadique de l'homme ne le rassura pas.

— Tu as de la chance, petit, beaucoup de chance.

Son cynisme non plus.

L'homme coinça sous son pied la corde qui tendait la voile et fit à son tour glisser sa chemise.

Il portait un tatouage de licorne sur son épaule droite !

— Vois-tu, c'est le signe de reconnaissance des Nephilim. Des gardiens de l'arche de Noé, si tu préfères. Les Nephilim peuvent devenir dangereux, très dangereux, si on s'intéresse de trop près à certains secrets. Si tu survis assez longtemps, jette un coup d'œil sur Internet, cela te donnera une idée...

L'homme avança d'un pas et enfonça un tison dans le brasero. Hou-Chi eut le temps d'apercevoir la forme de la marque de fer : une licorne.

— C'est juste un mauvais moment à passer, mon garçon. Tu es courageux. Tu n'en mourras pas. Approche.

Hou-Chi ne bougea pas. L'inconnu souleva le tison marqué au fer rouge de sa main droite et, de l'autre, caressa le revolver à sa taille.

— Petit, je crains que tu n'aies guère le choix.

Hou-Chi hurla. Pendant de longues secondes, il eut l'impression d'une interminable morsure qui déchirait sa peau, ouvrant les vannes d'une coulée de lave incandescente. Il tomba à genoux sur le pont de la jonque, suffoquant.

La licorne noire marquait désormais, à jamais, sa peau.

L'homme jeta le tison sur le côté.

— Crie, petit. Crie. Personne ne peut t'entendre ici. Rassure-toi, la traversée ne sera pas longue. On aperçoit déjà les berges d'Hong Kong Island.

Hou-Chi grelottait.

— Vois-tu, la règle des Nephilim est simple. Elle tient en une phrase. Aucun homme au monde ne possédera jamais sur l'épaule deux tatouages de cette licorne. Comprends-tu ce que cela signifie ?

— N… non.

— Tu es lié à l'arche désormais. Pour toujours. À partir de ce jour, si tu ne la respectes pas – profanation, pillage, n'importe quel sacrilège –, si un autre Nephilim le découvre, dans un an, dix ans, cinquante ans…, il te demandera d'ouvrir ta chemise… et te tuera. Tu comprends, tu possèdes une chance, pas deux.

— Vous… vous aussi êtes un Nephilim, alors ?

L'homme sourit en barrant la jonque vers une crique de sable gris quasi déserte. Dans quelques instants, le fond de l'embarcation toucherait terre.

— Il faut croire… Ou bien je suis comme toi, quelqu'un qui est tombé sur l'un d'eux un jour. On devient Nephilim, qu'on l'ait choisi ou non. Le tatouage de la licorne, petit, c'est le baiser du vampire.

La jonque racla le sable.

— Allez, dégage. Souviens-toi, les Nephilim sont partout !

Hou-Chi sauta dans l'eau. La mer lui arrivait à la taille. Il grimaça en aspergeant d'eau de mer sa peau cloquée. Il fit quelques pas vers la plage puis, soudain, s'arrêta. L'homme, surpris, vit le jeune garçon revenir se planter devant la jonque.

— Monsieur, s'il vous plaît, est-ce qu'au moins… (il hésita)… vous pouvez me rendre ma clé ?

L'inconnu le dévisagea.

— T'as du cran, gamin. Elle ouvre quoi, ta clé ?

— Ma cage. Tout ce que je possède. Toute ma vie.

— C'est quoi, toute ta vie ?

— Un matelas qui pue et quatre dictionnaires.

L'homme lança au Sino-Turc un franc sourire. Il fouilla dans sa poche et lui jeta la clé.

— Fonce ! Écoute juste mon conseil, petit. Récupère tes dicos et change de serrure. Mieux même, change de cage ! Les personnes qui t'ont promis cinq mille dollars ne se contenteront pas de te griller la peau…

Hou-Chi mouilla encore sa plaie.

— Promis. Je suivrai votre conseil. Et vous, vous êtes qui ? Il est pas turc votre accent. Plutôt français, je dirais.

— T'es un malin. Un peu trop même. Fais attention à toi.

L'inconnu barrait la jonque vers le large. Il explosa d'un dernier rire.

— Si quelqu'un te demande qui je suis, dis-lui que je m'appelle Victor Peyre.

Parvenu sur la plage, Hou-Chi courut à en perdre le souffle au milieu des détritus accumulés sur l'estran. Qui étaient ces types qui parlaient turc ? Son premier commanditaire était-il lui aussi un Nephilim ? Était-il tombé sur deux bandes rivales qui recherchaient l'arche ? Ou bien la même qui lui montait cette mise en scène pour ne pas le payer ? Ou bien…

Il s'enfonça dans la forêt longeant la plage.

Il avait gagné cinq cents dollars. Il était vivant, marqué au fer rouge, mais vivant. À défaut de changer de vie, il allait changer de cage.

34

Moulin de Nouara, Ambert, France

L'écho des pas pressés sur le parquet de bois résonnait aux quatre coins du moulin, réveillant les planches du vieux bâtiment comme le battement cardiaque d'un vieillard contraint à un brusque effort physique.

— Les vivariums, indiqua Zak. Le bruit de verre brisé ne peut venir que des vivariums, dehors, sous la voûte.

Zak, Arsène et Cécile coururent dans les couloirs du moulin. Ils poussèrent la porte d'entrée sans ralentir. La cour du moulin était déserte et silencieuse. Ils dévalèrent quatre à quatre les pierres grises de l'escalier du parc en direction de la cave.

— Noël ! cria Zak. Noël, tout va bien ?

Aucune réponse. Juste le bruit du torrent, au loin. Le vent de la montagne dans les étendoirs sous les toits. Quelques secondes plus tard, ils pénétraient dans la salle voûtée. Dans la première pièce, les animaux peints sur la fresque murale du Déluge semblaient plus épouvantés que jamais. Cécile baissa la tête et s'avança vers la seconde cave.

— Nooon ! hurla Zak.

En un réflexe foudroyant, son bras agrippa l'épaule de la chercheuse et la repoussa en arrière. Cécile allait protester avec colère lorsque des yeux se figèrent devant elle.

Elle bloqua sa respiration.

Un crotale la fixait de ses pupilles fendues, immobile, enroulé sur lui-même, posé à moins de deux mètres de ses jambes.

Une onde glacée la parcourut des orteils à la nuque. Paralysée. Incapable du moindre battement de cils.

Zak la tira doucement en arrière.

Les anneaux, à l'extrémité de la queue du serpent, provoquaient une stridulation grinçante à chaque spasme du reptile.

Ils levèrent les yeux. Muets de stupeur. La vitre du vivarium censée emprisonner les crotales gisait sur les dalles de pierre, brisée en une myriade d'éclats de verre. Trois autres crotales, libres, rampaient dans l'ombre. Un cinquième se balançait, en équilibre sur ce qui restait de son ancienne cage. Les autres semblaient à peine se rendre compte que les murs transparents devant eux avaient explosé. Dans le vivarium le plus proche, les araignées David Bowie s'agitaient frénétiquement, s'agglutinant contre la vitre en un monstre protéiforme couvert de poils jaunes et noirs.

Terrifiés, Zak, Cécile et Arsène reculèrent avec une infinie précaution.

Le corps de Noël Archer gisait sur le sol au milieu des serpents.

— Putain de Dieu, murmura Zak.

La langue fendue d'un crotale, enroulée autour du bras du trader, s'insinuait entre les doigts crispés de sa main.

— Foutons le camp, souffla Arsène Parella.

Il tira Cécile par la main, fit un nouveau pas en arrière.

— Merde, fit Zak d'une voix blanche. Ce ne sont pas les serpents.

— Comment cela, pas les serpents. Tirons-nous…

— Ce ne sont pas les crotales. Regardez.

Cécile et Arsène observèrent le cadavre du trader.

Une mare de sang, sous son crâne, s'écoulait du trou béant qui remplaçait son oreille droite.

Cécile faillit défaillir. Arsène la retint de justesse.

— Qu'est-ce que…

— Il a été abattu, scanda mécaniquement Zak. Ce sont ces mêmes coups de feu qui ont brisé les vitres des vivariums.

— Sortons, sortons, fit encore Arsène.

Ils passèrent dans la première cave sans même jeter un œil à la fresque diluvienne et se dirigèrent vers la porte voûtée. Cécile contenait difficilement une remontée de bile. Elle avança la première, pressée de sortir.

S'effondrer. Pleurer. Hurler.

Une nouvelle fois, la main ferme de Zak la retint.

— Non, Cécile, surtout pas.

— Nom de Dieu, lâchez-moi…

— Non ! Regardez. Le long du mur.

Cécile se statufia dans l'ombre de la voûte, scruta devant elle. Sur le mur de granit, juste en face, deux points rouges dansaient dans le soleil.

La marque des snipers.

Zak gémit plus qu'il ne parla.

— Ils sont là… Les Nephilim…

Cette fois-ci, sa remarque ne souleva aucune ironie de la part de Cécile. Juste une trouille à en pisser dans sa culotte.

— Ils nous ont laissé entrer ici pour mieux nous piéger, commenta Arsène. Comme des rats. Les caves voûtées sont des culs-de-sac.

Ils évaluèrent la situation. Les mercenaires ne prenaient même pas la peine de se cacher. Cinq hommes étaient positionnés en étoile dans le parc : en haut de l'escalier du jardin ; contre le mur du moulin ; au dernier étage de la meunerie juste en face ; sur le toit de l'appentis jouxtant la meunerie ; un dernier accroupi sur la pergola de la grange. Cinq formes sombres, trapues, chacune hérissée du canon d'un fusil.

Derrière les volets de la fenêtre de la meunerie, Zak reconnut la chevelure blonde du gamin qui semblait diriger le commando. L'adolescent tueur indiquait à ses complices, par des gestes précis de la main, une stratégie de déploiement.

— Impossible de se barricader, pesta Zak. La voûte n'a plus de porte depuis des années.

— Ikabi, ordonna Cécile, c'est le moment ! Vous êtes armé.

Zak, après quelques contorsions désordonnées, sortit le pistolet de sa poche. Il le présenta à la chercheuse, penaud.

— Pas de balles… Je pense d'ailleurs que ce truc n'a jamais fonctionné. Je ne suis pas un assassin, je passe mon temps à vous le répéter…

Les yeux sombres de Cécile viraient au charbon, entre détresse et colère.

— Plus tard, dit Arsène. Plus tard.

Du pied, il fit rouler un caillou dans la cour poussiéreuse. Presque aussitôt, une détonation étouffée traversa la cour du moulin. Un impact fit sauter la terre sèche, exactement à l'endroit où le caillou venait de stopper sa course.

— Nom de Dieu, fit la voix haletante d'Arsène. Ils sont cinq. Des professionnels. Ils vont nous prendre sous leurs feux croisés, nous n'avons aucune chance.

Le professeur attrapa la main de Cécile et la serra aussi fort qu'il put. Zak se rapprocha lui aussi. Son regard croisa celui de la chercheuse, comme s'il recherchait un pardon, une excuse. De l'affection.

À quoi bon ?

— Que fait-on ? cria Cécile, au bord de l'hystérie.

Les paroles de Zak contrastèrent par leur calme.

— On attend…

— Stupide, pesta Cécile. Suicidaire !

— Vous préférez les crotales ?

Elle ne répondit pas. Ils ne dirent plus un mot pendant de longues secondes. Ni lorsqu'ils repérèrent deux des cinq tueurs s'avancer vers eux, à peine dissimulés. Le premier descendait avec précaution l'escalier de granit, fusil à la main ; le second longeait le mur, couvert par les armes des trois autres. Dans moins de cinquante mètres, ils seraient face à eux.

Aucune échappatoire. Mort programmée.

Cécile repensa en un flash aux massacres dont Internet l'avait informée, celui de la cathédrale d'Etchmiadzine en Arménie, celui des vigiles du musée de Bordeaux, ainsi que tous les autres sacrifices, meurtres et tortures revendiqués par les Nephilim sur les sites recensés par Zak.

Pourquoi avait-elle commis la sottise de ne pas faire confiance à Zak Ikabi ? Était-elle trop fière ? Trop pétrie de certitudes ? Trop idiote ! Il était maintenant trop tard pour regretter quoi que ce soit.

Elle serra plus fort encore la main de son professeur. Une façon pudique de lui signifier qu'il avait été toute sa famille, pendant ces dernières années ; le père spirituel qui avait remplacé le sien.

Le premier Nephilim atteignait la dernière marche de l'escalier. Le second se détachait du mur et faisait maintenant face à l'ouverture voûtée. Il baissa son arme.

— C'est terminé, dit Zak.

Cécile ferma les yeux pour ne pas pleurer.

35

Parlement mondial des religions,
Melbourne, Australie

— William Creek au téléphone, président. Je vous le passe ?

Padma se tenait droite devant la porte du bureau, tendant à Viorel Hunor un minuscule téléphone portable. Une sérénité communicative se dégageait de ce petit bout de femme élégamment serrée dans son tailleur gris turquoise.

Viorel Hunor hésita.

Présider le Parlement mondial des religions revenait à se retrouver à la tête d'une gigantesque bureaucratie. Il en était arrivé à un point où, si Dieu lui-même avait demandé à lui parler, il lui aurait demandé de passer par sa secrétaire pour prendre rendez-vous… Sauf que, depuis quelques jours, à la bureaucratie habituelle s'ajoutait l'urgence. La panique. Cette épouvantable série de crimes autour des reliques de l'arche de Noé… sans parler de cette épée de Damoclès au-dessus de leur tête, ce compte à rebours, la fonte des glaces de l'Ararat. Si William Creek, le représentant de l'Église adventiste, cherchait à lui parler, cela ne pouvait pas être une bonne nouvelle.

Un tombereau d'emmerdes en perspective.

Il prit le téléphone des mains de Padma. Cette fille était une véritable bouée dans la tempête quotidienne. Secrétaire. Collaboratrice. Confidente. Il couvrit le combiné avec sa paume. William Creek attendrait bien trente secondes.

— Et vous, Padma. Que pensez-vous de toutes ces histoires ?

— Quelles histoires, président ?

— Le Déluge. La légende. Les prédictions…

L'œil de Padma brilla. L'effet d'une unique goutte de larme parfaitement isolée.

— Dans mon pays, président Hunor, le Bangladesh, cent cinquante millions de personnes vivent dans des maisons construites à moins de dix mètres au-dessus de la mer… Si le niveau des océans montait, ne serait-ce que d'un seul mètre, plus de la moitié des terres de mon pays seraient inondées. C'est d'ailleurs ce qui se produit pendant les cinq mois de mousson et provoque chaque année, dans l'indifférence internationale générale, des centaines de morts. Pour être franche, président, si le Déluge, c'est le fléau envoyé par un Dieu courroucé qui se venge des hommes, pour les Bengalis, ce Dieu est un peu, comment dire… caractériel ?

Viorel Hunor adorait la franchise de sa secrétaire.

— Merci, Padma.

La jeune fille sortit. Le métropolite tourna le verrou du bureau derrière elle.

— Allô, William ?

— Viorel ? Enfin ! Désolé de te déranger, mais je suppose que tu es au courant des événements de Hong Kong.

Le cœur d'Hunor tressaillit sous sa chasuble noire. À en décrocher sa croix de bois.

— Pas encore.

— Il y a quelques heures, fit le prêtre adventiste. Au parc de l'île Ma Wan. Le fragment d'arche de l'expédition sino-turque a été volé.

— Volé ?

— Volé ! Puis brûlé quelques minutes plus tard. Ces salauds n'ont laissé que des cendres.

— Ils ont brûlé toute la poutre, ou…

— Ça, seuls ces salauds le savent !

— Combien de morts ?

— Aucun. Aucun cette fois.

Viorel Hunor souffla. Il repensa brièvement aux massacres d'Erevan et de Bordeaux. À celui des deux bibliothécaires de Kaliningrad également.

— Tant mieux. Tant mieux, William.

— Viorel. Je peux te parler franchement ? Pourquoi le Parlement n'intervient-il pas ? Pourquoi ne frappe-t-il pas au cœur ? Nos informateurs ont recueilli assez de faits concordants sur cette mafia azérie, la milice de ce type qui se fait appeler Cortés. On a localisé leur repaire depuis longtemps. L'ancien caravansérail d'Ishak Pacha, au Nakhitchevan.

— Ce n'est pas si simple, William…

— Baratin ! On est capables d'intervenir en Irak et de bombarder dans l'indifférence générale les plus vieux sites babyloniens de l'humanité… et on ne pourrait pas liquider cette poignée de mercenaires ?

— Jusqu'à présent, William, aucun indice ne prouve le lien entre cette milice et les Nephilim. Ils sont prudents. Officiellement, ils n'agissent que pour l'argent. Le Parlement mondial des religions ne peut pas s'attaquer à toutes les mafias du monde.

— Nom de Dieu, Viorel ! Ils collectionnent les fragments de l'arche de Noé.

Viorel Hunor hésita. Il se laissa tomber sur un fauteuil de velours rouge.

— Ce… ce n'est pas le plus important de mes soucis en ce moment.

— Pardon ?

— Tu es le premier représentant à qui j'en parle, William, avec le cardinal Sordi. Nous avons toutes les raisons de penser qu'un homme s'est introduit dans la bibliothèque du Vatican. (Il marqua une pause.) Dans l'enfer.

La voix de l'adventiste dérapa comme un violon dont l'une des cordes casse :

— Et… qu'a-t-il volé ?

— Rien. Mais nous sommes presque certains, après une analyse poussée des empreintes que cet homme a laissées, qu'il a lu le Livre d'Enoch. Je te parle de la version intégrale de fragments de Qumran, tu t'en doutes. Et pour tout te dire, qu'il l'ait seulement lu serait un moindre mal. Il est resté plusieurs minutes dans l'enfer. Il a eu tout le temps de photographier les manuscrits.

— Vous… vous l'avez identifié ?

— Oui. L'homme se fait appeler Zak Ikabi. Les agents d'entretien l'ont formellement reconnu. Le lendemain, on l'a retrouvé au musée d'Aquitaine de

Bordeaux au moment même où le fragment de l'arche de Navarra disparaissait et où les deux gardes étaient abattus.

— Un Nephilim ? fit Viorel.

— Rien n'est certain. D'autres détails ne concordent pas. Il se trouvait peut-être au mauvais endroit au mauvais moment. Ce type ne peut pas être en même temps au Vatican, à Bordeaux, à Kaliningrad et à Hong Kong…

— Qu'est-ce que tu vas faire ?

— Rien. Rien pour l'instant. Il nous facilitera peut-être le travail, au fond. S'il est un Nephilim, après tout, son but est peut-être d'éliminer tous les derniers témoins du secret d'Enoch… pour en devenir le seul gardien.

L'adventiste ne semblait pas convaincu.

— Le seul gardien… Si un seul homme rassemble entre ses mains le Livre d'Enoch, le rapport RS2A et les fragments d'arche, tu sais ce que cela signifie, Viorel…

— Je sais, William. J'ai précisément été nommé à ce poste pour mesurer ce risque. Nous avons un protocole pour cela, un protocole précis pour ce cas de figure, s'il venait à se produire. Même si je prie chaque jour pour n'avoir jamais à le déclencher. (Le métropolite laissa passer un bref silence.) Mais dans l'immédiat, nous avons un autre problème : ce type qui se balade avec le secret le mieux gardé du Vatican dans les poches est également le fugitif le plus recherché de France.

36

Moulin de Nouara, Ambert, France

Dans la cour du moulin, la détonation se répercuta en écho entre les murs des différents bâtiments, comme enfermée entre les murs de la meunerie, ceux des caves voûtées et les planches vermoulues de la pergola de la grange. Dans un premier temps, Zak, Arsène et Cécile, terrifiés, crurent qu'un des Nephilim avait tiré.

Puis ils ne comprirent plus rien.

Le mercenaire qui s'apprêtait à les abattre, positionné au milieu de la cour, s'effondra en hurlant, touché à la cuisse. L'autre tueur à découvert plongea de l'escalier vers un grand bac de granit dans lequel de maigres plantes essayaient de pousser. La voix résonna dans la cour du moulin, comme sortie d'outre-tombe.

« Gendarmerie nationale. Déposez les armes. »

En réponse à la sommation, les Nephilim déclenchèrent une salve de coups de feu.

Zak, Cécile et Arsène se tenaient accroupis dans l'angle de l'ouverture voûtée de la cave.

— Vous avez prévenu les flics ? dit Zak, stupéfait, en se tournant vers Cécile.

Un sourire triomphant transfigura la chercheuse.

— Vous n'allez pas me le reprocher.

Zak hésita une seconde, puis enchaîna :

— Bien joué, Cécile, c'est le moment !

— Le moment de quoi ?

— Le moment de sauver notre peau.

— Les flics sont là…

— Ils ne feront pas le poids longtemps.

Il leva les yeux en direction de la cour du moulin. Aucun coup de feu n'avait été échangé depuis dix secondes.

— Juste devant, moins de vingt mètres, c'est notre seule chance.

Cécile espérait ne pas comprendre.

— Quoi, juste devant ? Il n'y a rien !

Peine perdue.

— Le pick-up de Noël Archer. C'est notre bon de sortie. Le seul.

Arsène Parella se terrait dans l'ombre, muet.

— Vous êtes malade, glissa Cécile.

— Préparez-vous, nom de Dieu, ordonna Zak. Il n'y aura pas d'autres occasions.

« Dernière sommation », martela dans le silence une voix amplifiée. En haut du chemin qui menait au portail, des silhouettes bleues progressaient à l'abri du mur. Un nouvel échange de tirs déchira la poussière du parc du moulin. Des éclats de mur volèrent, de fines et éphémères étincelles s'allumèrent sur le granit.

— Maintenant ! ordonna Zak.

Il se précipita dans la cour avec la détermination d'un ranger sautant d'une péniche vers la plage d'Omaha. Cécile sentit la main d'Arsène l'entraîner. Elle n'eut pas le courage de résister. Elle baissa la tête et courut au rythme de son professeur. Résignée, convaincue qu'une balle allait traverser sa poitrine dans la seconde suivante.

Zak était déjà parvenu au pick-up. Il s'abrita derrière la carrosserie et ouvrit la portière.

— Vite !

Des balles sifflèrent à leurs oreilles, fouettant le sol à leurs pieds. D'autres coups de feu répliquèrent, plus loin, sans doute tirés par les gendarmes.

Ils plongèrent dans le véhicule. Zak se recroquevilla entre le volant et le fauteuil conducteur pendant que Cécile et Arsène se tassaient côté passager.

— Restez couchés ! intima Zak.

Le cœur de Cécile battait à se rompre. Elle constata avec effroi qu'un liquide chaud coulait sur son bras. Du sang ! Elle ne ressentait pourtant aucune douleur, comme si… Arsène n'avait rien dit depuis plusieurs secondes ! Elle sentit tout le poids du corps chaud du professeur contre le sien.

Mon Dieu !

La manche de la chemise d'Arsène était gorgée de sang. Était-il encore conscient, au moins ? Cécile allait l'appeler lorsqu'une nouvelle balle ricocha sur la carrosserie. Que fichait Zak ? Pourquoi le pick-up ne bougeait-il pas ?

— Putain, Ikabi, démarrez !

La réponse tomba comme une guillotine.

— Je n'ai pas les clés !

Tout espoir décapité. Seule la tête furieuse hurlait encore.

— Pas les clés ? Vous êtes débile ou quoi ?

Les impacts sur la carrosserie du véhicule les firent tressaillir. Arsène toussa. Il vivait ! Dans sa position, Cécile était incapable d'estimer la gravité de sa blessure. Elle se sentait craquer, proche de la rupture :

— On va tous crever là à cause…

— Tendez la main, coupa Zak sèchement. Deux centimètres, sur votre droite, baissez le frein à main !

Cécile obéit, sans même réfléchir. Le pick-up demeura quelques secondes immobile, puis, lentement, se mit en branle.

— On peut passer, souffla Zak. La cour est en pente raide. Le pick-up va prendre de la vitesse.

Coincé entre le siège et le volant, il essayait de diriger le véhicule à l'aveugle.

— Et le portail électrique ? s'affola Cécile.

— On va le défoncer !

— Il est en chêne massif. Vous êtes complètement con !

Dans un déluge de verre, la vitre droite vola. En un réflexe suicidaire, Cécile leva la tête. Sur le côté du pick-up qui descendait silencieusement, elle aperçut un flic s'abriter derrière un bac de granit. Un autre gisait, derrière lui, hagard, la main collée sur son épaule en sang.

Un massacre !

Zak braqua sur sa gauche en aveugle. Le pick-up accélérait, entraîné par la gravité. Il s'engagea dans l'allée de gravier entre deux murs de bâtiments. Au bout du chemin, droit devant, le portail était clos.

— C'est bouclé, bordel, pesta la chercheuse. On va se fracasser sur la barrière. Les Nephilim n'auront plus qu'à nous cueillir pour nous achever.

Zak ne répondit rien, n'esquissa aucun autre geste que celui de maintenir droit le volant. Cécile, incapable d'attendre sans agir que le pick-up ne percute de plein fouet la barrière, leva à nouveau les yeux, au mépris de toute prudence. Terrifiée, elle crut d'abord apercevoir la sinistre marque rouge des snipers voler devant elle. Ses pensées se bousculaient. La lumière rouge devant elle ne bougeait pas. Elle était plus grosse que la cible mobile d'un fusil à lunette. Rien à voir non plus avec le gyrophare d'une voiture de flics. Qu'est-ce que…

Zak crispait toujours ses mains sur le volant.

Dehors, les balles pleuvaient.

Sur elle, Arsène, inerte. Abattu comme un chien. Peut-être mort.

Devant eux un portail de bois massif.

Cécile crut au miracle.

Le portail électrique bougeait !

Comme par magie, la barrière coulissait sur ses rails au fur et à mesure que le pick-up lancé maintenant à toute allure descendait vers elle. Ça pouvait passer ! Le portail s'ouvrait à une vitesse qui semblait calculée avec précision sur le rythme de leur 4×4. Cécile croisa les doigts, renonçant à comprendre le prodige qui s'accomplissait devant ses yeux.

— Au-dessus du tableau de bord, articula Zak. Il y a un détecteur ! L'ouverture du portail est commandée automatiquement lorsque le pick-up approche.

Ils franchirent la barrière sans ralentir et se retrouvèrent brusquement sur le bitume de la départementale. Zak se redressa et donna un violent coup de volant sur la gauche.

— Et ensuite ? hurla Cécile.

— La route descend pendant six kilomètres, jusqu'à Ambert.

La chercheuse se redressa à son tour, ne prenant pas encore tout à fait conscience qu'ils venaient d'échapper aux tueurs.

— Le portail ? C'est un coup de chance ou vous aviez calculé votre affaire ?

— Un coup de génie ! Osez le mot, mademoiselle Serval.

— L'idée de génie, répliqua sèchement Cécile, c'est d'avoir prévenu les flics. Sinon, vous seriez mort !

— Et nous aussi, ajouta Arsène d'une voix faible.

Le pick-up bleu filait maintenant à pleine vitesse sur les lacets déserts de la départementale. Zak se cala sur le fauteuil passager.

— Arsène ! s'écria Cécile. Mon Dieu, vous êtes touché ?

— Ces salauds ne m'ont pas raté, je crois.

Cécile se pencha et, avec d'infinies précautions, tenta de remonter le corps flasque du professeur sur le siège passager. Parella grimaçait de douleur. Une fois mieux installée, la chercheuse observa avec angoisse la blessure d'Arsène.

— Mais vous n'avez rien ! s'exclama-t-elle.

— Vous plaisantez ? Je saigne comme un porc !

— À peine une éraflure à l'épaule. La balle vous a tout juste effleuré !

Cécile tendit distraitement un Kleenex à son professeur et, sans davantage s'intéresser à lui, se tourna vers Zak.

— Quel est le plan, maintenant ? Descendre en roue libre jusqu'à la première gendarmerie ?

— Fuir ! répliqua Zak. Les flics comme les Nephilim.

— Je témoignerai pour vous, Zak Ikabi. J'admets qu'il y a toutes les chances que ces salopards de snipers soient également ceux qui ont abattu ces vigiles à Bordeaux. À mes yeux, cela vous disculpe, disons, à quatre-vingt-dix pour cent.

Zak ne releva pas l'ironie.

— Pas le temps de moisir en garde à vue, bougonna-t-il.

— Ah oui, j'oubliais. La planète à sauver. Comme ce pauvre Noël Archer. Le secret du mont Ararat à percer… Vous ne faites jamais de pause, Indiana ?

— Non !

— Nom de Dieu, qu'est-ce que vous fabriquez encore ?

Zak venait brusquement de changer de direction. Au lieu de suivre la départementale, le pick-up avait pris un étroit chemin montant dans un bois, juste à l'entrée du virage. Le 4×4 bringuebala quelques dizaines de mètres sur le sentier cahoteux, s'enfonça entre les arbres en ralentissant progressivement. Bientôt, il s'arrêta définitivement. Zak tira le frein à main et s'assura dans son rétroviseur que le pick-up ne pouvait être aperçu de la route.

— On change de véhicule ? demanda Cécile. Celui-ci est un peu trop voyant ?

— Exact. Je ne suis pas certain que nous ayons beaucoup d'avance sur les Nephilim.

— Et vous savez faire démarrer une voiture sans les clés ?

— Oui. Je crois. Un ouvre-porte et de fausses clés électroniques de voiture tiennent dans une poche et s'achètent en trois clics sur Internet, pour moins de deux mille euros.

— Je vois. Mais moi, qu'est-ce qui me retient de foutre le camp ?

— Avec ces tueurs à vos trousses ?

— Les tueurs, Ikabi, c'est vous qui les attirez…

— Ça, je n'en suis pas si sûr. Ils connaissent votre visage désormais. Et vous connaissez le leur…

Pas faux, pensa la chercheuse. Elle prit le temps de réfléchir à tout ce qu'impliquait cette situation nouvelle.

— Vous n'auriez pas un autre Kleenex ? gémit Arsène.

Cécile ne se donna pas la peine de répondre.

— Si je vous suis, Ikabi, quelle est la prochaine étape ?

— Rencontrer un véritable scientifique, répondit Zak. Quelqu'un qui vous convaincra. D'ailleurs, je suis à peu près certain que le professeur Parella le connaît, au moins de réputation. C'est l'un des meilleurs spécialistes au monde de la civilisation sumérienne.

— Un amoureux de l'arche lui aussi ? Tendance Gilgamesh ?

— Pas vraiment…

— Un ami alors ?

— Une relation.

— Vous en avez beaucoup comme cela ?

— Nous sommes quelques-uns. Le spécialiste le plus célèbre et le plus passionnant des sociétés antédiluviennes est de loin Parastou Khan. Il possède sans aucun doute la plus grande culture et la plus grande collection au monde sur le sujet. Il faudrait à tout prix que vous le rencontriez, mais il ne sort guère de son palais d'Ishak Pacha au Nakhitchevan. Pour vous convaincre du sérieux de ma quête, mademoiselle Serval, dans l'immédiat, je me contenterai donc de vous présenter Jean-Bernard Patte.

— Jean-Bernard Patte ? s'étonna Arsène Parella. Rien que ça ?

Zak scrutait avec prudence dans le rétroviseur du pick-up le petit ruban de bitume de la départementale.

— Arsène, fit Cécile, surprise, vous connaissez ce type ?

— Pas personnellement. Mais je sais où monsieur Ikabi espère nous emmener. Au cœur du Quartier latin. Jean-Bernard Patte enseigne les langues mésopotamiennes anciennes à l'Inalco[1]. Il en est même le plus grand spécialiste.

— En route alors, conclut Cécile. Ikabi, vous allez la piquer, votre bagnole ? Il y a un village juste en dessous.

Zak, en ouvrant la portière, dévisagea du coin de l'œil la chercheuse. Elle ne ressemblait plus vraiment à l'intellectuelle coincée qu'il avait croisée ce matin sur le campus du Mirail. Il découvrait à l'inverse une femme solide comme un roc, d'une incroyable

1. Institut national des langues et civilisations orientales.

intelligence pratique… et qui semblait devenir plus désirable à chaque fois que son corps frêle frôlait la mort. Comme si sa peau respirant le danger exhalait des hormones sexuelles.

Zak se leva et sortit de sa veste le matériel nécessaire au vol de voiture, un calculateur sous la forme d'une petite clé électronique et un module de démarrage vierge.

— Vous êtes un type louche, commenta Cécile. Je l'ai senti depuis le début !

— Que voulez-vous, plaisanta Zak. L'intellectuelle et le voyou, c'est un grand classique. Vous ne seriez pas en train de tomber amoureuse ?

— Ne vous faites pas d'illusions, Ikabi ! Vos poufs habituelles marchent peut-être dans vos légendes de licornes et leurs métaphores phalliques, mais pas moi…

La portière claqua.

— Méfiez-vous, Cécile… Je n'ai pas encore joué tous mes atouts.

Sur la départementale, en abordant un virage presque sans ralentir, les pneus d'une Opel Vivaro grise crissèrent dans les lacets.

Nord de la Mésopotamie, 4371 av. J.-C., printemps

Leka trottait au milieu des herbes hautes. Seules ses oreilles dépassaient. De temps en temps, elle s'arrêtait pour attendre Bilik et surtout Gana. Si le jeune homme parvenait à suivre le rythme de l'animal, sa sœur peinait. Les épis montaient au-dessus des genoux de la jeune fille et frottaient doucement ses cuisses.

— Viens, Gana, cria Bilik. Viens vite...

La jeune fille adressa un large sourire à son grand frère. Jamais elle ne s'était sentie aussi heureuse. Lorsque leur mère Majka leur avait annoncé qu'ils quittaient la montagne, Gana n'avait rien dit, mais elle avait eu terriblement peur. Peur des hommes. Peur des autres dieux. Peur pour Leka.

Elle avait eu tort. Tout était tellement plus extraordinaire dans la plaine. Plus de grotte, mais des maisons de branches et de terre. De l'eau, partout, dans des rivières bien droites qui obéissaient aux hommes. Beaucoup d'autres d'hommes aussi, et de femmes, et d'enfants, même si elle ne leur parlait pas beaucoup.

Gana n'aimait pas cela, parler. Majka, c'était le contraire. Sa mère passait désormais ses journées avec les femmes, à cuire la viande, à coudre des peaux, et même à fabriquer des objets incroyables avec de la terre qui séchait au soleil, des objets pour boire, pour manger, mais aussi pour porter autour du cou avec des poils tressés. Gana n'avait jamais rien vu d'aussi joli. Comme sa mère, son grand-père Avo occupait son temps à parler, avec les anciens, et à regarder la montagne.

Bilik s'arrêta.

— Regarde, Gana.

— Quoi ?

Gana ne voyait rien, rien que de la verdure à l'infini dans la plaine.

— Regarde bien…

Soudain, Gana vit. Elle mit sa main devant sa bouche. Par quel prodige était-ce possible ? Toutes les herbes étaient alignées, bien rangées, comme si elles avaient obéi à un ordre précis. C'était impossible ! Même si les hommes de la plaine avaient expliqué que les plantes qui poussent du sol n'étaient pas des cheveux de dieux, elle savait qu'elles ne marchent pas, ne bougent pas. Une herbe ou une fleur n'est pas un animal, comme Leka, elle n'obéit pas quand on lui ordonne de venir, de s'asseoir ou de se coucher.

Quel Dieu pouvait être assez puissant pour commander aux plantes, aux fleurs et aux arbres ?

Son frère arracha un épi, le fit glisser dans sa main qu'il ouvrit. Elle contenait des petites boules vertes, semblables à celles que faisait cuire leur mère, ou qu'elle écrasait dans un de ces objets de terre rouge.

— Regarde, Gana. Sais-tu ce que c'est ?

— Bien entendu, cela se mange.

— Oui, Gana, tu as raison, cela se mange. Ce sont des graines. Lorsque les herbes, ou les fleurs, sont trop vieilles, elles se courbent, comme Avo, et ces boules vertes tombent dans la terre. Elles y dorment, longtemps, très longtemps, puis elles finissent par s'ouvrir, comme le ventre d'une femme qui attend un enfant, et d'autres herbes, plus hautes et plus fortes, repoussent au même endroit.

Gana aimait bien ce que lui racontait son frère. Les herbes pouvaient revivre... Il devait donc en être ainsi pour les hommes, pour son père Otek dévoré par les loups, pour son petit frère Alum enterré dans la grotte...

— Écoute-moi, Gana. Imagine, imagine seulement que l'on n'attende pas qu'elles meurent, qu'on les arrache avant, qu'on cueille les boules vertes, des poignées et des poignées, et qu'on les jette ailleurs dans le sol. Où l'on veut.

Gana regardait Leka. En était-il ainsi aussi pour les animaux ? Leka aussi pourrait-elle revivre si elle mourait ? Elle n'avait pas vraiment écouté, pas compris ce que venait de lui dire son frère.

— Pourquoi, Bilik ? Pourquoi jeter par terre des graines qui se mangent ?

— Parce que comme cela, Gana, nous n'aurons plus jamais faim ! Comprends-tu ? Nous pourrons faire pousser les herbes à côté de notre cabane ! Quand nous voulons. Où nous voulons. Nous pourrons en manger une part, et garder l'autre pour faire pousser de nouvelles plantes. Comprends-tu, Gana ? Les herbes

ne sont pas des cheveux des dieux. Nous sommes les dieux maintenant ! Elles nous obéissent !

Gana commençait à saisir. « Nous sommes les dieux. » Elle aimait ce que disait son frère. Gana n'avait jamais apprécié la chasse, quand les hommes partaient, quand ils emmenaient Leka pour tuer d'autres animaux. L'idée de se nourrir simplement en cueillant des plantes poussant devant leur cabane lui semblait extraordinaire. Et même trop simple. Elle essaya de réfléchir.

— Et les autres plantes ? s'inquiéta Gana. Les arbres... Les ronces... Elles ne peuvent pas toutes nous obéir, elles sont trop nombreuses. Chacune se trouve à sa place, comme les hommes. Pour nourrir tous les hommes de la plaine, il faudra une place immense pour y faire pousser nos boules vertes. Une place qui n'existe pas.

— Le feu, Gana. Le feu d'abord. Il est capable de dévorer les arbres. Mais il y a mieux que le feu encore...

Bilik posa son regard sur Leka, puis sur la colline. Au loin, des chèvres broutaient des baies et des feuilles de buissons verts. Gana n'aimait pas les chèvres, elle les trouvait bêtes, peureuses. Elle préférait Leka. Leka était tellement différente.

— Mieux que le feu ? s'étonna Gana.

— Les chèvres ! Les chèvres dévorent tout, elles aussi.

Gana trouva l'idée stupide.

— Les chèvres n'obéissent pas ! Jamais elles ne brouteront les ronces que tu veux.

— Il n'y a pas besoin qu'elles nous obéissent, Gana. Il suffit de tuer les loups, les renards, les ours. De tuer tous les animaux qui tuent les chèvres. Tout va très vite alors, les chèvres deviennent de plus en plus nombreuses, elles doivent manger elles aussi, dévorent la forêt, les ronces, les broussailles, rien ne les arrête. Ensuite, il n'y a plus qu'à chasser les chèvres et à planter les graines. Les hommes sont plus forts que les animaux. C'est cela l'important, Gana. Nous sommes les dieux !

Gana serra Leka dans ses bras et passa les mains dans ses poils.

— Ne l'écoute pas...

Elle se tourna vers son frère, le visage sévère.

— Tout cela me fait peur, Bilik. Tout va trop vite. Beaucoup trop vite.

Elle caressa encore longuement Leka, puis ajouta :

— Bilik, qui t'a appris tout cela ?

Première course, Arménie, Vatican : l'arche de Noé
Deuxième course, Kaliningrad, Bordeaux, Toulouse, Melbourne : le théorème de Cortés
Troisième course, Ambert, Hong Kong : le Déluge
Quatrième course, Chartres, Igdir, Paris : les licornes
Cinquième course, Paris, Nakhitchevan : le bond en avant de l'humanité
Sixième course, Monreale, Nakhitchevan : le Livre d'Enoch
Septième course, Ishak Pacha : les Nephilim
Huitième course, Ishak Pacha, Bazargan, Dogubayazit : le protocole AHORA
Neuvième course, Grand Ararat : l'anomalie d'Ararat

QUATRIÈME COURSE

Les licornes

37

D943, nord de Montluçon, France

Les sapins tous identiques défilaient dans les phares de la Clio, tels des prisonniers alignés sous le projecteur d'un mirador. Zak, Cécile et Arsène roulaient depuis une centaine de kilomètres dans une Renault Clio immatriculée 03. Zak, après avoir « emprunté » une 206 dans le village près d'Ambert, avait tenu à changer de véhicule dans la banlieue de Montluçon. Après la fusillade du moulin de Nouara, il était à peu près certain que la gendarmerie allait déclencher le plan Épervier pour intercepter les fugitifs. Circuler longtemps dans la même voiture volée aux alentours du moulin aurait été le meilleur moyen de se faire repérer.

La forêt semblait interminable. Par sécurité, ils n'empruntaient que des routes départementales. Pour rallier Paris, ils devraient rouler toute la nuit. Arsène était parvenu à convaincre Cécile qu'il valait mieux qu'ils demeurent tous les trois ensemble, au moins jusqu'à Paris et leur rencontre avec le professeur Jean-Bernard Patte. Ensuite, ils décideraient de l'attitude à suivre.

Il était près de 1 heure du matin. Zak conduisait pendant qu'Arsène somnolait à côté de lui. À l'arrière, Cécile, les yeux grands ouverts, regardait sans les voir les arbres qui défilaient dans la lumière blanche des phares.

Le contrecoup. Un homme venait d'être abattu, presque sous ses yeux. Elle avait frôlé la mort.

Soudain, Zak ralentit et gara la voiture dans le talus herbeux.

— Qu'est-ce qui se passe ? demanda Cécile d'une voix fatiguée.

— Après le prochain virage. Un barrage de police. J'ai eu juste le temps d'apercevoir la lumière du gyrophare.

Arsène se frotta les yeux.

— Quel est le plan ?

— Faire demi-tour… en espérant qu'ils ne nous aient pas remarqués !

Alors que Zak commençait à manœuvrer, le ton de Cécile se fit soudain plus léger, presque joyeux.

— Trop tard !

Un véhicule de gendarmerie s'approchait au ralenti.

Repérés !

Dans l'obscurité presque totale, les phares des rares voitures devaient s'apercevoir à des kilomètres à la ronde.

— Quel est le plan maintenant ? continuait Cécile, espiègle. Leur expliquer que vous avez emprunté la voiture d'un ami ? Ou bien leur servir votre couplet sur l'arche de Noé ? N'oubliez pas que vous êtes une star, Zak Ikabi, votre poster est affiché dans toutes les gendarmeries de France.

Les mains de Zak tremblaient légèrement sur le volant. Arsène, les yeux grands ouverts à présent, ne disait rien.

La voiture de gendarmerie se gara cinq mètres devant eux, laissant le gyrophare tourner. Deux hommes en sortirent. Habillés en civil. Deux armoires à glace, comme taillées dans les pins immenses qui les entouraient. À croire qu'on recrutait les gendarmes du coin parmi les deuxième ligne du club de rugby local.

Ils s'approchèrent, yeux plissés, mains en visière, aveuglés par les phares de la Clio.

Sans sommation, Zak hurla.

— Bordel !

Et dans le même mouvement de folie, il écrasa l'accélérateur. La Renault bondit. Docile, vive. Droit devant !

Fonçant sur les flics comme une boule noire lancée sur les deux dernières quilles avant le *spare*.

— Non ! cria Cécile.

Arsène ferma les yeux. Cécile les écarquilla, affolée. Zak Ikabi allait délibérément faucher les deux policiers devant eux.

38

Aéroport de Bakou, Azerbaïdjan

La petite salle d'embarquement pour le Nakhitchevan, à l'écart des autres bâtiments de l'aéroport international Heydar Aliyev de Bakou, ressemblait à une cour des miracles. Une centaine de passagers bruyants s'y entassaient avec leurs bagages hétéroclites, même si le vol Bakou-Nakhitchevan n'était annoncé qu'une heure plus tard.

Pour les habitants de la république autonome enclavée du Nakhitchevan, l'avion n'était pas un luxe ; il était même l'unique moyen de transport pour les relier à la capitale de l'Azerbaïdjan, toutes les frontières terrestres avec l'Arménie étant fermées. Les Azéris prenaient ce vol intérieur comme d'autres prennent le bus. Les cinq vols quotidiens étaient presque toujours complets. Le billet ne coûtait que vingt dollars pour les quatre cent mille habitants du Nakhitchevan… et dix fois plus pour les étrangers. La clientèle de l'aéroport ressemblait à une foule populaire attendant un taxi collectif au bord d'un trottoir : des commerçants transportaient leur production artisanale – pains, pâtisseries, paniers… –, des malades venaient chercher à la capitale de meilleurs soins, des lycéens bruyants rejoignaient leurs parents.

Des cris de gosses, des soupirs d'infirmes, des piaillements de volailles en cage…

Cortés n'en pouvait plus. Soudain, il explosa :

— Zeytin, dégage-moi tout le monde.

Zeytin regarda son chef sans comprendre.

— Vire-moi tous ces gens. Je ne vais pas attendre encore une heure dans ce bordel. Encore moins prendre l'avion avec eux !

— Mais…

— Ils prendront le Tupolev suivant, ils ne vont pas en mourir. Je paierai l'aéroport. J'ai plus de fric à moi seul que toute la population du pays réunie.

Zeytin, sans broncher, fit signe à ses hommes de se déployer.

Un couple se tenait près d'eux. La femme veillait sur un très jeune bébé dans un landau. Manifestement, elle était venue accoucher à Bakou. Ils observèrent le mouvement des miliciens sans comprendre, puis Cortés, cet étrange géant dont le visage restait entièrement dissimulé dans l'ombre de la capuche de son manteau.

— Je suis chez moi ici ! hurla Cortés. Vous comprenez ? Alors foutez-moi la paix et dégagez…

Les mercenaires n'eurent même pas besoin de sortir leurs armes. Les passagers, résignés, quittaient déjà la salle.

Ils étaient seuls à présent. Cortés, Zeytin et la vingtaine d'hommes armés.

— On capte enfin quelque chose dans ce trou ! dit Cortés. Nous allons pouvoir faire le point. Cela aurait été dommage de ne pas être au courant, non ? En France, Morad s'est laissé baiser par des amateurs, il rejoue Fort Alamo avec les flics français et est injoignable depuis ! Et, comme si ça ne suffisait pas, Béchir lui aussi a merdé à Hong Kong. Envolée, la poutre de l'arche des adventistes chinois.

— Béchir ne comprend pas, fit calmement Zeytin. Le gamin qu'il avait recruté a disparu, sa maison-cage est vide et…

Cortés attrapa un poteau d'aluminium servant à délimiter les files d'attente. Il s'en servit de masse et fit voler en éclats la vitre du distributeur de boissons chaudes. Zeytin frotta son front chauve. Lorsqu'il transpirait trop, sa cicatrice le faisait souffrir.

— Béchir a fait son enquête, continua-t-il. On lui a parlé d'un type avec l'accent français qui aurait traîné sur l'île de Ma Wan. Son portrait ressemble… (Zeytin hésita)… ressemble à celui de ce type de la cathédrale d'Etchmiadzine. Celui qui se fait appeler Victor Peyre.

Cortés s'acharnait. La barre d'aluminium massacra le percolateur et les sachets de cacao, de café et de potages divers dont la poudre se déversa au sol dans une mare gluante d'eau chaude. Le tueur jeta le poteau à travers une vitre.

Défoulé.

Il se tourna vers son lieutenant.

— Tu comprends, Zeytin ? Il nous faut rassembler toutes les pièces. Toutes ! Elles ne livreront leur secret qu'ensemble. Les trois angles d'un triangle. Les morceaux d'arche, ce Livre d'Enoch que l'Église protège jalousement et ce récent rapport sur la fonte des glaces sur le mont Ararat… Mais en attendant les preuves que cette bande d'incapables ne parvient pas à rassembler, on va agir ici. Viser au cœur même de la cible, Zeytin, au pied de l'Ararat ! Nous allons fermer le cercle, resserrer le nœud coulant… Nous allons le trouver, ce putain de lieu où ils se planquent…

Zeytin tenta une objection :

— Et le Parlement mondial des…

— Rien à foutre de ces bureaucrates en soutane ! Imams ou curés, ils n'oseront rien. Surtout au Kurdistan. Nous avons qui, sur place ?

— Halife. Il est à Igdir, entre l'Ararat et la frontière arménienne.

Cortés baissa avec dégoût les yeux vers la bouillie des sachets de boissons lyophilisées, s'assurant qu'aucune goutte n'avait souillé le cuir de ses chaussures.

— Parfait. Je vais avoir du travail pour lui. J'ai une idée qui nous fera gagner du temps, qui nous aidera à trouver des bergers kurdes aux yeux gris et aux cheveux de jais, qui les motivera à nous révéler leur secret.

39

D943, nord de Montluçon, France

Les deux flics plongèrent dans le fossé, chacun choisissant dans le même réflexe un côté différent, presque comme s'ils s'étaient attendus à ce que la Clio les charge.

Zak braqua nerveusement, évitant de justesse la voiture de police garée devant eux, continuant d'écraser la pédale d'accélérateur. La Renault grimpa en quelques secondes au-delà des cent kilomètres à l'heure, profitant d'une courte ligne droite sur la route étroite.

La main gauche de Cécile s'accrochait à la poignée, pendant que son poing droit tambourinait dans le siège de Zak. De rage. De peur. De colère.

— Vous êtes complètement mal…

— Nephilim ! lâcha Zak.

— Quoi ?

La route virait légèrement, la Clio ne ralentissait pas pour autant. Derrière eux, la lumière du gyrophare disparaissait déjà derrière les pins sombres.

— Nephilim ! reprit Zak avec calme, concentré sur sa conduite. Je les ai reconnus, ils étaient à Bordeaux. Au moulin de Nouara aussi…

Cécile battait maintenant le fauteuil passager de ses deux poings.

— Délire ! Parano ! Ils ne peuvent être partout. C'est vous qui…

La main d'Arsène se posa doucement sur le poignet de Cécile, l'immobilisant d'un simple contact.

— Monsieur Ikabi a raison. Sur ce point au moins. Le flic de droite était le tueur qui se tenait sur le toit de la meunerie du moulin, celui de gauche était perché sur la pergola de la grange. C'étaient deux assassins, pas deux flics.

Cécile se laissa retomber en arrière. Silencieuse.

La Clio lancée à présent à plus de cent vingt kilomètres à l'heure épousait les courbes des routes désertes. Les doigts de Zak semblaient caresser le volant plus que le serrer.

— Mais on les a semés, cette fois, murmura-t-il.

Quelques minutes s'écoulèrent. Arsène avait posé sur ses genoux une carte, prenant soin de n'indiquer à Zak que les routes les plus étroites et détournées. Ils eurent l'impression de s'égarer une heure, étranglés d'angoisse à chaque carrefour. Petit à petit, ils s'enhardirent et choisirent de suivre un chemin plus direct. Cécile ne cessait de scruter l'obscurité par la lunette arrière.

Ils venaient de quitter Saint-Désiré, un nouveau village désert, lorsque la chercheuse poussa un cri.

Des phares dansaient, quatre cents mètres derrière eux.

— Pas de panique, bredouilla Zak. Il n'y a aucune raison que ce soit…

Il se tut. Les phares s'approchaient comme deux missiles, le véhicule derrière eux devait traverser Saint-Désiré à plus de cent kilomètres à l'heure. Quelques réverbères éclairaient la seule rue du village. Cécile écarquilla les yeux lorsque le bolide passa sous les néons, puis hurla à s'en briser les cordes vocales :

— Ce sont eux !

Dans son rétroviseur, Zak avait lui aussi reconnu le monospace gris métallisé, le gyrophare toujours aimanté sur le toit.

— Bordel…

La Clio bondit comme une gazelle prise en chasse par un fauve. L'aiguille monta en flèche. Cent vingt. Cent trente. Cent quarante.

Le ruban de bitume défilait, irréel, sous la lueur des pleins phares.

— Ils gagnent du terrain, annonça Cécile dans un souffle.

Les mains d'Arsène se crispèrent sur la carte routière. La Clio se soulevait à chaque bosse. Zak était contraint de donner de brusques coups de volant à chaque virage, de ralentir pour que la voiture ne finisse pas sa course en tonneaux.

— Cent mètres, annonça Cécile. Ils sont à moins de cent mètres.

Le monospace devait être plus puissant. Ou posséder une meilleure tenue de route. Ou le conducteur était un professionnel. Ou…

— On ne pourra pas les distancer, haleta Zak sans dissimuler sa panique. Arsène, il n'y a rien sur votre carte ?

Ils traversèrent Les Charmusseau comme une bombe, un nouveau village endormi.

— La première ville, Bourges, est à plus de soixante-dix kilomètres.

— Putain… Pas le temps de demander de l'aide chez l'habitant. Il ne leur faudrait que quelques secondes pour fondre sur nous et mitrailler la caisse.

Zak tenta encore d'accélérer.

— Quatre-vingts mètres, annonça Cécile d'une voix blanche.

Ils abordaient une ligne droite longue d'un kilomètre. Pleine campagne. Une détonation retentit, suivie d'un impact sur le bitume à leur droite.

— Ces salopards visent les pneus, cria Zak. On ne tiendra pas longtemps.

Un nouveau lacet fit provisoirement sortir la Clio de la ligne de tir. La voiture slalomait dans la forêt de Thoux. Aucune aide, même providentielle, ne semblait pouvoir surgir dans ce désert ensommeillé.

— Là-haut, fit soudain Zak.

— Quoi là-haut ?

— J'ai cru voir un truc vert dans le ciel, au-dessus de la forêt.

— Un truc vert ?

Cécile écarquilla les yeux. Les phares du monospace éclairaient les arbres devant eux dans un fantomatique effet stroboscopique.

— C'est un laser, lança la chercheuse.

— Un laser ? s'étonna Arsène.

— Nom de Dieu, hurla Zak, c'est notre chance, la seule dans cette campagne.

La Clio négocia le virage à plus de cent kilomètres à l'heure, mordit le talus et poursuivit sa course, gagnant quelques mètres sur le monospace plus prudent.

— Dirigez-moi vers ce laser, continua Zak. Droit dessus, ne le perdez surtout pas de vue.

— Vous… vous pouvez nous expliquer ? bafouilla Arsène.

Zak braqua brusquement à gauche. La Clio se souleva.

— Dans ce genre de coin paumé, fit Zak sans reprendre sa respiration, les rayons laser indiquent la présence d'une boîte de nuit. Autrement dit, d'une vie nocturne !

— Tout droit, indiqua Cécile, convaincue. Derrière la forêt.

La Clio accéléra encore. Pourtant, inexorablement, le monospace se rapprochait. Lors d'une courte ligne droite, un bruit métallique résonna sur leur gauche. Une balle s'était fichée dans la carrosserie. Cécile marmonnait entre ses dents serrées.

— Où est-elle, cette putain de discothèque ?

Le hameau de Malleray défila en un éclair. À l'entrée du tournant suivant, le monospace colla presque au pot d'échappement de la Clio. Elle reprit quelques mètres d'avance alors qu'il abordait le virage.

Pas assez, jamais ils n'atteindraient la source du laser. Cécile ouvrit la fenêtre, une forme sombre entre les mains. Lorsque leur poursuivant se rapprocha à nouveau, elle lança le tout sur la route.

— Vous avez balancé quoi ? s'inquiéta Zak.

— Les appuie-tête !

Le monospace fit une embardée. Quelques dizaines de mètres gagnées.

À peine.

40

Marché d'Igdir, Turquie

Aman était grande pour son âge. À dix ans, elle mesurait déjà un mètre cinquante. Pourtant, plus elle regardait les cinq gigantesques épées, plus elle se sentait minuscule. Sa mère lui avait expliqué ce que signifiaient ces armes géantes dressées vers le ciel avec des mots qu'elle n'avait pas bien compris : le monument de « commémoration du génocide perpétré par les Arméniens contre les Turcs ». Elles étaient hautes de quarante-quatre mètres pour être visibles au-delà de la frontière, jusqu'à Erevan.

« Plus le mensonge est gros, avait encore dit sa mère, plus il passe. Un jour, les Turcs fabriqueront aussi un monument pour que leurs petits-enfants croient aux massacres perpétrés par les Kurdes contre les Turcs. » Ça, Aman l'avait compris. Depuis qu'elle était en âge de se souvenir, jamais elle n'avait vu un Kurde oser s'en prendre à un policier turc, ou à un militaire. L'inverse, en revanche… Son oncle Dabbas, son grand-père Devran, sa cousine Fatma, tous disparus, en prison, torturés. Peut-être morts, disait sa mère. Les Turcs, Aman les reconnaissait lorsqu'ils portaient un uniforme. Parce que pour les autres… Les femmes, les enfants, les vieux, les pauvres, elle n'arrivait vraiment pas à voir la différence avec eux.

Aman se tourna vers l'est, droit sur le mont Ararat. Les grandes épées lui semblèrent minables face à la montagne.

Sa montagne !

C'était quand Aman descendait en ville, pas souvent, juste deux ou trois fois par an, pour le marché, qu'elle se rendait compte à quel point elle aimait son toit du monde. Elle était libre comme un aigle, là-haut. La fillette baissa ses yeux gris vers les interminables rangées d'immeubles ternes de la banlieue d'Igdir, tous identiques, comme écrasés par la montagne.

Plutôt mourir que de vivre ici un jour, enfermée dans un cube. Sa tente, là-haut, c'était sa liberté. Cinquante kilomètres carrés de montagne pour elle toute seule. Elle et sa famille, ses amis, sa tribu, son troupeau, ses…

Même dans sa tête, elle hésitait à employer le mot interdit.

Ses chèvres ! C'est bien le mot auquel elle devait penser, sa mère insistait toujours avant qu'ils ne descendent à Igdir.

Ses chèvres !

Sa chèvre, sa préférée, sa chouchoute. Leka.

Aman sautilla un moment sur place, puis courut en direction du marché.

Le marché, c'était la seule chose qu'Aman aimait à Igdir. La seule qui lui manquait, sur la montagne.

Le marché d'Igdir, dans ses yeux de fillette de dix ans, de fille de berger kurde, c'était un concentré de toutes les richesses du monde. Des odeurs, des couleurs, des cris comme jamais elle n'en entendait là-haut. Des épices, des tapis, des sculptures, des animaux en cage, de la viande rouge, de l'alcool, des casseroles de fer, des habits en laine, en cuir, en soie… Une caverne aux trésors !

Aman déambulait dans les allées du marché. Elle avait le droit à condition de faire attention. Sa mère, elle, ne pouvait pas bouger. Elle restait derrière sa table à vendre ses fromages et à garder Mîran sur ses genoux, le frère d'Aman âgé d'un an. Au début de la journée, Aman l'aidait, mais, au bout d'un moment, sa mère s'énervait toujours et lui disait qu'elle en avait assez qu'elle traîne dans ses pattes.

Cela faisait déjà plusieurs fois qu'Aman passait devant le sculpteur de petits animaux en bois. Elles étaient terriblement jolies, ces petites figurines, elles représentaient des animaux qu'elle connaissait, bien sûr, mais qu'elle n'avait jamais vus. Des éléphants, des girafes, des dauphins et même… Son regard passa vite, très vite.

Une petite licorne.

Aman savait qu'elle ne devait rien dire. À la moindre indiscrétion, plus jamais sa mère ne l'emmènerait au marché. Aman devait protéger le secret, elle était grande à présent. Elle était prudente aussi, elle avait caché son collier sous sa chemise. Celui avec la croix, celui que sa maman lui avait offert pour ses dix ans. Le grand secret.

Aman partit à nouveau se perdre dans les autres allées, sentit des épices, goûta du fromage. Tout le monde la trouvait jolie ! Elle avait les mêmes yeux gris que sa mère, et de longs cheveux noirs comme du crin, en plus fin. C'est aussi pour cela qu'elle aimait bien le marché d'Igdir.

Sans même l'avoir cherché, elle se retrouva à nouveau devant le sculpteur d'animaux en bois. L'artisan, un grand type moustachu, ne la voyait pas et discutait avec le marchand d'à côté. Elle en profita pour l'examiner de plus près. La petite licorne était trop belle. Pas très ressemblante, mais trop belle.

Moustache se retourna. Aman se recula, fit comme si elle s'intéressait à autre chose. De toute façon, elle savait ce qu'elle devait dire ou ne pas dire. Elle pouvait bien regarder cette licorne en bois, il n'y avait rien de mal à cela. Elle repartit. Au bout de l'allée, une grosse femme vendait de la viande qui puait avec des mouches autour. Horrible !

Une heure passa, peut-être plus.

Le marché durait toute la journée. À la fin, c'était long. Il faisait plus sombre, à présent. L'ombre du mont Ararat recouvrait toute la ville d'Igdir, y compris les grandes épées.

Bien fait !

Des commerçants commençaient à ranger. Sa mère était trop occupée, avec Mîran qui n'arrêtait pas de pleurer tellement il en avait assez et les fromages qui commençaient à sentir vraiment mauvais. Cela démangeait Aman. Repasser une dernière fois, juste pour voir la belle licorne. Sans ralentir.

Lorsqu'elle s'approcha, Moustache le marchand était en train de remiser ses animaux de bois.

Il lui sourit. Il avait les dents jaunes.

— Encore toi ! Tu t'appelles comment, petite ?

— Am… Aman.

— Bonjour, Aman. Moi, c'est Halife.

Le commerçant la dévisagea.

— Tu as de très jolis yeux, Aman. Des yeux rares, de princesse…

Il prit la licorne entre ses gros doigts poilus et la déposa sur la table juste devant la fillette.

— Elle est belle, n'est-ce pas ?

Aman se figea. Elle ne répondit rien, mais ses yeux le firent à sa place.

Halife continuait de lui sourire. Un instant, Aman pensa qu'elle était exactement en train de faire tout ce que sa mère lui avait interdit. Qu'elle devait courir à toutes jambes et aller la retrouver.

Elle ne put empêcher ses doigts de caresser le dos cambré de la figurine de bois.

Si c'était un piège, il était trop tard…

41

D943, nord de Montluçon, France

La Clio, lancée à la vitesse d'une bombe, avala une dernière épingle. Dans la nuit noire, la voiture frôla le talus, puis se déporta dans un interminable dérapage, au mépris de tout autre véhicule pouvant surgir en face.

La lumière crue les aveugla.

L'« Aquarius », indiquait un immense néon vert.

Des dizaines de personnes fumaient des cigarettes devant l'établissement éclairé comme une rue piétonne à Noël. Sur leur droite, une flèche rouge clignotante indiquait le parking.

La Clio pila. Deux immenses types, chemise blanche, gilet fluo et talkie-walkie à l'oreille, se précipitèrent, visage fermé.

— Mollo, les gars, pas de rodéo ici, d'accord ?

— D'accord, dit Zak, conciliant.

La Clio roula doucement en entrant dans l'immense parking. Dans le rétroviseur, Zak aperçut le monospace des tueurs ralentir, rouler presque au pas, puis dépasser l'entrée de la discothèque. Zak se gara en suivant les instructions d'un autre type lui aussi habillé en gilet fluorescent.

— Il y a une autre sortie ? demanda Zak.

— Non, répondit le vigile, étonné. Un champ, des barbelés tout autour, et une seule entrée.

Zak coupa le contact et souffla.

— Nous disposons d'un sursis, fit Arsène, ils n'attaqueront pas ici, il y a trop de monde. Mais ils nous attendent à la sortie.

— Alors, Zak Ikabi, ironisa Cécile, proche de la crise de nerfs. Quelle est votre nouvelle idée géniale ? On va danser et au petit matin, si les Nephilim ne sont pas mieux disposés et nous butent, nous aurons au moins profité de notre dernière nuit ?

— Soyez positive, Cécile. Nous sommes plus protégés ici que sur une place publique en plein jour. Des vigiles, des gardes…

Devant la Clio, cinq filles passèrent en bikini.

— Des maîtres-nageurs…

Ils se turent, épuisés nerveusement. Un assourdissant tempo techno résonnait jusque dans la voiture.

— Ils écoutent vraiment ça, les jeunes ? s'inquiéta Parella.

Cécile le gratifia d'un regard méprisant.

— Nom de Dieu, Arsène, il y a des tueurs dehors et vous pensez à la techno ?

— À choisir, j'aurais préféré être abattu sur la *Troisième Symphonie* de Brahms…

La grimace crispée de Cécile fit office de commentaire.

— On a assez traîné, finit-elle par lâcher. C'est bon, les conneries. Appelons les flics !

— Décidément, répliqua Zak, c'est une obsession. Après tout, pour semer le tueur, il nous suffit de changer de caisse.

— Ben voyons ! Voler une voiture sur le parking d'une boîte de nuit. Avec une dizaine de vigiles qui tournent !

Zak sortit de la Clio. Autour de l'immense hangar transformé en discothèque, un feu d'artifice de néons multicolores clignotait au rythme de la musique électronique.

— Arsène, pouvez-vous me rendre un service ? Allez jusqu'à l'accueil de la discothèque et rapportez-moi un éthylotest. Ils adorent en distribuer dans ce genre d'endroit.

Arsène, lessivé, obéit sans se poser de questions. Zak se pencha vers la chercheuse, effondrée sur la banquette.

— Je vais encore vous épater, Cécile.

— Franchement, Zak, si m'épater est depuis le début l'objectif de tout ce cirque, on est en train de se pourrir la vie pour un sacré malentendu…

Zak se contenta de sourire. Une fille, à peu près de la même taille et corpulence que Cécile, passa accompagnée de deux hommes, sexy jusqu'au bout des orteils dans une minuscule robe ultra-moulante. Les yeux de Zak s'attardèrent sur elle, puis se posèrent à nouveau sur Cécile.

— Ne me faites aucune réflexion vestimentaire, glissa celle-ci. Je vous préviens, aucune !

Un bruit de pas dans le gravier. Parella revenait avec l'éthylotest.

— Arsène, demanda Cécile, rassurez-moi, vous avez appelé les flics ?

— Je crois que ce n'est pas une bonne idée, Cécile.

La chercheuse soupira, résignée.

— Alors faisons confiance à Indiana…

— Venez avec moi et admirez…

Zak erra sur le parking jusqu'à ce qu'il repère un jeune homme devant une voiture, un peu à l'écart, qui peinait à introduire sa clé.

— Bonjour, dit Zak.

Il tendit l'éthylotest.

— Bonjour, répondit l'autre en continuant de chercher la serrure.

— Je vais vous demander de souffler dans cet éthylotest.

— Pardon ?

Zak affichait une calme assurance.

— Je dois vous faire souffler dans cet éthylotest, afin de vérifier si vous êtes apte à reprendre votre véhicule.

— Vous êtes qui ?

— Une association. Papillons de nuit. Nous travaillons avec les boîtes de nuit et la sécurité routière, vous voyez ce que je veux dire.

L'autre soupira.

— Je vois. Désolé, mais je bosse demain. Je vais y aller. Souffler dans la trompette, ce sera pour une autre fois.

Zak se planta devant lui.

— C'est… obligatoire.

— Mon cul !

Le type tourna sa clé dans la portière. Cécile observait, amusée malgré tout par le culot de Zak.

— En cas de refus, continua Zak sur le même ton monocorde, je suis tenu de relever votre numéro d'immatriculation et de téléphoner aux flics. Généralement, ils attendent à deux cents mètres de la boîte.

Le type dévisagea Zak.

— C'est dégueulasse !

— On peut dire ça. On peut dire aussi que nous sauvons des vies. Je comptais vous épargner le couplet sur les statistiques des jeunes de votre âge en fauteuil roulant, mais si vous tenez au discours complet…

— Faites chier ! Bon, filez-moi votre truc.

Il souffla, tendit l'appareil à un Zak toujours aussi zen.

— Désolé, le test est positif. Vous deviez vous en douter, non ?

— OK, je vous signe une décharge, un truc comme ça, et je me casse, ça vous va ?

— Non. On revient au point de départ. Si vous partez, j'appelle les flics. Ce coup-là, c'est clair, ils immobilisent votre véhicule à la sortie de la boîte et vous finissez la nuit au poste.

Le type asséna un violent coup de poing sur le capot de sa voiture.

— Quel merdier !

Zak allait parler, mais l'autre enchaîna.

— C'est bon, évitez votre baratin, que c'est pour ma sécurité, et bla-bla-bla. Je suis grand, j'ai compris. Bon, on fait quoi ? Je dors dans la bagnole ?

— Si vous avez un ami dans la discothèque, vous allez le chercher. S'il est sobre, s'il me montre une pièce d'identité et m'assure qu'il peut ramener le véhicule, et vous avec, je vous laisse tranquille. Vous connaissez du monde ici ?

— Ouais…

— Sobre ?

— Ça peut se trouver. J'y vais, bordel, je reviens.

Il fit un pas. Zak le retint et tendit la main.

— Vos clés de voiture !

— Quoi, mes clés de voiture ?

— Il y a plus de mille bagnoles sur ce parking et nous ne sommes que trois papillons de nuit. J'ai un peu d'expérience, si je vous tourne le dos, votre premier réflexe sera de foutre le camp…

Le type haussa les épaules, remit ses clés à Zak.

— Dans quelle foutue société de merde on vit !

Il s'éloigna.

Zak attendit qu'il disparaisse de leur champ de vision.

— On se casse, vite ! triompha-t-il.

— Baissez-vous, fit Zak au moment où la Toyota Corolla qu'il conduisait sortit du parking de l'Aquarius.

Zak lui-même détourna le visage et redressa le col de sa veste. Le monospace gris était garé une centaine de mètres plus loin. La Corolla laissa passer deux voitures qui quittaient la discothèque, puis s'engagea à son tour sur la départementale.

Les trois occupants ne dirent pas un mot pendant une dizaine de kilomètres.

— Bien joué, finit par concéder Cécile.

— Merci, répondit Zak, je vous avais prévenue.

— Qui êtes-vous, Zak Ikabi ?

— Comment cela, qui je suis ?

— Vous me terrifiez, Zak. Mentir avec autant d'aplomb ! Voler une voiture avec une telle assurance ! Vous me donnez la chair de poule.

— Moins que ces tueurs, j'espère, glissa Arsène.

La Corolla rejoignait l'autoroute A 71. Cécile bâilla :

— Le programme demeure inchangé, je suppose. Direction Paris pour une visite au fameux Jean-Bernard Patte.

— Exact, commenta Zak. Vous devriez dormir, nous n'arriverons qu'au petit matin.

Ils n'échangèrent plus une parole. L'autoroute défilait, de plus en plus monotone au fur et à mesure que le paysage s'aplatissait. Cécile ne parvenait pas à trouver le sommeil. Trop d'angoisse. Trop de questions. Qui était Zak ? Pourquoi Arsène ne voulait-il pas prévenir la police ? Pourquoi les Nephilim les suivaient-ils comme s'ils devinaient à l'avance leur prochaine destination ? Que venaient faire le Déluge, l'arche de Noé, les licornes dans tout ce délire ? Où se trouvait la solution ? Elle repensa au mot de passe utilisé par Zak.

CIARCEL.

Tourner ces sept lettres dans tous les sens l'aiderait peut-être à s'assoupir.

42

Marché d'Igdir, Turquie

Estêre se tourna vers Jîno. Sa voisine rangeait ses paniers en osier. Elle n'en avait pas vendu cinq de la journée.

— Tu as vu Aman ?

— Non…

Estêre observa le marché autour d'elle. Les commerçants remballaient, repartaient en entassant leur matériel dans des charrettes de fortune ou de vieilles camionnettes surchargées. Elle colla Mîran, son bébé, dans les bras de Jîno.

— Garde-le-moi un instant, je ne sais pas ce que cette rêveuse d'Aman fabrique, cela fait une demi-heure que je ne l'ai pas vue.

Estêre remonta à pas rapides la rue sale à la recherche de sa fille. Le marché s'étalait le long du boulevard Evren Paşa, une large rue bordée d'immeubles délabrés. Il n'y avait presque plus de clients, juste des forains fatigués. Elle s'arrêta devant un vieil homme plié en deux, occupé à trier des légumes qui trempaient dans le caniveau boueux. Estêre entendait déjà, au bout de l'avenue, le moteur des balayeuses de voirie de la municipalité d'Igdir.

— Zinar, tu as vu Aman ?

— Oui, elle courait partout, comme si elle n'avait pas assez d'yeux pour tout voir. Comme si elle faisait provision d'images pour six mois sur le mont.

— C'est bien ma rêveuse, Zinar. Quand l'as-tu vue pour la dernière fois ?

— Je n'ai pas fait attention, elle est repassée plusieurs fois. Un peu plus loin.

— Fais un effort !

Zinar grogna. Il porta à sa bouche une tige de poireau, hésita un instant dans une attitude de goûteur de vin, puis la fourra dans son sac.

— Ta fille était intéressée par le sculpteur, au bout de l'allée. Un nouveau, je ne l'avais jamais vu auparavant. Il a remballé assez vite…

— Il… il sculpte quoi ?

— Des objets en bois. Des jouets, des petits animaux, tu vois…

— Non, je ne vois pas !

Zinar se pencha et ramassa une poignée de haricots pourris ; il en conserva quelques-uns et jeta les autres par terre.

— Je crois qu'il y avait des dauphins, des girafes aussi, des éléphants peut-être…

Devant la mine déconfite d'Estêre, il fit l'effort de se concentrer davantage.

— Ah oui, il y avait une licorne aussi. Une petite licorne.

Estêre eut l'impression qu'on venait de lui couper les jambes.

— Aman, bafouilla-t-elle, Aman regardait la licorne ?

— Oui, je crois…

Devant eux, quatre immenses balayeuses progressaient lentement dans le boulevard Evren Paşa. Elles donnaient l'impression d'un convoi de tanks lancé sur une avenue pour disperser les derniers irréductibles d'une manifestation populaire. L'objectif était le même, au fond. Tout nettoyer, exactement à l'heure fixée, sans se soucier que les commerçants et artisans aient ou non le temps de ranger leur maigre marchandise. L'eau mousseuse coulait déjà en ruisseau dans le caniveau. Zinar renonça à ramasser d'autres légumes et s'écarta, les pieds trempés.

— Attends, Estêre, maintenant que tu m'en parles… Tu as raison. Je me souviens, Aman faisait la gamine pas intéressée, mais je suis certain que c'est cette licorne qui la subjuguait.

Estêre blêmit. Ses jambes se dérobèrent.

— Ça ne va pas ?

La bergère kurde s'effondra d'un coup dans le caniveau, renversant le panier et ses légumes gâtés. Zinar n'eut pas un regard pour eux. Il tira comme il put le lourd corps d'Estêre sur le côté. Les balayeuses passèrent, douchant les deux Kurdes comme de vulgaires détritus abandonnés au bord du trottoir.

Lorsque Estêre reprit ses esprits, une dizaine d'yeux la fixaient. Zinar et ses dents pourries, Jîno, qui portait toujours son petit Mîran et ses pupilles grises comme des agates, et deux autres bergers kurdes de sa tribu, Erdelan et Ferhad.

— Estêre, qu'est-ce qui se passe ?

Estêre fit signe aux deux bergers de s'approcher. Elle leur murmura à l'oreille d'une voix tremblante :

— Ma fille, ils ont enlevé ma fille Aman. Elle… elle jouait avec une licorne de bois.

Erdelan, le berger barbu, se mordit les lèvres.

— Tu sais ce que cela signifie, Estêre. S'ils l'ont repérée à cause de la licorne, ils… ils vont vouloir la faire parler.

— Aman est courageuse. Elle ne dira rien.

— Je le sais, Estêre. Aman est une petite fille courageuse. Beaucoup trop courageuse, c'est ce qui m'inquiète. Ils vont la torturer. Et elle finira tout de même par parler…

Ferhad aida Estêre à s'asseoir. Des larmes coulaient de ses orbites creusées. Erdelan se pencha vers elle.

— Estêre, il faut aller voir le Français. Il est de retour. On peut lui faire confiance, plus qu'aux Turcs en tout cas. Plus qu'à n'importe qui d'autre. Va voir le Français, Estêre. Lui seul peut nous protéger…

Erdelan prononça cinq derniers mots dans sa barbe, presque pour lui-même.

— S'il est encore temps.

43

Cathédrale de Chartres, France

Cécile avait froid. On ne pouvait pas faire confiance à Zak, elle en avait une nouvelle preuve. « Tout droit jusqu'à Paris », avait-il promis… Et elle avait ouvert les yeux sur la Beauce au petit matin…

Le soleil qui se levait sur les blés et la silhouette solitaire de la cathédrale de Chartres, comme bâtie au milieu des champs. « Juste une étape, avait plaidé Zak. Incontournable. »

Voilà comment ils s'étaient retrouvés tous les trois sur un banc glacé de la cathédrale gothique face aux plus beaux vitraux qui soient, Cécile devait en convenir.

— Il s'agit d'une véritable bande dessinée, s'extasiait Zak. Le plus grand ensemble de vitraux que l'on puisse trouver dans un édifice. Cent soixante-douze verrières. Un chef-d'œuvre unique au monde !

Zak se leva et tendit un doigt.

— Regardez, le vitrail se lit de bas en haut et de gauche à droite. L'histoire de Noé est racontée par trente-neuf panneaux, c'est le plus complet de tous les récits de la Genèse.

À travers le verre coloré, le soleil naissant inondait la nef de couleurs féeriques. Cécile était trop fatiguée pour savourer. Arsène bâilla. L'énergie de Zak semblait à l'inverse inépuisable.

— N'allez pas croire, continua-t-il, que ces somptueux vitraux ont été financés par un roi, un prince ou un pape. Non. Ils ont été payés par le peuple ! Par des charrons, des charpentiers, des tonneliers, tous travailleurs du bois, tous ancêtres de Noé le bâtisseur d'arche.

Cécile fit l'effort de détailler l'extraordinaire fresque de verre coloré.

— Je ne comprends rien, Zak, soupira-t-elle. C'est trop compliqué pour moi. Je ne connais rien à la Bible, je mélange tous vos symboles. La colombe, la branche d'olivier, l'arc-en-ciel, le bois de gopher, les fils de Noé…

— Ce n'est pas si compliqué, Cécile. C'est une histoire de rien du tout. Le plus simple est de tout reprendre depuis le début. Attendez-moi.

Zak fit quelques pas dans la nef, passa le fameux labyrinthe puis s'engagea dans l'une des quatre travées. Lorsqu'il revint, il tenait un épais livre rouge dans la main.

— Une bible ! Après tout, il n'y a qu'à se servir.

Il tendit le livre à Cécile.

— La Genèse, chapitres 6 à 9. Cinq pages à lire, à peine. Ensuite, vous posséderez exactement le même niveau de connaissance sur le mythe de l'arche que n'importe quel chrétien sur la planète.

Cécile hésita. C'était la première fois qu'elle tenait une bible entre ses mains. L'image de son père, anticlérical convaincu, lui revint. Il ne croyait qu'en l'homme, la science et le progrès.

Tout comme elle.

Mais depuis les vingt-quatre heures qu'elle venait de vivre, pouvait-elle encore croire en quoi que ce soit ?

Cécile ouvrit le livre rouge et se plongea dans le récit biblique, sautant les lignes les plus obscures pour se concentrer sur ce qu'elle comprenait.

Genèse, chapitre 6

Lorsque les hommes commencèrent d'être nombreux sur la face de la terre et que des filles leur furent nées, les fils de Dieu trouvèrent que les filles des hommes leur convenaient et ils prirent pour femmes toutes celles qu'il leur plut... Les Nephilim étaient sur la terre en ces jours-là quand les fils de Dieu s'unissaient aux filles des hommes et qu'elles leur donnaient des enfants ; ce sont les héros du temps jadis.

Dieu vit que la méchanceté de l'homme était grande sur la terre... Il dit à Noé : « La fin de toute chair est arrivée, je l'ai décidé, car la terre est pleine de violence à cause des hommes et je vais les faire disparaître de la terre. Fais-toi une arche en bois résineux, tu la feras en roseaux et tu l'enduiras de bitume en dedans et en dehors...

« Pour moi, je vais amener le déluge, les eaux, sur la terre, pour exterminer de dessous le ciel toute chair ayant souffle de vie : tout ce qui est sur la terre doit périr. Mais j'établirai mon alliance avec toi et tu entreras dans l'arche, toi et tes fils, ta femme et les femmes

de tes fils avec toi. De tout ce qui vit, de tout ce qui est chair, tu feras entrer dans l'arche deux de chaque espèce pour les garder en vie avec toi ; qu'il y ait un mâle et une femelle... »

Chapitre 7

... Noé avait six cents ans quand arriva le déluge, les eaux sur la terre.

Noé – avec ses fils, sa femme et les femmes de ses fils – entra dans l'arche pour échapper aux eaux du déluge. (Des animaux purs et des animaux qui ne sont pas purs, des oiseaux et de tout ce qui rampe sur le sol, un couple entra dans l'arche de Noé, un mâle et une femelle, comme Dieu avait ordonné à Noé.) Au bout de sept jours, les eaux du déluge vinrent sur la terre... Ce jour-là jaillirent toutes les sources du grand abîme et les écluses du ciel s'ouvrirent. La pluie tomba sur la terre pendant quarante jours et quarante nuits...

... Les eaux grossirent et soulevèrent l'arche, qui fut élevée au-dessus de la terre. Les eaux montèrent et grossirent beaucoup sur la terre et l'arche s'en alla à la surface des eaux et toutes les hautes montagnes qui sont sous tout le ciel furent couvertes... Ainsi disparurent tous les êtres qui étaient à la surface du sol, depuis l'homme jusqu'aux bêtes, aux bestioles et aux oiseaux du ciel : ils furent effacés de la terre et ne resta que Noé et ce qui était avec lui dans l'arche. La crue des eaux sur la terre dura cent cinquante jours.

Chapitre 8

... Les eaux se retirèrent petit à petit de la terre... et, au septième mois, au dix-septième jour du mois, l'arche

s'arrêta sur les monts d'Ararat. Les eaux continuèrent de baisser jusqu'au dixième mois et, au premier du dixième mois, apparurent les sommets des montagnes.

Au bout de quarante jours, Noé ouvrit la fenêtre qu'il avait faite à l'arche et il lâcha le corbeau, qui alla et vint en attendant que les eaux aient séché sur la terre... Il attendit encore sept autres jours et lâcha de nouveau la colombe hors de l'arche. La colombe revint vers lui vers le soir et voici qu'elle avait dans le bec un rameau tout frais d'olivier ! Ainsi Noé connut que les eaux avaient diminué à la surface de la terre...

Alors Dieu parla ainsi à Noé : « Sors de l'arche, toi et ta femme, tes fils et les femmes de tes fils avec toi. Tous les animaux qui sont avec toi, tout ce qui est chair, oiseaux, bestiaux et tout ce qui rampe sur la terre, fais-les sortir avec toi : qu'ils pullulent sur la terre, qu'ils soient féconds et multiplient sur la terre. »

Chapitre 9

... Dieu parla ainsi à Noé et à ses fils : « Tout ce qui est ne sera plus détruit par les eaux du déluge, il n'y aura plus de déluge pour ravager la terre... Voici le signe de l'alliance que j'institue entre moi et vous, et tous les êtres vivants qui sont avec vous, pour les générations à venir : je mets mon arc dans la nuée et il deviendra un signe d'alliance entre moi et la terre. »

... Après le déluge, Noé vécut trois cent cinquante ans... Puis il mourut.

Cécile reposa la bible sur le banc. Arsène s'était assoupi. Zak arpentait le déambulatoire.

La chercheuse avait lu rapidement, sautant des mots, des phrases, plus convaincue que jamais que l'histoire de Noé n'était qu'une histoire à dormir debout, un conte merveilleux pour enfants, l'équivalent de Cendrillon, du père Noël ou de *Star Wars*… Un conte monstrueux aussi, d'après ce qu'elle en savait, justifiant par ce seul mythe l'esclavage des descendants de Cham, les Noirs… Comment des milliards d'êtres humains avaient-ils pu croire à ces sornettes ? Sérieusement ! Pouvaient-ils aller jusqu'à tuer pour elles ?

Elle frissonna. Il faisait un froid glacial dans cette cathédrale. Le soleil derrière les vitraux ne les réchauffait pas, l'astre se contentait de traverser le verre pour faire pleuvoir sur Arsène et elle un incroyable arc-en-ciel.

Cécile leva les yeux et admira la prodigieuse architecture de la cathédrale. Le scénario de la Bible ne valait pas un clou, mais il fallait reconnaître que les producteurs avaient mis le paquet sur la promotion !

44

Plage de Saint Kilda, Melbourne, Australie

Le frère Mosavi fixait la ligne d'horizon. Le jour se levait paresseusement sur la plage de Saint Kilda. Il ne faisait pas très beau, mais le ciel maussade ne dissuadait pas quelques joggeurs de parcourir la baie avec une énergie pouvant laisser croire qu'ils ne s'arrêteraient pas avant d'avoir fait le tour de l'Australie. Au loin, le vent soutenu faisait le bonheur de dizaines de kitesurfeurs.

Viorel Hunor, à son côté, demeurait silencieux. Il avait tout dit, cela lui avait pris une demi-heure. Un long monologue parfaitement rodé.

Mosavi baissa les yeux. Quelques mètres devant lui, un château de sable, sans doute érigé puis abandonné la veille par des enfants, résistait à la marée qui grignotait lentement la plage. Bizarrement, le château lui rappelait le couvent de Santa Teresa, près de Potosi, dans le sud de la Bolivie. Mêmes murs lézardés. Même couleur ocre. Même forme de pseudo-forteresse avec ses tours de pacotille et ses remparts d'opérette.

Viorel Hunor s'immobilisa. Il tenait contre son bras son classeur. La maudite vérité !

Une vague un peu plus hardie vint lécher le château de sable. Elle se retira en ne laissant qu'une bave de mousse. Un premier mur se fissura, puis s'écroula doucement, comme une maison aux fondations pourries. Comme le couvent Santa Teresa, pensa Mosavi, pris d'assaut par la junte lorsque les Indiens qui travaillaient dans les mines d'argent y trouvèrent refuge. Tous les mineurs qui le défendirent moururent. Les religieuses furent assassinées.

Les paroles de Viorel Hunor cognaient dans sa tête.

Le frère Mosavi n'avait aucune raison de douter des révélations du métropolite. La démonstration était claire, limpide. Les preuves accablantes.

Sa foi, en quelques minutes, avait basculé dans le vide.

Il aurait préféré ne pas savoir.

L'eau entourait maintenant les remparts du château de sable. L'impressionnante motte féodale, tassée à la pelle avec minutie, glissait inexorablement dans les flaques d'océan. Mosavi comprenait à présent les manœuvres du Parlement mondial des religions, l'inquiétude face aux crimes des Nephilim, la terreur de voir fondre les glaces de l'Ararat.

À côté de lui, le métropolite demeurait stoïque. Sans doute priait-il. Il n'avait pas remarqué que le bas de sa soutane noire trempait dans la marée montante. Ou il s'en fichait.

D'un coup, les dernières murailles du château de sable s'effondrèrent. L'instant d'après, il n'était plus qu'une ruine diluée dans une mare sale. Une vague ou deux firent le ménage. Deux ou trois autres fignolèrent le travail. L'eau était à nouveau claire, la plage à nouveau lisse. Plus personne ne se souviendrait jamais qu'un château avait existé ici. Les enfants qui l'avaient bâti, s'ils revenaient, chercheraient en vain le lieu exact, le moindre vestige pouvant servir d'indice.

Viorel Hunor s'éloigna. Sans un mot. Noir comme un corbeau. Comme un messager de la mort apportant des nouvelles de deuil. Le frère Mosavi sentit les larmes inonder ses yeux.

Que lui restait-il maintenant ?

Son regard se perdit dans l'océan Indien qui s'étendait à l'infini.

Que lui restait-il maintenant ?

La foi dans les hommes ?

45

Place Paul-Painlevé, Paris, France

— Où sommes-nous ? demanda Cécile en se frottant les yeux.

Devant elle s'étalait la vitrine d'une boutique de livres anciens.

— Réveillée ? fit Zak. Terminus, nous sommes à Paris. Cinquième arrondissement, au cœur du Quartier latin. Le temple de la connaissance ! Place Paul-Painlevé.

— Toute ma jeunesse ! commenta Arsène en s'étirant.

Il désigna dans leur dos deux grands bâtiments voisins.

— Le Collège de France et l'École nationale des chartes, j'ai rôdé autour de ces établissements pendant des années.

— Vous… vous allez rester là ? s'inquiéta Cécile en observant la Toyota Corolla garée à cheval sur le trottoir.

Zak plaisanta.

— C'est l'avantage de circuler dans un véhicule de location, non ?

Ils sortirent. L'air frais dissipait leur torpeur.

— Il habite par là, demanda Cécile, votre ami Jean-René ?

— Jean-Bernard. Oui, pas loin.

— Comment cela, pas loin ?

— Dans le VIe, derrière le jardin du Luxembourg. Il nous attend pour 11 heures. Nous avons le temps.

— Le temps de quoi ?

Zak soupira. Arsène se tordait le cou à observer la perspective des rues qui longeaient la place Paul-Painlevé : puisait-il dans ses souvenirs d'étudiant ou, encore traumatisé, guettait-il avec angoisse l'irruption des tueurs en monospace ?

Zak précisa :

— Le temps de vous expliquer certaines choses. D'ailleurs, le professeur Parella me l'a demandé hier.

Cécile détailla la jolie place. Aussitôt, elle comprit : un antiquaire, en face d'elle, avait baptisé sa boutique « La Licorne de Cluny » et avait dessiné l'animal mythique en or sur sa devanture pourpre. Elle se tourna ; dans leur dos, la rue était bordée d'un haut mur de pierres crénelées, dissimulant un grand hôtel particulier auquel les tourelles donnaient une allure vaguement gothique. Un drapeau pendait devant la voûte : « Musée national du Moyen Âge – Thermes et hôtel de Cluny », illustré d'un dessin on ne peut plus explicite : une licorne !

— C'est pas vrai, gémit Cécile. Au lieu de nous installer à une terrasse avec un café et des croissants, vous allez encore nous servir vos délires. Zak, vous n'êtes jamais fatigué ?

— Ça ne prendra que quelques minutes… et…

— Désolée, coupa la chercheuse. Reconnaissez que je suis obéissante. À Chartres, j'ai lu la Genèse, chapitres 6 à 9. On n'y trouve absolument aucune trace de licorne.

— Je vais vous prouver le contraire, venez…

Ce traître d'Arsène les devançait déjà.

— Et si on vous reconnaît ? glissa Cécile.

Zak releva le col de sa veste. Mal rasé, hirsute comme il l'était, la chercheuse lui trouva une force fauve qu'elle n'avait pas repérée auparavant.

— Je prends le risque.

Avant d'entrer sous la voûte de l'hôtel de Cluny, Cécile observa une dernière fois la place Paul-Painlevé.

Avaient-ils définitivement semé les tueurs ?

Elle s'avança à la hauteur de Zak.

— À quoi voulez-vous encore nous faire jouer, Zak Ikabi ?

— À mon seul désir.

Arsène lança un clin d'œil admiratif à Zak. Le geste mit immédiatement Cécile en rage. Une fois encore, elle ne comprenait rien à leurs sous-entendus ! Inexplicablement, son professeur et ce dingue se comportaient comme de vieux complices.

Arsène Parella remarqua les poings serrés de la chercheuse. Il la prit dans ses bras et fit signe à Zak Ikabi de se taire.

— Du calme, Cécile, nous sommes tous fatigués. Il n'y a aucun secret derrière tout cela. Le Musée national du Moyen Âge où nous emmène Zak Ikabi est organisé autour d'une pièce de collection unique, l'emblème de l'hôtel de Cluny : les six fameuses tapisseries de la Dame à la licorne… L'un des chefs-d'œuvre les plus énigmatiques au monde. Sur chaque tapisserie, la même noble jeune femme est représentée avec pour principal animal de compagnie une licorne blanche. Des centaines de livres ont été consacrés à son mystère. Pour tout vous dire, j'ai même remarqué que ces tapisseries ornent les murs de la maison Gryffondor dans les films d'Harry Potter…

À cette dernière référence, Cécile observa avec consternation son professeur. Derrière eux défilait une classe d'enfants d'une dizaine d'années. L'instituteur fermait la marche.

— Les cinq tentures représentent les cinq sens, continua Parella, il s'agit d'une fort jolie pièce tissée au XVe siècle. Le goût quand la dame mange une dragée, l'ouïe quand elle joue de l'orgue, la vue lorsque la licorne se regarde dans un miroir tenu par la dame, l'odorat avec la couronne de fleurs que la dame tresse. Le toucher enfin, quand elle tient la corne de la créature merveilleuse dans ses mains…

Cécile siffla entre ses dents.

— Très suggestif ! On montre cela à des enfants ?

— La sixième tapisserie l'est plus encore ! C'est celle qui attise le mystère depuis un siècle ; elle représente les mêmes personnages, mais une formule étrange orne le tableau : « À mon seul désir. »

La classe entrait bruyamment dans le musée du Moyen Âge. Des touristes japonais patientaient derrière eux.

— Et un mystère de plus, fit Cécile. On fait des repérages pour le prochain *Da Vinci Code* tour ?

Zak prit le relais.

— Cette énigme-là, désolé, on va la laisser de côté. Dans une autre aventure peut-être ?

— Que fait-on ici, alors ?

— Vous allez comprendre en entrant…

— Si vous espérez me faire croire aux légendes des licornes…

— Ce n'est pas une légende, Cécile, je vais uniquement vous parler de faits scientifiques.

Cécile souffla de dépit et observa son professeur, croisant les doigts pour qu'il ne lance pas à l'aventurier un nouveau clin d'œil complice.

On entrait et on sortait dans le musée du Moyen Âge par la boutique. Un vieux truc commercial ! D'ailleurs, elle valait le coup d'œil : on y trouvait comme il se doit des ouvrages sérieux et austères sur les cathédrales, la vie quotidienne dans la France rurale, l'héraldique ; mais les mêmes rayonnages faisaient la part belle aux mystères médiévaux : secrets des templiers, bestiaires d'animaux fantastiques et recettes de sorcellerie. Des haut-parleurs diffusaient en boucle un entêtant crincrin de mandole, censé plonger le visiteur dans une ambiance moyenâgeuse.

La plus grande originalité de la boutique, cependant, tenait à son incroyable collection de licornes. L'animal mythique était décliné dans tous les produits dérivés possibles : puzzles, marque-pages, stylos, sous-main, foulards, cravates, figurines de plastique, parapluies, nappes, broches…

Ils pénétrèrent dans les différentes salles du musée. La grande salle d'exposition des six tapisseries de la Dame à la licorne était stratégiquement située au bout du musée. Les pièces se succédaient, avec leurs capharnaüms de sculptures, de bas-reliefs, de tapisseries, d'armures, d'écus et de blasons.

Partout, des flèches indiquaient l'attraction principale : « La Dame à la licorne ». Ils doublèrent la classe primaire et le groupe de Japonais. Autant pour les petits Français, ce musée poussiéreux semblait représenter le comble de l'ennui, autant il apparaissait pour les étrangers comme une sorte de décor unique de cinéma, puissamment évocateur de bruissements d'armes et de complots religieux. Car c'est bien ce qui frappait Cécile au fil de sa visite : dans chaque détail, la religion se mêlait au pouvoir. Tout l'ordre de la société reposait sur les symboles religieux, de la vie quotidienne des paysans au faste royal, patiemment entretenus dans l'imaginaire collectif depuis deux millénaires.

Ils franchirent encore une pièce consacrée aux cathédrales. Enfin, ils y étaient.

Un rideau noir dissimulait l'entrée.

Salle n° 13. La Dame à la licorne.

46

Palais d'Ishak Pacha, Nakhitchevan

Du sommet du minaret du palais d'Ishak Pacha, le regard embrassait trois empires.

Cortés adorait ce lieu.

C'est ici qu'il avait nourri ses premiers rêves de fortune, alors qu'il n'était qu'un gamin des rues qui lavait les chiottes du palais. C'est ici qu'il revenait, toujours, après avoir parcouru le monde, comme Hernán Cortés, après chaque expédition, aimait se ressourcer dans son nid d'aigle du château de Medellín, dans le sud de l'Espagne.

Du haut du minaret, il dominait l'horizon jusqu'à cinquante kilomètres à la ronde. En contrebas coulait l'Araxe, une petite rivière de rien du tout qui réussissait l'exploit de séparer l'Iran de l'Azerbaïdjan et la Turquie de l'Arménie… Un cours d'eau qui avait dû au cours de l'histoire charrier plus de sang que de boue. Cortés pouvait repérer, à moins de cinq kilomètres au sud, les barbelés et les mitrailleuses de l'armée iranienne.

Pour garder quoi ? Quel Azéri, même musulman, aurait voulu vivre chez ces fous de Dieu ?

Cortés pivota. Plein nord, à peine vingt kilomètres à vol d'oiseau, dans les montagnes du Haut-Karabakh, se terraient ces chiens d'Arméniens. Heureusement, ils avaient tous été foutus dehors du Nakhitchevan lors de la révolution. Un quart de tour à droite : à portée de main, la mer Caspienne, Bakou, la Russie, le pétrole… Le fric ! Une dernière rotation ; Cortés gardait le meilleur pour la fin : la Turquie dominée par le maître des lieux, le mont Ararat. Il s'élevait à cinquante kilomètres de là et, pourtant, on aurait pu croire qu'il suffisait de tendre la main pour le toucher.

En haut de ce minaret, Cortés se sentait invulnérable. Le Nakhitchevan se situait dans l'angle mort de tous ces empires, une sorte de zone neutre entre ces haines religieuses millénaires. Une périphérie de tous, un centre de rien…

Cortés plissa les yeux vers les glaces de l'Ararat.

C'est ce qu'ils croyaient ! Bientôt, lui, Cortés, jetterait la vérité à la face du monde. Il broierait dans sa main ces empires décadents : russe, iranien, ottoman ; leur passé et leur avenir s'effondreraient en poussière devant l'évidence de leur gigantesque mensonge. Rendant aussi grotesques que honteux les génocides commis au cours des siècles au nom de leurs misérables croyances.

Cortés consulta son téléphone.

Plus prosaïquement, le sommet du minaret était le lieu où la réception était la meilleure.

— Allô, Cortés ?

— Halife ? Enfin ! Quelles nouvelles d'Igdir ?

— On tient une gamine, chef. Votre idée était excellente. Un peu comme la pomme de Blanche-Neige, le pain d'épices ou je ne sais quoi. Un appât. La petite n'a pas quitté la licorne de ses grands yeux gris.

— Amène-la à Zeytin ! Il est à Van. Il organise un convoi spécial pour Ishak Pacha.

— J'y serai dans une heure, Cortés. Si l'armée turque ne nous emmerde pas. Les Kurdes risquent de foutre un sacré bordel…

— Aucun danger de ce côté-là, Halife. Fonce. Laissez la gamine jouer avec sa licorne en bois. Et veillez à ce qu'elle ne parle pas trop avec les autres passagères.

Cortés raccrocha, excité par la certitude que, dans quelques heures, il tiendrait dans ses geôles une fillette qui connaissait la clé ouvrant les portes de l'Ararat. Ici, il aurait tout le loisir de s'occuper de cette gamine jusqu'à ce qu'elle lui révèle le chaînon manquant. Il fixa les glaces de l'Ararat : il était le seul à avoir deviné, le seul à avoir relié entre eux ces indices millénaires qui, pourtant, crevaient les yeux.

Cortés porta de nouveau le téléphone à son oreille. Zeytin avait pour mission de lui fournir une excitation différente, mais tout aussi intense.

— Zeytin ? Tu es arrivé à Van ?

— Tout juste. Je recrute pour toi… des pièces de choix. Tu es vraiment sûr de toi, Cortés ? Je dois uniquement m'occuper des filles aux yeux verts ?

— Le théorème de Cortés, Zeytin, n'oublie jamais. C'est la seule règle ! Les trésors des explorateurs ne sont pas seulement d'or et de pierres précieuses, ils sont aussi faits de chair vivante, d'animaux sauvages, de beautés rares de la nature… Pourquoi crois-tu que les conquistadors sur leur vaisseau acceptaient des mois d'abstinence ? Pour une seule raison, Zeytin, pour le plaisir inouï de baiser des indigènes, des créatures qui ne ressemblaient à rien de ce que les marins pouvaient connaître. Une autre peau, d'autres cheveux, d'autres yeux. Penses-y. Qui peut connaître cette extase aujourd'hui ? Baiser des femmes différentes ? Qui, aujourd'hui, peut s'offrir une femme unique, tel un bijou dont il n'existe qu'un exemplaire au monde ?

Le lieutenant ne trouva rien à répondre.

— Moi, fit Cortés. Moi, je vais le faire. Avec ton aide.

47

Hôtel de Cluny, musée du Moyen Âge,
Paris, France

Les cinq immenses tapisseries étaient disposées en arc de cercle. Cécile s'effondra sur le banc central, face à la sixième.

À mon seul désir.

Zak prit place à côté de la chercheuse. Arsène demeurait debout, scrutant chaque tenture dans le moindre détail.

— Bien, dit Cécile. Puisqu'il faut en passer par là. Allons-y. Déballez-moi votre baratin sur les licornes et l'arche de Noé.

— Je vais vous surprendre, Cécile. Je vais commencer par une anecdote personnelle. Lorsque j'étais gamin, disons jusqu'à six ans, je traînais partout avec moi une licorne en peluche que mon père m'avait offerte. Naturellement, je croyais que les licornes existaient, comme existaient mes autres peluches, mes ours ou mes lapins. Lorsqu'on m'a appris que tous les autres animaux étaient réels, à l'exception de ma licorne, j'ai refusé de le croire !

Les épaules de Zak et de Cécile se touchaient presque. La chercheuse, épuisée, sentait son corps céder et prendre appui sur celui de son voisin.

— C'est très touchant, Zak. Mignon comme tout. Mais cela ne m'apprend rien sur le lien entre les licornes et l'arche de Noé.

— Il en existe plusieurs, rassurez-vous. La légende veut que la licorne ait été l'animal le plus proche de l'homme, une créature intelligente, mais également sauvage et rebelle. Elle n'aurait pas voulu monter dans l'arche, ou bien elle jouait, insouciante, et se préoccupa trop tard de rejoindre le bateau. Bref, quelles que soient les versions, la licorne a disparu avec le Déluge. Quoiqu'une autre légende prétende qu'elle s'est réfugiée sur l'Ararat, et qu'on l'y trouve toujours…

— Ben voyons.

Cécile posa doucement sa tête contre l'épaule de Zak et détailla la tapisserie devant elle. La licorne immaculée soulevait la tenture princière de sa patte droite.

— Zak, la licorne est une invention médiévale, non ? Le symbole de la Vierge, quelque chose comme cela ? Jusqu'à ce que les psychanalystes soulignent que cette représentation métaphorique de la pureté dissimulait un symbole phallique évident !

Zak passa la main sur l'épaule de Cécile. Arsène se retourna, mais sentit que ce n'était pas le moment de jouer les chaperons. Il se contenta d'écouter la conversation à distance.

— Cécile, vous êtes une scientifique, vous ne pouvez pas vous contenter de tels stéréotypes. Si vous voulez bien, je vais commencer par vous exposer un fait indéniable : il existe dans la nature une foule d'animaux unicornes, ne serait-ce que parmi les animaux préhistoriques. Le Tsintaosaurus, par exemple, vivait il y a soixante-dix millions d'années en Asie et ce dinosaure possédait rien de moins qu'une corne unique de près d'un mètre ! On a également découvert dans les glaces de Sibérie des mammifères noirs géants avec une seule corne au milieu du front. Ils vivaient il y a deux millions d'années mais n'auraient disparu que depuis dix mille ans… Plus près de nous, l'historien grec Hérodote parle des Ibex, décrits comme des antilopes noires à une seule corne, vénérés partout dans l'Himalaya et en Chine. De récentes recherches archéologiques en Alaska et dans d'antiques voies de pénétration entre l'Inde et la Chine ont mis au jour de multiples graffitis archaïques représentant ces Ibex mâles. Croyez-moi, Cécile, il ne fait aujourd'hui aucun doute que toutes les représentations légendaires et sacrées de la licorne sont en réalité issues de témoignages lointains d'hommes ayant contemplé un animal unicorne, en chair et en os. Marco Polo, dans son fameux *Livre des merveilles*, ne raconte-t-il pas qu'il a vu une licorne en Asie ?

— Il s'agissait de rhinocéros, ne put s'empêcher de glisser Arsène dans son dos.

— Peut-être, peut-être pas…

Cécile s'abandonnait contre Zak. Elle se sentait au calme dans ce musée, comme si toute cette folie depuis hier n'était qu'un mauvais rêve.

— Je veux bien, fit-elle d'une voix douce, qu'il ait existé des animaux préhistoriques unicornes. Après tout, il n'y a rien d'extraordinaire à cela…

Zak respirait l'odeur de Cécile. Un mélange de parfum raffiné et de sueur d'angoisse refroidie.

— Cécile, ce qui est extraordinaire, c'est que la figure de la licorne revient dans toutes les légendes du monde. Sur chaque continent !

— Comme le Déluge ?

Cécile ne put réfréner la fugitive pensée du cadavre de Noël Archer gisant au milieu des crotales.

— Exactement ! poursuivit Zak, intarissable. Aussi universelle que le mythe de Noé. L'unicorne sacrée est présente dans tous les textes religieux de l'humanité. Elle est citée à huit reprises dans la Bible, mais on la retrouve aussi dans le Talmud, dans le Mahabharata hindou, dans les Vedas brahmanes, et même, tenez-vous bien, Cécile, elle est une héroïne de l'épopée sumérienne de Gilgamesh ! La licorne est citée dès l'Antiquité par les Corinthiens, les Égyptiens, les Mésopotamiens, les Japonais, les Celtes, mais aussi les Esquimaux d'Alaska, les indigènes de Floride, les tribus africaines. Elle est connue depuis plus de cinq mille ans en Chine, sous le nom de Ki-lin, en tant que symbole du mélange du masculin et du féminin, ou sous le nom de Wahid el Karn dans les pays arabes. Au Tibet, elle orne le balcon du dalaï-lama, le fronton des monastères et même les billets de banque jusqu'à l'invasion chinoise. Cécile, reconnaissez-le, mon père m'a menti lorsque j'avais six ans. Il n'y a pas d'animal plus universel que la licorne. La licorne a existé. Il y a longtemps, partout, et les hommes s'en souviennent…

Cécile ne pouvait désormais détourner ses yeux de ce couple tissé sur la tenture devant elle : cette étrange femme au teint pâle et cette licorne fidèle à ses pieds. Les histoires de Zak avaient quelque chose d'envoûtant, elle devait l'admettre. La voix de ce type finissait par vous ôter toute envie de protester, de lui demander pourquoi l'unicorne aurait disparu de la surface de la terre si elle habitait à ses quatre coins… ou, à l'inverse, si elle n'était qu'une espèce endogène et menacée vivant dans une contrée isolée, comment son mythe aurait pu se répandre par-delà les océans ?

Fascinants mystères.

Zak continuait, passionné :

— Vous comprenez maintenant, Cécile, les chrétiens ne feront que populariser en Europe, au Moyen Âge, une réalité antique. Les historiens ont démontré que, dès la période carolingienne, des incisives de narval ont été pêchées dans l'Arctique puis vendues comme d'authentiques cornes de licorne sur les marchés occidentaux. Ces supposées cornes sacrées de deux mètres de long rendirent perplexes les artistes et les incitèrent progressivement à peindre les licornes sous la forme d'un cheval, alors qu'au début de l'ère chrétienne, sur les icônes byzantines, conformément aux descriptions antiques, la licorne était traditionnellement représentée sous la forme d'une chèvre. Une « chèvre divine »… C'est d'ailleurs ainsi que peut se traduire le nom chinois de la licorne.

Zak prit la main de Cécile et désigna la tapisserie devant eux.

— Regardez, Cécile, observez les proportions entre la dame blanche et la licorne : la licorne n'a absolument pas la taille d'un cheval, mais plutôt celle d'un gros chien, d'un mouton… ou d'une chèvre. Observez les détails, Cécile…

La chercheuse devait se rendre à l'évidence : le mystérieux artiste qui avait tissé la plus célèbre tapisserie au monde avait affublé sa licorne d'une barbiche sous ses naseaux, d'une queue ébouriffée… et de sabots de bouc.

— Une chèvre ! répéta Arsène derrière eux, hilare.

— Tout à fait, professeur. Cette représentation de la licorne est mystérieusement plus proche des réalités antiques que des usages contemporains. Le lien entre chèvre et licorne est d'ailleurs fascinant. Savez-vous qu'un infime pourcentage de chèvres naît avec une seule corne ? Cette anomalie de la nature représenterait tout de même un cheptel de quelques dizaines de ruminants unicornes dans le monde, principalement localisés en Mongolie. Les zoologues estiment que le changement brutal de température, ainsi que l'alternance de sécheresse et d'humidité, favoriserait l'apparition de cornes soudées chez de jeunes chèvres… Lorsque le miracle se produit, les animaux unicornes sont alors vénérés par les nomades des steppes. Le même phénomène s'est produit récemment en Dordogne dans un élevage de chèvres orientales…

Cécile ferma les yeux. Elle se laissait envelopper par la chaleur de la salle.

— Formidable, murmura-t-elle.

Zak, d'une pression sur son épaule, se colla encore un peu plus à la chercheuse.

— Il y a mieux encore, continua-t-il. Il existe une pratique courante chez certaines tribus de bergers : la tradition consiste à tordre les cornes encore tendres de jeunes chevreaux, de boucs angora ou d'antilopes, et à les entrelacer afin qu'à l'âge adulte elles n'en forment plus qu'une, bizarrement torsadée. Ces licornes fabriquées manuellement, si je puis dire, se retrouvent surtout dans des régions de montagnes comme l'Himalaya, les Andes, l'Éthiopie… Le plus étonnant est qu'il ne s'agit pas seulement d'un rite religieux, mais surtout d'une technique pastorale efficace : les licornes artificielles, ainsi armées d'une lance frontale, prendraient conscience de leur force supérieure à celle de leurs congénères. Elles deviendraient plus aptes à commander le reste des immenses troupeaux d'alpages, en étant capables par exemple d'embrocher un prédateur ou une rivale. Stupéfiant, non ? Ces phénomènes ont été observés, et même reproduits, par de nombreux scientifiques. On peut voir de tels spécimens dans plusieurs musées du monde… Jusqu'au XIXe siècle, une de ces licornes artificielles, célèbre, était exposée dans l'officine d'un pharmacien parisien, près de Notre-Dame, dans une rue qu'on appela pour cette raison, jusqu'à sa démolition il y a un siècle, rue de la Licorne.

— J'aurais adoré voir cela, glissa Cécile en se lovant plus encore.

Elle allait s'endormir là, dans ses bras. Ce n'était pas pour déplaire à Zak.

— C'est une vérité scientifique ! triompha Zak. Les licornes existent. Animaux préhistoriques disparus, phénomènes rares de la nature ou fabrication artisanale de bergers, vous n'avez que l'embarras du choix… Alors, convaincue, Cécile ?

— Pleinement. Les licornes sont des chèvres bizarres qu'on montre dans les foires… Cela remet en cause toute l'histoire de l'humanité…

La peste !

Zak se retint difficilement de poser ses lèvres sur les siennes. Si cette fille le cherchait, il disposait encore de quelques atouts dans son jeu.

— Mais si toutes ces précisions vous ennuient, Cécile, je peux aussi évoquer des détails plus croustillants. La licorne reste avant tout la représentation métaphorique du passage de l'extase divine à l'amour charnel entre les êtres humains.

Zak n'avait pas lâché la main de Cécile. Leurs doigts s'apprivoisaient en une danse timide.

— En clair ?

— En clair, la licorne est le plus universel des symboles sexuels ! La licorne représente tout à la fois la virginité et la fécondation…

Zak pressa l'épaule de Cécile. Ils se retournèrent vers la scène du « toucher » : la noble et chaste dame caressait entre ses fins doigts la corne dressée de la licorne, la tête à la hauteur de sa cuisse. L'intention de l'auteur semblait sans équivoque.

Zak sourit devant l'émoi de Cécile.

— Je peux vous assurer que les peintres chrétiens s'en sont donné à cœur joie, jusqu'au palais papal de Saint-Ange dont les murs sont couverts de licornes qui cohabitent avec des femmes nues… Croyez-moi, Cécile, tout est bon dans la licorne ! Sa corne fut vendue depuis la nuit des temps par des charlatans pour sa supposée fertilité. La chair, le sang, le cœur des licornes servaient à composer toutes sortes de breuvages aux prétendues vertus aphrodisiaques… Plus sérieusement, les paléontologues qui ont étudié les Tsintaosaurus pensent que les cavités osseuses sous la corne unique de ce dinosaure servaient de caisses de résonance pour amplifier les cris d'amour des animaux pressés de s'accoupler…

Les doigts de Zak capturèrent ceux de Cécile. Il sentit la main de la jeune femme frissonner lorsqu'il caressa sa peau du bout des doigts.

Arsène Parella s'éloigna avec discrétion.

La joue de Zak se colla à celle de la chercheuse. Brûlante. Ils pivotèrent d'un seul mouvement vers la tapisserie maîtresse, comme si le code n'avait été écrit que pour eux.

À mon seul désir.

L'instant suivant, dans la pièce circulaire, trente gamins pénétrèrent en hurlant.

Ils sortirent en direction du boulevard Saint-Germain. Zak consulta sa montre : 10 h 05.

— Venez, fit-il, nous avons encore le temps d'une dernière visite avant de nous rendre chez Jean-Bernard Patte.

— Loin ? fit Cécile, encore troublée par l'expérience qu'elle venait de vivre.

— Deux pas ! Vous m'avez vexé avec vos allusions. Je vais vous prouver que le lien entre l'arche de Noé et les licornes est bien réel.

Zak tira la jeune femme par la main et ils se dirigèrent vers la rue de la Montagne-Sainte-Geneviève. C'était la première fois que Cécile découvrait ce coin de Paris. Le charme qui se dégageait de la petite rue en pente la fascinait : des restaurants à l'ancienne, des terrasses fleuries, un labyrinthe de ruelles pavées. On se serait cru dans un village médiéval de montagne… Posé en plein Paris. Le comble du romantisme !

Arsène Parella suivait, les yeux écarquillés.

— Zak, vous m'offrez un véritable pèlerinage. Voici mon lycée Henri-IV, droit devant.

Il avança vers l'esplanade du Panthéon.

— Et notre cour de récré, les marches de la place des Grands Hommes…

Zak lâcha la main de Cécile pour rejoindre le professeur.

— Et pourtant, répliqua Zak, je suis certain que vous ne vous êtes jamais donné la peine de gravir les marches et d'entrer dans l'église Saint-Étienne-du-Mont. Et encore moins de vous attarder devant un certain vitrail…

Arsène jeta à Zak un étrange regard ironique. Un regard que, cette fois, Cécile ne remarqua pas.

Elle s'était brusquement arrêtée devant un kiosque à journaux, interpellée par le titre d'un quotidien du matin.

Massacre à Kaliningrad.

Elle parcourut la moitié de l'article de la une ; le journaliste y évoquait la disparition dans un incendie d'une somme d'ouvrages inestimables de la bibliothèque de Kaliningrad avec plus de compassion que le meurtre des deux bibliothécaires du lieu. Un autodafé digne de la plus sombre Inquisition, précisait l'article.

Cécile hésita un instant. Zak et Arsène lui tournaient le dos, cinq mètres devant elle. Elle aurait pu courir jusqu'au premier poste de police… Leur livrer Zak Ikabi sur un plateau.

Petite idiote ! pensa-t-elle. Stupide gazelle sans cervelle.

Elle aussi s'était laissé piéger.

Elle pressa le pas pour rejoindre les deux hommes.

Une dizaine de touristes erraient dans la vieille église Saint-Étienne-du-Mont. Zak tira encore Cécile par la main. Arsène traînait un peu derrière, sans doute perdu dans ses souvenirs d'adolescent dont il repeuplait le quartier. Le démonstratif style gothique flamboyant du chœur, du jubé et de la nef conférait à l'édifice un mélange d'intimité et de prétention. Zak se dirigea vers la galerie du cloître, levant les yeux aux voûtes.

— Regardez, Cécile. Tout en haut.

Le jeune homme tendit le doigt, sans commentaire.

Tout d'abord, elle ne fut pas surprise : le vitrail représentait une scène classique de l'arche de Noé, avec sa foule d'hommes et d'animaux entassés dans un bateau pendant que des anges dans le ciel soufflaient des nuages gris.

— Dans l'arche, à l'arrière-plan, précisa Zak.

Elle leva davantage les yeux et poussa un cri.

Elle avait vu, c'était tellement évident.

Dans l'arche, au milieu des autres animaux, l'artiste verrier avait représenté une licorne. Le doute n'était pas permis, la silhouette blanche de l'animal et de son immense corne contrastait avec le bois sombre du vaisseau.

La voix de Cécile trembla :

— Il… il y en a beaucoup, dans les églises, des représentations de l'arche de Noé sauvant une licorne de la noyade ?

— À ma connaissance, c'est la seule au monde…

Nord de la Mésopotamie, 4371 av. J.-C., été

Bilik poussa la barrière de roseaux. Le jeune homme observa la cabane et peina à croire qu'il y avait quelques lunes ils vivaient encore transis dans une grotte de la montagne, tels des animaux traqués. Assise face à lui sur plusieurs épaisses fourrures de chèvre, sa mère Majka était occupée à coudre une peau de cuir. Elle coupait de longues lanières à l'aide d'une pierre taillée et jetait les morceaux inutiles avec les autres détritus dans l'eau qui courait dans la pièce, au fond de la rigole qu'ils avaient creusée dans le sol rouge, pour aller se jeter plus loin dans les marais.

Bilik posa la robe blanche sur la table de bois.

— Majka, Gana, c'est pour vous.

Sa mère leva les yeux. Sa sœur aussi, plus rapide encore. La jeune fille n'avait jamais rien vu d'aussi beau ! Il ne s'agissait que d'une simple robe de laine, mais tissée avec une finesse dont elle n'aurait cru aucune femme capable. La robe semblait plus légère et aérienne qu'une plume d'aigle.

— Où as-tu trouvé cela ? demanda Majka d'une voix sévère.

Bilik souriait, plus fier que s'il était revenu au camp en portant sur le dos une carcasse de buffle.

— Des femmes sont venues. Elles habitent un autre village, plus loin dans la plaine, entre les fleuves...

— Et... et elles te l'ont donné ?

Sa sœur n'osait toucher le tissu fin.

— Mais non. Qu'est-ce que tu crois ? répondit Bilik.

Il posa trois ronds de cuivre sur le tissu.

— Je l'ai gagné grâce à la plus extraordinaire des inventions des dieux. Contre ces morceaux de cuivre, tu peux tout échanger. Tissus, viande, outils, armes. Des filles aussi, ou des hommes...

— Idiot ! tonna une voix dans le coin de la pièce.

Son grand-père Avo toussa et se leva avec difficulté. Le vieillard avait failli mourir dans le froid de la grotte, mais, depuis qu'il était descendu dans la plaine, jamais il ne s'était aussi bien porté. Il avait plus grossi en deux lunes qu'au cours de toute sa vie. Bilik se raidit.

— Pourquoi idiot ?

Avo approcha son corps difforme.

— Il ne faut pas faire confiance aux dieux. C'est une invention mauvaise !

— Pourquoi mauvaise ? Tu sais coudre peut-être ? Ou construire une maison ? Cuire de la poudre de graines ? Tuer un ours ? Soigner la douleur ? Faire pousser les racines ?

— Non...

Avo attrapa les pièces de cuivre et les jeta d'un geste rageur dans le canal sale qui traversait la pièce.

— Non, Bilik ! Mais ce ne sont pas ces objets qui nous aideront. Dans une famille, la femme sait coudre et soigner, l'homme sait chasser, les enfants savent cueillir les baies. C'est ainsi depuis toujours et c'est ainsi qu'une famille survit. C'est ainsi pour une tribu. Le plus faible prépare de quoi manger, le plus fort protège les plus faibles, les plus vieux conseillent les plus jeunes parce qu'ils savent et se souviennent. C'est comme cela que ça fonctionne. Parce que nous sommes ensemble et que nous tenons les uns aux autres. Pas à cause d'un morceau de cuivre.

Bilik haussa les épaules. Les trois pièces disparaissaient dans la boue rouge.

— N'est-ce pas grâce aux dieux que tu es devenu un des sages de la tribu ?

— Cette réalité-là est bonne. Pas l'autre. C'est aussi simple que ça... C'est pour cela que les autres hommes de la tribu m'ont désigné, pour surveiller les dieux, pour s'en méfier comme il faut se méfier des loups, des serpents ou des taons. Parce que l'âge apprend à ne faire confiance qu'à sa famille ou sa tribu. Ni aux dieux ni à leurs cailloux de cuivre...

Bilik recula, fixa la porte de roseaux comme s'il avait peur que les paroles de son grand-père ne s'envolent, ou ne voguent à la surface du canal jusqu'au centre du village.

— Te méfier des dieux ? Les comparer aux serpents ou aux taons ? Tu ne comprends plus rien à rien, Avo. Tu aurais mieux fait de rester dans la montagne. Ta place est là-haut, pas ici.

— Ma place est ici, à donner des conseils à un enfant aveugle qui va devenir leur esclave.

— Ne blasphème pas, ils entendent tout...

Ils continuaient de crier, comme presque toujours depuis une lune. Sa sœur Gana n'écoutait plus, elle ne comprenait rien à leurs histoires, la jeune fille se contentait d'admirer, fascinée, la robe de laine blanche, la finesse du tissu, les reflets presque dorés qui se mêlaient au duvet, du même éclat que ces fabuleux ronds de cuivre qui s'éteignaient au fond de la rigole comme des étoiles au matin.

Sa mère Majka, qui n'avait pas dit un mot depuis le début de la dispute, ouvrit enfin la bouche.

— Tu dois écouter ton grand-père, Bilik. Tu dois te méfier des dieux. Et je n'ai pas besoin de robe.

Bilik ne répondit rien. Il se contenta de serrer le poing. Fort. Si fort qu'il avait l'impression de pouvoir briser le quatrième rond de cuivre qu'il y cachait dans sa paume. Le cadeau des dieux.

CINQUIÈME COURSE

LE BOND EN AVANT DE L'HUMANITÉ

48

Igdir, Turquie

Le car rouillé traversait Igdir. Par les vitres sales, Idil regardait passer les immeubles le long de la grande avenue d'Evren Paşa.

Son sinistre décor quotidien.

La laideur de tout ce qui l'entourait contrastait avec la beauté irréelle des passagers de ce car bringuebalant. Idil ne pensait pas au conducteur, bien entendu : son horrible cicatrice en forme de branche d'arbre courant sur les trois quarts de son crâne donnait à Idil l'impression qu'on avait recousu la tête de ce type corpulent après avoir remis en vrac toute sa cervelle à l'intérieur. Non, Idil était envoûtée par les quatre filles assises dans le car. Peut-être les plus belles du Kurdistan, toutes réunies, comme par enchantement, dans ce bahut qui n'avait rien d'un carrosse.

Les temps sont durs pour Cendrillon, pensa Idil. Elle se rappelait parfaitement comment elle s'était retrouvée là : un type recrutait des filles à Van, si possible les plus jolies, pour le compte d'un magnat du pétrole au Nakhitchevan, Parastou Khan. Histoire de corser le casting, le milliardaire exigeait que les filles aient les yeux verts, ce qui était plutôt rare au Kurdistan, très rare même. Idil avait les yeux verts… Les quatre filles aussi. Le balafré avait été clair : il s'agissait d'un concours, une seule fille, au final, serait engagée. Idil avait davantage retenu le salaire astronomique promis à la lauréate que les détails du travail à fournir : servir de potiche ? Jouer les accompagnatrices de charme ? Devenir l'odalisque d'un sérail ? Idil n'était pas dupe, on ne les faisait pas venir pour leur culture générale… Elle s'en fichait, elle n'avait pas froid aux yeux, elle comptait bien saisir sa chance.

Le car sortait d'Igdir. Le regard d'Idil glissa sur les cinq épées géantes. Les épées de la honte, comme disaient les Arméniens. Idil étudiait à Van depuis deux ans. Enfin, plus exactement, traînait sa jolie silhouette à l'université de Van. Là-bas, les Kurdes pouvaient vivre à peu près tranquilles, mais à chaque fois qu'Idil revenait près de la frontière arménienne, les souvenirs de ses parents persécutés lui revenaient. Les provocations des Turcs pendant toute son enfance, les contrôles militaires, l'interdiction de parler kurde, de s'habiller kurde… Elle était partie tenter sa chance à Van pendant que son grand frère s'était exilé à Istanbul et se bousillait la santé à sabler des jeans pour un salaire de misère.

Son corps était un don du ciel, Idil l'avait compris depuis son enfance. Son seul atout pour échapper à toute cette crasse. Mais quel atout ! À l'université de Van, tous les hommes la dévoraient des yeux, les étudiants comme les profs, les Turcs comme les Kurdes.

Tous louchaient sur sa peau mate, ses yeux verts en amande, ses pommettes saillantes, sa taille élancée, son cul moulé dans un jean.

Le car roulait maintenant dans la plaine, déplaçant un nuage de poussière dans son sillage. Des moutons maigres qui broutaient l'herbe jaunie se retournaient sur leur passage.

Idil était la plus belle, elle devait s'en convaincre. Ce concours, c'était la chance de sa vie !

Elle se retourna. Depuis le début, elle hésitait. L'ambiance dans le car était rendue étrange par la présence d'une autre personne. Une petite fille d'une dizaine d'années installée à l'arrière. Seule. Murée dans son silence, recroquevillée sur un petit objet en bois qu'elle serrait dans ses mains.

L'instinct d'Idil lui recommandait la prudence.

Mêle-toi de tes affaires, ma belle !

Chaque passagère de ce car devait rester à sa place. Outre le conducteur balafré, deux hommes se tenaient sur la banquette arrière du véhicule, genre gardes du corps taciturnes. Missionnés pour protéger les belles ; les surveiller aussi. Des gardiens du harem, bruns et barbus ; tendance eunuque, se rassurait-elle.

Idil se cala dans le fauteuil défoncé et évalua la concurrence. Une fille au teint de lait était assise trois sièges devant elle, adorable comme une poupée de porcelaine, mais Idil la trouva trop jeune. Dix-sept ans, maximum. À côté d'elle, l'autre fille était, comment dire, pulpeuse. Des seins, des hanches, sans doute trop s'il s'était agi d'un casting de mode… Mais comment savoir quel type de femme ce vieux pervers de milliardaire azéri recherchait ? Au premier rang, derrière le conducteur, c'était l'inverse, la fille avait une silhouette de top-modèle anorexique, du style à poser pour des publicités de parfum, à exposer en affiches immenses l'ovale parfait de son visage, ses longs cils, sa bouche en fleur, ses ongles interminables. Restait la dernière, au fond du car. La fille était un peu plus âgée qu'elle, une trentaine d'années, au moins. Mais quelle classe ! Ses longs cheveux noirs tombaient sur ses épaules nues. Une allure de cheval sauvage indomptable. La plus dangereuse, paria Idil. Elle allait devoir jouer serré.

La petite fille dans le fond du véhicule pleurait à présent.

Idil se força à ne pas penser à elle, à ne pas faire le rapprochement avec les larmes de sa petite sœur quand elle était partie pour Van. Le car ralentit. Ils parvenaient à la frontière. La route qui s'enfonçait dans la plaine avait quelque chose d'irréel : à cent mètres au nord, les méandres de l'Araxe bordés par un haut barbelé marquaient la frontière arménienne ; à cent mètres au sud, les derniers versants de la montagne pelée appartenaient à l'Iran. Droit devant, au bout du corridor, on atteignait le passage entre la Turquie et le Nakhitchevan.

Jamais Idil ne s'était aventurée jusque-là : c'était la première fois qu'elle voyait le fameux pont de l'espoir construit au-dessus de l'Araxe. Sur un kilomètre, des camions et des voitures turques faisaient la queue pour passer la frontière et se ravitailler en essence, deux fois moins chère côté Nakhitchevan. Les véhicules en sens inverse étaient chargés d'un inimaginable bazar : sable, ciment, pommes de terre, pastèques, ferraille, vieux meubles… Le pont de l'espoir avec la Turquie était le seul lien terrestre entre la république enclavée et le reste du monde : par lui passait tout ce qu'on ne pouvait pas fourrer dans les soutes d'un avion.

Le car progressait mètre par mètre. Les branches que charriait la rivière Araxe avançaient plus vite qu'eux… Idil repensa au cours de ce jeune prof d'histoire à Van, qui bandait en plein amphi rien qu'à plonger les yeux dans son décolleté. Il leur avait rappelé que cette route, celle qui traversait le Nakhitchevan, puis Igdir et la Turquie, avait été de tout temps la grande route commerciale du Moyen-Orient : la route des caravansérails, de la soie, du pétrole, des esclaves, des putes… Tout le commerce des Perses, des Ottomans et des Slaves passait par ici. Et autour de lui gravitaient depuis la nuit des temps des hordes de bandits, tels les chacals suivant les caravanes.

Les sanglots redoublaient à l'arrière du car. Était-ce d'avoir franchi la frontière turque ? Cette fois, Idil ne réfléchit plus. Elle se leva et, sans un regard pour les gardes, alla s'asseoir à côté de la petite fille.

Aucun des types ne réagit.

— Tu t'appelles comment ? murmura Idil.

La fillette était étrangement grande en comparaison de son visage d'enfant. Des cheveux très noirs et longs barraient des yeux gris, presque translucides, comme Idil n'en avait jamais vu auparavant.

Elle n'obtint aucune réponse. L'enfant serrait toujours son objet de bois entre ses mains. Une petite licorne sculptée.

Idil se contenta de lui sourire et décida de rester assise à côté d'elle. Les autres filles, écouteurs de MP3 vissés dans les oreilles, ne semblaient même pas avoir remarqué la gamine.

Une heure plus tard, ils roulaient sur la seule route du Nakhitchevan, une longue coulée de bitume coincée entre deux montagnes arides. Les douaniers avaient ouvert des yeux du loup de Tex Avery en découvrant les occupantes du car, mais ne leur avaient pourtant demandé aucun papier. Bakchich, bien entendu…

À mesure qu'Idil s'enfonçait dans ce pays inconnu, une incontrôlable angoisse serrait sa gorge. Sans réfléchir, comme s'il s'agissait d'un geste naturel, Idil prit la main de la petite fille. Au fond, elle était aussi terrorisée qu'elle ! Elle remarqua que la licorne de bois était un peu abîmée ; la fillette l'avait sucée, rongée, au point d'y laisser de petites marques de dents et de sang.

Idil se pencha encore vers sa voisine. Il était difficile de lui donner un âge. Sa grande taille, contrastant avec sa figure enfantine, continuait de la troubler.

— Tu aimes les licornes ?

Toujours aucune réponse.

— N'aie pas peur. Tu n'es pas toute seule. Je suis là.

Elle caressa sa main, la gamine se laissa faire. Puis, au fil des kilomètres, elle s'abandonna contre son sein.

Un peu rassurée peut-être. Elles restèrent ainsi un moment.

— Tu t'appelles comment ? répéta enfin Idil.

— Aman…

La fillette avait parlé un peu trop fort, cela l'avait surprise. Derrière elle, les deux eunuques la dévisageaient avec un regard dur. Idil se sentait maintenant presque encombrée avec cette gamine appuyée contre elle. Elle lutta contre l'envie sordide de la repousser.

Trouver autre chose.

— Et ta licorne, elle s'appelle comment ?

Aman chuchota, cette fois, comme si c'était le plus grand secret du monde.

— Leka !

L'intensité qu'avait mise la fillette dans sa réponse fit frissonner la jeune femme.

Le palais d'Ishak Pacha apparut au détour d'un virage. Une pure merveille ! Encore plus beau que tout ce qu'Idil avait pu imaginer. Le conducteur balafré leur expliqua en se garant que le palais du milliardaire azéri Parastou Khan était la réplique exacte d'un autre palais, côté turc, près de Dogubayazit, abandonné depuis des siècles.

— Trois cent soixante-six pièces, précisa-t-il, vingt-quatre rien que pour le sérail.

Tout un programme…

Le balafré fit un signe aux types du fond. Il se leva et Idil comprit que les eunuques allaient les séparer.

Elle serra plus fort encore la main de la fillette et murmura :

— Ne t'inquiète pas, Aman. Regarde ce palais. Nous sommes deux princesses…

Un barbu au regard noir se tenait derrière elle. La peau d'Idil était picorée de chair de poule, comme si des milliers de flèches acides s'étaient plantées sur elle, comme autant de bonnes raisons d'obéir sans réfléchir ; sans se poser de questions.

De quoi se mêlait-elle ? Les autres filles étaient déjà sorties du car, dociles. Elle allait tout gâcher. La chance de sa vie !

Elle ne lâcha pourtant pas tout de suite la main d'Aman, attendit quelques secondes, rien que pour emmerder le malabar derrière elle. Rien que pour soulager sa conscience.

Elle posa un baiser sur la joue d'Aman.

— À très bientôt, ma grande. Il y a trois cent soixante-six pièces dans le palais, mais, si ça se trouve, on sera voisines.

Aman ne répondit pas, elle se contenta de se presser une dernière fois contre elle, et, discrètement, sans que l'eunuque dans leur dos puisse le voir, glissa dans la paume d'Idil le collier qu'elle avait décroché de son cou.

Il s'agissait d'un banal lacet de cuir, accroché à un rond de cuivre, gravé d'une simple croix inclinée, un trait long et un trait court qui se croisaient.

Idil referma la main.

Idil observa la petite Aman s'éloigner, encadrée par les deux hommes, sa licorne de bois à la main. La gorge nouée.

Puis elle suivit les autres filles, subjuguée malgré elle. Elle admira longuement les labyrinthes de murs jaunes, les porches ouvragés, la forêt de toits pourpres hérissés en dômes ou en triangle, le haut minaret brique et ocre dominant la plaine.

Un palais des *Mille et Une Nuits* ! Elle se força à réfréner son excitation de gamine rêvant à un destin de Schéhérazade.

Une dizaine de gardes armés, immobiles, étaient plantés devant l'entrée. Les cinq filles se laissèrent conduire dans le dédale de couloirs jusqu'à une pièce aussi vaste que la cour intérieure d'un caravansérail.

La lumière filtrait par des fenêtres longues et étroites. Les jeunes femmes attendirent sans broncher. Idil, pour sa part, promena un regard curieux dans la salle. On se serait cru dans un musée.

Un étrange musée !

La pièce regorgeait d'objets d'art divers, de tableaux, de sculptures, et surtout, sur des rangées entières, de livres. Des dizaines de livres qui tous parlaient de la même chose. L'arche de Noé. Des ouvrages en français, en anglais, en turc, en allemand, en russe… Idil s'étonna en découvrant sur l'un des murs une affiche en anglais et en chinois qui annonçait l'ouverture d'un parc d'attractions à Hong Kong entièrement consacré à l'arche de Noé. Idil avait grandi au pied de l'Ararat mais n'en avait jamais entendu parler.

Elle longea lentement les murs.

Sur l'une des étagères, un livre à couverture rouge attira son attention : il était posé sur un présentoir, derrière une vitre de verre, comme un livre saint dans une église. Idil se pencha. Le titre était écrit en allemand, elle ne comprit que le nom de l'auteur, Emmanuel Kant. Un philosophe, Idil avait au moins retenu cela de la fac. Visiblement, ce Parastou Khan ne collectionnait pas que les filles aux yeux verts… Qu'attendait-il de la fille qu'il choisirait ? En faire l'hôtesse de son palais ? Son ambassadrice ? Sa favorite ? Idil était conquise, tous les rôles lui convenaient.

L'homme à la cicatrice revint, accompagné de deux gardes.

— Nous allons vous conduire au sérail. Préparez vos affaires, vous pourrez vous y changer. Le casting débutera dans une heure.

Idil, malgré elle, serra le collier de cuir et cuivre dans sa main et repensa à la petite Aman, à ses yeux gris mouillés, à sa licorne rongée.

Que venait faire cette gamine dans ce palais ? Dans laquelle des trois cent soixante-six pièces l'avait-on emmenée ? Pour quelle étrange raison ?

Idil s'obligea à réagir en observant les quatre autres filles aux yeux verts.

Sexy. Magnifiques. Conquérantes.

Le balafré leur avait donné une heure ! Il fallait qu'elle oublie cette gamine. Vite. Il fallait qu'elle se prépare.

Il lui restait moins d'une heure pour devenir la plus belle !

49

Rue de Vaugirard, Paris, France

— C'est ici ?

— Oui…

Cécile observa le luxueux immeuble de trois étages que protégeaient une grille et un haut mur. D'ordinaire, Cécile avait tendance à détester ce genre de résidences fermées qui fleurissaient un peu partout dans la banlieue de Toulouse. Mais, aujourd'hui, elle trouvait plutôt rassurant cet excès de sécurité. La résidence abritait une vingtaine d'appartements dont chacun valait sans doute son pesant d'or, à en juger par les commodités offertes : piscine au pied des appartements, jardin d'hiver sous serre et parking privé.

Zak consulta les noms sur l'interphone à l'entrée de la résidence.

— Arsène, demanda Cécile, vous me confirmez que ce type, Jean-Bernard Patte, n'est pas un farfelu de plus ?

— Je vous l'assure, Cécile. Lorsque j'étais à l'Institut universitaire de France, Patte était déjà membre junior. Depuis, il est devenu directeur de recherche au CNRS et professeur à Langues O'. Patte est la plus grande sommité sur Babylone et Sumer…

— Un génie, renchérit Zak. Vous allez l'adorer. Cécile, il y a deux personnes que je tiens à vous faire rencontrer pour vous convaincre, Jean-Bernard Patte et son mécène, le milliardaire Parastou Khan.

— Son mécène ?

— Oui. Parastou Khan est un homme d'affaires azéri qui a fait fortune dans le pétrole sur les bords de la Caspienne. Il réinvestit son argent dans la protection du patrimoine au Moyen-Orient et en Asie centrale…

Les yeux de Cécile pétillèrent.

— Un mafieux ?

— Vous plaisantez, s'énerva Zak. C'est un homme de paix et de culture. Il finance des recherches partout dans le monde, il possède des collections fabuleuses dans son palais Ishak Pacha au Nakhitchevan, c'est une personnalité publique, il…

— C'est bon, coupa Cécile, je voulais juste vérifier que vous ne nous emmeniez pas une fois de plus dans la gueule du loup.

Zak sonna et se présenta. Jean-Bernard Patte habitait au troisième étage.

Quelques secondes plus tard, la grille s'ouvrait.

Cent cinquante mètres plus loin, les occupants de l'Opel Vivaro grise garée devant la petite église Notre-Dame-de-la-Visitation observaient Zak, Arsène et Cécile pénétrer dans la résidence fermée. Morad, assis sur le fauteuil passager, afficha un large sourire en se tournant vers l'homme au volant.

— Alors, Andreï, n'avais-je pas raison de venir les attendre ici ? Ils sont tellement prévisibles, la chasse n'en est même plus amusante.

— Qu'est-ce qu'on fait, Morad ?

— On attend les instructions.

Cortés décrocha presque aussitôt.

— On les a retrouvés, déclara sobrement Morad. Ils sont chez Patte, l'historien des civilisations.

— Ça se présente comment ?

— Une résidence fermée, mais rien à voir avec celles de Moscou. Aucun porte-flingue devant la porte, si tu vois ce que je veux dire.

— Je vois. Foncez… On a assez perdu de temps. Ensuite, rentrez vite si vous voulez être à Ishak Pacha avant qu'on lance l'assaut sur Ararat. Les choses se précisent ici, ça ne devrait plus traîner maintenant…

Morad se tordit les doigts comme un gamin impatient.

— Sois chic, Cortés, attends-nous…

— Fallait pas merder à Bordeaux et à Toulouse, Morad… Et crois-moi, mon grand, tu vas doublement regretter ton retard.

— Précise.

— Une gamine aux yeux gris d'abord, qui possède des tas de secrets sur l'arche à nous révéler, comme si ce vieil Enoch les lui avait confiés hier. Des filles ensuite. Des beautés aux yeux verts…

— Salaud !

— Désolé, puceau, le stock sera limité. (Cortés éclata de rire.) Comprends-moi, d'un point de vue purement mathématique, le principe du harem est incompatible avec le théorème de Cortés… Fonce, Morad. Ne laisse pas de témoins derrière toi et reviens-nous vivant.

Jean-Bernard Patte était un homme d'une cinquantaine d'années qui assumait son aisance matérielle et intellectuelle avec une classe un peu hautaine. Il accueillit Arsène, Zak et Cécile dans un costume gris impeccable, à croire qu'il se réveillait en portant déjà sa veste et sa cravate. Immédiatement, Cécile se sentit rassurée par la politesse racée de Patte, les rangées de livres dans la bibliothèque, les thèses empilées sur le bureau et les photographies de congrès où l'ethnologue posait avec des collègues éminents que la chercheuse identifia.

Zak et Jean-Bernard se congratulèrent longuement. Tous s'assirent dans les grands canapés d'angle du salon lumineux, pendant qu'une jeune femme, dont le tablier blanc contrastait avec sa jolie peau de métisse, leur offrait du café et des viennoiseries.

— Jean-Bernard, fit Zak. Tu sais que nous sommes recherchés par la police. Je ne voudrais pas t'attirer d'ennuis…

— *Vous* êtes recherché, précisa Cécile, perfide.

Jean-Bernard Patte leva sa tasse de café et souffla avec élégance avant de répondre :

— Ici, vous êtes en sécurité. Il nous faut du calme. Du calme et du repos, si nous voulons discuter.

Il se tourna vers Cécile.

— Mademoiselle Serval, je pense que j'ai un certain nombre d'éléments à vous apprendre, et, de mon côté, j'aimerais en connaître davantage sur votre fameux rapport RS2A-2014.

— Demandez à Zak, siffla Cécile.

Jean-Bernard Patte sourit.

— Rien ne presse, prenons le temps de déjeuner.

Ils prirent le temps.

Cécile vidait sa seconde tasse de café lorsque Arsène Parella, après une série de bâillements incontrôlés, s'effondra sur le côté entre trois coussins moelleux.

— Nous avons eu une nuit assez rude, l'excusa Cécile.

Elle ne voulait pas dormir, elle voulait en savoir davantage. Ce type, Patte, était la clé. La chercheuse observait, amusée, les yeux de Zak se fermer à leur tour, vaincus par le confort du canapé, le soleil à travers les vitres, le calme du living.

Zak se secoua :

— Jean-Bernard, tu as des nouvelles de Parastou Khan ?

— Aucune récente. Cela fait une éternité que je ne suis pas retourné au Nakhitchevan. Son hospitalité me manque…

— Elle me manque aussi.

Quelques secondes plus tard, la tête de Zak piochait comme celle d'un congressiste émérite à l'heure de la sieste. Cécile attendait du coin de l'œil que Zak bascule définitivement dans le sommeil.

— Professeur Patte, rassurez-moi, s'inquiéta Cécile, vous ne croyez pas à ces histoires de licornes et d'arche de Noé ?

Patte fronça les sourcils.

— Pas le moins du monde. Je n'ai aucun avis personnel sur de tels sujets. Mon seul domaine de compétence se limite à la Mésopotamie d'il y a quatre mille ans, la période qu'on appelle communément le bond en avant de l'humanité…

Le professeur Patte commença à préciser avec des détails plutôt ennuyeux son champ de recherche. Un ronflement soudain indiqua à Cécile que, cette fois, Zak s'était envolé au pays des rêves. La chercheuse se leva presque aussitôt.

— Je peux téléphoner, professeur ?

— À qui, mademoiselle Serval ?

— À la police. J'ai eu l'occasion tout à l'heure mais, comment dire, ce manipulateur d'Ikabi est parvenu à altérer ma perception de la situation. C'est passé maintenant. Des tueurs sont à nos trousses ! Désolé de vous l'apprendre, professeur, mais votre ami Zak Ikabi est fou. Au minimum inconscient. Comment un scientifique de votre renom peut-il le protéger ?

— C'est, disons, une relation ancienne. Une relation ancienne et fidèle…

— Désolée, je dois appeler la police.

— Ne faites pas ça, mademoiselle Serval, je vous en prie.

— Pourquoi ? Donnez-moi au moins une bonne raison de ne pas le faire.

— Asseyez-vous, je pense que je vais vous surprendre. Zak Ikabi n'est pas un aventurier illuminé. Si j'ai une relation particulière avec lui, c'est… c'est qu'il a été mon étudiant. Mon doctorant, plus précisément. Un étudiant particulièrement brillant, doué d'une intuition et d'une imagination prodigieuses.

L'interphone résonna au numéro 15 de la résidence des Jardins de Vaugirard, au second étage, juste au-dessous de l'appartement de Jean-Bernard Patte.

— Bérénice, c'est Gildas, tu nous ouvres ?

— Tout de suite… Dis donc, toi, ça va ?

— Oui… Pourquoi ?

— Je ne sais pas, tu as une drôle de voix.

Gildas ne répondit pas. Bérénice déclencha l'ouverture du portail et retourna dans la cuisine.

— Ils arrivent, fit la femme à son mari occupé à déboucher une bouteille de vin.

Elle vérifia instinctivement la table dressée, les couverts, le bouquet de fleurs.

— Gildas avait une drôle de voix dans l'interphone.

— Il a dû s'engueuler avec Nicole. Ça va encore être amusant, notre repas à quatre…

Bérénice tira un pli sur la nappe.

— Ça fait trente ans qu'ils s'engueulent…

Gildas avança la Mercedes jusqu'au parking derrière la résidence. Dans son rétroviseur, il voyait le type à l'arrière visser une sorte de bouchon sur son pistolet. Il comprit qu'il s'agissait d'un silencieux. Tout son corps grelottait, comme plongé dans un lac gelé. Il refusait de voir la réalité en face, de se dire que ce type à l'accent russe allait…

Nicole, assise sur le fauteuil passager, était aussi blanche que le grand bouquet de lis acheté pour Bérénice qu'elle serrait entre ses mains. Les pétales tremblaient à s'en détacher des tiges.

— Qu'allez-vous faire de nous ? geignit Gildas. Je… nous…

Les deux tueurs ne prirent pas la peine de répondre. Leurs gestes étaient méticuleux. Gildas hésita. Il avait soixante-trois ans, de l'asthme, une sciatique. Bizarrement, en cet instant, la seule chose qui lui vint à l'idée fut de se foutre de tout sauf de Nicole. Il posa la main sur le genou de sa femme. La main de Nicole se posa sur la sienne. Leurs regards se croisèrent. Cela faisait combien de temps qu'ils n'avaient pas échangé ce regard-là ? Trente ans, au moins.

L'orifice du pistolet silencieux toucha la nuque de Gildas. Il ressentit juste une brève sensation de froid, puis son cou se cassa en deux dans un jet de sang. Nicole eut à peine le temps de hurler dans l'habitacle de la Mercedes, de crisper sa main sur celle de Gildas. Le silencieux se tourna vers elle et la balle lui traversa l'œil droit.

Cécile se laissa tomber sur le canapé.

— Zak ? Un scientifique ?

Elle ne parvenait pas à le croire.

— Tout à fait, mademoiselle Serval. Sa thèse portait sur les mythologies de l'arche de Noé depuis la haute antiquité. Il ne s'agissait pas de délires créationnistes, je vous rassure, mais d'un véritable travail de bénédictin à partir d'un corpus magistral courant sur plus de quatre mille ans. Il a reçu la mention maximale pour ce travail… Félicitations du jury à l'unanimité. Il a même été recruté dans un institut de recherche italien. Mais vous connaissez le monde universitaire, Cécile. Plus il insistait avec son histoire d'arche de Noé, plus il devenait la risée de la communauté scientifique. Il a fini par rompre avec elle et il a continué seul. Un autre café ?

— Volontiers !

Pendant que Cécile vidait sa troisième tasse, Jean-Bernard Patte tira une carte du tiroir de son bureau et la déplia devant la chercheuse :

— Observez les lieux qu'il vous a fait visiter. Il essaie de vous convaincre, vous et le professeur Parella. Il tente avec vous ce qu'il n'est jamais parvenu à faire avec mes confrères, à l'exception de votre serviteur, son ancien professeur.

Cécile observa la carte d'Europe : tous les points entourés en rouge correspondaient à des représentations remarquables de l'arche de Noé : Saint-Étienne-du-Mont, Chartres, Ambert, Saint-Lazare d'Autun, mais également Venise, Palerme…

— Parastou Khan, continua Patte, le mécène azéri, est le seul qui l'ait soutenu financièrement. C'est un amateur d'art qui a assez bonne réputation. À mon avis, l'objectif de Zak est de le rejoindre chez lui, au Nakhitchevan, dans son palais reconstruit dans le désert au pied du mont Ararat.

— Pourquoi moi ? Pourquoi Parella ? Pourquoi notre labo, le DIRS ?

— À cause de la commande du Parlement mondial des religions. Ce fameux rapport RS2A-2014. Vous et Arsène êtes d'excellents spécialistes des paléoenvironnements montagnards. Vous avez étudié en détail le massif de l'Ararat. Zak a besoin de vous emmener là-bas, et, pour y parvenir, il a besoin de vous convaincre.

— Que viennent faire les Nephilim dans tout cela ?

Jean-Bernard Patte observa avec tendresse Zak et Arsène sur le canapé.

— Les Nephilim n'étaient sans doute pas prévus par le tour-opérateur. L'arche de Noé est un mythe qui fait courir beaucoup de monde, créationnistes, archéologues fous, chasseurs de trésor illuminés, collectionneurs vénaux…

Cécile avait du mal à faire le tri dans toutes ces informations nouvelles. Le café maintenait son cerveau en alerte en une sorte de veille automatique.

— CIARCEL, lança-t-elle soudain, cela vous dit quelque chose ?

— Ça devrait ?

— C'est un code, quelque chose comme cela…

Jean-Bernard Patte réfléchit quelques secondes.

— Aucune idée.

— Tant pis, je finirai bien par le résoudre. Et vous, professeur Patte, vous ne craignez pas les Nephilim ?

Patte repliait sa carte d'Europe.

— Comme je vous l'ai dit, je ne m'intéresse ni à l'arche ni aux mythes religieux. Je suis historien des civilisations ! La civilisation sumérienne en particulier.

— Celle de l'épopée de Gilgamesh ?

— Gilgamesh n'est qu'un tout petit détail de la fascinante civilisation de Sumer…

Zak ronflait.

— Racontez-moi, professeur !

Sabine posa en vrac ses courses par terre. Elle pesta contre sa stupidité. Elle avait encore oublié le code d'entrée de la résidence et elle devait chercher ses clés au fond de ses poches. Elle oubliait toujours tout, de prendre des sacs avant d'aller au supermarché, de retenir son code : elle n'était pas adaptée à la ville moderne. En un instant, elle évalua dans le reflet de la vitre d'entrée sa jolie silhouette d'étudiante en arts appliqués, sa jupe qui flottait sur ses jambes bronzées. La clé ne voulait pas entrer ! Était-ce la bonne, au moins ? Sabine pesta encore contre cette société de sécurité de merde, ces trois portes à franchir pour rentrer chez elle, portail, porte d'entrée de l'immeuble, porte de son appartement… Elle haïssait ces résidences fermées et plus encore ce système qui faisait que les seuls appartements disponibles sur le marché étaient loués avec piscine, jardin et triple grille. La société, pour survivre, s'inventait chaque jour de nouveaux désirs et de nouvelles peurs.

La Mercedes s'était garée derrière elle.

Deux hommes sortirent de la voiture. Sabine ne les avait jamais vus. En plus, on rentrait ici comme dans un moulin ! Elle détailla le reflet des hommes dans la vitre. Ils avaient une allure de tueurs russes, comme dans les séries mafieuses. Elle trouva cela amusant.

— Désolée, fit Sabine en repoussant avec embarras boîtes de conserve et bouteilles de lait par terre. J'ai oublié le code.

Les deux types n'étaient visiblement pas des comiques.

— Mais j'ai les clés, ajouta-t-elle triomphalement.

Miracle, la porte d'entrée s'ouvrit ! Sabine repoussa encore du pied ses achats et se mit sur le côté pour laisser passer les hommes. Ils la frôlèrent. La veste du premier type vola.

Il portait un revolver à la ceinture.

Sabine se fit la réflexion que c'était la première fois qu'elle voyait un homme armé. À l'exception des flics ou des militaires dans les gares, bien sûr. Une expérience de plus. Elle prit son courage à deux mains et s'accroupit pour ramasser ses courses. Sabine eut juste le temps d'entendre un déclic et de relever la tête.

Lorsqu'elle vit le canon du revolver au-dessus d'elle, Sabine ouvrit la bouche pour hurler, mais aucun son ne sortit. Le canon en profita pour s'enfoncer dans sa gorge.

Sa jolie tête de linotte n'oublierait plus jamais rien.

Le professeur Patte s'était calé dans un grand fauteuil à accoudoirs. Cécile écoutait, passionnée. Il régnait un calme profond dans cet appartement bercé par les respirations régulières de Zak et Arsène.

— Ce qu'il faut comprendre, Cécile, c'est que, pendant des centaines de milliers d'années, les hommes sur terre cueillent, chassent, forment de petits îlots isolés où ils vivent, forniquent et meurent entre eux… Au mieux, ils plantent quelques graines et font de la poterie. Et puis, entre 4000 et 3000 avant Jésus-Christ, tout s'accélère ! Cela commence en Arménie, à Karahunge, le plus vieux site archéologique du monde, d'immenses blocs de basalte alignés, tournés vers le ciel et percés en leur centre. Aussi étrange que cela puisse paraître, Cécile, ces monolithes prouvent que ceux qui les ont érigés maîtrisaient déjà l'astronomie, connaissaient la forme et la rotation de la Terre, et adoraient les dieux du soleil et des étoiles. La civilisation de Sumer va naître à quelques kilomètres de là. Les Sumériens inventent l'écriture, mais aussi les mathématiques, la brique avec laquelle ils construisent les premières villes, les premiers monuments religieux, les gouvernements, une administration. Ils sont également les premiers à développer l'école, l'argent, le commerce, l'esclavage, la navigation sur l'eau, la culture du vin… Qui dit mieux ? Les hommes, cantonnés au stade animal depuis l'aube des temps, se réveillent d'un coup ! Quelques centaines d'années plus tard, des sociétés évoluées vont éclore un peu partout dans le monde, l'Égypte des grandes pyramides vers – 3000, mais d'autres civilisations naissent en Grèce, au Mexique, en Chine. Le plus étonnant, dans ce bond de l'humanité, est tout autant sa soudaineté que la rapidité de sa diffusion dans le monde.

Cécile se tassa dans le canapé.

— Comment l'explique-t-on, ce bond en avant ?

— C'est toute la question…

— Cette évolution serait-elle contemporaine des témoignages du… (elle hésita)… d'un déluge universel…

Jean-Bernard Patte sourit.

— Je vois que Zak Ikabi vous a bien renseignée… Oui, les récits du Déluge, tout comme l'épopée de Gilgamesh qui inspira la Bible, correspondent à la période du bond en avant. Il y a globalement six mille ans. Ces progrès sont-ils antédiluviens, ou postdiluviens, difficile d'être affirmatif sur ce point, c'est même une vraie pomme de discorde scientifique…

— Une controverse, c'est cela ?

— C'est cela. Aussi captivante que confidentielle. À part vous et moi, tout le monde se fiche bien des Sumériens ! Un seul exemple suffira à vous convaincre : lorsque les États-Unis sont partis en guerre contre l'Irak, combien de voix avez-vous entendues s'élever pour rappeler qu'on allait se battre précisément sur les terres de Sumer, envoyer une armée piétiner le berceau de l'humanité ?

Cécile ouvrit des yeux ronds.

— Vous voulez dire que les États-Unis ne recherchaient pas des armes de destruction massive, mais des traces de l'origine de l'humanité ?

— Doucement, mademoiselle Serval. N'extrapolez pas. Je ne suis pas du genre à céder à la thèse d'un complot mondial, je cherche au contraire à comprendre comment l'homme a su dépasser le règne de l'animal en inventant une société… Mais on ne peut nier l'évidence : les Américains ont bombardé sans aucune précaution les sites de Babylone, d'Ur, d'Uruad ou de Ninive. Des archéologues de toutes les confessions ont protesté avec véhémence… et dans l'indifférence générale.

— Mon Dieu, c'est vrai ?

— Rigoureusement exact ! On parle de plus de huit cents bombardements sur des sites sumériens complètement inhabités. Uruad, par exemple, est détruit à jamais. Ce sont des terrains que j'ai arpentés pendant des années, dont à peine le dixième avait été fouillé et qui ne livreront jamais leurs secrets… Et je ne vous parle pas des pillages, toutes les tablettes cunéiformes non déchiffrées volées au Musée national de Bagdad…

— Si, au contraire, parlez-m'en…

Un cri de femme les fit bondir.

Zak et Arsène se réveillèrent en sursaut.

— Là, hurlait, hystérique, la femme qui leur avait servi le café.

Elle leur montrait le parc d'un doigt tremblant. Cécile se précipita au balcon. Elle découvrit une scène irréelle : un homme en tenue de jardinier tirait de derrière le local à poubelles le corps d'une jeune femme. Il se gratta la tête, abasourdi, puis se précipita vers le mur de la résidence et brisa du poing un petit boîtier rouge. Immédiatement, une alarme rugit dans les couloirs.

Zak et Arsène étaient déjà debout.

— Les Nephilim ! cria Zak. Ce sont eux, ils sont entrés, ils sont là, dans l'escalier.

Jean-Bernard Patte courut verrouiller la porte d'entrée.

— L'alarme devrait suffire à les faire fuir !

— Avant ou après nous avoir tués ? répondit Zak en empoignant son sac.

Tout se bousculait dans la tête de Cécile. Cette folie ne s'arrêterait donc jamais ?

— Vite, ordonna à nouveau Zak. Le balcon !

Cécile saisit instinctivement la main que lui tendait Zak. Arsène demeurait debout dans le living, hébété. Jean-Bernard Patte essaya de ne pas céder à la panique.

— Si les Nephilim sont dans l'escalier, il n'y a qu'une solution : se barricader et attendre la police. Nous sommes rue de Vaugirard, en plein Paris, c'est une question de minutes.

Zak n'écoutait plus.

— Venez, Arsène, fit-il. C'est nous qu'ils veulent. Nous trois ! Nous seuls connaissons leurs visages. Ils n'hésiteront pas à entrer.

Ils s'étaient tous trois réfugiés sur le balcon. La sirène hurlait toujours. Cécile s'attendait à voir d'un instant à l'autre la porte de l'appartement voler en éclats, la fusillade éclater.

— Il faut sauter, fit Zak dans un souffle, c'est notre seule chance.

— Du… du troisième étage ? bredouilla Arsène. C'est une fol…

— Pas le choix ! coupa Zak.

Jean-Bernard Patte s'approcha d'eux à pas rapides. Il donna à Zak une brève accolade et lui confia un trousseau de clés :

— La Twingo rouge. Rue Littré. Il y a une sortie par-derrière.

Zak murmura un merci. De ses deux mains fermes, il saisit Cécile par la taille.

— Maintenant !

Cécile prit appui sur la rambarde.

L'instant suivant, la chercheuse basculait dans le vide.

Arsène Parella roula des yeux épouvantés. Le balcon s'élevait à dix mètres. Cécile avait dû se briser le cou.

— À vous, Arsène, enchaîna Zak.

Le professeur, tremblant, s'approcha de la rambarde. Sauter, c'était la mort assurée. Zak était fou, il allait les…

Ses pensées se figèrent.

Dix mètres plus bas, Cécile nageait déjà vers le bord de la piscine ! Le bassin était construit juste sous les appartements. Il suffisait de s'élancer.

— Vite, le pressa Zak.

Arsène ferma les yeux, poussa sur ses jambes flageolantes et sauta. Zak tourna une dernière fois son regard vers Jean-Bernard Patte. Debout dans le living, il serrait dans ses bras la métisse épouvantée. Zak jeta d'abord son sac par-dessus le balcon.

Puis il plongea.

50

Palais d'Ishak Pacha, Nakhitchevan

Idil avait opté pour une jupe blanche, presque transparente, à discrets reflets roses, la couleur qui mettait le mieux en valeur sa peau ambrée. Ses seins n'étaient tenus que par un long turban habilement noué et fixé par de fines lanières. Quelques franges blanches et roses, accrochées à un petit soleil de nacre autour de sa gorge, caressaient son ventre plat, nu et impeccablement bronzé.

Les quatre autres filles se tenaient debout à côté d'elle, droites, fières, bras croisés sous la poitrine, jambes légèrement écartées. Elles aussi avaient choisi des tenues de danseuses orientales. Leurs longues jupes colorées, ornées de chaînes, de pièces d'or et de paillettes, scintillaient sous l'éclairage doré du lustre de cuivre.

Belles, divinement belles, Idil devait l'admettre.

Le décor, sobre, tranchait avec le raffinement des candidates en lice. La pièce ressemblait à une salle de danse. Les murs et le parquet étaient lambrissés de bois d'acajou. À chaque extrémité, une porte était gardée par un homme armé. Le balafré entra par celle de droite. Cette fois, il se présenta. Il portait le nom étrange de Zeytin. Il expliqua un peu à la manière d'un présentateur de jeu télévisé, en beaucoup moins sexy, qu'une seule d'entre elles allait rester. Il désigna les lattes de bois qui recouvraient le mur face à elles. L'une d'elles, à mi-hauteur, était percée de deux trous.

— Je ne suis ici que pour vous transmettre les ordres du maître, précisa Zeytin. Il se tient derrière la cloison, vous observe déjà depuis de longues minutes. C'est lui qui désignera sa favorite. Il éliminera tour à tour celles qu'il jugera les moins désirables. Jamais vous ne devrez connaître son visage. Ni même son nom. Celle d'entre vous qui restera devra l'appeler Cortés.

Idil observait avec intensité les deux orifices noirs dans le mur devant elle. Par leur canal, on entendait le bruit étouffé d'éclats de voix, comme si ce Cortés, derrière la cloison, parlait à quelqu'un d'autre. Avec violence. Peut-être était-il tout simplement au téléphone.

Ne te déconcentre pas, ma belle, pensa Idil.

Depuis le début de la matinée, elle se forçait à oublier la petite Aman, sa licorne, ses yeux gris et tristes. Elle avait soigneusement caché dans la doublure de son sac le pendentif que la fillette lui avait confié en cachette, même si elle avait hésité un instant à balancer le bijou dans les toilettes ou dans la poubelle la plus proche.

Cette histoire de collier puait les emmerdes !

Après. Elle y penserait après. Elle déciderait une fois le casting terminé, pour le collier, pour la fillette, pour toutes les choses louches qu'elle découvrait dans ce palais du bout du monde.

Pour l'instant, elle ne devait avoir qu'un objectif, celui qu'elle était toujours parvenue à atteindre, sans même avoir à forcer son talent ; un don, un fardeau parfois. La chance de sa vie, aujourd'hui.

Qu'un homme crève de désir, juste en levant les yeux sur elle !

Si ce milliardaire voulait s'offrir le fantasme de les mater sans se dévoiler, il allait être servi. Elle écarta un peu plus les jambes et se cambra. Ses yeux en amande se plissèrent et fixèrent les deux trous avec une intensité à faire brûler les planches. Chaque fille prenait une pose différente, toutes incroyablement provocantes. Elles acceptaient sans retenue les règles imposées par le voyeur invisible. Cela dura une ou deux minutes, puis Zeytin se rapprocha du mur et colla son oreille à l'orifice. Il se redressa et se dirigea vers la fille la plus âgée, celle qu'Idil avait considérée dans le car comme sa plus grande rivale.

À tort !

Quasiment nue, la femme au regard de foudre ne supportait pas la comparaison avec le corps juvénile des quatre autres. À l'évidence, sa crinière de cheval rebelle n'avait pas suffi à séduire Cortés… Bonne perdante, elle haussa les épaules avec un sourire amusé, comme pour signifier que ce n'était pas grave. Zeytin lui fit signe de sortir par la porte de droite. La fille parcourut quelques mètres. Ses pieds nus semblèrent danser sur le parquet. Cortés avait tort, pensa Idil, cette fille était la grâce incarnée. Un garde se poussa, la fille, provocante, frôla son corps de fauve contre son uniforme avant de poser la main sur le bouton doré de la porte.

Sans se retourner.

La suite se déroula en moins de trois secondes. Zeytin enfonça la main dans sa veste, en sortit un fin revolver à long canon, visa la nuque de la fille et pressa la détente.

La fille s'effondra dans une mare de sang au pied du garde impassible.

Jamais elle ne comprendrait pourquoi elle était morte.

Elle était la plus chanceuse des cinq.

Idil bloqua le hurlement dans sa gorge. Les trois autres filles, d'instinct, firent comme elle ; comme si, immédiatement, elles avaient compris l'inimaginable ; comme si, en un éclair, elles avaient pris conscience des véritables règles du jeu.

Un jeu mortel.

Dans quel repaire de fous Idil était-elle tombée ? Dans quel piège monstrueux s'était-elle laissé prendre ?

Zeytin rangea son arme dans sa veste avant de frapper dans les mains, comme pour signifier que la partie reprenait.

— Mesdemoiselles, fit sa voix de diable obséquieux. Les règles demeurent les mêmes. Une seule restera. À vous de jouer. Cortés apprécie les femmes exceptionnelles.

Tout se bousculait dans les pensées d'Idil. *Survivre.* C'est le seul mot qui lui venait distinctement en tête.

Cortés appréciait les femmes exceptionnelles. Tout son corps devait transpirer la séduction, la moindre parcelle de sa peau, sans aucune retenue. Sans aucun tabou.

La minute qui suivit lui parut interminable.

Zeytin colla son oreille à l'orifice, puis se retourna. Juste un regard.

La plus jeune des filles, celle au visage de poupée de porcelaine, anticipa le verdict. Vive comme l'éclair, elle s'élança avant même que Zeytin ne se redresse. Elle agrippa le bras du garde avec une force de tigresse et le jeta à terre. Son pied nu lui écrasa le visage pendant qu'elle saisissait le bouton de la porte. Zeytin, surpris, n'avait pas eu le temps de porter la main à sa veste. La fille avait déjà ouvert la porte.

La balle se ficha entre ses deux omoplates.

La poupée de porcelaine, encore hissée sur la pointe des pieds, se cambra une dernière fois, comme une quille qui hésite à tomber, puis bascula à la renverse. Sa tête, en cognant le parquet, fit un atroce bruit de fruit sec qu'on écrase.

Le second garde, qui avait calmement pris le temps d'ajuster la fuyarde, reposa avec méticulosité l'AK-47 le long de sa jambe.

Une panique intense submergeait Idil, comme si cette pièce carrée n'était qu'un cube hermétique dans lequel le niveau d'eau montait, inexorablement. Elle se força à ne pas laisser sa respiration s'emballer. Elle devait réfléchir, faire appel à son instinct de survie. Il lui restait une chance. La plus belle vivrait, c'était la règle. Elle n'avait aucune envie de comprendre les raisons qui poussaient ces malades à assassiner les perdantes, ces filles magnifiques, plutôt qu'à les violer ou en faire des putes de luxe. Cela défiait toute logique.

Elles n'étaient plus que trois. Elle observa les deux autres survivantes et analysa ses possibilités. La plus belle était incontestablement la fille maigre au visage de top-modèle, l'autre était moins jolie, moins bien proportionnée. Moins bien qu'elle aussi, c'est ce qu'Idil aurait dit. Un nouveau répit… L'autre fille serait la prochaine sur la liste macabre. Toutes les trois l'avaient compris. Les femmes sentent cela entre elles, savent d'instinct qui est la plus séduisante de la meute, comme des hommes devinent sans se battre qui est le plus fort.

La condamnée fit un pas en avant et se planta droit devant les deux orifices de la cloison. Son ventre un peu gras se mit à onduler, d'abord lentement, puis de plus en plus rapidement. La fille se déplaçait avec d'incroyables gestes félins. Elle dansa, encore et encore. Les pièces d'or de sa jupe et de son soutien-gorge, animées par les torsions de son corps de liane, brillaient de mille éclats dans la cage d'acajou.

Elle avança encore, vibrante, poitrine gonflée. Idil demeurait incapable du moindre geste. Les bras de la danseuse s'agitaient, gracieux, des ailes de libellule. Presque sans arrêter leur course, ils glissèrent dans son dos. Le soutien-gorge tomba en un bruit de monnaie qui roule. La fille se mit à tourner sur elle-même. Ses seins magnifiques jaillirent, dansèrent, tour à tour présentés aux deux gardes, à Zeytin, à l'invisible Cortés.

Petit à petit, la toupie ralentit, pour s'arrêter, enfin. La fille se tint immobile devant Cortés, comme si la cloison de bois n'existait pas, lui offrant ses seins de vierge.

Respectant l'effroyable rituel, Zeytin s'approcha de la bouche qu'on devinait derrière l'orifice, un sourire sadique accroché aux lèvres. La danseuse pleurait maintenant ; un torrent de larmes inondait ses yeux peints en or, coulait en filon pour zébrer de traces dorées son visage, son cou, sa poitrine nue.

Belle, intensément belle.

Émouvante.

Tragique.

Dans l'instant, Idil pensa qu'aucun homme ne pouvait demeurer insensible à une telle sensualité.

Doucement, Zeytin leva son revolver.

La fille aux yeux d'or ne bougea pas. Seules les larmes coulaient. Elle ferma les yeux une dernière fois.

La balle lui traversa le cœur.

Idil avait eu le temps de réfléchir. Elles n'étaient plus que deux et une évidence s'imposait. L'autre était plus belle qu'elle : pas mieux foutue, pas plus sexy, mais rien ne pouvait être comparé à son visage d'ange. Aucun homme ne pouvait résister au désir de voir le plaisir s'inscrire sur un tel visage, de contempler un orgasme le transfigurer. De l'engendrer.

Idil allait perdre. Idil allait mourir.

Ce n'était plus qu'une question de secondes.

Idil agit d'instinct, sans réfléchir, sans préméditation, comme un animal piégé. Elle hurla et se jeta sur le visage d'ange, les dix ongles en avant comme autant de poignards. La fille n'attendait pas le danger de ce côté, elle n'eut pas le temps de se protéger.

Les ongles s'enfoncèrent dans sa chair et labourèrent le visage parfait, du front aux joues. Cela dura moins de cinq secondes. Lorsque Idil se recula, la fille s'effondrait sur ses genoux, les mains ouvertes sur sa figure en sang.

La blessure n'était pas bien grave. Bénigne, même. Quelques égratignures superficielles. Dans quelques jours, quelques semaines, le visage aurait retrouvé son charme angélique.

Le destin n'était pas aussi patient, Idil l'avait compris.

Zeytin serrait à nouveau le revolver devant lui. La fille se tenait le visage dans les mains, refusant de le montrer aux tueurs. Zeytin avança au-dessus d'elle, baissa son revolver et tira comme on achève une bête à terre. Le corps maigre de la fille s'affaissa sur le parquet.

Zeytin se tourna vers Idil.

— Bien joué, petite futée. (Un sourire diabolique éclaira son visage.) Tu as triché mais, après tout, ce n'était pas interdit… Approche…

Idil hésita.

— Approche, approche ton oreille. Cortés veut te parler.

Par les deux portes, les gardes évacuaient les cadavres des quatre filles. Idil, au bord de la crise de nerfs, se colla contre le mur.

La voix grave et traînante de Cortés s'insinua au plus profond de ses pensées.

— Félicitations, Idil. Tu es l'élue. Plus encore que tu ne le crois… Tu ne peux pas te rendre compte de la chance que je t'offre. Rien de plus normal, tu es sous le choc, tu en prendras conscience dans quelques heures, dans quelques jours. Tu n'es plus seulement une très jolie fille, Idil, tu es désormais un joyau inestimable. Une pièce unique. Tu commences à comprendre, Idil ? Je te raconterai l'histoire. Celle du théorème de Cortés…

51

Nationale 1, nord de Paris, France

La Twingo rouge quittait Paris par la nationale 1. La circulation était particulièrement dense en cette fin de matinée à la hauteur de Sarcelles.

Zak conduisait. Une flaque d'eau s'agrandissait sous ses pieds, inondant progressivement la moquette verte du véhicule. L'eau ruisselait des manches de sa chemise jusqu'à ses doigts sur le volant.

Arsène collait son téléphone portable à son oreille, indifférent aux gouttes qui perlaient au bout de ses cheveux.

— Ils sont sains et saufs, souffla Parella. Les Nephilim ont fichu le camp avant que la police ne débarque. Ils n'ont pas eu le temps de pénétrer dans l'appartement de Jean-Bernard…

— On aurait pu éviter le plongeon, commenta Cécile à l'arrière.

— Mais pas les flics, ajouta Zak en jetant un œil dans le rétroviseur.

Cécile avait abandonné dans le coffre son sinistre manteau sombre, trempé comme une serpillière. Installée à l'arrière, elle n'était plus vêtue que de sa chemise jaune paille boutonnée jusqu'au cou. Si sage d'ordinaire, le satin devenait terriblement indécent. Le tissu imbibé d'eau dessinait une seconde peau. Les cheveux libérés de leur chignon ruisselaient en cascade sur ses joues, ses épaules, puis s'égouttaient entre ses seins. Zak ne put s'empêcher d'appuyer un regard dans le rétroviseur, à hauteur de poitrine, sur ses vêtements et sous-vêtements transparents. Il adora les deux éclairs que Cécile lui lança en retour. La chercheuse ne fit cependant aucun geste pour se glisser sur le côté ou se couvrir.

Coincée peut-être, pensa Zak, mais pas pudique.

— Où va-t-on maintenant ? demanda Arsène avec lassitude. Zak, savez-vous quand ce manège infernal va s'arrêter de tourner ?

Cécile se pencha et consulta le GPS collé au tableau de bord.

— Beauvais, annonça-t-elle. Nous filons droit sur l'aéroport de Beauvais, et, une fois là-bas, nous n'aurons que l'embarras du choix : toutes les capitales européennes s'offriront à nous. Vers laquelle monsieur Zak Ikabi va-t-il nous entraîner, cette fois ? Quelle nouvelle représentation de l'arche de Noé nous fera-t-il admirer ? Venise et la basilique Saint-Marc ? Rome et la Sixtine ?

Elle se redressa.

— Vous êtes un petit garçon têtu, Zak Ikabi. Têtu et irresponsable, à suivre votre jeu de piste. Comment vous étonner que les Nephilim nous retrouvent à chaque fois ?

Zak serra ses mains humides sur le volant. Les mamelons des jolis seins de Cécile pointaient sous son nez. Il réfréna une réaction de colère et se contenta d'un sourire en s'adressant à Arsène.

— Je vous comprends maintenant, professeur, votre élève est plutôt jolie quand elle est en colère…

— Ce n'est pas un jeu, Zak, répliqua sèchement le professeur Parella. On ne peut pas toujours fuir ainsi. Il nous faut un but…

— Je l'ai, ce but…

Cécile avança sa tête entre les deux hommes.

— Pas besoin de nous faire un dessin, Zak, on a compris. Vous rêvez de nous emmener dans vos bagages jusqu'au Nakhitchevan, au pied de l'Ararat. Vivre et couvert assurés à Ishak Pacha, le palais de ce mystérieux homme d'affaires milliardaire, Parastou Khan. (Elle grimaça de dépit.) Autant le dire, gros malin, vous foncez encore une fois dans la gueule du loup… Tous ces Nephilim à nos trousses m'ont l'air russes, turcs, ou dans le genre…

Le professeur Parella allait répliquer lorsque Zak désigna du doigt un point sur le GPS.

— Écouen ! On passe à moins de dix kilomètres.

— Et alors ? s'étonna Parella.

— La petite ville d'Écouen abrite dans son château le Musée national de la Renaissance, l'équivalent de celui de l'hôtel de Cluny. On pourrait…

— NON ! hurlèrent de concert Cécile et Arsène.

Zak insista.

— Laissez-moi au moins finir. On y trouve un extraordinaire triptyque du Déluge de Masséot Abaquesne, le grand maître faïencier rouennais…

— Hors de question ! répliqua Cécile en plaquant en arrière ses cheveux trempés.

La Twingo filait à présent à vive allure. Zak observait sur le GPS se rapprocher la sortie en direction d'Écouen. Il ne renonça pas :

— Sur le premier volet de cette incroyable céramique, baptisé « L'embarquement », on repère explicitement des licornes frivoles jouer parmi les hommes. Dans les deux autres volets, mystère, elles ont disparu de la surface de la terre… Avec le tableau de Theodoros Poulakis exposé à l'Institut hellénique de Venise, c'est le seul de toute la Renaissance qui associe les licornes à l'arche de Noé…

— Ras le bol de vos licornes ! s'écria Cécile, la poitrine gonflée de colère. Vous ne vous rendez pas compte que les Nephilim doivent déjà nous attendre sur le parking de ce musée ! Parce que vous êtes prévisible. C'est tout le problème. Nous sommes prévisibles !

Elle marqua une pause et reprit son calme.

— Après tout, continua Cécile, Beauvais est sans doute la meilleure idée pour les semer. À condition de choisir notre destination au hasard. Stockholm. Rome. Séville. Cologne ?

— Palerme, fit Zak. Ce sera Palerme ! La mosaïque de la cathédrale de Monreale. Ce sera l'ultime étape.

— Avant quoi ?

— Avant le Nakhitchevan…

— Sans moi, fit Cécile. Sans nous.

Un long silence s'installa dans l'habitacle, seulement rompu par les gouttes, qui, à intervalles réguliers, tombaient du volant. Zak s'engagea sur l'autoroute A16. Ils passèrent Beaumont-sur-Oise.

Cécile fut la première à reprendre la parole.

— Alors ainsi, vous êtes un scientifique ?

Arsène se dévissa la tête, stupéfait. Zak ne répondit pas, il se contenta d'essuyer ses mains trempées sur son pantalon.

— Un savant déchu, insista Cécile. Un chercheur brillant mais incompris. La risée de tous avec ses licornes et son arche de Noé…

Zak parla sans tourner la tête, fixant le camion devant lui.

— Jean-Bernard vous a tout dit, alors… Vous comprenez, maintenant.

— Non, fit doucement Cécile. Pas encore. Il y a autre chose, autre chose que j'ignore sur vous… Je n'arrive pas exactement à déceler quoi.

Un frisson parcourut la chercheuse.

— Zak, pendant qu'on est dans les confidences, que signifie CIARCEL ?

— C'est à votre tour d'être trop curieuse, Cécile. Je suis certaine qu'en cherchant un peu vous pouvez trouver. Il suffit de penser à l'arche de Noé…

Ils parcoururent une dizaine de kilomètres. Cécile grelottait à présent. Elle brisa à nouveau le silence.

— Zak, une faveur, une seule… Pourrons-nous nous arrêter à Beauvais pour acheter des vêtements secs ?

Ils garèrent la Twingo à proximité de l'aéroport de Beauvais, dans un parking immense qui ressemblait à un champ clôturé à la hâte à l'occasion d'une rave party en rase campagne. Cécile avait troqué ses habits trempés pour un jean moulant et un tee-shirt Calvin Klein couleur cerise. Zak avait opté pour un pantalon de toile et une chemise ample. Arsène restait fidèle à un sobre costume gris qu'il avait déniché dans une boutique Marks & Spencer. Ils traversèrent un talus mal entretenu en direction du hall de départ. Arsène, épuisé, traînait quelques mètres derrière.

— C'est complètement débile, fit Cécile. Vous ne passerez pas la douane. Toutes les polices vous recherchent.

— Oh, fit Zak en haussant les épaules. Ils ne disposent que d'une photo floue tirée d'une caméra de surveillance. Qui pourrait faire le rapprochement entre elle et un honnête citoyen italien ?

— Italien ? répéta Cécile, surprise.

— Zaccaria Coppia, prononça Zak avec un fort accent romain. Je dois vous avouer que, pour des raisons compliquées à vous expliquer, j'ai dû voyager quelque temps en Italie sous une fausse identité…

Cécile grimaça.

— Je pourrais vous dénoncer aux douaniers. Crac, pris au piège.

— Vous ne le ferez pas.

— Pourquoi donc ? Vous attirez les tueurs. Je tiens à ma peau !

— Vous êtes une scientifique, Cécile, tout comme moi, vous êtes prise à l'hameçon. Vous avez mis plus de temps que votre professeur, mais, désormais, vous n'avez qu'une envie : connaître la suite de l'histoire.

Les mosaïques de Monreale, la fabuleuse collection de Parastou Khan… Et surtout…

— Surtout ? répéta Cécile avec malice.

Ils pénétraient dans le hall de l'aéroport.

— Et surtout voir l'Ararat ! Ne serait-ce que pour me prouver, en chercheuse obtuse que vous demeurez, que les licornes n'existent pas, pas plus qu'il n'y a d'arche de Noé sous les glaces.

Cécile posa le regard sur le jeune homme. Elle le trouva élégant dans ses habits neufs. Sûr de lui. Incontestablement différent de n'importe quel universitaire qu'elle aurait pu rencontrer.

— Je vous trouve bien prétentieux, monsieur Zaccaria Coppia…

— Pourquoi ? Il y aurait un autre motif pour lequel vous n'oserez pas me dénoncer à la police ? Un motif moins avouable ?

Zak baissa les yeux vers Cécile et testa un regard plissé censé la séduire.

— Parfaitement avouable au contraire. La pitié ! Vous êtes pathétique, Zak Ikabi.

52

Palais d'Ishak Pacha, Nakhitchevan

De nombreuses femmes s'occupèrent d'Idil. Certaines l'emmenèrent au sérail et lui firent prendre un bain, d'autres l'enduisirent d'huile et de parfum aux senteurs de magnolia, la coiffèrent longuement avec des peignes de corne. Son frère lui avait parlé du sérail de Topkapi, à Istanbul, mais Idil ne l'avait jamais visité. Elle peinait à imaginer qu'il soit plus luxueux que celui d'Ishak Pacha, rutilant de faïences multicolores, de miroirs et de tissus de soie.

Plus les heures passaient, plus Idil parvenait à se persuader que ce qu'elle avait vécu n'était qu'un mauvais rêve.

Se taire. Oublier. *Survivre.*

Le message de Cortés avait été clair.

Elle était la favorite. Elle devait se donner à cet être mystérieux qui l'avait choisie. Cortés avait raison. Elle était désormais l'unique. Entre les mains expertes des femmes au sérail, elle avait assez facilement repoussé cette petite voix qui lui susurrait qu'en griffant cette fille au visage d'ange c'est elle, en réalité, qui lui avait tiré une balle dans la tête. Idil préférait penser au destin de Roxelane, cette fille d'esclave slave orthodoxe, devenue favorite de Soliman le Magnifique.

Lorsque Idil quitta le sérail vers les chambres, elle ne put cependant s'empêcher de penser à la petite Aman.

Où la fillette qu'elle avait croisée dans le bus avait-elle été emmenée ? Ces tueurs l'avaient-ils exécutée, comme les autres femmes ? L'avaient-ils torturée pour qu'elle avoue un mystérieux secret ?

Ou jouait-elle sagement avec sa licorne, dans l'une de ces pièces, avec des dizaines de nounous à ses ordres ?

Ces questions aussi, elle devait les oublier. Pour l'instant.

Idil enfila la robe qu'on lui avait préparée, une somptueuse takchita de taffetas rouge liserée d'or, serrée à la taille par une large ceinture sertie de joyaux et échancrée sur sa gorge d'un fin brouillard de dentelle. Jamais, même dans ses rêves de princesse les plus romantiques, elle n'avait espéré glisser son corps dans un telle œuvre d'art.

Ultime détail, Idil glissa autour de son cou le collier de cuivre orné d'une croix, celui que la petite Aman lui avait confié. Comme si ce seul talisman suffisait à exorciser ses scrupules.

Au fond, pensa-t-elle une nouvelle fois, elle était la reine, l'unique ; peut-être que sa première belle action de favorite impériale, après avoir épuisé Cortés de plaisir, serait de retrouver cette petite fille parmi les trois cent soixante-six pièces du palais, de plaider sa cause, de lui rendre le sourire.

De la sauver.

Elle attendit. Zeytin vint la chercher une heure plus tard. Lorsqu'elle se leva, pour la première fois, il laissa son regard traîner sur elle. Dans l'instant, Idil se sentit invulnérable.

— Vous allez lui plaire, fit sobrement l'homme à la cicatrice.

— Je lui ai déjà plu, répliqua sèchement Idil.

Elle avait compris que ce type n'était qu'un sous-fifre.

Zeytin la fit entrer dans la chambre. La pièce était presque entièrement occupée par un lit profond surmonté d'un baldaquin dont les colonnettes étaient fixées à d'imposantes boules de cuivre.

— Idil, fit Zeytin, vous devrez respecter un commandement, un seul : ne jamais regarder le visage de Cortés. Alors, vous resterez sa favorite. La Malinche[1]… Il vous couvrira d'or…

Il toucha les édredons du lit.

— Attendez Cortés ici. Lorsqu'il s'approchera, il ouvrira le judas de la porte pour vous observer. C'est le signal. Ce sera à vous de jouer, de le séduire, de lui faire comprendre que vous l'attendez, dans une position où il pourra vous aimer sans que vous puissiez le voir. Alors il entrera et vous prendra.

Idil hocha la tête. Elle attendit de longues minutes. Même si elle essayait de ne pas trop s'interroger sur les motifs de l'étrange rituel imposé par Cortés, les hypothèses finissaient par se mélanger dans sa tête.

1. Maîtresse indienne légendaire d'Hernán Cortés.

Infirmité physique ? Vieillard dégoûté par sa propre image ? Fantasme d'un pervers ? Célébrité souhaitant conserver l'anonymat ? Pourquoi pas, après tout, s'amusa Idil. Baisée dans un palais par une vedette de la télévision !

Idil observa les peintures aux murs, principalement des fresques orientalistes représentant des visions occidentales et fantasmées des harems : des femmes nues, lascives et grasses, passant leurs journées entre le sérail et le hammam comme de gros chats paresseux.

Était-ce cela, la vie des courtisanes ? Elle chassa une nouvelle fois l'image des cadavres de filles qui revenaient la hanter sitôt qu'elle fermait les yeux. Cortés était un mafieux, un tueur sans scrupules. Et alors ? Elle avait vu au cinéma ce film, *Casino*. Robert De Niro lui aussi était un assassin et pourtant Sharon Stone, sa maîtresse favorite, le menait par le bout du nez… C'était une histoire vraie, elle se passait à Las Vegas et…

Un chuintement.

La fente glissa, le judas s'ouvrit.

Immédiatement, Idil se retourna. Elle avait répété longuement la scène dans sa tête. Elle prit son temps, lascive.

Elle était l'unique désormais. Plus de concurrence ! Cortés allait comprendre sa souffrance. Idil s'enroula de longues minutes autour des barres de cuivre du lit à baldaquin ; son regard en amande, maquillé au henné, passa sans jamais s'arrêter sur le judas.

Au-dessus, au-dessous.

Profite, Cortés, profite de mes yeux verts…

Idil avait déjà fait l'amour, souvent, presque toujours en sortant de boîte de nuit. Elle pouvait y choisir le garçon qu'elle voulait et partir avec lui, comme dans un supermarché où elle se serait servie gratuitement. Mais aujourd'hui, elle s'étonnait de sa sensualité torride. Était-ce d'avoir frôlé la mort ? Cortés était-il à ce point malin ?

La takchita glissa, centimètre par centimètre. Idil l'accompagnait en ondulant du bassin. Lorsque la robe tomba, Idil demeura nue une fraction de seconde avant de saisir le drap de soie blanc et de s'enrouler dedans. La lumière tamisée accentuait le grain de sa peau mate.

Seulement vêtue du linge de soie, Idil se lova à nouveau contre la barre de cuivre. Le contact du métal froid la fit frissonner. Idil se frotta au tube glacé, sentant déjà le plaisir monter en elle. Le drap glissait, remontait, dans un jeu savant de cache-cache.

Soudain, elle fit tomber le drap et se jeta sur le lit, lançant les bras loin devant elle comme si elle nageait dans les épais édredons. Idil écarta les jambes, couchée sur le ventre.

Elle attendit. Son cœur battait à en déformer sa poitrine.

La porte s'ouvrit.

Idil colla son visage sur le coussin et l'enfonça dans les plumes.

Ne prendre aucun risque.

Elle entendit derrière elle le bruit d'une ceinture qui tombe, le frottement d'un tissu. Quelques pas, un infime courant d'air.

Le sexe la pénétra. Soudain. Violent.

Idil se retint, mordit l'oreiller. Cortés, sans retenue, allait et venait en elle. Deux mains musclées se posèrent sur ses hanches. Cortés était une bête furieuse, elle n'avait jamais connu cela. Idil cambra le dos, leva la tête de l'édredon, à bout de souffle, fixant le mur devant elle.

Ne surtout pas se retourner !

Idil suffoquait de douleur et du plaisir qui la submergeait. Impuissante. Vivante, tellement vivante. Des ombres dansaient sur la boule de cuivre, ceux de deux corps à l'unisson.

Qui était cet homme ? Idil ne devait pas se poser la question, jamais.

Ses yeux se posèrent sur la boule de cuivre du baldaquin. Elle voyait dans la sphère de métal son visage déformé, devinant le corps de l'homme sur elle, haletant. Elle était belle.

L'unique...

Le plaisir brouillait ses pensées.

Elle se contempla encore, puis leva la tête. Elle devait détourner les yeux de cette boule de cuivre, ce miroir posé comme un piège à la hauteur de ses yeux !

À tout prix !

Non, Idil.

Mon Dieu...

L'espace d'une fraction de seconde, dans le reflet du cuivre, Idil aperçut le visage de Cortés. Elle comprit instantanément le sens de ces précautions diaboliques, elle sut dans l'instant pourquoi elle ne devait pas dévisager son amant, quel lourd secret il dissimulait.

Idil reposa les yeux sur l'édredon.

Cortés, tout à son plaisir, n'avait rien remarqué. Idil força un peu sa respiration, haleta, poussa des râles dont elle calcula le crescendo. Cortés accélérait encore en elle. Il était le meilleur amant qu'elle ait jamais connu. Elle sentait le plaisir monter inexorablement à présent. Les mains de Cortés caressaient son dos, se glissaient sous ses seins. Remontèrent plus haut encore, se crispèrent sur ses épaules.

Idil cria.

Quelque chose basculait. Une sorte d'alerte s'alluma en Idil, une alarme que son cerveau, tout au plaisir, refusa d'écouter.

Soudain, les deux mains de Cortés se refermèrent sur le collier pendu à son cou. Le collier de la petite Aman.

Cortés était plus fort qu'elle. Presque tout son corps pesait sur son dos. L'homme continuait d'aller et venir en elle pendant que ses mains nouaient sur sa gorge le cordon de cuir. Idil suffoquait, son cerveau, seconde après seconde, n'était plus irrigué. Son esprit s'envolait, elle perdait conscience.

Elle regarda une dernière fois son destin dans la boule de cuivre.

L'homme crispa les doigts, lui serrant la trachée avec le cordon mortel jusqu'à la traverser ; et, brusquement, juste au moment où il sentit que la vie venait de quitter Idil, il arracha le collier.

Nord de la Mésopotamie, 4371 av. J.-C., automne

— *Déshabille-toi, Gana, je t'en prie.*

Bilik insistait. Le jeune homme regarda longtemps sa sœur. Il la trouva belle. Elle portait la robe blanche de laine fine, transparente comme une toile d'araignée gouttelée de rosée. Personne n'en avait jamais revêtu de plus légère, le tissu caressait sa peau avec la douceur d'une fleur d'abricot, rien à voir avec les peaux lourdes que sa sœur portait depuis qu'elle était née.

Les dieux devaient apprécier.

— *Retire ta robe, Gana.*

La jeune fille hésitait. Inquiète, elle observa le site, la cascade, le torrent, les pierres humides, les lianes nouées entre les arbres.

— *Les dieux me regardent ?*

— *Oui, Gana, ils te regardent. Ils voient tout, je te l'assure.*

— *Pourquoi désirent-ils me voir nue ?*

— C'est une épreuve, Gana. Ils t'observeront et décideront si tu leur plais...

Elle minauda.

— Et si je leur plais ?

— Alors, si les dieux le veulent, peut-être leur plairai-je, moi aussi. Peut-être notre famille leur plaira-t-elle. C'est notre chance. C'est important, Gana, de plaire aux dieux.

Gana ne bougeait pas, craintive. Son frère l'avait emmenée loin du village, ils avaient remonté la rivière dès le lever du soleil ; depuis des lunes, elle ne s'était pas autant éloignée de sa tribu.

— Je ne sais pas... Avo dit qu'il faut se méfier des dieux.

— Grand-père est trop vieux, il ne comprend rien, il est jaloux des dieux...

Bilik se tut un instant. Devant eux, un rayon de soleil traversait la cascade. Un minuscule arc-en-ciel dansait devant l'eau qui tombait, scintillante, comme une pluie d'or.

— Gana, regarde les couleurs danser dans l'eau... Observe les étoiles de la cascade. Ce sont celles du ciel, Gana. Les mêmes que celles qui recouvraient le sol de la montagne. Les étoiles froides, tu te souviens ? Déshabille-toi, Gana, les yeux de notre père brillent parmi ces étoiles. Il te verra, Gana. Il sera fier. Lui aussi est un dieu maintenant...

Bilik souriait étrangement. Gana avait du mal à suivre. La vie était tellement plus simple dans la montagne. Son regard se perdit dans l'arc-en-ciel ondulant devant le torrent qui se brisait en mille éclairs.

Gana mit un long moment à prendre sa décision. Qui était-elle pour refuser de se montrer aux dieux ? Qui était-elle pour refuser de se montrer à son père ?

La robe de laine fine tomba. Elle ne portait plus sur sa peau que le collier que son frère lui avait offert.

Le collier des dieux, lui avait-il affirmé.

Un simple rond de métal sur lequel étaient gravés deux traits. Croisés. Comme ceux que son père formait avec deux branches, ou traçait sur les pierres, pour ne pas se perdre dans la montagne.

Le signe des dieux, lui avait-il murmuré. Elle ne devait jamais le perdre.

Gana resta longtemps sous l'eau de la cascade. Elle aimait cela, elle caressa longtemps ses longs cheveux qui tombaient jusqu'à ses reins, la toison drue de son pubis, elle adorait sentir ses cheveux et ses poils lisses, brillants, comme des pétales de fleur après une averse.

— Viens, dit simplement Bilik. Ne te rhabille pas et suis-moi.

Bilik prit sa sœur par la main et l'emmena jusqu'à une cabane dissimulée dans la forêt en contrebas de la cascade, quelques branches et un toit de fougères.

— Les dieux ont préparé des cadeaux pour toi, Gana.

Gana observa, surprise, la cruche d'argile posée sur le sol tapissé de peaux.

— C'est la boisson des dieux, précisa son frère. Après avoir apprivoisé les plantes, les dieux ont percé leur mystère. Elle donne la force et la chaleur. Bois, Gana, bois...

Gana avait entendu parler de cette boisson. Elle avait vu des hommes cueillir ces fruits rouges qui poussaient en grappes épaisses, presser leur jus, l'enfermer dans des écorces de bois liées entre elles. Gana n'était pas loin de penser qu'il s'agissait d'une boisson réservée aux dieux, que les hommes ne devaient boire sous aucun prétexte. C'est également ce que prétendait Avo. Son grand-père racontait que ce breuvage était une ruse des dieux pour réduire les hommes en esclavage.

Bilik approchait déjà la cruche.

— Bois, Gana, fais-moi confiance, bois. Les dieux te regardent. Si tu leur plais, ils t'aimeront.

Lorsque Gana se réveilla, elle ne se souvenait plus de rien. Elle était nue, allongée sur les peaux dans la cabane vide.

Combien de temps pouvait s'être écoulé depuis qu'elle avait trempé ses lèvres dans la boisson des dieux ?

Sa tête semblait sur le point d'exploser, comme si un orage s'était déclenché sous son crâne et tonnait encore, depuis des heures. Des traces sombres et collantes souillaient son cou et sa poitrine ; elle avait vomi sur elle.

Elle se recroquevilla, muette d'effroi.

Ni son mal de tête ni ses souillures ne l'inquiétaient vraiment. Sa peur effroyable n'avait rien à voir. Elle était autre, monstrueuse. Terrifiante.

Du sang coulait entre ses cuisses.

Du sang coulait sans que Gana porte la marque d'aucune blessure.

Première course, Arménie, Vatican : l'arche de Noé
Deuxième course, Kaliningrad, Bordeaux, Toulouse, Melbourne : le théorème de Cortés
Troisième course, Ambert, Hong Kong : le Déluge
Quatrième course, Chartres, Igdir, Paris : les licornes
Cinquième course, Paris, Nakhitchevan : le bond en avant de l'humanité
Sixième course, Monreale, Nakhitchevan : le Livre d'Enoch
Septième course, Ishak Pacha : les Nephilim
Huitième course, Ishak Pacha, Bazargan, Dogubayazit : le protocole AHORA
Neuvième course, Grand Ararat : l'anomalie d'Ararat

SIXIÈME COURSE

LE LIVRE D'ENOCH

53

Cathédrale de Monreale, Palerme, Sicile

Une pluie d'or venait de tomber sur l'immense église, recouvrant les murs et les plafonds comme une neige collante. C'est l'image qui vint à Cécile lorsqu'elle pénétra dans la cathédrale de Monreale. Une couche de flocons dorés.

Cécile avait retenu l'essentiel des informations livrées par Zak dans la voiture de location, entre l'aéroport de Palerme et la colline dominant la capitale sicilienne : l'intérieur de la cathédrale de Monreale était recouvert d'une mosaïque de dix mille mètres carrés ! C'était non seulement l'une des plus vastes surfaces de mosaïque au monde, mais également l'une des plus riches : à l'instar de la chapelle Sixtine pour la peinture ou de la cathédrale de Chartres pour les vitraux, les scènes illustrées sur les murs de la cathédrale de Monreale pouvaient être considérées comme le chef-d'œuvre de l'art figuratif… Autrement dit, avait précisé Zak, d'une illustration imagée de la Bible destinée à instruire, séduire et conduire le peuple.

Cécile se tordait le cou.

Séduire le peuple, certes… À condition qu'il soit allongé sur le sol de la cathédrale ! Si les mosaïques recouvraient sans oublier un seul centimètre carré les murs, les colonnes, les voûtes, le cycle de l'Ancien Testament commençait dans la nef centrale, au niveau de l'incroyable plafond de l'église où les poutres bleu et or s'enchevêtraient.

C'est ainsi que survivent les mythes millénaires, pensa Cécile. À travers des images édifiantes qui passent les siècles. Cette bande dessinée gigantesque commandée il y a neuf cents ans par le roi normand de Sicile Guillaume II.

Cécile se hissa sur la pointe des pieds. L'histoire de Noé tenait la place la plus importante dans cette prodigieuse épopée : elle était racontée par cinq mosaïques, de l'embarquement à l'arc-en-ciel…

— Observez la troisième mosaïque, dit Zak. Celle du débarquement…

Arsène et Cécile reculèrent pour se donner davantage d'angle.

— L'animal qui descend de l'arche, continua Zak. À votre avis, quelle espèce ? Cheval ? Chèvre ? Licorne ?

— Pas un cheval en tout cas, fit Arsène.

— Chèvre ou licorne, alors, continua Zak. Depuis des siècles, le doute subsiste…

— Ou les deux à la fois, proposa Cécile en se frottant le cou.

La chercheuse avança vers l'abside médiane, attirée par la monumentale figure du Christ pantocrator dont la mosaïque recouvrait l'ensemble de la courbe intérieure du dôme. Elle était troublée. À l'évidence, Zak leur avait fait traverser l'Europe dans l'unique but de disserter d'un détail de mosaïque situé à cinquante mètres au-dessus de leurs yeux.

Chèvre ou licorne ?

Un caprice de gamin. Une lubie de doux dingue.

Pourtant…

Elle se laissa enivrer par la féerique atmosphère, à la fois naïve et luxuriante, de l'église.

Pourtant… Elle devait se l'avouer… Elle ne regrettait pas une seconde de l'avoir suivi. Malgré la peur. Malgré les tueurs lancés à leur recherche. La foule de touristes autour d'elle la rassurait. Un peu. Les Nephilim étaient capables de faire feu en public, elle le savait désormais. Quelle chance y avait-il pour que ces assassins les aient suivis jusqu'en Sicile ? Pour qu'ils aient une nouvelle fois anticipé leur quête comme s'ils lisaient dans les pensées de Zak ?

Le père Paolo Angelo recula vers la porte de la cathédrale, sur le flanc gauche de l'église. Il avait reconnu l'homme au pantalon de toile et à la chemise beige.

Tout d'abord, il avait douté, mais lorsque l'homme s'était tordu le cou pour observer les fresques de l'arche de Noé, elles seules, il avait compris qu'il ne se trompait pas. *Zak Ikabi.* Le fugitif recherché par toutes les polices de France, mais surtout, au-delà des frontières, par tous les yeux du Parlement mondial des religions.

Les veilleurs…

Le père Paolo Angelo était depuis toujours l'un d'eux. Prêtre à la cathédrale de Monreale depuis près de quarante ans, il avait toujours été convaincu que

Palerme aurait mérité bien plus que Melbourne d'accueillir le siège du Parlement mondial des religions. Il le pensait non pas par nationalisme sicilien, mais parce que c'est ici, sous le règne des rois normands, que pour la première fois au monde les trois grandes religions monothéistes avaient cohabité : juifs, musulmans, chrétiens, tous unis quelques siècles dans la même cour de Palerme, bâtissant de fabuleux monuments arabo-byzantins, mêlant le meilleur de chaque art, partageant les mêmes découvertes scientifiques entre savants de toutes confessions…

C'était cela, le dôme de Monreale. C'est pour cette raison que le père Paolo Angelo tenait tant à son rôle de veilleur du Parlement mondial des religions. Un veilleur vigilant qui avait mémorisé la photographie de l'homme diffusée par tous les canaux cléricaux. Cet homme qui vraisemblablement voyageait en compagnie de deux scientifiques français, Arsène Parella et Cécile Serval.

Le curé poussa la porte de bronze et observa la petite place devant la cathédrale. Il s'épongea le front.

L'affaire se compliquait.

Les trois Mercedes garées sous les palmiers venaient d'être rejointes par deux autres. Le père Paolo Angelo n'avait jamais vu les types qui sortaient des premiers véhicules : ils avaient le type slave, à l'exception de leur chef, un gamin blond à qui on aurait confié sans confession une aube d'enfant de chœur… et qui pourtant donnait des ordres à tous les autres.

Le prêtre s'appuya à la porte de bronze, les jambes tremblantes. Le père Paolo Angelo connaissait bien en revanche les occupants des quatrième et cinquième Mercedes : la jeune génération des Rutelli, secondée par quelques membres des Maletra, les deux familles qui régnaient sur les quartiers sud de Palerme.

La mafia, dans sa toute-puissance.

54

Cathédrale de Monreale, Palerme, Sicile

Le père Paolo Angelo s'épongea le front, hésitant sur l'attitude à suivre. Les hommes s'agglutinaient autour des cinq Mercedes comme des abeilles. Des frelons plutôt, pensa Paolo Angelo, un essaim mortel. Ces types n'étaient pas là par hasard… Sans doute, les tueurs aux trousses de Zak Ikabi et de ses deux compagnons de fuite avaient-ils fait appel à la mafia locale pour les seconder, et ils n'avaient pas lésiné sur les moyens : vingt hommes, au bas mot. Quelle valeur pouvait bien avoir ce Zak Ikabi, pour être traqué non seulement par Interpol, par le Parlement mondial des religions, mais également pour que des truands soient prêts à intervenir en plein jour, dans un lieu sacré ?

Le père Paolo Angelo passa encore son mouchoir trempé sur son crâne. Il avait déjà envoyé un SMS au Parlement, directement à Viorel Hunor, le président. Mais s'il se trouvait en Australie… Fébrilement, ses gros doigts pianotèrent un nouveau message, le même. Un pressant appel au secours. À cette heure, la cathédrale de Monreale était bondée de touristes. Si le père Paolo Angelo ne connaissait pas les truands slaves, il connaissait les siens : s'ils étaient suffisamment payés pour cela, ils n'hésiteraient pas à tirer dans la foule.

Que faire ?

Attendre ?

Attendre quoi ? Les tueurs s'éloignaient maintenant de leurs voitures et se déployaient en arc de cercle autour de l'église. Monreale était un véritable cul-de-sac.

Le filet se resserrait.

Lui seul pouvait encore empêcher le massacre.

Vite, pensa Paolo Angelo. Il remua aussi rapidement qu'il put ses cent vingt kilos et traversa la nef. Ikabi se tenait toujours devant les fresques de l'arche, flanqué de Parella et de Serval.

Une cible idéale.

Le père Paolo Angelo bouscula sans ménagement un touriste qui, comme tous les autres, levait les yeux au plafond. Il posa ses doigts boudinés sur l'épaule d'Ikabi. Sa tirade fut la plus directe possible. Il ne pouvait pas se permettre de perdre une seconde.

— Venez, suivez-moi, tous les trois…

Devant le regard stupéfait des Français, le curé continua sur le même ton d'urgence :

— Par la porte de droite, vite. Elle donne directement sur le cloître. Ils ne vous chercheront peut-être pas là…

Contre toute attente, les trois fuyards ne posèrent aucune question. Ils suivirent le prêtre qui remontait à nouveau vers l'abside, renversant sur son passage toutes les chaises de bois posées sur les dalles de marbre. Il passa sous les colonnes corinthiennes en sortant une grosse clé de fer.

— Le cloître est encore fermé à cette heure, dit-il d'une voix haletante. Nous avons une chance…

Il s'arrêta net devant l'imposante porte de bronze, précédant d'un mètre Zak, Cécile et Arsène. D'un geste sûr malgré la panique qui agitait tout son corps, il enfonça la clé. Elle tourna en un cliquetis de lourde machinerie métallique.

— Vite, articula encore le prêtre. C'est le seul accès au cloître. Je fermerai derrière vous. Encore un mètre et vous êtes sauvés…

Les trois fugitifs hésitèrent.

À peine une seconde.

— Après vous, messieurs, grinça une voix dans leur dos.

Le père Paolo Angelo se figea. Livide. Ludo Rutelli et Gino Maletra, deux truands de la pire espèce, se collaient à eux comme de vulgaires touristes appréciant la promiscuité. Eux seuls pouvaient distinguer les armes pointées à hauteur de ventre. Deux tueurs slaves se rapprochaient, coupant toute retraite en direction de la nef : le gamin blond au sourire de Christ et un moustachu.

— Excellente idée, mon père, fit Rutelli. Entrons tous dans le cloître. Nous y serons beaucoup plus tranquilles…

Le dernier tueur referma derrière lui la porte de bronze et la verrouilla. Les mercenaires n'avaient rien laissé au hasard : à l'exception de deux hommes restés dans l'église pour faire le guet, les dix-huit autres étaient entrés dans le cloître. Dix-huit tueurs armés, entraînés, déterminés, contre quatre proies, dans une cour carrée sans aucune issue.

La partie était pour le moins inégale.

Le tueur blond s'approcha de Zak, Cécile, Arsène et du père Paolo Angelo. Un démon au visage poupin. Il observa les alentours d'un long regard circulaire.

— Joli endroit pour mourir, non ? dit-il en anglais.

Le soleil du matin inondait de lumière la cour intérieure. Le cloître de Monreale était une cour fermée d'une cinquantaine de mètres carrés dont le déambulatoire, miraculeusement conservé, était soutenu par plusieurs centaines de colonnettes toutes décorées de motifs byzantins, arabes et normands.

— Je n'étais pas revenu depuis ma communion, ricana Gino Maletra dans un anglais hésitant. Mais vous avez de la chance, s'il y a bien un endroit où j'aimerais quitter cette terre, c'est ici.

Le cloître avait été conçu comme un îlot de fraîcheur. Maletra désigna les plantes méditerranéennes au centre du jardin et la grande fontaine dans un angle.

— La fontaine de jouvence, fit-il en s'adressant au tueur blond. On raconte qu'elle donne la jeunesse éternelle. (Il gloussa de nouveau.) On pourrait les noyer dedans, histoire de vérifier.

— Finissons-en, coupa Morad.

Il examina ses trois prisonniers. Le père Paolo Angelo se tenait en retrait, accroché à la croix sur sa poitrine comme à une bouée pendant le Déluge. La voix de Morad s'éleva dans le ciel avec le timbre cristallin d'un soliste prépubère.

— Mademoiselle Serval, monsieur Ikabi, monsieur Parella… Enfin, nous nous rencontrons… Les premiers ordres étaient de vous capturer vivants, de vous torturer pour récupérer certaines pièces importantes, le rapport RS2A-2014, des fragments de l'arche de Noé. Mais hélas, les ordres ont changé. Nous n'avons plus le temps. Nous avons trop traîné. Mon patron grogne, vous comprenez. On doit simplement vous abattre.

Il avança et attrapa le sac que Zak serrait dans ses mains. Il fouilla à l'aveugle et poursuivit :

— Vous êtes tellement prévisibles. Peut-être conservez-vous sur vous tout ce que nous cherchons.

Zak ne cilla pas. Morad releva la tête et cria.

— En joue !

Neuf revolvers et huit fusils à canons sciés se pointèrent sur eux.

C'était terminé !

— Désolé, murmura Zak.

Sa main droite chercha celle de Cécile. La chercheuse l'accepta, incapable de la moindre autre pensée cohérente. Tout allait donc s'achever ici, bêtement. La dernière image qu'elle vit la surprit. Zak tenait également la main d'Arsène Parella.

Devant eux, Morad collait son téléphone à son oreille.

— Une seconde encore, messieurs, je téléphone à quelqu'un qui va adorer le bruit de la fusillade.

55

Nationale Igdir-Dogubayazit, Turquie

Derrière le barbelé, le mouton noir dévisageait avec curiosité le lieutenant de police Mahir Bey. Le policier baissa les yeux le premier et inclina son stetson sur son front. Le jeu aurait pu durer des heures, ce mouton stupide n'avait rien d'autre à faire de sa journée et la compagnie était plutôt rare au beau milieu du désert.

C'est d'ailleurs ce que le lieutenant recherchait. Un rendez-vous discret. Il n'avait qu'une confiance limitée en ce chef de meute azéri qui se faisait appeler Cortés et qui refusait de montrer son visage en public… Même si ce type disposait d'un important réseau d'amis au Kurdistan, d'un robinet à livres turques inépuisable et d'une faculté à passer les frontières de pays ennemis comme d'autres traversent la rue. Cortés voulait le voir, lui avait-on laissé entendre. Cela tombait bien, lui aussi.

C'est Mahir Bey qui avait fixé le lieu de rendez-vous, à mi-chemin de la route Igdir-Dogubayazit, cette interminable ligne droite goudronnée qui semblait avoir été déroulée au milieu de la plaine par un géant. Des moutons maigres broutaient l'herbe jaune. Quelques ânes cherchaient l'ombre des poteaux électriques faméliques. Les paysages semblaient délavés, ternes, comme fanés d'avoir été si longtemps oubliés par les hommes.

Pas même une cabane de berger à des kilomètres à la ronde.

Pas de témoins.

Ils n'auraient pas été plus tranquilles sur la Lune.

Au Kurdistan, les policiers se déplaçaient en véhicules blindés. Deux Condors, comme on les appelait ici, patientaient à une cinquantaine de mètres du lieutenant. Mahir Bey tira sur sa cigarette en contemplant l'Ararat. Bien entendu, ce Cortés était en retard. Faire mariner le chef de la police du Kurdistan devait faire partie du jeu. Pourtant, et c'était un euphémisme, Mahir Bey n'avait pas que cela à foutre.

Il avait pour mission de faire régner l'ordre. Il pouvait compter pour cela sur quatre-vingt-six hommes et une quinzaine de Condors, plus deux carbonisés qui décoraient le parking du commissariat de Van. Faire régner l'ordre, pour un type pragmatique comme Mahir Bey, cela signifiait faire face à des consignes contradictoires.

Officiellement, la politique était à la négociation avec les représentants kurdes. Pas de provocations. La Turquie devait montrer patte blanche à l'Union européenne. Les Kurdes parqués dans des taudis en ville étaient invités à retourner crever dans leurs villages natals. Faire le moins de vagues possible. Difficile, au pays du Déluge… Officieusement, on attendait aussi de lui qu'il mène une politique de fermeté, pour éviter que des nids de terroristes ne refleurissent sur les flancs de l'Ararat, par exemple en pourrissant la vie des Kurdes par des barrages et des fouilles incessantes. Éviter aussi que les frontières ne soient ouvertes aux trafics en tout genre, que la corruption ne gangrène le tout. Rien que ça !

Il tira sur sa cigarette. Un nuage de poussière apparaissait à l'horizon, là où la route semblait s'enfoncer dans la terre, vers l'Iran.

En prime, le contexte, cette semaine, était particulièrement tendu : dans quelques jours se tenaient les élections municipales, au Kurdistan comme dans le reste du pays. Un vote libre et pacifié ! Depuis près d'un siècle déjà, les élections étaient la principale vitrine démocratique de la république de Turquie. Un sacré bordel en perspective et une putain de pression sur ses épaules.

Le nuage approchait. Cortés, sans doute.

Mahir Bey jeta sa cigarette d'une pichenette avant d'écraser le mégot avec la semelle de sa botte. Il aima le geste, l'ambiance, les grands espaces. Il avait dû trop regarder de westerns quand il était gamin. Tous les collègues se foutaient de sa gueule avec son stetson vissé sur sa tête.

Le lieutenant aimait les responsabilités.

Il sentait en revanche qu'il n'allait pas aimer le type devant lui.

La BMW s'arrêta au milieu de la route, sans même se garer. Cortés sortit et marcha vers le lieutenant : un large turban noir dissimulait l'ensemble de son visage, à l'exception de ses yeux.

Maladie de peau ou criminel fiché ?

L'homme était grand, une ombre immense s'allongeait derrière lui, fine comme celle des poteaux électriques.

Il lui tendit la main.

— Cela fait longtemps que je souhaitais vous rencontrer, lieutenant Bey.

— Pour être franc, j'avais aussi prévu de vous dire ça.

Le lieutenant Bey n'avait que des présomptions. Aucune preuve, et Cortés le savait. On avait retrouvé hier dans l'Araxe cinq cadavres de filles, le visage rongé au vitriol, impossibles à identifier sans une enquête approfondie… Sauf que cinq jeunes Kurdes étaient portées disparues depuis deux jours. D'après leurs proches, elles avaient répondu à une sorte de casting organisé par un milliardaire azéri, Parastou Khan. Elles étaient censées se rendre à son palais d'Ishak Pacha, au Nakhitchevan, sous la protection de Cortés…

Cortés joua admirablement à l'imbécile devant les photos que lui tendait Mahir Bey. Il siffla.

— De sacrées bombes, lieutenant ! On peut comprendre qu'elles aient quitté papa et maman pour tenter l'aventure ailleurs que dans ce cul-de-sac du monde. Disparues, vous me dites, toutes les cinq ? Je n'ai jamais vu ces filles, hélas pour moi. Mais, à mon avis, si elles ont fui ensemble à Moscou, les Russes ne sont pas près de vous les rendre…

Mahir Bey encaissa.

Il y avait aussi cette histoire de fillette enlevée sur le marché d'Igdir. La mère et quelques hommes de son campement étaient venus le voir au commissariat. La mère était hystérique. Elle aussi, bizarrement, accusait les Azéris du Nakhitchevan. Le reste était incompréhensible, une histoire de torture, de secret dont la Kurde n'avait rien voulu dire.

Mahir Bey avait fini par la foutre dehors.

Cortés observa la photographie de la petite Aman, la gamine kurde, avec beaucoup moins d'attention.

— Mignonne aussi. Dans un autre genre. Mais je ne comprends rien à cette histoire, lieutenant. Quel secret pourrait bien connaître cette bergère kurde ? Un secret qu'elle ne pourrait révéler que sous la torture ?

Cortés leva avec mépris les yeux vers le stetson du policier.

— À ma connaissance, lieutenant Bey, lorsque l'armée enlève des civils kurdes, les emprisonne, les questionne, en particulier ceux qui vivent dans les montagnes de l'Ararat, nous sommes d'accord, lieutenant, ce n'est pas pour leur faire avouer l'emplacement de l'arche de Noé… (Cortés éclata d'un rire un peu forcé.) Mais pour frapper au cœur ! Ces bergers protègent les terroristes kurdes, les nourrissent, les logent, les arment. Ils frappent dans les villes de la plaine, puis se réfugient dans les montagnes. C'est une technique de guérilla vieille comme le monde…

Cortés rendit la photographie au lieutenant.

— Si on ne peut pas attraper les terroristes, il faut faire payer ceux qui les protègent. C'est une méthode qui a fait ses preuves. Mais vous avez mieux à faire, lieutenant, je suppose, à trois jours des élections.

Mahir Bey rangea la photographie et tira une nouvelle cigarette de son paquet.

— Nous sommes dans le même camp, lieutenant, reprit Cortés. Il y a ce que peut faire la police. Il y a ce que peut faire l'armée turque. Il y a ce que peuvent faire des armées privées comme la mienne.

Mahir Bey souffla, la fumée de sa cigarette brouilla un bref instant le sommet de l'Ararat. Il n'était pas dupe, ce type se foutait de lui. Mais il était protégé, intouchable. Depuis toutes ces années, Mahir Bey avait appris à fermer sa gueule, à fumer en silence et à dissimuler ses idées noires sous son stetson.

— Si vous entendez parler de quelque chose… ajouta le policier par pur principe.

Le téléphone de Cortés sonna.

— Ah… Excusez-moi, lieutenant. Un appel important que j'attendais. (Il vérifia.) Pour tout vous avouer, on m'appelle d'Italie. C'est dingue, non ? De Palerme, très exactement.

56

Cloître de la cathédrale de Monreale,
Palerme, Sicile

Morad activa le haut-parleur de son téléphone.

Il éclata d'un rire d'enfant blagueur en pensant qu'à défaut de voir, Cortés, à l'autre bout du monde, allait assister en direct à la réussite totale de sa mission. S'associer avec ces mafieux siciliens avait été une idée de génie. Ils connaissaient les lieux dans leurs moindres recoins. Il faut toujours faire travailler les artisans locaux.

Les dix-sept tueurs n'attendaient que son signal pour tirer. Arsène et Cécile fermèrent les yeux. Pas Zak. Le père Paolo Angelo marmonnait des prières.

Morad leva bien haut son téléphone.

Une sorte de grésillement l'agaça. Une interférence, quelque chose dans le ciel qui brouillait la réception.

On ne pouvait pas faire confiance à la technique.

Tant pis…

— Feu !

La première balle traversa le front de Gino Maletra, les trois suivantes, presque simultanées, explosèrent comme des pastèques trop mûres le crâne de trois autres mercenaires. Les tireurs étaient postés sur les toits du cloître.

Zak, Arsène et Cécile se jetèrent à terre. Le père Paolo Angelo fit de même avec un temps de retard, le regard tourné vers le ciel comme s'il remerciait les anges exterminateurs.

Les autres tueurs se réfugièrent instinctivement derrière la double rangée de colonnes byzantines. Les rafales de mitrailleuses ricochèrent contre les cylindres de pierre. Les motifs décoratifs médiévaux sautaient en une pluie colorée de minuscules formes géométriques.

Quatre autres mercenaires tombèrent, fauchés dans leur course. Ludo Rutelli s'immobilisa lorsqu'il entendit derrière lui le râle de son frère Mateo. Il se retourna. La balle le toucha un peu en dessous de la tempe. Les autres miliciens tentèrent de s'abriter sous le toit où les tireurs étaient embusqués.

Soudain, les feuilles du palmier au centre de la cour frissonnèrent au souffle d'une invisible tornade. L'hélicoptère surgit de derrière le dôme. Il descendit rapidement vers le jardin. Le cloître fermé n'était plus qu'un piège dans lequel les mercenaires couraient sans aucun espoir de fuite. Les deux tireurs d'élite postés dans l'hélicoptère abattaient un par un les hommes restants. Hors d'atteinte dans le ciel. Leurs fusils de précision possédaient une plus longue portée que les revolvers et fusils d'assaut des mafieux.

Les survivants se cognaient aux murs, rats hystériques enfermés dans une caisse. La foudre tombait du ciel, impitoyable, choisissant avec précision sa cible.

Le mercenaire moustachu tambourina à la porte de bronze qui menait à la cathédrale, bafouillant une bouillie de mots français et italiens. Quatre balles le clouèrent sur place, bras en croix.

Morad se dissimula une ou deux secondes derrière une colonne rouge et or, puis tira au hasard une salve vers le ciel, sprintant vers l'angle opposé, en direction de la fontaine, le seul dérisoire abri, tenant toujours son téléphone dans la main gauche.

« Morad ! hurlait une voix à l'autre bout du monde. Que se passe-t-il, Morad ? »

Morad plongea sous la vasque de la fontaine. Allongé, il vida mécaniquement son chargeur, visant à l'aveugle les snipers. Il se redressa enfin dans un ultime élan. Les yeux embués de larmes. Il n'était plus qu'un gamin puni.

Pour toujours.

Trois balles se plantèrent dans son cœur avec une précision chirurgicale. Son visage d'ange bascula, tête la première, dans le bassin de la fontaine de jouvence.

La légende disait vrai, jamais le jeune Nephilim ne vieillirait.

« Morad ! criait encore la voix dans le téléphone. Morad, réponds-moi ! »

Le bras flasque du garçon resta posé en équilibre sur la vasque de la fontaine. Au bout de quelques secondes, les doigts crispés du cadavre se desserrèrent.

« Morad, putain de Dieu ! »

Le portable glissa au fond de l'eau claire.

La sacristie de Monreale ne possédait pas le cachet des mosaïques d'or de la cathédrale ou des motifs décoratifs byzantins du cloître. Les murs et les voûtes étaient banalement peints en blanc. L'envers du décor. Arsène, Zak et Cécile s'en fichaient.

— Vous devez une fière chandelle au père Paolo Angelo, déclara un homme qui n'avait pas pris le temps de retirer son gilet pare-balles. S'il ne nous avait pas prévenus à temps…

— Qui êtes-vous, exactement ? demanda Cécile, encore hébétée. Une brigade antiterroriste ?

— Pas exactement, précisa l'homme.

Il était beau comme un dieu, avec des yeux incroyablement clairs. Tous les sauveurs, pompiers, maîtres-nageurs ou curés exterminateurs étaient-ils forcément, en plus, des anges taillés en athlètes ?

— D'un point de vue purement réglementaire, précisa le chef du commando, notre régiment est rattaché aux gardes suisses. Mais notre champ d'action dépasse assez largement le territoire du Vatican et la protection pontificale. Depuis l'extension des compétences du Parlement mondial des religions, en 1999, nous sommes passés sous la direction unique du président de l'assemblée.

— Viorel Hunor ? s'étonna Arsène.

— Vous le connaissez ?

— Nous avons travaillé pour lui…

— Sacrée connerie, d'ailleurs, bougonna Cécile.

À l'extérieur, par un vasistas entrouvert, on entendait l'agitation croissante de la rue. Des ambulances, des sirènes de police. Zak, qui depuis la fin de la fusillade était demeuré silencieux, s'exprima enfin :

— Je suppose que l'étape suivante est de nous livrer à la police.

— En effet. Nous avons cru comprendre que vous étiez recherchés par la police française… Estimez-vous heureux, nous vous livrons vivants.

— Pas trop tôt, murmura Cécile.

Zak se leva soudain du banc de bois où il était recroquevillé.

— Je suppose que Viorel Hunor supervisait toute l'opération ?

— Oui, par radio. Il est à Melbourne et…

— Passez-le-moi !

Les yeux bleus du garde suisse se troublèrent.

— Comment cela ?

— Appelez-le. Je souhaite lui parler. Personnellement.

57

Sacristie de la cathédrale de Monreale,
Palerme, Sicile

— Zak Ikabi ?

Le timbre du métropolite était grave, profond, calme.

— Viorel Hunor ? Merci pour votre intervention, comment dire, d'une redoutable efficacité pour une administration comme la vôtre, si souvent qualifiée de bureaucratique.

— C'était la moindre des choses, monsieur Ikabi. Il suffit d'être dans le camp des justes, n'est-ce pas ?

— Ne me livrez pas aux flics, lâcha Zak.

— Pardon ?

— Pas les flics. Pas maintenant. Ils me relâcheront, vous le savez bien, mais pas avant des semaines. Je ne peux pas me permettre de perdre ce temps…

— Monsieur Ikabi, comprenons-nous bien, le Parlement mondial des religions n'exerce pas de justice parallèle. Cela ne fonctionne pas ainsi. Nous travaillons en collaboration étroite avec la police, les juges, les procureurs. Ce que vous me demandez est impossible. Et d'ailleurs, sans motif.

Zak crispa ses doigts sur la table de bois. Dehors, les sirènes de police s'intensifiaient.

— Jouons franc jeu, Viorel. Vous êtes un homme bien informé, vous disposez de moyens d'investigation qui n'ont rien à envier à ceux de la CIA ou du SVR russe. Vous savez donc que je suis l'homme qui est entré dans l'enfer du Vatican il y a quelques semaines. L'homme qui a tenu entre ses mains le Livre d'Enoch.

La voix descendit encore une marche vers les profondeurs.

— Continuez…

— Viorel, vous vous doutez que je n'ai pas pris ces risques pour rien… J'ai un jeu complet de photographies des fragments de Qumran. Toutes tiennent sur un fichier zippé de quelques milliers de mégaoctets qui est en ce moment même attaché à une liste de diffusion de plusieurs centaines d'adresses. Journalistes, scientifiques, experts, hommes politiques. Je peux l'envoyer de n'importe quel poste informatique. N'importe quel ami peut le faire à ma place si j'en suis empêché. Si je disparais, si je meurs, si je suis emprisonné.

Une marche plus bas encore. Les caves du Vatican.

— Vous bluffez !

— Oh non, Viorel. Et vous le savez ! J'ai en ma possession le Livre d'Enoch. La version intégrale. Président, réfléchissez. Vous connaissez très exactement le contenu de ma main. C'est vous qui bluffez. Dois-je être plus précis ? Devant témoins ? En vérité, vous n'avez aucun choix, à part accéder à mes moindres désirs en priant même que je ne glisse pas sur un trottoir…

— Que voulez-vous ?

— La liberté, pour moi, Cécile Serval et Arsène Parella. Un avion. Privé.

— Quelle destination ?

— Le Nakhitchevan !

La voix dévala trois marches d'un coup. Quelqu'un avait éteint la lumière de l'escalier de la cave et elle s'était cassé la figure.

— Pour l'amour du ciel, quel jeu jouez-vous, Ikabi ?

— Aucun. J'ai juste besoin d'un appartement avec un balcon orienté sur l'Ararat.

— Je ne vous comprends pas…

— C'est pourtant clair, Viorel ? Je me contente de faire votre travail. Celui dont votre Parlement n'est pas capable…

— Vous n'avez pas eu à vous plaindre de nos services, aujourd'hui, il me semble.

— Je sais. Je suis exigeant.

— Exigeant et prétentieux. La chance ne sera pas toujours de votre côté.

— Pourquoi pas ? Il suffit d'être dans le camp des justes, Viorel. N'est-ce pas ?

Le métropolite toussa à l'autre bout du fil.

— D'accord, monsieur Ikabi. Vous emportez la mise. Cette fois, du moins. Laissez-moi deux heures. Un taxi passera directement vous prendre à Monreale. Le jet vous attendra à l'aéroport de Palerme.

Zak raccrocha.

Le garde suisse aux yeux clairs le regarda, stupéfait. Cécile lui lança un clin d'œil, l'air désolé, puis se tourna vers Zak.

— Et si je n'ai aucune envie d'aller au Nakhitchevan, hein ? Et si je me fiche bien d'un balcon sur l'Ararat ? Et si je me contrefous de votre copain Parastou Khan qui doit être encore plus fêlé que vous ? Et d'abord, putain de Dieu, quelle bombe contient-il, ce Livre d'Enoch ?

58

Dogubayazit, Turquie

Les cent mille habitants de la petite ville turque de Dogubayazit se sentaient un peu oubliés. Ankara se trouvait à plus de mille kilomètres alors que la frontière iranienne n'en était qu'à trente et Erevan à quarante.

La ville avait la réputation de vivre de trafics en tout genre. Difficile à croire, pourtant. Dogubayazit se résumait presque à une rue, fermée à chaque entrée par une dizaine de chars, pendant que les Condors de la police patrouillaient en incessants allers et retours. Les Kurdes ne semblaient même plus remarquer l'état de guerre permanent imposé à leur ville et vaquaient à leurs occupations. Dogubayazit était une ville bruyante, les camions circulaient entre les motos chinoises et les charrettes tirées par les ânes. Des étals occupaient la moitié de la rue ; des femmes voilées emplissaient de provisions des sacs en plastique ; les hommes portaient la moustache sous leurs casquettes et cachaient leurs mains dans leur blouson. Le climat était rude, la ville se situait à près de deux mille mètres d'altitude. Dogubayazit n'était qu'une banale ville-rue de garnison, c'est ce que devaient penser le visiteur perdu, le chauffeur routier traversant l'Eurasie du nord au sud, le militaire muté…

Pourtant, Dogubayazit, c'était aussi le centre du monde.

Le tremplin pour l'Ararat.

L'arche de Noé s'affichait partout ! Sur les murs des hôtels et des restaurants, dans la cour de l'école, sauvant Mickey et Minnie du Déluge, sculptée sur la porte du centre culturel, peinte sur le blason de la mairie.

Dogubayazit était le point de départ de toutes les ascensions du massif de l'Ararat. Certes, ce n'était pas encore Chamonix ! Les touristes, alpinistes et chercheurs d'arche n'étaient pas plus d'un millier par an et l'office de tourisme survivait difficilement. Durant de nombreuses années, pendant la guerre avec le PKK, l'ascension du mont avait été strictement interdite. Son accès n'avait été déclaré objectif militaire de deuxième classe qu'en 2000. Depuis, l'accès pour les étrangers était sévèrement réglementé, mais autorisé. Les curieux revenaient, petit à petit. Quelques tour-opérateurs proposaient la grimpette sur l'Ararat dans leur programme planétaire de trekking à haute sensation. À la période la plus chaude, celle de la fonte des glaces, les guides locaux malins vendaient l'espoir d'apercevoir un morceau de poutre, et les hôtels commençaient à se remplir. L'hôtel Tehran faisait partie de ceux-là. Son enseigne jaune et rouge affichait fièrement la silhouette du Petit et du Grand Ararat.

Estêre traversa la rue vers l'hôtel Tehran juste au moment où un véhicule de police blindé passait.

Exprès ! Rien que pour le plaisir mesquin de faire piler les flics devant elle. Ils n'allaient pas écraser une mère de famille à deux jours des élections.

Estêre se tourna, elle reconnut le flic à côté du conducteur dans le Condor : Mahir Bey, le lieutenant de police avec son chapeau de cow-boy à la con qui l'avait foutue dehors hier, ce salopard qui ne lèverait pas le petit doigt pour retrouver Aman. La femme kurde le regarda droit dans les yeux et leva bien haut son majeur.

— Enfonce-toi-le.

Mahir Bey continua de mâchonner son mégot. Stoïque.

Putain de boulot. Putain de pression.

Le plus simple aurait été de liquider tout le monde, les Kurdes des montagnes comme les trafiquants mafieux de l'autre côté de la frontière.

Le véhicule blindé poursuivit sa route.

El cóndor pasa.

À chaque provocation kurde contre l'autorité turque, Mahir Bey s'amusait à fredonner dans sa tête l'air de la chanson péruvienne. Les paroles également.

I'd rather be a hammer than a nail.

Estêre gravissait les marches de l'hôtel Tehran. « Au premier », avait indiqué le taulier. Lorsqu'elle frappa à la porte, quelques morceaux de peinture écaillée tombèrent.

— Entrez, fit en kurde une voix masculine. C'est ouvert.

Yalin était allongé torse nu sur le lit crasseux. Une valise était ouverte au pied du lit, comme si l'homme n'était que de passage – à peine arrivé, presque reparti. Estêre le trouva fatigué. Cet homme, que tous dans les montagnes kurdes de l'Ararat surnommaient « le Français », représentait pourtant son seul espoir.

Estêre s'avança dans la pièce. Elle tordait entre ses doigts le ticket du dolmus, le minibus avec lequel elle était venue d'Igdir à Dogubayazit.

— Il faut nous aider, Yalin.

— Évite de prononcer mon prénom, Estêre ! Les choses se compliquent en ce moment. Je suis recherché. Je…

— Ils ont enlevé Aman. Sur le marché d'Igdir. Elle regardait un jouet, une licorne.

— J'ai appris. Ils sont rusés, Estêre. Ils ont accumulé des indices, ils savent ce qu'ils cherchent, désormais. Ils approchent. Que veux-tu que j'y fasse ?

— Le camion du commerçant qui a enlevé Aman était immatriculé au Nakhitchevan. Ils ne s'en cachent même pas, ils l'ont emmenée à Ishak Pacha.

Yalin se leva. Les ombres jouaient sur les muscles saillants de son torse. Il ouvrit la fenêtre à la poussière de la rue et contempla l'Ararat. Combien d'hommes avaient dormi à Dogubayazit dans une chambre d'hôtel comme la sienne avant d'entamer l'ascension, obsédés par la montagne, rêvant d'être les premiers à redescendre ? Avec la preuve !

— Qu'attends-tu de moi, Estêre ? Je suis seul. Je suis épuisé. Je viens de parcourir la planète. J'étais à Hong Kong, en Arménie… Je ne peux pas être partout. Je ne peux pas colmater toutes les brèches à moi seul. Ils sont nombreux, organisés. Informés.

— Ils vont torturer Aman. Jusqu'à ce qu'elle parle.

— Et elle parlera. Pour elle, le plus tôt sera le mieux. Peut-être l'épargneront-ils. Ils auront besoin d'elle pour les guider sur la montagne.

— Qu'allons-nous devenir ?

— Vous êtes les derniers témoins. Vous devez fuir. Toute la tribu. Changer de lieu. La montagne est vaste…

— Tu sais bien que c'est impossible.

Yalin renversa sa tête en arrière, faisant craquer ses cervicales.

— Que proposes-tu, que je parte à l'assaut d'Ishak Pacha ? Seul ?

— Yalin… On raconte qu'ils sont devenus fous. Ils ont aussi enlevé des filles, les plus belles de la région, on a retrouvé leurs cadavres dans l'Araxe. Ils pillent les reliques. Ils détruisent tout ce qui a de la valeur…

— Je sais cela, Estêre. J'ai fait ce que j'ai pu. Je les ai attaqués, par surprise, là où ils ne s'y attendaient pas. Je leur ai fait autant de mal, je crois, qu'un taon sur la peau d'un éléphant.

Estêre s'écroula sur le lit. C'était cela, leur dernier espoir ? Cet homme traqué ? Fatigué. Isolé. Ses yeux gris s'embuèrent de larmes.

— Yalin, s'il te plaît. Fais-le… Fais-le pour moi…

Yalin ne quittait pas la montagne du regard. Des souvenirs affluaient. Il avait treize ans alors, Estêre devait en avoir moins de trente. À l'époque, il la trouvait incroyablement belle, avec ses prunelles couleur de basalte, ses cheveux noirs qui descendaient jusqu'aux fesses ; souvent, au bord du glacier, sans pudeur, Estêre se lavait nue, en passant simplement sur sa peau gelée des poignées de neige fondue. Son premier fantasme. Combien de fois s'était-il caressé en pensant à elle, dans les grottes d'Ahora, face au Petit Ararat ? Comment l'avouer aujourd'hui à cette femme grande et forte, presque chevaline, aux traits creusés par quarante hivers ?

Yalin se retourna.

Les immenses yeux gris d'Estêre, en revanche, n'avaient pas perdu leur pouvoir de séduction. Il s'efforça de les éviter pour ne pas se laisser attendrir.

— Je suis désolé, dit Yalin. Tu connaissais les règles de prudence. Aman les connaissait également. La réalité est cruelle, Estêre, mais le secret que nous protégeons tous est plus important que la vie de ta fille.

Le ticket du dolmus se déchira en lambeaux entre les doigts d'Estêre.

— Comment peux-tu dire cela, Yalin ?

59

Au-dessus de l'Europe

Le Falcon 2000 survolait l'Europe à près de huit cents kilomètres à l'heure. À l'exception du pilote, Zak, Cécile et Arsène étaient seuls dans l'avion privé. Ils avaient dîné frugalement, mais en revanche abusé du champagne que Viorel Hunor, grand seigneur, leur avait laissé dans le freezer du jet, à moins qu'il ne fût compris dans le forfait location grand luxe. L'avion offrait toutes les commodités, y compris une douche, une cuisine et un ordinateur avec accès Internet. Au moment où Zak proposa de déboucher une seconde bouteille de Moët & Chandon, Arsène se retira.

— Sans moi, les enfants. Je vais profiter du vol pour me remettre de mes émotions. Les fauteuils de cuir se transforment en couchettes et j'ai idée qu'elles doivent être particulièrement confortables.

Le professeur Parella tira derrière lui la mince paroi de bois coulissante qui permettait d'isoler une chambre à l'arrière de l'appareil. Cécile, à l'inverse, trinqua avec sa coupe vide contre celle de Zak.

Un second bouchon sauta.

La chercheuse était passablement saoule. Elle s'en fichait. Elle se leva avec difficulté des profonds sièges crème et fit deux pas vers le long canapé collé à la carlingue. Elle tapa sur le coussin.

— Venez, Zak. Approchez-vous. Je ne vais pas vous manger, il faut que nous discutions…

Mi-gêné, mi-séduit, Zak s'installa à son tour dans le canapé, se tournant de trois quarts pour faire face à la chercheuse. Leurs genoux se touchaient presque. Cécile tendit à nouveau la coupe qu'elle avait vidée d'un trait.

— Zak, demanda-t-elle soudain. C'est quoi, le Livre d'Enoch ?

— Pardon ?

— Votre arme absolue contre les curés. Ce Livre d'Enoch dont vous avez copié l'original au Vatican… J'ai beaucoup travaillé avec Viorel Hunor pour le rapport RS2A-2014, je peux témoigner, c'est loin d'être un enfant de chœur… et pourtant, il vous a mangé dans la main ! Qu'est-ce que ce livre représente de si dangereux pour l'Église ?

Zak but une gorgée, sans répondre.

— Si vous voulez que je coopère avec vous, mon cher Zak, que je chausse mes crampons une fois arrivée devant l'Ararat, il va falloir m'en dire un petit peu plus.

D'un élégant geste du pied, elle envoya valser ses chaussures contre un hublot. Plus délicatement, elle posa ses lunettes sur le chevet d'acajou. Ses yeux se brouillèrent en un très léger strabisme que Zak n'avait jamais remarqué. Effet ou non de l'alcool, Zak adorait ce regard de chatte posé sur lui.

— Vous ne seriez pas en train de me charmer, Cécile ?

— Mon cher Zak, n'allez pas prendre vos désirs pour des réalités…

Elle vida sa coupe.

— Allons, Zak. Parlons de ce bon vieil Enoch…

— Vous êtes têtue, Cécile.

— Venant de vous, c'est plus qu'un compliment.

Zak sourit et se leva. Il se dirigea vers l'ordinateur et se connecta en quelques clics sur son site.

www.CIARCEL.net

Il tapa son code pour parvenir jusqu'à une nouvelle page.

— Tout d'abord, Cécile, sachez que le Livre d'Enoch est le livre apocryphe le plus célèbre au monde. C'est un récit qui possède strictement la même valeur historique que les autres récits de la Bible, dont il est contemporain. En hébreu, le mot « Hénok » signifie « initié » ou « initiant ». L'Église ne supprima le Livre d'Enoch de la Bible qu'au IVe siècle. Et je vous parle de la version officielle, pas des fragments censurés des manuscrits retrouvés à Qumran en 1947.

— D'accord, d'accord, le coupa Cécile, impatiente. Épargnez-moi les préliminaires. Que raconte ce récit ?

— C'est une histoire assez longue, qui comprend plus d'une centaine de pages. Pour vous en faire un bref résumé, Enoch raconte tout d'abord comment des anges venus du ciel ont instruit les hommes.

— Rien que cela !

Zak se poussa pour laisser la place à Cécile devant l'écran.

— Lisez, Cécile… Vous pouvez me faire confiance sur ce coup, il ne s'agit pas des fragments secrets du Livre d'Enoch, mais d'extraits que vous pourriez trouver sur n'importe quel site Internet.

Cécile fit un effort de concentration. Le champagne lui tournait la tête. Les lignes dansaient devant ses yeux.

Les anges leur enseignèrent les drogues, la sorcellerie, les enchantements, et les propriétés des racines et des arbres. Baraqiel enseigna l'astrologie. Kokabiel enseigna les signes des étoiles. Arataqif enseigna les signes de la terre. Shamsiel les signes du soleil et ils se mirent tous à révéler des mystères à leurs femmes. Le nom du dernier est Ténémue ; il leur enseigna l'écriture, et leur montra l'usage de l'encre et du papier. Ces instruments passèrent de ses mains dans celles des habitants de la terre, et ils y resteront à tout jamais.

Un doute terrible saisissait Cécile. Les effets conjugués de l'alcool et de la lecture de ce texte étrange exhumé de l'aube de l'humanité provoquaient sur elle une sorte d'effet hypnotique. Zak souriait. Il s'approcha et caressa le bras de la chercheuse.

— Chère Cécile, c'est ensuite que le récit devient croustillant. Enoch raconte comment les anges venus du ciel se sont accouplés avec les femmes des humains. Le même récit que celui de la Bible, mais en plus détaillé.

Cécile frissonna. Son trouble s'intensifia encore à mesure qu'elle déchiffrait des bribes de texte.

Lorsque les humains se furent multipliés dans ces jours, il arriva que des filles leur naquirent élégantes et belles. Et lorsque les anges, les enfants des cieux, les eurent vues, ils en devinrent amoureux. Ils se dirent les uns aux autres : choisissons-nous des femmes de la race des hommes, et ayons des enfants avec elles. Non contents de forniquer avec ces belles dames de chair, les anges leur donnèrent accès à une connaissance interdite.

Des bouffées de chaleur étouffaient la chercheuse. Zak était pourtant loin d'avoir terminé son récit.

— L'histoire d'amour entre les anges venus du ciel et les humaines finit par tourner mal… Logique, non ? D'autres dieux plus puissants se fâchent… Ils ne semblent apprécier ni que les anges aient révélé certains de leurs secrets aux hommes ni qu'ils forniquent sans retenue avec les plus jolies habitantes de la terre. Nous voici parvenus à l'épisode du Déluge provoqué par les dieux. À quelques variantes près, le récit est similaire à celui de Noé…

Cécile lisait mécaniquement, murmurant les mots comme on récite une prière.

De l'union des anges et des femmes naquit une progéniture encombrante. Ces femmes enfantèrent des géants dont la taille avait trois cents coudées. Le Seigneur, furieux, décida de détruire les hommes en provoquant le Déluge et de punir les anges déchus.

Je levai de nouveau mes regards au ciel, et j'aperçus une grande voûte ; et il y avait au-dessus sept cataractes qui versaient des torrents de pluie. Et voici que la hauteur de l'eau surpassait la hauteur de tous les villages. Tous les taureaux, les éléphants, les chameaux et les ânes, et les troupeaux furent submergés et périrent dans les eaux. Mais le navire flottait sur la surface de ces mêmes eaux.

Cécile se leva en titubant et se servit une nouvelle coupe de champagne.

— Au point où j'en suis…

— Vous n'avez encore rien lu, Cécile ! Nous arrivons maintenant à la partie la plus étrange du récit d'Enoch. La plus connue également : Enoch raconte qu'il a été enlevé dans les étoiles par des anges, guidé par Uriel. Il fournit une très longue et très méticuleuse description de son voyage céleste. Des spécialistes considèrent ce récit comme un traité d'astronomie d'une précision invraisemblable pour l'époque.

Boire, pensa Cécile. Boire, lire et ne rien croire.

Je fus enlevé ainsi jusqu'au ciel, et j'arrivai bientôt à un mur bâti avec des pierres de cristal. Des flammes mobiles en enveloppaient les contours d'un palais grandiose. Ses toits étaient formés d'étoiles filantes et d'éclairs de lumière.

Je l'examinai avec attention, et je vis qu'il y avait un trône élevé. De ce trône puissant, s'échappaient des torrents de flammes. Il y avait quelqu'un assis sur ce trône de gloire, dont le vêtement était plus brillant que le soleil et plus blanc que la neige. Je vis sept étoiles enchaînées les unes aux autres, comme de grandes montagnes, comme des feux embrasés. Et je m'écriai à cette vue : Pour quel crime ces étoiles sont-elles enchaînées ; pourquoi ont-elles été reléguées dans ce lieu ? Alors Uriel, un des saints anges, qui était avec moi et qui me servait de guide, me répondit : ces étoiles ont transgressé le commandement du Dieu Très-Haut ;

et pour expier leur crime, elles ont été enchaînées dans ce lieu pour un nombre infini de siècles. C'est ici, ajouta-t-il, la prison des anges ; et ils y seront enfermés à jamais !

« La prison des anges. Des étoiles enchaînées. Les flammes mobiles. » Les délires d'Enoch dansaient dans le cerveau de Cécile.

— Enfin, continua Zak toujours plus excité, Enoch boucle son récit en évoquant sa descendance… Les choses se mélangent un peu, mais lisez, Cécile, lisez juste ce dernier extrait : il décrit la naissance du fils d'Enoch, Lamech, le père de Noé. Si vous aimez la science-fiction, vous allez apprécier.

Cécile vida sa coupe avant de déchiffrer les dernières lignes.

Celle-ci, devenue enceinte, mit au monde un enfant dont la chair était blanche comme la neige, et rouge comme une rose ; dont les cheveux étaient blancs et longs comme de la laine, et les yeux de toute beauté. À peine les eut-il ouverts, qu'il inonda de lumière toute la maison. Comme de l'éclat même du soleil. Alors Lamech, plein d'étonnement, annonça qu'il avait un fils qui ne ressemblait point aux autres enfants. Ce n'est point un homme, dit-il, c'est un ange du ciel ; à coup sûr, il n'est point de notre espèce. Il s'appelle Noé parce qu'il vous sera survivant.

Cécile titubait. Zak la retint du bras.

— Impressionnant, non ? Vous comprenez maintenant pourquoi l'Église ne tient pas à faire trop de publicité autour d'Enoch. Pour la petite histoire, ces fameux géants nés de l'accouplement des dieux avec les hommes, ou, si vous préférez, ces anges déchus, sont communément appelés, dans le Livre d'Enoch comme dans la Bible, les Nephilim.

Pendant que Zak fermait méthodiquement les pages de l'ordinateur, Cécile était retournée s'étaler sur le canapé, en se tenant avec précaution à chaque fauteuil, sans trop savoir si c'était l'avion ou son cerveau embrumé qui faisait tanguer le salon. Toutes ses certitudes de chercheuse rationnelle explosaient dans son esprit en bulles de champagne. Elle s'allongea sur les coussins et fixa Zak avec insistance.

— Vous… vous voici initiée, bafouilla Zak. Vous pourrez en tirer les conclusions que vous voulez…

Les pieds nus de Cécile caressaient doucement le cuir.

— À vrai dire, j'ai un peu de mal à faire le tri dans ma tête… Des anges venus du ciel qui enseignent leurs secrets aux hommes. Il faudrait en dévoiler davantage, Zak.

Zak s'affala à son tour sur le canapé. Sa main remonta le long du jean de Cécile.

— Des anges fornicateurs. Qui choisissent les plus belles des femmes et les possèdent.

Cécile frissonna encore. La main de Zak remonta, elle le laissa faire. L'alcool anesthésiait toute résistance, toute cohérence dans l'enchaînement de ses pensées.

— Je vois où vous voulez en venir, docteur Ikabi.

La voix de Zak n'était plus qu'un murmure. Sa main chaude se glissa sous le tee-shirt de la jeune femme.

— Non, vous ne voyez rien. Si nous avions eu le temps, j'aurais pu vous parler des textes sumériens qui évoquent l'influence de l'étonnante planète Nibiru dont l'orbite croise celle de la Terre tous les trois mille six cents ans… Et des textes mayas ou des Indiens Hopis qui racontent exactement la même histoire. Mais vous penseriez que je vais trop loin.

Sa main se posa sur la poitrine de Cécile. Deux doigts habiles séparèrent les fins bonnets de dentelle.

Cécile sentait son corps s'abandonner. Elle se lova sur le canapé et chuchota à l'oreille de Zak :

— Allez plus loin, docteur Ikabi, je vous en prie. Le peuple du ciel… Vos explorations sont vieilles comme le monde.

Une seconde main s'immisça, rejoignit la première. Toutes deux rampèrent sur la peau claire, remontèrent, puis enfermèrent les seins menus. La bouche de Zak dévorait le ventre de Cécile.

— Vieilles comme le monde ? murmura Zak entre deux baisers. Méfiez-vous des amalgames trop simplistes, Cécile. À ma connaissance, personne n'a jamais envisagé la véritable signification du récit de Noé.

Cécile se tordit de désir alors que les doigts experts agaçaient ses mamelons. Sa main attrapa celle de Zak et la guida vers son entrejambe.

— Je brûle de la connaître, docteur Ikabi…

Les trois boutons de la braguette de Cécile sautèrent. Les doigts de Zak passèrent sous l'élastique de la culotte tendue.

— Tout le monde se trompe sur le mythe de l'arche, Cécile. Les fanatiques créationnistes comme les ufologues. Personne n'a jusqu'à présent entraperçu cette vérité qui crève les yeux. C'est si simple pourtant, il suffit de comparer les récits de Sumer et ceux de la Bible.

— Comparez, docteur, souffla la chercheuse. Comparez.

Cécile se contorsionna jusqu'à ce que son pantalon descende jusqu'à mi-jambe. La paume de Zak l'aida, collée entre ses cuisses, emprisonnant son intimité humide.

— La vérité s'inscrit en négatif... Ce que la Bible ne dit pas, ce que ses silences insinuent...

— Insinuez, docteur Ikabi... Insinuez-vous.

Le majeur de Zak s'isola des autres doigts, s'invita en elle.

Le plaisir explosa, intense, irrésistible.

Cécile se mordit les lèvres pour ne pas réveiller Arsène.

60

Igdir, Turquie

Dans le commissariat d'Igdir, Mahir Bey s'effondra devant l'ordinateur de son bureau. Il avait fermé la fenêtre et branché le ventilateur. Le stetson pendait à un clou derrière la porte. Pendant que son vieil IBM 2000 démarrait dans un bruit de réacteur d'avion, le lieutenant posa ses bottes sur le bord du bureau et se massa longuement le cou. Depuis maintenant des mois, il passait ses journées sur le terrain, et, le soir, devait répondre à l'ensemble des e-mails parvenus au commissariat dans la journée…

Une purge ! Avec lassitude, il fit défiler les dizaines d'informations administratives inutiles pour ne retenir que les urgences.

Le message du Bureau central national d'Interpol, à Ankara, lui apparut comme tel. Le courriel était bref. Il mentionnait la recherche internationale d'un criminel français soupçonné de meurtres, de prise d'otages et d'implication dans plusieurs fusillades sur la voie publique.

Zak Ikabi.

Le policier haussa les épaules, il n'allait pas courir après tous les types en cavale de la planète. La main sur la souris, Mahir Bey s'apprêtait à faire glisser ce message dans la corbeille… la suite du mail le riva à son fauteuil.

D'après les informations d'Interpol, le fugitif ainsi que ses deux otages se dirigeaient vers le Nakhitchevan, avec pour objectif d'entrer en Turquie pour s'approcher de l'Ararat.

— *Fahişe*[1] *!* jura Mahir Bey.

Si l'Azerbaïdjan, comme presque tous les États du monde, était membre d'Interpol, il y avait peu de chances pour que la police locale lève le moindre petit doigt pour intercepter les fuyards. Surtout s'ils disposaient de protections locales. Ce serait à lui, bien entendu, de tendre le filet…

Le lieutenant de police lâcha un nouveau juron. Il laissa l'air frais du ventilateur lui rafraîchir la nuque en faisant défiler dans sa tête la liste des tâches qu'il allait devoir assumer ces jours-ci : outre les emmerdes quotidiennes, il devait assurer la sécurité des élections municipales dans le Kurdistan turc tout en gardant un œil sur les mafias étrangères dont l'activité semblait redoubler. S'ajoutait à présent ce fou furieux, sans doute un de ces fanatiques qui prenaient le mont Ararat pour une sorte de sanctuaire où les crimes possèdent une saveur rituelle unique… Comme si les terroristes kurdes réfugiés dans la montagne ne suffisaient pas, il lui fallait maintenant s'occuper des touristes timbrés venus des quatre coins du monde.

1. « Putain », en turc.

Le lieutenant cliqua machinalement sur le fichier attaché. La photographie de Zak Ikabi apparut, plein écran. Un type plutôt jeune. La trentaine.

Un immense ARANAN[1] en lettres majuscules rouges faisait office de titre à l'affiche.

Wanted, songea Mahir Bey.

Dead or alive.

Ce parfum de western lui redonna le sourire. Au moins, ça le changeait de la paperasse. Il allait coller ces affiches dans tout le Kurdistan.

Pour rien, pensa-t-il. Avec de la chance, les mafias azéries feraient le boulot avant lui…

1. « Recherché », en turc.

61

Au-dessus de l'Europe

Le froid de l'air conditionné hérissait la peau de Cécile. La chercheuse frissonna, chercha d'une main aveugle dans un demi-sommeil une couverture qui n'existait pas, puis s'éveilla.

Elle se découvrit entièrement nue, collée contre la poitrine de Zak, leurs vêtements et sous-vêtements jetés en boule sur l'épaisse moquette du Falcon 2000. Zak continuait de dormir profondément, intégralement dévêtu lui aussi à l'exception de sa chemise qui pendait sur son torse musclé.

Cécile se leva avec d'infinies précautions et admira son amant assoupi dans une position délicieusement impudique. Contrastant avec la climatisation dans l'avion, un vent chaud souffla sur son ventre embrasé. Elle enfila son tee-shirt Calvin Klein qui ne lui recouvrait que la moitié des fesses. La chercheuse ne parvenait pas à comprendre ce qui lui arrivait. En deux jours à peine, elle avait failli mourir une demi-douzaine de fois, avait traversé l'Europe du nord au sud, puis d'ouest en est, s'était saoulée au champagne millésimé dans le salon grand luxe d'un jet privé, avant de faire l'amour avec un quasi-inconnu qui, tout en la faisant jouir, lui révélait les secrets mystiques de la naissance de l'humanité.

Et cette aventure ne faisait que commencer… Elle n'avait pas encore approché l'Ararat.

Zak, toujours endormi, sembla instinctivement rechercher la présence de Cécile. Il se tourna sur le côté, puis retomba dans un profond sommeil. Sa chemise avait glissé de quelques centimètres sur son épaule.

Cécile s'approcha à pas de loup, câline, hésitant sur la méthode pour réveiller son amant : asseoir doucement son sexe sur la peau râpeuse de son visage mal rasé, ou faire jouer ses lèvres sur ses abdominaux jusqu'à son sexe recroquevillé.

Elle se pencha encore.

D'abord, elle n'en crut pas ses yeux.

Ensuite, elle se mordit les lèvres pendant qu'un torrent de larmes inondait ses yeux. Un barrage qui cédait. Tout s'effondrait en une fraction de seconde. Tout ce qu'elle avait vécu depuis deux jours glissait dans un précipice sans fin. Elle avec.

Une licorne était tatouée sur l'omoplate droite de Zak.

Le signe des Nephilim.

Cécile se recula en titubant, brusquement dégrisée. Les événements récents défilaient devant ses yeux, éclairés d'une lumière différente. Atroce. Délirante.

Le signe des Nephilim. Zak était l'un des leurs !

La vérité devenait tellement évidente sous cet angle. La facilité des Nephilim à toujours les retrouver, les devancer… comme s'ils lisaient dans les pensées de Zak ! Tout n'était que mise en scène, rituel symbolique, jeu du chat et de la souris. L'objectif du commando Nephilim n'était pas de les tuer tous les trois… mais de seulement les éliminer, elle et Arsène. Zak s'était emparé du rapport RS2A-2014, comme il s'était emparé auparavant du Livre d'Enoch ou du fragment d'arche de Navarra. Leur périple n'avait pas d'autre but que de faire disparaître un par un les témoins, tous les prétendus amis de Zak. Noël Archer. Jean-Bernard Patte. Arsène et elle n'avaient été que des appâts, des pions ; sans l'intervention de la garde suisse au cloître de Monreale, ils auraient été froidement abattus et Zak aurait tranquillement rejoint le commando Nephilim.

Cécile observa avec effroi Zak Ikabi endormi, son sourire d'ange, sa tignasse ébouriffée. Son allure de doux rêveur illuminé n'était donc qu'un piège. Elle s'en était doutée, d'instinct, lorsqu'il avait surgi à Toulouse dans son laboratoire. Mais le diable était malin. Petit à petit, elle s'était laissé séduire. Quelle sotte ! Zak était sans doute une sorte d'extrémiste créationniste. Comment avait-elle pu se laisser prendre à son délire ésotérique, les licornes, le Déluge, le Livre d'Enoch ? Cécile regarda avec dégoût les cadavres de champagne qui roulaient sur la moquette.

Elle devait en avoir le cœur net !

Elle s'avança sans un bruit et plongea la main dans la veste de Zak. Elle en sortit un épais portefeuille. Elle s'éloigna vers l'avant de l'avion et détailla le contenu. Toutes les pièces d'identité, carte de sécurité sociale, passeport, permis de conduire, étaient au nom de Zaccaria Coppia. Une preuve de plus de sa duplicité, mais Cécile n'allait pas s'en contenter.

La chercheuse fouilla plus en détail les rabats du portefeuille, méticuleusement, jusqu'à ce que ses doigts sentent un léger renflement. Ils se glissèrent, tirèrent. Elle venait d'extraire quatre photographies ! Cécile les fit glisser en éventail dans ses mains, tremblantes, comme des cartes de poker qu'un joueur novice hésite à découvrir.

Sur la première, elle reconnut Zak : il devait avoir environ six ans et portait serrée entre ses bras une grosse licorne en peluche bleue. Sur ce point au moins, il n'avait pas menti. À ses côtés, un autre garçon posait, légèrement plus âgé, un an ou deux peut-être, déguisé en mousquetaire. Ils se tenaient debout devant un banal pavillon de banlieue. Son frère, peut-être, imagina Cécile. La deuxième photographie représentait un paysage de montagne. Le cliché était flou, comme pris sous la neige, mais on devinait trois silhouettes, une grande et deux plus petites, minces, telles celles d'adolescents. Dissimulés qu'ils étaient sous d'épais manteaux et cagoules, il était impossible de davantage les identifier. Les pieds dans la glace, tous trois exhibaient fièrement une longue poutre de bois. L'Ararat ? pensa immédiatement Cécile. Ces silhouettes portaient un morceau de l'arche ?

Elle posa les yeux sur les deux autres photographies. Elle faillit en crier de surprise.

La première la représentait ! À cette époque, elle commençait sa deuxième année de thèse. Elle avait alors moins de vingt-cinq ans. La photographie avait été prise sur le glacier du Maniitsoq, au sud du Groenland, son terrain d'étude à l'époque. Qui diable avait pu la photographier à des centaines de kilomètres de toute terre habitée ? C'était purement impossible. Comment ce cliché fantôme avait-il pu atterrir dans le portefeuille de ce fou ?

La dernière montrait Arsène Parella. Un Arsène Parella tel que Cécile ne l'avait jamais connu. Trop jeune. Il devait alors avoir une trentaine d'années et posait dans un décor lunaire, une sorte de désert de sable et de cailloux qu'elle ne reconnut pas. Ce cliché de son professeur la troubla au moins autant que les autres. Elle s'était toujours représenté son mentor sage et grisonnant. Les questions affluaient dans son cerveau incandescent. Que signifiaient ces photographies ? D'où provenaient-elles ? Pourquoi cet homme, Zak Ikabi, ou Zaccaria Coppia, les conservait-il dans son portefeuille ? Dans l'instant, ces clichés ne lui fournissaient aucune réponse. Cécile les replaça rapidement puis retourna dans le salon du Falcon.

Zak dormait toujours.

Le regard de la chercheuse embrassa l'habitacle et s'arrêta sur l'ordinateur portable. Elle s'apprêtait à réveiller Arsène Parella lorsqu'un mot s'afficha dans son esprit.

CIARCEL.

Le code ! Le mot de passe qui permettait d'entrer sur le site de Zak. Si elle devait se torturer les méninges pour le résoudre, c'était maintenant ou jamais. Elle se pencha vers le hublot le plus proche de l'ordinateur : il était recouvert d'une légère buée. Sans doute le résultat de ses ébats avec ce monstre, pensa Cécile, écœurée. Fébrile, elle passa son doigt sur la vitre et écrivit en lettres bâtons.

CIARCEL.

« Un code enfantin, avait plaisanté Zak. Il suffit de penser à l'arche de Noé. » À la vitesse de l'éclair, elle fit défiler dans sa tête les mots qui lui venaient. Déluge, arche, Ararat, couple, colombe, arc-en-ciel, olivier…

Elle les répéta plusieurs fois, en boucle. Comme une prière.

Sur le hublot, les lettres dégoulinaient, presque illisibles.

La solution lui apparut soudain, comme un astre derrière des nuages qui s'écartent.

Cécile s'effondra sur le fauteuil le plus proche. Le cuir glaça ses fesses nues.

Arc-en-ciel !

Mon Dieu, c'était tellement évident ! Sur le hublot, Cécile traça deux traits entre les lettres.

CI/ARC/EL

Ainsi isolé, le mot ARC se retrouvait exactement au centre de deux syllabes, CI et EL. Phonétiquement, le mot pouvait alors se lire ARC en CIEL. Un rébus digne d'un enfant de dix ans !

Vexée d'avoir mis autant de temps à trouver la clé, Cécile alluma l'ordinateur. Elle posa la main sur le haut-parleur lorsqu'il démarra. Précaution inutile. Ce serpent sournois de Zak dormait toujours à poings fermés, épuisé de l'avoir baisée.

<u>www.CIARCEL.com</u>

Utilisateur : CIARCEL

Mot de passe : arc-en-ciel

Bingo !

Elle était entrée.

Cécile pouvait se vanter d'une bonne maîtrise de l'informatique, y compris pour tout ce qui touchait à Internet. Elle avait mis au point et entretenait elle-même le site du DIRS. En quelques clics, elle retrouva les pages que Zak leur avait montrées chez Noël Archer. Il prétendait les avoir téléchargées, créées à partir de liens, compilées en centralisant toutes les pages de la Toile qu'il avait pu découvrir sur les Nephilim. Elle allait vérifier !

Grâce au mot de passe, elle accéda à tous les droits de l'administrateur. Elle rédigea quelques lignes de scripts et parvint aux sources du site www.ciarcel.com. Elle put lire, ligne après ligne, son historique. Toute la mémoire du site depuis sa création.

Mot après mot, la vérité s'imposa !

Le cuir du fauteuil gelait sa peau nue, se collait à son sexe. Une furieuse envie d'uriner la pressait.

Plus tard…

Zak Ikabi n'avait pas téléchargé une ligne ! Les pages consacrées aux Nephilim n'établissaient aucun lien avec d'autres sites, au contraire. Le site www.CIARCEL.com était le site originel des Nephilim ! Il représentait pour eux l'unique accès à cette information démoniaque, à cette propagande fanatique, à ces forums de terroristes échangeant leurs impressions sur leurs crimes et tortures. Pire que cela, l'historique du site ne laissait aucun doute : *Zak en était le webmaster !*

Sous le tee-shirt, le cœur de Cécile battait à se rompre. Elle eut l'impression que l'avion penchait, à moins que ce ne fussent ses pensées qui chaviraient. Zak Ikabi était non seulement un de ces Nephilim, mais il était un membre influent de la secte, le maillon qui assurait, via ce site, le lien entre les criminels exaltés de par le monde !

Leur idéologue !

Leur guide, peut-être.

Cécile demeura un instant interdite, doigt en l'air, tremblant de la nuque au coccyx. L'évidence lui sautait à présent aux yeux. Le Nakhitchevan était l'épicentre de ce mouvement sectaire. Le palais d'Ishak Pacha, son repaire. Parastou Khan, ce milliardaire azéri, son cerveau.

Ils fonçaient dans la gueule du loup !

À plus de huit cents kilomètres à l'heure, dans un Falcon 2000 !

Dans le cockpit, le pilote observa Cécile avec un petit regard amusé.

— Faire demi-tour, mademoiselle ?

Il baissa les yeux. Cécile, gênée, tira comme elle put sur son tee-shirt pour couvrir son pubis.

Le pilote avait déjà détourné la tête. Aux commandes depuis des années d'un Falcon 2000 loué pour des clients fortunés, il en avait vu d'autres.

Il marmonna, sans cesser de mâcher son chewing-gum :

— Il faudrait plutôt vous rhabiller, mademoiselle, et réveiller les autres. Nous descendons sur Nakhitchevan. Nous allons atterrir dans moins de dix minutes.

Nord de la Mésopotamie, 4370 av. J.-C., hiver

Jamais Gana n'avait vu autant de monde. À vrai dire, la jeune fille ignorait même qu'il existait autant d'hommes sur terre. Son frère Bilik lui avait raconté qu'entre les deux fleuves des hommes avaient construit des villages immenses, avec des maisons de briques rouges collées les unes aux autres et d'autres si hautes qu'elles défiaient le ciel et les dieux.

Les hommes étaient devenus trop vaniteux, c'est ce que lui avait répété son frère, c'est pour cela que les dieux étaient en colère.

Autour du village, toute la plaine n'était plus qu'un immense champ d'hommes et de femmes, de vieillards et d'enfants, debout, alignés, comme si on avait jeté des graines d'êtres humains dans des sillons de terre tracés bien droit. Certains, paraît-il, avaient marché pendant plusieurs lunes pour venir, pour répondre à l'appel des dieux. Gana se tenait elle aussi à la même place depuis que le soleil s'était levé, entre sa mère

Majka qui lui tenait la main et Leka, fidèle, couchée à ses pieds. Gana était épuisée.

Les dieux et leurs serviteurs s'étaient installés en hauteur, sur la colline qui dominait la plaine. Quelques-uns, armés de lances de cuivre, empêchaient la foule d'avancer plus loin. C'était ridicule, personne n'aurait été assez fou pour s'aventurer sur la colline. Tous ceux qui avaient osé blasphémer avaient été punis ; douze d'entre eux allaient mourir, pour l'exemple, chacun attaché à un tronc de sapin.

Son grand-père, Avo, était le septième.

Les bourreaux portaient des peaux d'animaux sur leurs torses nus, et des gueules de fauves couvraient leurs visages. Cela aussi, pensa Gana, était ridicule. Les bourreaux vivaient parmi eux dans le village. Elle savait que son frère Bilik était l'un d'eux, que c'est peut-être lui qui avait dénoncé son grand-père, tout comme il l'avait offerte aux dieux dans la cabane près de la cascade, pour plaire à ses maîtres. Son frère avait tellement changé depuis qu'il était à leur service.

L'un des bourreaux, celui à la tête d'ours, alluma une torche, la jeta à terre et bondit en arrière. Un immense brasier s'éleva.

L'eau qui brûle ! souffla Gana à sa mère. L'eau qui brûle était une autre des inventions des dieux. Elle permettait de se chauffer sans bois, d'éclairer le village toute la nuit sans torche, simplement en enflammant un vase. Son grand-père avait été furieux lorsqu'il avait découvert que Bilik l'avait introduite chez eux ; il avait jeté le vase d'eau enflammée dans le canal au milieu de leur maison... et la rivière entière s'était mise à brûler ! Son frère avait raison, il ne servait à rien de lutter contre les dieux.

De hautes flammes éclairaient à présent la crête de la colline, comme un rideau d'arbres rouges balayés par le vent. Les bourreaux détachèrent le premier des douze prisonniers et le poussèrent dans le feu. Gana ferma les yeux alors que la foule autour d'elle hurlait de joie au sacrifice de chacun des hérétiques, excitée comme un essaim d'abeilles avant l'orage.

Avo fut le septième à être jeté vif dans le brasier. Majka broya la main de sa fille. Gana ne comprenait plus rien à la folie des hommes. Autour d'eux, la foule criait des mots à la gloire des dieux. Les flammes viraient maintenant au bleu, personne n'avait jamais rien vu de tel.

Le dernier prisonnier fut sacrifié.

Gana s'effondra aux pieds de Leka. Elle ne voyait plus rien, entourée par une forêt de jambes ; elle n'entendait plus rien non plus. Les dieux parlaient maintenant, et, progressivement, l'excitation de la foule se transformait en surprise. Gana n'avait pas besoin d'écouter pour comprendre. Les mots des dieux circulaient entre les rangs, relayés et commentés par mille voix incrédules. Les dieux parlaient de leur colère contre les humains désobéissants, de leur patience infinie, mais lasse désormais, du vice des femmes, de l'ingratitude des hommes, de leur vanité, de punition exemplaire…

Soudain, un murmure de stupeur parcourut la foule. La forêt de jambes recula, comme paniquée ; Gana dut se lever pour ne pas se faire piétiner. Elle constata l'horreur de ses propres yeux. Cinq autres serviteurs apparurent sur la crête de la colline, habillés de peaux de serpents cousues. Chaque homme-serpent tenait dans les bras un nouveau-né. Les bébés n'étaient âgés que de quelques mois mais possédaient déjà des cheveux étonnamment noirs et longs. La scène fut brève. Les serviteurs s'inclinèrent devant les dieux, crachèrent par terre, puis jetèrent les nourrissons dans les flammes bleues.

La foule se tut immédiatement.

Gana pressa les mains contre son ventre ; une douleur foudroyante lui déchira les entrailles. Elle s'effondra dans les bras de sa mère.

Lorsque Gana ouvrit à nouveau les yeux, elle vit d'abord Leka, couchée sur elle, la réchauffant de son épaisse fourrure. Son premier réflexe fut de poser les mains sur son ventre.

— Il va bien, fit une voix dans son dos. Ne t'inquiète pas, Gana, ton bébé vivra…

Gana lança un regard épouvanté. Elle avait reconnu son frère Bilik. Le complice des dieux assassins…

Il posa une main rassurante sur l'épaule de sa sœur.

— Ne t'inquiète pas, Gana, tu es en sécurité, pour l'instant du moins. Les dieux ne savent pas, pour le bébé.

Gana observa autour d'elle. Elle ne reconnaissait pas le lieu où elle était étendue. Il s'agissait d'une sorte de grotte qui lui rappelait celle de la montagne, celle où elle se terrait dans cette autre vie qui lui semblait si lointaine.

— Personne ne viendra te chercher ici, continuait Bilik. Maman et toi êtes en sécurité. Je me suis trompé, Gana. Les dieux ne sont pas bons. Ils vont nous tuer, tous. Les eaux vont monter dans la plaine, bientôt. Ce sera la punition infligée aux hommes. Toute vie va disparaître en moins d'une lune. Il faut fuir, fuir dans la montagne. Vous seules connaissez la montagne, vous pourrez survivre.

Gana gardait les mains plaquées sur son ventre. Les images du feu sur la colline ne cessaient de la hanter. À quel camp appartenait son frère ?

— Et... et toi, Bilik ? demanda Majka d'une voix tremblante.

— Je dois les retenir ici... Les dieux me font confiance, j'ignore pour combien de temps encore. Ils ont besoin de leurs serviteurs. Ils m'ont confié une mission. Je dois... je dois piller pour eux... Si je ne remplis pas ma mission, ils se méfieront... Mais vous, profitez-en, fuyez tant qu'il est encore temps.

Majka embrassa longuement son fils. Gana, abasourdie, leva les yeux vers les sommets blancs de l'immense montagne.

— Fuyez, répéta Bilik. Fuyez avant que les dieux comprennent.

— Qu'ils comprennent quoi ? s'inquiéta Gana.

Le doigt de son frère se posa sur le médaillon accroché à son cou. Le médaillon des dieux. Les deux traits gravés, le court et le long.

— Qu'ils comprennent que tu portes leur enfant.

Première course, Arménie, Vatican : l'arche de Noé
Deuxième course, Kaliningrad, Bordeaux, Toulouse, Melbourne : le théorème de Cortés
Troisième course, Ambert, Hong Kong : le Déluge
Quatrième course, Chartres, Igdir, Paris : les licornes
Cinquième course, Paris, Nakhitchevan : le bond en avant de l'humanité
Sixième course, Monreale, Nakhitchevan : le Livre d'Enoch
Septième course, Ishak Pacha : les Nephilim
Huitième course, Ishak Pacha, Bazargan, Dogubayazit : le protocole AHORA
Neuvième course, Grand Ararat : l'anomalie d'Ararat

SEPTIÈME COURSE

LES NEPHILIM

62

Aéroport de Nakhitchevan

Un halo de chaleur enveloppa Cécile, Arsène et Zak dès qu'ils sortirent du Falcon 2000. Le tarmac sombre semblait brûlé par le soleil du matin, telle une longue coulée de lave. Cécile leva les yeux. Enfin, elle découvrait le mont Ararat. Il lui fit l'impression d'un inconnu qu'elle rencontrait pour la première fois après l'avoir longtemps courtisé devant un écran d'ordinateur. Même si elle s'y était préparée, Cécile fut impressionnée. La montagne écrasait l'horizon de sa masse. Écrasait les hommes. L'écrasait, elle. La lutte était inégale.

La Mercedes Classe S 500 était garée au bout de la piste d'atterrissage. Le chauffeur attendait, fumant une cigarette, appuyé avec nonchalance contre le capot.

— Quel luxe, commenta Zak, enjoué. Atterrir directement au Nakhitchevan ! Être attendu à la sortie de votre jet privé par un taxi sans même passer aux contrôles douaniers… La dernière fois que je suis venu rendre visite à Parastou Khan, je suis resté bloqué deux jours à Bakou avant de trouver une place libre dans un avion pour le Nakhitchevan…

En descendant les marches, Zak chercha la main de Cécile. Simple galanterie, aux yeux d'Arsène. Simple attention d'un amant discret, sans doute, pour Zak. La menotte tendue par son bourreau, pensa Cécile.

Elle esquiva. Elle n'avait pas eu le temps de s'isoler avec Arsène Parella, de lui révéler que Zak était un Nephilim… qu'ils filaient droit dans un piège tendu… qu'ils couraient à leur propre mort. Ce prétendu luxe, le jet privé, l'absence d'escale à Bakou, le taxi les attendant au pied du Falcon, tous ces arrangements n'avaient pas d'autre but que de les encadrer avec douceur, de les emmener jusque dans l'antre de Parastou Khan sans qu'à aucun moment une échappatoire s'offre à eux. Croiser la police par exemple, la douane, l'armée.

Le chauffeur s'avança. Son ventre rebondi tirait sur le bouton de sa veste fermée. Une immense cicatrice barrait son crâne chauve.

— Zeytin Feyrad, dit-il en approchant. Bienvenue au Nakhitchevan ! Je suis chargé par Parastou Khan de vous convoyer jusqu'à Ishak Pacha.

Cécile se fit la réflexion que ce type avait une tête de porte-flingue. La marque du revolver sous son aisselle déformait la veste boudinée.

Ils montèrent tous les trois à l'arrière de la Mercedes. La banquette de la limousine avait beau être spacieuse, Zak se colla à elle au prétexte de chercher la ceinture de sécurité, glissa la main dans son cou, puis sous son tee-shirt pour lui enserrer la taille. Ses doigts caressèrent sa peau nue. Cécile se sentait perdue, une petite fille dans un monde d'adultes dont elle ne comprenait pas les mensonges. Les doigts de Zak sur sa peau la troublaient, comme si son corps, malgré elle, ressentait encore des répliques de jouissance. Les questions, sans réponse, se bousculaient dans son cerveau saturé. Qui était Zak Ikabi ? Qui étaient ces Nephilim pour disposer d'autant de complicités ? Fous de Dieu ? Pilleurs sans scrupules ? Comment Zak avait-il pu, à ce point, lui jouer la comédie ?

Toute sa chair frissonna sous une nouvelle caresse.

Zeytin conduisait à une vitesse folle en commentant le paysage.

— En réalité, le Nakhitchevan se résume à une longue route, coincée entre la montagne et l'Araxe.

Il se retourna tout sourire vers ses passagers, semblant totalement se désintéresser des virages.

— Ici, à part les tracteurs et les camions, les routes sont désertes. Alors les gens roulent comme des fous…

Cécile collait sa tête à la vitre. Elle hésitait entre abandonner son corps las aux attouchements de Zak et lui arracher les yeux. Les paysages défilaient à toute vitesse. Secs. Pauvres. Dans la plaine étroite où s'étirait la route, quelques paysans s'affairaient. La verdure des champs contrastait avec les paysages désertiques alentour. On devinait qu'y apporter de l'eau avait dû nécessiter, depuis des générations, un patient travail d'irrigation.

En moins de vingt kilomètres, Zeytin évita par miracle une bétaillère, une Lada roulant au pas et un chargement de melons. Soudain, au détour d'un dernier virage, l'époustouflant palais d'Ishak Pacha apparut.

— Parastou Khan a hâte de vous rencontrer, déclara Zeytin en les précédant dans le dédale de pièces colorées et de couloirs sombres.

Arsène ouvrait de grands yeux à chaque nouvelle salle d'or et de verre, à chaque panneau de soie accroché aux murs, à chaque voûte en encorbellement sous laquelle ils baissaient la tête, laissant échapper des « Mon Dieu, quelle splendeur ». Les jambes de Cécile la portaient mécaniquement. Ce palais oriental n'était pour elle qu'une prison sournoise sur laquelle régnait un tyran maléfique.

— Parastou Khan vous attend dans la salle des Anges, fit soudain Zeytin en s'effaçant.

Cécile eut l'impression que leur guide allait brusquement disparaître par une porte dérobée. Ils pénétrèrent avec prudence dans la pièce.

Une femme !

Ce fut la première vision qui traversa Cécile en pénétrant dans la pièce. Parastou Khan était-il une femme ? Cette vieille femme au visage sec et crevassé comme le versant d'une montagne d'Asie centrale ?

Puis, elle baissa les yeux et comprit.

Le milliardaire azéri était un homme. Un homme qui ne correspondait à rien de ce qu'elle avait pu imaginer.

63

Palais d'Ishak Pacha, Nakhitchevan

La salle des Anges était immense et claire, teintée d'une lumière oscillant entre les bleus et les ocres par l'effet conjugué des vitraux aux fenêtres et du verre azur des lustres. Parastou Khan les attendait assis au centre de la pièce.

Immobile.

Le milliardaire était cloué dans un fauteuil roulant.

Pour éviter qu'il ne glisse, son corps maigre était sanglé comme celui d'un jeune enfant dans une chaise. Une lanière de cuir passait sous ses bras et autour de son ventre. Son corps de chiffon s'échappait pourtant des ceintures et versait sur le côté, tel un pantin désarticulé.

Un vieillard.

Cécile n'en croyait pas ses yeux. Parastou Khan, le maître des Nephilim, le cerveau ayant programmé cette sanglante et criminelle quête des fragments d'arche… n'était qu'un octogénaire impotent.

L'infirme releva la tête.

— Zak ! Professeur Parella ! Mademoiselle Serval ! Quel immense honneur de vous accueillir chez moi, aux confins du monde ! (Il toussa pour s'éclaircir la voix.) Je crois, Zak, qu'au fil de nos conversations épistolaires je t'ai dissimulé à quel point mes forces physiques m'abandonnaient… Je me souviens que lorsque tu étais venu me rendre visite, il y a une dizaine d'années maintenant, nous étions montés ensemble en haut du minaret.

Son corps fut secoué d'un hoquet. Une sorte de rire sans doute.

— Comme tu vois, j'en serais bien incapable aujourd'hui. Ma fidèle Fatima, depuis plusieurs longs mois, me sert de jambes… Moi, je lui sers de déambulateur.

Nouveaux hoquets.

Cécile, une fois l'effet de surprise passé, se concentra sur le visage de Parastou Khan. Ses yeux en particulier. Ils vibraient d'un bleu profond, et, à l'inverse du corps statufié, conservaient une étonnante vivacité.

— Mais rassurez-vous, continuait l'infirme, Ishak Pacha n'a rien perdu de son hospitalité… ni ses collections de leur éclat. Nous aurons tout le loisir de les admirer ensemble. Je ne sais pas combien de temps il me reste à vivre, mais, dans le doute, je suis devenu aussi impatient qu'un enfant gâté. J'accrois ma collection semaine après semaine, mois après mois. Dans ce monde amnésique qui court à sa perte, je serai au moins parvenu à cela : faire de ce lieu un sanctuaire, un temple du patrimoine de l'humanité dans ce qu'elle possède d'unique.

Parastou tenta vainement de se redresser en prenant appui sur ses bras décharnés. Il ne parvint qu'à s'entraver davantage dans les lanières de cuir qui lui labouraient les épaules.

— Mais, grimaça le milliardaire, je vous ennuie avec ma morale de vieil idéaliste. Vous devez être épuisés par un aussi long voyage. Vos chambres sont prêtes. Mettez-vous à l'aise. Nous nous retrouverons dans une heure pour le déjeuner.

Il leva les yeux vers la femme qui tenait son fauteuil.

— Fatima est presque aussi fatiguée que moi par la vie, mais d'aussi loin qu'on puisse voir l'Ararat, vous ne trouverez pas meilleure cuisinière qu'elle.

Les yeux de Parastou pétillèrent de malice.

Des yeux de sage, pensa Cécile. Des yeux doux de vieil humaniste chérissant le monde, pas les yeux rusés et fourbes d'un tortionnaire. Se laissait-elle émouvoir par son infirmité ? Se laissait-elle encore piéger ? Non ! Pas cette fois, se força-t-elle à réagir. Elle devait être lucide, consciente de la situation.

On l'avait jetée dans une fosse à serpents.

Zeytin les accompagna dans le palais. Cécile aurait souhaité par-dessus tout disposer d'un moment, juste quelques minutes, pour parler à Arsène. Impossible ! Le plan de Zak et de ses complices était parfaitement rodé. Jamais elle n'avait été en mesure de se retrouver seule avec son professeur. Zeytin laissa Zak et Arsène dans deux chambres au premier étage et précisa que les appartements des femmes se situaient dans la partie sud-est d'Ishak Pacha.

Le sérail...

Zak coula un regard attendri sur Cécile, supposé lui faire comprendre qu'il regrettait qu'un dédale de couloirs ne sépare leurs chambres ! Cécile faillit hurler. Elle ne supportait plus cette comédie.

Elle suivit Zeytin, salle après salle, incapable de se repérer. Dans la partie du palais où ils progressaient maintenant, les tentures aux fenêtres devenaient plus soyeuses, les teintes plus vives aux murs décorés de miroirs sertis d'or et d'argent.

— Nous sommes dans le sérail, indiqua Zeytin.

— Parastou Khan entretient encore un harem ? demanda Cécile.

Zeytin sembla amusé par la question.

— Non… Parastou Khan a conservé le plaisir de contempler la beauté… sous toutes ses formes. (Le mercenaire chercha ses mots.) Mais… mais depuis de nombreuses années, il n'a plus, comment dire, les moyens de ses désirs. Les filles qui habitent le palais font le ménage, la cuisine, le jardin… Vous voyez ? Sa favorite, la vieille Fatima, n'a rien d'une odalisque, si ?

Satisfait de sa réponse, Zeytin laissa traîner les yeux sur Cécile, comme si elle n'était qu'un morceau de chair fraîche livré par Falcon Express pour repeupler le harem d'Ishak Pacha. Cécile eut subitement envie d'arracher le flingue qu'il portait sous sa veste et de vider le barillet à bout pourtant.

Elle se contenta de le suivre.

Quelques mètres plus loin, il s'arrêta.

— Votre chambre, mademoiselle Serval.

Elle demeura un instant sur le seuil, stupéfaite. La pièce ressemblait à l'alcôve d'une princesse des *Mille et Une Nuits*. Son regard détailla l'immense baldaquin, les colonnettes qui le soutenaient portées par quatre rutilantes boules de cuivre, les tableaux érotiques et saphiques de femmes au hammam. Ensuite seulement, elle remarqua les barreaux aux fenêtres. Une prison. Une prison dorée !

Cécile réprima avec difficulté un rire nerveux. La situation était presque comique. Elle, Cécile Serval, chercheuse renommée et enseignante vacharde, ayant fait ravaler leurs propos sexistes à des dizaines de collègues, se retrouvait prisonnière d'un sérail ! Fébrile, Cécile se précipita, ouvrit les placards, les penderies, les tiroirs. Bien entendu, tout était prévu.

Cécile observa les longues robes décolletées, les bijoux, les parfums. Elle les étala sur le lit. Les pierres de verre couleur rubis, émeraude, saphir (elle n'osait penser qu'il s'agissait de vraies), les pièces d'or, les paillettes qui brillaient dans le reflet du cuivre. La chercheuse hésita longtemps devant la plus belle pièce de la garde-robe, une incroyable takchita de taffetas rouge, dentelée et liserée d'or. Elle la toucha du bout des doigts comme une gamine sage face à un plaisir défendu.

Après tout, finit par se décider Cécile. Porter cette robe n'est pas le pire des supplices… si tel est le dernier désir de son bourreau… un vieillard infirme aux yeux d'ange.

64

Docklands, Melbourne, Australie

La pluie australienne tombait en fines gouttes sur le visage de Viorel Hunor. Depuis plus de vingt ans qu'il était sorti des geôles de Ceausescu, il ne s'était pas passé une journée sans que le métropolite ne coure au moins une demi-heure. À soixante-cinq ans, ses jambes le portaient encore sur une bonne dizaine de kilomètres. Dans la brume des docks de Melbourne, il entendait battre son cœur, il aimait ce moment où le corps exultait. Dans aucune cathédrale il ne se sentait plus près de Dieu qu'à ce moment-là.

Il priait tout en courant. Pas seulement par l'esprit, son corps entier entrait en contact avec Dieu. Presque chaque jour.

Pas aujourd'hui.

Viorel repensait à ce carnage dans le cloître de Monreale. À ce chantage auquel il avait dû céder. Zak Ikabi devait avoir atterri au Nakhitchevan à présent. Pourquoi cet homme avait-il émis le souhait d'une telle destination ? Pour s'approcher de l'Ararat, certes, mais pourquoi y entrer par l'Azerbaïdjan ?

La croix de bois, seul signe extérieur de spiritualité chez ce joggeur vêtu de noir, cognait en rythme contre sa poitrine.

Il avait mis la pression sur le service d'espionnage du Parlement mondial des religions. Même les représentants chiite et sunnite reconnaissaient que les hommes du grand rabbin Ullmann, infiltrés dans le Mossad, étaient les plus efficaces pour ce genre de mission. Ils savaient maintenant que le site des Nephilim, www.ciarcel.com, était l'œuvre d'un seul individu. Zak Ikabi. Toujours cet homme. Mais cela ne leur en apprenait guère plus sur les Nephilim... Nulle information officielle, même confidentielle, ne résiste longtemps à une collaboration sincère entre hommes de foi. Le devoir de réserve ne pèse pas lourd face au courroux divin. Des sources fiables et recoupées avaient confirmé que des milices azéries étaient impliquées dans la vague d'attentats, en Arménie, à Kaliningrad, à Bordeaux. Après la fusillade du cloître de Monreale, les mafias siciliennes avaient avoué avoir été contactées par des gangs d'Asie centrale.

Zak Ikabi avait souhaité s'envoler à son tour vers le Nakhitchevan. Tout laissait donc penser qu'il appartenait à ces mafias. Il courait se réfugier chez lui. Mais, dans ce cas, pourquoi les milices azéries avaient-elles voulu l'abattre ? Un règlement de comptes entre bandes rivales internes ?

Non, quelque chose ne collait pas.

Le métropolite pesta. Il sautait de flaque en flaque sur le quai de bitume. Tant que Zak Ikabi détenait ces fragments du Livre d'Enoch, il ne pouvait rien faire d'autre qu'attendre. Il toucha sa croix de bois pour se rassurer. Attendre, et espérer ne jamais avoir à déclencher la foudre d'Ahora. À vrai dire, il aurait sans doute mieux fait de laisser Ikabi se faire exécuter à Monreale.

65

Palais d'Ishak Pacha, Nakhitchevan

Fatima aimait préparer les repas en imaginant que c'était le dernier de Parastou Khan. Elle aimait rivaliser d'imagination, surprendre Parastou d'une saveur nouvelle chaque jour, entendre le milliardaire susurrer au dessert qu'aucune pièce de sa collection ne valait le chef-d'œuvre qu'il venait de déguster. Parastou se plaisait à répéter que les gastronomies française et azérie étaient les deux cuisines les plus raffinées au monde. Et voilà qu'il invitait à sa table… des Français ! Fatima avait surveillé ses brochettes de poissons de la Caspienne, son *kuku sabzi*, ses baklavas et ses autres pâtisseries comme une louve couve sa portée. Maintenant, elle se tenait devant la porte. Inquiète. Déjà déçue. L'un des Français, le plus jeune des deux, touchait à peine à son assiette.

Zak effleurait du bout des lèvres les chachliks… et Cécile du bout des yeux. La chercheuse avait ostensiblement tenu à ne pas s'asseoir à côté de lui : elle lui faisait face, entre Arsène à sa gauche et Parastou Khan à sa droite. Heure après heure, la métamorphose de Cécile stupéfiait Zak. Il n'y avait plus rien de commun entre la vieille fille courbée sur son cartable trop lourd dans le hall de l'université de Toulouse-Le Mirail et la créature devant lui, parée d'une envoûtante robe orientale au profond décolleté au creux duquel étincelait une rivière de rubis. Un peigne d'ivoire retenait juste assez ses cheveux pour qu'ils tombent en cascade sur ses épaules nues. « À mon seul désir », récita Zak pour lui-même. Pourtant, depuis la nuit dans le Falcon, Cécile était différente.

Distante. Méfiante.

Parastou Khan, sanglé devant la table tel un nourrisson, monopolisait la conversation, visiblement ravi d'une compagnie étrangère cultivée.

— Monsieur Parella, mademoiselle Serval, savez-vous que le nom de notre pays, le Nakhitchevan, le Naxuana comme l'appelaient les Anciens, est un mot arménien qui signifie littéralement « l'endroit de la descente » ? Pour le dire autrement, le Nakhitchevan est donc très explicitement « le pays de Noé », celui d'où il descendit après avoir posé son arche sur le mont Ararat. Son supposé tombeau fait encore l'objet d'un culte dans notre république. Notre capitale, Nakhitchevan, cette ville laide, rasée et reconstruite par les Soviétiques, que vous avez traversée après l'aéroport, est la plus ancienne ville du monde, puisque c'est ici que vint habiter Noé après le Déluge…

Zak, perdu dans ses pensées, n'écoutait Parastou Khan que par intermittence. Une dizaine d'années auparavant, la dernière fois que Zak avait vu le milliardaire azéri, celui-ci était déjà un homme âgé de plus de soixante-dix ans, mais il lui avait paru d'une vigueur étonnante. Rien à voir avec le vieillard infirme qu'il découvrait.

— *Kuku sabzi*, annonça Fatima en apportant une omelette gargantuesque.

Le festin était aussi copieux que raffiné. Zak se demandait par quel miracle les plats pouvaient parvenir chauds dans son assiette compte tenu de l'infinie lenteur que mettait leur hôtesse à aller de la cuisine à la salle. Parastou Khan étirait son monologue, qu'il destinait explicitement à Arsène Parella, son convive le plus attentif. La belle Cécile semblait tout aussi distraite que Zak.

— J'ai la chance, professeur, d'être immensément riche dans un pays d'une pauvreté inouïe. Mais savez-vous comment je suis parvenu à capter les richesses qui passent à mes pieds, le pétrole et le reste, à faire de ce vieux caravansérail oublié un havre de culture et de paix ?

Zak remarqua que Cécile pâlissait à chaque mot prononcé par le milliardaire. Arsène, en guise de réponse, secoua la tête tout en avalant une impressionnante bouchée d'omelette.

— J'ai compris, professeur Parella, qu'il fallait passer outre aux haines ancestrales. Aussi surprenant que ce soit dans un coin du monde connu pour ses génocides, j'ai réussi dans les affaires par amour. Oui, professeur, par amour sincère pour mes voisins. J'aime les Iraniens, ce vieux pays de culture, parce qu'ils sont chiites comme nous. J'aime les Azéris, nous parlons la même langue. J'aime les Russes, ils nous achètent le pétrole, mais j'aime aussi les Turcs qui nous achètent tout le reste par le pont de l'Espoir sur l'Araxe. Je crois que j'apprécie même les Arméniens, alors vous voyez…

Le visage de Cécile avait pris une couleur de marbre. Zak observait les mains de la jeune femme se crisper sur ses couverts d'argent à chaque fois que Parastou Khan employait les mots paix, amour ou pardon. Elle les recevait comme des injures que l'infirme lui crachait à la figure. Zak lisait maintenant de la haine dans le regard noir de Cécile, surligné au henné comme celui d'une princesse guerrière. De la haine envers Parastou Khan. De la haine envers lui, également…

Le raffiné *kuku sabzi* tournait en bouillie froide dans la bouche de Zak. Il essaya une nouvelle fois de capter le regard de la chercheuse. Sans succès. À son tour, la main de Zak se raidit sur son couteau. Il eut soudain la révélation : Cécile avait percé son jeu ! Il ignorait comment, mais elle avait deviné qu'il lui mentait depuis le début à propos de tout, et des Nephilim en particulier. Pire, même. Que, de son plein gré, elle avait couché avec l'un d'eux !

Parastou Khan, indifférent au trouble de ses convives, continuait de discuter avec Arsène.

— Je crois, au fond, que c'est ce qui explique mon amour pour la légende de Noé. L'histoire est exactement la même, que l'on soit chiite ou sunnite, chrétien, orthodoxe ou yazdânite… Le mont Ararat est notre père à tous, professeur. Lorsque Noé est descendu ici, au Nakhitchevan, le monde ne faisait qu'un. Ce n'est qu'ensuite, lorsque les fils de Noé se séparèrent, qu'ils fondèrent les peuples, les religions, les langues en guerre les unes contre les autres… La terre du Nakhitchevan porte cette lourde responsabilité. Je tente, avec mes humbles moyens, de la réparer…

Zak n'écoutait plus. Il réfrénait une furieuse envie de se lever, de prendre Cécile dans ses bras, de la secouer. La chercheuse semblait plus que jamais au bord de la crise de nerfs. Elle jetait autour d'elle un regard noir de désespoir, le regard d'une fille qui va se tailler les veines avec son couteau.

— Je vais vous avouer mon plus grand rêve, poursuivit Parastou Khan, intarissable. Que la Turquie devienne européenne. Ça n'en prend pas le chemin, je vous l'accorde, même si les Turcs votent demain. (Il hoqueta encore.) Mais si l'Europe s'ouvrait à la Turquie, alors l'union communautaire commencerait à ma porte, au fronton du pont de l'Espoir. C'en serait même incroyable, non ? Ce minuscule pont sur l'Araxe, au financement duquel j'ai contribué, deviendrait un corridor entre l'Union européenne, l'Iran, l'Irak et l'Arménie. L'amour, professeur… Il faut toujours croire en l'am…

Le bruit de verre brisé couvrit les dernières paroles du milliardaire.

Cécile se tenait debout, les yeux emplis de larmes.

D'un mouvement de bras, hystérique, elle renversa les plats d'argent devant elle. Le festin de Fatima s'étala en une glu collante sur le marbre.

— Cessons de jouer maintenant ! hurla Cécile. Tombons les masques !

66

Palais d'Ishak Pacha, Nakhitchevan

Fatima portait dans un grand plateau un assortiment de desserts au miel, baklavas, shekerburas et halvas. Elle s'immobilisa sur le pas de la porte, observant son repas étalé sur le marbre avec la stupeur d'un artiste qui découvrirait une de ses toiles lacérée.

Arsène Parella, terriblement gêné, tourna alternativement son cou vers Parastou Khan et Cécile, bafouillant des excuses incompréhensibles. Le milliardaire conservait son calme sans se départir de son sourire indulgent.

Cécile n'écoutait pas. Trépignant, pleurant, elle lança en vrac à la face de Zak tout ce qu'elle avait appris dans l'avion. La licorne tatouée sur son omoplate, les photographies dans son portefeuille, le site Internet Nephilim, « CIARCEL » et la preuve qu'il était l'unique concepteur et webmaster de cette compilation d'atrocités perpétuées dans le monde… au nom de l'arche !

Elle avança encore. Sa takchita était couverte de taches ocre. Ses pieds nus aux ongles carmin pataugeaient dans une bouillie de sauce citronnée, de poisson et d'omelette.

— Eh… eh bien, fit Zak en affichant un large sourire, voilà qui s'appelle mettre les pieds dans le plat !

À ces mots, Parastou Khan se mit à rire, glissant dangereusement sur son fauteuil.

— Un instant, ajouta Zak sur le même ton, j'ai cru que c'était l'amant qui vous avait déçue.

Arsène s'étrangla. Cécile roula des yeux furieux. Zak se leva calmement.

— Je vous dois des excuses, Cécile… Même si je n'ai rien à voir avec le terroriste fondamentaliste que vous avez imaginé. (Il tenta un sourire.) Je vous l'avoue, puisque je suis démasqué, je vous ai menti depuis le début, à vous et au professeur Parella. Nous n'avons jamais été poursuivis par des Nephilim. Les tueurs à nos trousses, ces mafias, n'ont rien à voir avec ce site CIARCEL.com. Disons que j'ai simplement fait le rapprochement pour mieux vous convaincre du danger. Il… il y avait urgence à être crédible.

Cécile avait saisi un couteau d'argent. Un couvert à bout rond. Une arme dérisoire qu'elle pointait devant elle. Zak leva les mains en signe d'apaisement et continua.

— Comment vous expliquer simplement ? Depuis que je m'intéresse au mythe de l'arche et à l'archéologie, j'ai compris qu'il existait des collectionneurs intègres, des protecteurs, des mécènes, tel Parastou Khan. Mais j'ai également croisé des pilleurs. Des conquistadors modernes, si vous voulez… Tenez, filons la métaphore. Lors des grandes découvertes, le Nouveau Monde fut à la fois conquis par des marins sans scrupules pillant, saccageant pour remplir leurs cales et s'enrichir, mais aussi par des aventuriers qui amenaient avec eux savants et philosophes dans le but de faire se rencontrer les peuples…

Cécile serra le poing sur son couteau d'argent.

— Arrêtez votre charabia, Ikabi. Je ne comprends rien du tout !

— Laissez-moi un peu le temps, Cécile. Les Nephilim sont simplement des soldats qui protègent un patrimoine vieux de quatre mille ans, une armée qui n'a pas d'autre but que de lutter contre ces pilleurs, ceux qui sont prêts à tout pour s'enrichir dans le commerce d'œuvres d'art, de reliques. En particulier le plus grand des mystères, l'arche de Noé. Réfléchissez, Cécile. Le site Internet, avec son délire créationniste, n'est qu'une vitrine effrayante. Un épouvantail, un simple épouvantail. C'est un truc vieux comme le monde. On a toujours fait courir les rumeurs de malédictions pour protéger les sarcophages des pharaons, les temples incas, les terres sacrées indiennes… Internet n'en est que l'avatar moderne !

— Vous effrayez les tueurs à nos trousses avec un site Internet ? Vous vous foutez de moi !

Zak avança d'un pas. Il dominait la chercheuse d'une tête.

— Pas seulement les tueurs, Cécile. Il existe d'autres menaces. Les flancs de l'Ararat sont désormais gravis chaque année par des centaines de touristes. Depuis que l'accès au mont a été à nouveau autorisé, le nombre d'explorateurs a été multiplié par cent. Imaginons que les frontières soient ouvertes par l'entrée de la Turquie dans l'Union européenne. C'est le massacre du site assuré ! Disneyland au pied de l'Ararat, un téléphérique pour accéder au sommet sans se fatiguer… Et la grande tombola pour attirer les foules : qui trouvera des bouts de poutre ? Des os de couples d'animaux ? Qui rapportera la preuve ultime ?

Cécile abaissa un peu le couteau, surprise par l'argumentation.

— Admettons. Qui sont les Nephilim ? À part vous, je veux dire ?

— J'ai rencontré les Nephilim au cours de ma thèse, un peu partout au Kurdistan, puis ailleurs dans le monde. Les Nephilim ne sont pas seulement les gardiens du site de l'arche. Ils protègent également les peuples qui habitent ici. Leurs traditions. Leurs religions. Le culte des anges. Peu de peuples ont autant souffert au cours de l'histoire que les Kurdes. Ils m'ont convaincu, Cécile, je suis devenu l'un d'eux parce que j'ai vu ces pillards agir, détruire au nom de la raison d'État turque, détruire au nom de la religion monothéiste, aussi bien chrétienne que musulmane. Détruire surtout pour que monte la valeur de leur butin… ce qu'ils appellent avec cynisme « le théorème de Cortés ». Je vous ai parlé des grandes découvertes, tout à l'heure. Je crois que j'aurais aimé être un aventurier luttant contre les miens aux côtés des Incas, des Aztèques, des Indiens.

— N'en faites pas trop tout de même, Ikabi !

Même si Cécile ne voulait rien laisser paraître, des accents de sincérité se dégageaient du discours de Zak. Il ouvrit les mains comme pour témoigner de son innocence.

— Je suis un scientifique, Cécile. Tout comme vous. Vous avez vu ces tueurs à l'œuvre. Pouvais-je rester indifférent ? Les Nephilim ne sont pas un mouvement intégriste, c'est une armée juste. Composée de Kurdes, des pauvres habitants du Kurdistan unis dans une tradition multiséculaire de protection de l'arche. À leurs côtés se rassemblent des Turcs, des Iraniens, des Arméniens.

— Des Azéris aussi ? demanda Cécile en se tournant vers Parastou Khan. Vous êtes également un Nephilim ?

Le milliardaire fit pétiller ses yeux de vieux sage.

— Non, Cécile… Je n'en ai pas eu le courage hier, et je n'en ai plus la force aujourd'hui. Mais oui, Cécile, j'approuve leur action. Je les aide du mieux que je peux. Ils sont les gardiens, je suis le conservateur. Les objets que je négocie dans le monde entier n'ont pas pour objectif de m'enrichir, mais d'être ici sauvés. Pour protéger mes biens, j'entretiens un important personnel. Certaines mauvaises langues pourront l'appeler milice ou armée privée. La région n'est pas sûre. Ces hommes sont également payés pour rechercher à travers le monde des chefs-d'œuvre menacés, des trésors de l'humanité qui croupissent dans des taudis, des pièces uniques que les hommes saccagent par simple négligence ou goût du profit. L'archéologie préventive telle que vous la pratiquez en France, ma chère Cécile, celle qui donne aux historiens des droits supérieurs à ceux des promoteurs sur n'importe quel chantier français, est un luxe que peu d'États dans le monde peuvent se permettre !

Cécile ne savait plus que penser. Le vieux Parastou la dévisageait de ses pupilles brillantes de malice. Zak l'implorait de lui pardonner son mensonge. Tout son instinct lui commandait de leur faire confiance. Leurs explications étaient crédibles…

— Eh bien, l'incident est clos, arbitra Arsène Parella. Parastou, veuillez accepter toutes nos excuses pour ces insinuations pour le moins déplacées envers un hôte aussi attentionné que vous.

— Ce n'est rien, trancha Parastou. Ici, nous aimons les femmes vives et libres. C'est cela aussi la France, non ? Allons, passons aux travaux pratiques. Fatima va tout nettoyer et nous apportera les desserts et du thé. Je brûle de vous montrer mes collections…

Tous, à l'exception de Parastou Khan à nouveau calé dans son fauteuil roulant, s'assirent dans les fauteuils de cuir disposés en triangle devant des tables basses. Fatima avait déposé des plateaux de pâtisseries ainsi qu'un service à thé en argent. Arsène continuait de dévorer diverses confitures de coings, de noix et de figues, qu'il étalait sur des pâtisseries au miel. En voilà un au moins qui sait faire honneur à l'hospitalité azérie, pensait Cécile en observant Arsène se lécher les doigts, vexée de s'être fait rabrouer par son professeur comme une petite fille malpolie.

Parastou Khan semblait déjà avoir oublié l'incident et détaillait avec enthousiasme quelques-unes des pièces de sa collection exposées dans les vitrines. Il s'agissait principalement de vestiges du pourtour méditerranéen : une céramique de Tell Brak, une mosaïque de Volubilis, une tablette d'argile de Tărtăria… Arsène, subjugué, buvait son thé bouillant à petites lampées. Chacune de ces pièces possédait une valeur inestimable, mais pourtant Cécile peinait à s'y intéresser. Zak tentait maladroitement d'approcher son siège du sien.

Le milliardaire fit une pause dans son exposé sur le mystère des tablettes de Tărtăria et ordonna à Fatima de leur apporter de l'arak et de la buza.

— La vodka et la bière locales, précisa le milliardaire.

Fatima allait s'éclipser lorsque Parastou Khan la héla.

— Mais auparavant, peux-tu aller nous chercher mon tout dernier ouvrage ? Celui à couverture rouge exposé sur le lutrin.

Fatima sourit et disparut à la vitesse d'un escargot.

Le thé avait eu le temps de refroidir et Arsène de vider un plateau de shekerburas lorsque la gouvernante revint. Elle confia l'ouvrage aux mains expertes de Parastou et retourna en cuisine chercher les alcools.

— Ma toute dernière acquisition, fit Parastou en dévorant le livre des yeux. Regardez, mademoiselle Serval, peut-être aidera-t-il à vous convaincre ? Regardez le titre, l'auteur, la date.

Cécile lut.

Emmanuel Kant
Critique de la raison pure
1787

En un flash, Cécile revit le titre sanglant du quotidien du matin qu'elle avait survolé dans le kiosque de la rue de la Montagne-Sainte-Geneviève, à Paris. *Autodafé dans la bibliothèque de Kaliningrad. Des centaines d'ouvrages scientifiques envolés en fumée. Les deux bibliothécaires brûlés vifs...* Tout se mit à tourner autour d'elle, comme un escalier sans fin qui s'enfonce vers les abîmes. Ces monstres se jouaient d'elle, en permanence…

— Impressionnant, n'est-ce pas ? insista le milliardaire, se méprenant sur le trouble de Cécile. Il s'agit de l'édition originale. Le dernier exemplaire. Il dormait à Kaliningrad, oublié, au fond d'une bibliothèque crasseuse. J'ai dépensé une véritable fortune pour que mes hommes puissent mettre la main dessus. Ils sont mon cœur, mes yeux et mes oreilles, partout dans le monde. Regardez, il était temps, la tranche est un peu noircie. Ces fous de Russes auraient été capables de laisser partir en cendres une telle œuvre.

Mon Dieu !

Parastou Khan était un monstre à sang froid doublé d'un prodigieux acteur. Ce vieil infirme qui s'extasiait devant ce livre ancien avait ordonné le pire des crimes pour se l'approprier. Tout ce palais, ce luxe, cet accueil obséquieux n'étaient que jeu de miroirs et de mensonges. Parastou Khan les avait attirés ici, les tenait dans le creux de sa main, s'amusait avec eux comme un gosse joue avec ses jouets, et, dès qu'il l'aurait décidé, claquerait des doigts. Ses mercenaires n'auraient qu'à entrer pour les éliminer.

Elle. Arsène.

Et Zak ?

Zak était-il comme eux venu se jeter dans l'antre de l'ogre… ou était-il son disciple le plus doué ? À l'image de Parastou Khan, un diable sournois au pouvoir hypnotique.

67

Palais d'Ishak Pacha, Nakhitchevan

Cécile fixait la porte de bois et les quatre vitraux carrés de couleur. Fuir en hurlant était la seule attitude raisonnable à adopter. Sortir en sprintant de cette pièce, courir dans le dédale de salles et de couloirs, trouver une issue, se perdre ensuite dans le désert, dans la montagne…

Seule…

Et Arsène qui s'empiffrait de baklavas, arrosés de bière locale, sans une once de méfiance. Et Zak qui admirait ce livre rouge de Kant comme si le sang versé ne lui coulait pas sur les mains.

La porte. Ne pas lâcher la porte des yeux.

Quelqu'un frappa.

Une ombre immense se dessina derrière les vitraux.

— Ah, fit Parastou Khan. Enfin. Entre…

L'ombre poussa la porte.

Cécile ne put retenir un mouvement de recul. Le visage de l'homme était entièrement masqué par l'immense capuche de son manteau sombre, à l'image d'un moine ou d'un guerrier sith…

Leur bourreau ?

— Entre, continua Parastou. Assieds-toi, partage avec nous cette fin de repas. (Il s'adressa à ses hôtes.) Je vous présente l'homme qu'on appellerait communément mon bras droit, mais, compte tenu de mon état, vous comprenez qu'il est beaucoup plus que cela. Mon bras gauche aussi, ainsi que mes oreilles, mes yeux, mon nez… (Il se tourna avec effort vers Zak.) Tenez, rien que cet incroyable ouvrage de Kant, c'est lui qui me l'a déniché. L'argent que je lui confie pour qu'il l'investisse ne suffit pas ! Il faut du flair, de la culture, le sens des affaires.

L'ombre demeurait debout. Immobile. Muette. Presque menaçante malgré les présentations enthousiastes du milliardaire.

— Prends une chaise, je t'en prie, insista Parastou Khan. Et puis, retire cette capuche de Bédouin.

Le milliardaire se contorsionna vers Cécile. Le teint blême de la jeune femme lui arracha un sourire.

— Je reconnais que l'allure de mon associé peut apparaître quelque peu effrayante… Mais vous serez sans aucun doute indulgents quand vous saurez qu'il a failli perdre la vie il y a quelques semaines. Une histoire affreuse. Un chauffard l'a renversé en Arménie. Nous l'avons tous cru perdu, mais sa volonté est telle qu'il n'est resté hospitalisé que quelques jours. Seul son visage gardera à tout jamais les séquelles…

L'homme pivota vers Parastou, puis, lentement, fit glisser sa capuche à l'arrière. Cécile réprima un geste de recul. Le thé bouillant se bloqua dans la gorge d'Arsène. Zak se mordit les lèvres.

L'homme n'avait plus qu'un demi-visage.

La partie droite de sa figure n'était qu'une bouillie de chair rougie. Un visage de viande crue. Parmi le magma de peau, on distinguait à peine l'orbite de son œil droit ou le lobe de son oreille, simples cratères et excroissances d'un épiderme labouré comme un champ de terre meuble.

Un monstre de foire !

Parastou Khan brisa la gêne qui s'était abattue dans la pièce.

— Ne reste pas debout… Viens donc boire avec nous, Kyrill.

Kyrill déclina l'invitation. Fatima apparut sans bruit, apportant les boissons sur un grand plateau. Elle s'arrêta sur le pas de la porte et observa Kyrill avec la bienveillance que porte une mère à un enfant handicapé.

— Kyrill Eker, continua Parastou, est un enfant du Nakhitchevan. Un bâtard sans parents, comme beaucoup de gamins ici. Il s'est élevé seul dans le dédale du palais. Je l'ai pris sous mon aile, avec Fatima, dès que j'ai deviné ses dispositions exceptionnelles, tant physiques que mentales. Le jeune Kyrill a appris vite, très vite même. Il a su se rendre indispensable. Il est aujourd'hui le plus qualifié pour prendre ma succession… N'est-ce pas, Kyrill ? Installe-toi et prends le temps de discuter avec nos hôtes.

Kyrill sembla d'abord ne pas entendre. Il mit un temps infini à se retourner. Chaque plissement de son regard, chaque mouvement de sa bouche déformait en d'atroces crevasses les stries de sa gueule cassée. Sa voix grave givra la pièce.

— Discuter, Parastou ? Volontiers, je suis venu pour cela. Il… Il y a tellement longtemps que j'attends ce moment. Que nous soyons tous réunis ici. L'occasion est belle, Parastou. Discutons…

Un air glacé descendait sur le salon. Parastou Khan toussa. Quelque chose lui échappait.

— Discutons, continua Kyrill. Mais pour une fois, Parastou, tu ne seras pas le seul à faire la conversation, tu devras ouvrir bien grand tes oreilles… En es-tu capable, au moins ?

Fatima était restée figée, le plateau dans les bras. Parastou se tordit sur son fauteuil roulant.

— S'il te plaît, Kyrill…

Kyrill ne lui accorda pas un regard, il se tourna vers la gouvernante.

— Je suis désolé, Fatima, mais cette conversation ne te concerne pas.

Fatima n'esquissa pas le moindre geste. Kyrill poursuivit :

— Et surtout, tu n'aimerais pas, pas du tout, les vilains mots qui vont être prononcés.

La suite se déroula au ralenti, mais aucun témoin n'eut la présence d'esprit d'intervenir tant la scène les prit par surprise. Kyrill écarta doucement le pan de son manteau pour saisir à la ceinture de sa veste le Makarov PM qu'il pointa sur Fatima.

Le doigt pressa la détente.

La détonation explosa dans le salon.

La vieille gouvernante s'effondra. De longues secondes après sa chute, le plateau d'argent continua de tourner en toupie sur le marbre, dans un vacarme aussi violent que l'écho interminable d'un coup de cymbales.

68

Palais d'Ishak Pacha, Nakhitchevan

La bière et la vodka locales inondaient dans le même flot les pneus du fauteuil du milliardaire et les pieds des sièges où étaient assis Cécile, Zak et Arsène.

Tous statufiés de stupeur.

— Pauvre vieille Fatima, lâcha Kyrill avec une ironie cruelle.

Chacun de ses sourires cyniques se transformait en grimace d'épouvante. Le tueur n'accorda pas un regard supplémentaire à la femme qui gisait dans son sang.

— Faute de mère, j'ai dû tuer ma nourrice. Je lui ai rendu service, au fond. Je lui rends sa liberté. Comment vas-tu faire, Parastou, sans ton esclave pour te pousser ? Pour te border ? Pour te torcher ? (Il fit volte-face en pointant son Makarov PM.) Rassure-toi, Parastou, ton calvaire sera de courte durée…

— Kyr… Kyrill, bredouilla le milliardaire.

— Et s'il te plaît. Juste une faveur. Ne m'appelle plus Kyrill. Kyrill Eker, le bâtard d'Ishak Pacha, est mort en Arménie, devant la cathédrale d'Etchmiadzine.

Appelle-moi Cortés, comme tous ceux qui me craignent…

L'homme colla le Makarov PM sous le nez de Zak.

— Zak Ikabi. Comme c'est gentil à vous d'être venu nous rendre visite. L'histoire est cocasse, non ? On vous poursuit dans le monde entier, on y dépense une énergie folle, vous nous filez à chaque fois entre les doigts… Alors que, depuis le début, il suffisait de vous attendre tranquillement ici en sirotant un raki.

Parastou s'agitait sur son fauteuil roulant avec l'énergie d'un pantin brusquement doté de vie qui chercherait à briser ses fils.

— Doucement, Parastou, doucement… Comme tu l'as dit si souvent, je suis devenu tes yeux, tes oreilles, ton nez… L'arrivée de nos amis présente un important avantage : les avoir sous la main pour les faire parler avant de les réduire définitivement au silence. Elle présente en revanche un inconvénient majeur, elle m'oblige à faire tomber cette couverture ô combien confortable : être l'homme de confiance du si unanimement apprécié Parastou Khan.

L'infirme se lacérait les bras à se débattre dans ses sangles.

— Kyri…

— Cortés. N'oublie pas, Parastou, Cortés. Allez, n'ayons aucun regret, il fallait bien que je me confesse un jour ou l'autre. Même toi, Parastou, tu aurais fini par apprendre la vérité… Mon brave Parastou, depuis plus de vingt ans maintenant, tu vis dans un minaret doré, enfermé dans ton palais, entouré de tes si précieux objets. Tu as laissé à ton homme de confiance le soin de gérer tes affaires. Je m'en suis acquitté avec compétence, n'est-ce pas ? Tu n'as pas eu à te plaindre de mes services. (Un rictus de spectre déforma son visage.) Ton nom m'a ouvert bien des portes de chaque côté de la frontière, Parastou. Vraiment ! Mais désormais, je crains que tu ne me sois plus d'aucune utilité.

— À l'aide ! hurla tout à coup Parastou, aussi fort que ses poumons pouvaient le permettre.

Cortés éclata de rire. D'un nouveau geste circulaire de son canon, il dissipa également toute envie à Zak, Arsène ou Cécile de tenter quoi que ce soit.

— Allons, allons, Parastou. Qui veux-tu appeler ? Depuis des années, j'ai remplacé ta milice par des hommes de main que j'ai recrutés personnellement. Des fidèles largement payés… avec ton argent. Le palais d'Ishak Pacha est un gîte confortable. On peut même y amener des filles, s'amuser avec elles jusqu'à ce qu'elles soient trop abîmées, puis les balancer dans l'Araxe sans que tu t'aperçoives de rien…

— Tu… tu es un… gémit l'infirme.

— Tombons les masques, Parastou, coupa Cortés. Ne viens pas jouer les vieillards séniles, les ermites coupés des réalités de la furie du monde. Tu habites seul un palais de trois cent soixante-six pièces quand tous les gamins azéris crèvent de faim et de froid à ta porte. Tu aimes tant tes voisins que tu les armes les uns contre les autres afin que le prix de ton pétrole ou que le taux de tes prêts grimpe en flèche à chaque conflit. Quant à tes œuvres, Parastou, tes fameuses collections, tu n'as tout simplement jamais voulu savoir comment nous les obtenions. N'était-ce pas le plus confortable ? Laisser les autres faire le sale travail ? Se couper du monde. Ne pas consulter Internet. Ne pas même ouvrir un journal. Parastou, tu es comme ces rois d'antan sur leurs trônes, les mains propres, qui envoyaient les conquistadors massacrer à l'autre bout du monde, pour accroître le prestige et la richesse d'une civilisation sur laquelle ils régnaient, drapés dans leurs principes humanitaires. Mais le monde a changé, Parastou. Il ne reste plus rien à découvrir aujourd'hui aux conquistadors modernes. Leur travail se résume désormais à un choix binaire : conserver ou détruire. En d'autres termes, à appliquer avec discernement le théorème de Cortés.

Le canon du Makarov pointa vers Zak, Cécile et Arsène.

— Rien à découvrir, j'exagère tout de même un peu, n'est-ce pas ?

Parastou Khan poussa soudain un autre cri fauve, comme s'il ne parvenait pas à croire que son royaume lui échappait, que personne ne viendrait le secourir. Ici. Chez lui.

— La ferme, maintenant ! gronda Cortés.

Il arracha le napperon brodé sous la théière et le colla dans la bouche du milliardaire.

— J'en ai presque terminé avec l'infirme. Il me restera juste à lui faire cracher quelques numéros de ses comptes au Liechtenstein. Pour le reste, chers invités, c'est avec vous que je vais devoir faire affaire.

Le regard de Cortés se porta sur la fenêtre. Au loin, immanquable, l'immense silhouette du mont Ararat dominait l'horizon. Arsène, Zak et Cécile ne voyaient du mercenaire que son profil dévasté.

Vision d'apocalypse.

La voix de Cortés grinça.

— Commençons par vous, docteur Ikabi. La face visible de ces fameux Nephilim. Leur attaché de presse, pour ainsi dire. Nous avons quelques comptes à régler ensemble, je crois. Je dois à l'un d'eux, ce fantôme qui se fait appeler Victor Peyre, ce ravissant lifting. Il a eu la délicatesse de me laisser une petite licorne d'argent au creux de la main… et le culot de revenir se fourrer dans nos pattes à Hong Kong. Et vous, Zak Ikabi ? Je vous tiens personnellement responsable du massacre de Palerme. J'y ai perdu douze hommes, dont certains m'étaient très chers. Cela commence à faire beaucoup, ne trouvez-vous pas ? Je vais avoir quelques questions à vous poser. Combien êtes-vous ? Qui sont vos complices ? Où se cachent-ils ?

Zak déglutit. Des gouttes de sueur coulaient le long de ses tempes, mais il continuait de fixer le chef des mercenaires sans ciller. Cortés se fendit d'un nouveau sourire découpé au scalpel.

— Jusqu'à présent, vous m'avez bluffé, Ikabi. Impossible d'infiltrer votre réseau de Nephilim ! Mais nous avons le temps. Croyez-moi, Ikabi, vous parlerez…

Le canon du Makarov PM se dirigea alternativement vers Cécile et vers Arsène.

— Professeur Parella, docteur Serval. Je ne vais pas vous servir les mêmes courbettes que Parastou, mais, sincèrement, votre visite m'enchante. Je souhaitais plus que tout me procurer ce fameux rapport RS2A-2014, mais puisque vous êtes ici, vous pourrez à loisir me détailler ses conclusions. Les officielles pour ces ronds-de-cuir du Parlement mondial des religions, et les officieuses… J'ai quelques questions très précises à poser aux spécialistes de glaciologie que vous êtes…

Cécile rugit soudain, au mépris de toute prudence.

— Mais que cherchez-vous, nom de Dieu ?

Cortés avança son arme à quelques centimètres du front de Cécile.

— Doucement, belle demoiselle. N'abusez pas de ma patience. Vous êtes sans doute la moins précieuse de mes invités.

Le mercenaire défia Zak et Arsène du regard puis approcha encore le canon froid, jusqu'à toucher le front de la chercheuse. Cécile ferma les yeux. Zak et Arsène hésitèrent à tenter quelque chose, conscients qu'intervenir reviendrait à déclencher un massacre.

L'index de Cortés se crispa sur la détente.

Les secondes défilèrent, interminables.

Au moment précis où Zak, désespéré, allait bondir, le doigt du mercenaire se détendit. Cécile poussa un long soupir. Cortés recula d'un pas et éclata de rire.

— Comme c'est charmant ! Le test est pour le moins concluant. Docteur Serval, j'ai au moins une bonne nouvelle pour vous : monsieur Ikabi tient beaucoup, beaucoup à vous. Vous êtes sauvée, au moins jusqu'à la prochaine étape.

— Qui sera ? siffla Cécile.

— Placer cette tête de mule d'Ikabi face à un dilemme intéressant : vous… ou ses frères Nephilim.

Cécile le fusilla des yeux avant de répliquer sans retenue :

— Tous ces massacres pour l'arche de Noé ! Une chimère, un conte pour enfants ! Vous rendez-vous compte à quel point c'est grotesque ?

Cortés hésita à gifler la chercheuse. Il se retint et se contenta d'observer Cécile avec pitié, comme un parent regarde un enfant qui ne prend pas au sérieux ses conseils.

— Docteur Serval, vous êtes visiblement la seule dans cette pièce à ne pas avoir conscience des enjeux réels qui vont se jouer dans les heures qui viennent. Les Nephilim tentent de protéger le plus vieux secret de l'humanité. J'ai constitué avec patience une armée, j'ai recueilli un à un les indices, les preuves, aux quatre coins du monde. La vérité, aussi stupéfiante soit-elle, ne fait plus de doute. Elle ouvre, chère demoiselle, des horizons qui défient l'imagination… Le vieux monde ne s'en remettra pas. Il ne me manque plus que d'infimes détails… et surtout, afin de ne prendre aucun risque, de définitivement écraser les Nephilim !

Comme pour ponctuer sa tirade, Cortés passa deux doigts dans sa bouche. Un sifflement strident traversa la pièce. L'instant suivant, cinq hommes armés pénétrèrent dans la salle.

Amusé, Zeytin observa Parastou Khan étouffer des torrents de salive dans le napperon poisseux, rivé sur son fauteuil roulant tel un nouveau-né. Il se posta devant Cortés.

— Zeytin, veux-tu avoir l'obligeance de conduire nos invités dans leurs nouveaux appartements ?

69

Palais d'Ishak Pacha, Nakhitchevan

Encadrés par cinq hommes, kalachnikov en main, Zak, Cécile et Arsène parcoururent un labyrinthe de couloirs et de salles. Un mercenaire poussait Parastou Khan, toujours bâillonné, dans son fauteuil. Au bout d'un long corridor, ils parvinrent à une lourde porte de bois. Elle s'ouvrait sur un étroit escalier de pierre.

— La suite de la visite, indiqua Zeytin. Vous allez avoir le privilège de découvrir les légendaires geôles d'Ishak Pacha.

Le mercenaire appuya sur un interrupteur. Une faible lumière éclaira les murs. Zeytin lança un regard méprisant sur le fauteuil roulant du milliardaire.

— Bogdan, je crains que Parastou ne doive abandonner son carrosse.

Bogdan sortit un couteau de son ceinturon et, d'une série de gestes précis, trancha les quatre lanières qui sanglaient le milliardaire avant de le hisser sur son épaule comme un vulgaire sac de ciment. D'un coup de pied, il envoya valser le fauteuil contre le mur opposé.

Sous son bâillon, Parastou Khan émettait des grognements de bête traquée.

Ils s'engagèrent dans l'escalier.

Au fur et à mesure qu'ils descendaient, la fraîcheur des murs l'emportait sur la chaleur extérieure. Cécile grelottait, jambes et bras nus dans sa takchita. Leurs ombres dansaient dans la spirale de marches.

L'escalier donnait sur un long couloir pavé. De chaque côté, d'épaisses grilles de fer ne laissaient aucun doute : la cave n'avait pas d'autre fonction que d'abriter des cachots. Pressés par le canon des kalachnikovs, les prisonniers progressaient dans la pénombre. Bientôt, sur leur droite, la succession de cachots laissa place à une vaste salle voûtée. L'éclairage violent de la pièce, peinte en blanc de surcroît, contrastait avec celui des autres cellules.

— Voici le laboratoire de Zafer, dit sobrement Zeytin. Rassurez-vous, vous aurez l'occasion de faire sa connaissance. Zafer est, comment dire, le médecin d'Ishak Pacha. Un véritable professionnel ! Zafer, petit, rêvait de devenir chirurgien, de sauver des vies. Vous voyez, un brave garçon. Mais, dans son Kazakhstan natal, la première fac de médecine se situait à plus de mille cinq cents kilomètres. Il s'est donc engagé dans l'armée. Il s'est formé sur le terrain, comme on dit.

Zeytin laissa aux prisonniers le temps d'observer la pièce. Les néons inondaient de lumière les carrelages à la propreté clinique, la longue table de boucher en inox, les bistouris accrochés aux murs. Le mercenaire insista.

— Zafer est un virtuose, vous pouvez le croire. Il a été à bonne école. Les bouquins d'anatomie le soir et les travaux pratiques dans la journée ! Pour tout vous dire, dans toutes les milices qu'il a fréquentées, on le surnommait Skalpell.

Il se rapprocha d'eux. Son visage serein, dans la lumière crue, donnait l'impression qu'il leur confiait quelque secret au nom d'une longue amitié.

— Je dois vous avouer que Skalpell est assez impatient de vous rencontrer. Il a reçu des ordres précis. Cortés ne vous l'a pas dit tout à l'heure, par pudeur, mais au cloître de Palerme, il n'a pas seulement perdu douze hommes. Il a perdu son fils adoptif. Celui en qui il avait mis toute son affection.

L'adolescent blond, pensa Cécile. Le Petit Prince du crime qui dirigeait le commando. Le monstre abattu devant la fontaine de jouvence…

— Cortés nous a tous recrutés personnellement, continua Zeytin. Les plus expérimentés conseillent les plus jeunes…

— Une grande famille, commenta Cécile avec dédain. Comme c'est émouvant.

Arsène jeta un coup d'œil furieux à la chercheuse, signifiant que ce n'était pas le moment de jouer à nouveau les impertinentes. Zeytin se contenta de sourire.

— Exact, docteur Serval, une grande famille. Composée d'hommes, uniquement d'hommes.

Il dévisagea Cécile.

— Les femmes sont rares à Ishak Pacha. Cortés garde pour lui les plus belles pièces. Les hommes n'y touchent pas. Les autres femmes, en revanche…

Il prit le temps de faire descendre son regard jusqu'aux chevilles de Cécile, de remonter le long des plis de sa takchita ; s'attarda longuement sur ses seins blancs dont la courbe se devinait sous la dentelle du large décolleté, puis plongea à nouveau ses yeux dans ceux de Cécile.

— Les autres, disais-je, le tout-venant… Les hommes peuvent se servir autant qu'ils veulent. (Ses lèvres s'ouvrirent sur deux rangées de dents jaunes.) Une Française, ça les changera des putes arméniennes.

Cécile se liquéfia. Elle se sentait souillée au plus profond de sa chair dans sa robe d'opérette. Elle sentit la main de Zak qui cherchait la sienne. Elle ne la refusa pas, la serra. Fort.

Après la salle des tortures, le couloir longeait une nouvelle série de cachots. Les cellules semblaient inoccupées depuis des années, mais, soudain, ils entendirent distinctement des pleurs filtrer d'un cachot sur leur gauche. Des pleurs étouffés, implorants, incompréhensibles, poussés par une petite voix fluette, presque comme des piaillements de moineau tombé du nid.

Insupportables.

Les supplications d'une fillette.

Zeytin, comme les autres hommes, ne sembla même pas les entendre. Il s'arrêta devant la cellule suivante et ouvrit la lourde grille d'acier. Seule une veilleuse dans le couloir offrait une maigre pénombre.

— Nous sommes arrivés, fit Zeytin aux prisonniers.

Bogdan jeta Parastou sur le seul mobilier de la pièce : un matelas miteux posé sur un lit de fer rouillé. La grille se referma sur eux.

— Ce ne sera pas long, précisa Zeytin. Skalpell est précis, méticuleux… et ponctuel.

70

Dogubayazit, Turquie

Dans la rue la plus passante de Dogubayazit, Meric Konstantin collait avec application l'affiche, à côté de celles des trois candidats à la mairie. Il recula, satisfait. Le « ARANAN », en immenses lettres bâtons rouges, se voyait du trottoir d'en face. Son cow-boy de chef serait content.

— Qui est-ce ? interrogea-t-on dans son dos.

Le policier turc fit volte-face. Au moins, l'appel à témoins suscitait la curiosité ! Il se fit la réflexion que son interlocuteur devait être turc, pas kurde. Il parlait avec un accent d'Istanbul et était habillé à l'occidentale, genre boutique chic de Galata. Sans doute un fonctionnaire muté ou en mission quelques jours.

— Pas un quatrième candidat à la mairie ! répondit Meric Konstantin en riant. C'est un étranger, recherché par Interpol. Ankara nous demande d'ouvrir l'œil, il se dirigerait vers l'Ararat.

L'homme face à lui leva les yeux vers la montagne, puis lui adressa un clin d'œil entendu. Ce type avait tout compris ! Sûr qu'il n'était pas d'ici.

— D'accord avec vous, continua le policier. Encore un de ces timbrés qui viennent nous emmerder à cause de l'arche de Noé. Qui font copain-copain avec les terroristes kurdes rien que pour foutre le camp avec nos reliques. Des Américains pendant des années, des Chinois hier. Des Français maintenant…

— Des Chinois ? fit l'homme, étonné.

— Ouais. De Hong Kong ! Qui pourrait se douter qu'il y a des millions de Chinois qui croient en Jésus et en l'arche de Noé, hein ? Comme si on avait besoin de ça, comme si ces élections à la con, ça ne suffisait pas. Les Kurdes votent à quatre-vingt-dix-neuf pour cent pour les candidats kurdes, alors ça sert à quoi tout ce baratin ?

— Je… je ne sais pas…

Meric Konstantin appuya du tranchant de la main sur l'affiche pour lisser les quelques bulles de colle qui gondolaient le papier et continua de parler.

— Entre nous, à ce qu'on raconte, les Français risquent fort de ne pas nous faire chier. Ils ont eu l'idée lumineuse d'essayer d'entrer en Turquie par le Nakhitchevan. (Il éclata à nouveau de rire.) En ce moment, tout le monde sait que les milices azéries font pour nous le sale boulot. Liquider les terroristes kurdes dans les montagnes… faire pression sur les maires kurdes démocratiquement élus… (Il s'esclaffa encore.) Et s'occuper de ces putains de chercheurs d'arche qui viennent nous casser les couilles !

Son interlocuteur hocha la tête comme si les propos du flic méritaient une profonde méditation, puis s'éloigna lentement.

Les pensées se bousculaient dans l'esprit de Yalin. Depuis longtemps, il avait appris à se fondre dans la population locale et à s'exprimer selon les circonstances dans un turc stambouliote parfait, ou en kurde, en turc azéri, en persan.

À piocher des informations.

Celles que venait de lui fournir ce connard de flic turc se révélaient les pires qui soient.

La photo de Zak, affichée en pleine rue à Dogubayazit ! Son arrivée annoncée par le Nakhitchevan… Avec étape obligée à Ishak Pacha.

Il fit quelques pas dans la rue, pensif. Que faire ? S'attaquer seul aux mercenaires de Cortés dans leur repaire, comme le lui avait demandé Estère la veille, pour sauver sa petite Aman ? Ridicule ! Autant se livrer à Cortés, menottes aux poignets, chemise ouverte sur le cœur pour qu'il n'ait qu'à viser.

Zak se comportait ainsi. Pas lui !

Il bifurqua en direction de l'hôtel Tehran. Il devait rassembler ses affaires au plus vite à présent. Il commença à échafauder un plan. Il avait besoin de papiers, d'un véhicule, d'habits… Oui, plus il y pensait, plus la seule option qui lui apparaissait raisonnable consistait à… *attendre.*

Simplement attendre.

Au bon endroit !

En croisant les doigts pour qu'il reste une chance, une toute petite chance.

71

Geôles d'Ishak Pacha, Nakhitchevan

Les yeux de Cécile s'habituaient progressivement à la pénombre du cachot. La veilleuse du couloir peinait à éclairer autre chose que la grille et quelques mètres carrés de la cellule. La chercheuse tournait en rond, tentant de canaliser son extrême état de tension. Parastou Khan demeurait prostré sur son matelas, dans la position fœtale où les mercenaires l'avaient jeté. Arsène avait ôté le bâillon de l'infirme et s'était assis à côté de lui, mais le volubile milliardaire semblait désormais incapable de prononcer le moindre mot, comme si l'empire qu'il avait patiemment construit avait fini par se refermer sur lui, écrasant son corps malingre dans un étau. Toutes ses illusions broyées, en quelques instants.

Zak se tenait accroupi, le dos contre le mur.

Les gardiens allaient et venaient dans le couloir. Parfois, ils ralentissaient, glaçant Cécile d'effroi. Lorsque la grille s'ouvrirait, l'un d'eux partirait pour la salle de torture.

Cécile se retourna brusquement. Sa voix résonna en écho entre les murs de la prison.

— Zak, pouvez-vous me préciser à quelle heure votre armée de Nephilim est censée prendre d'assaut le palais d'Ishak Pacha et nous sortir de ce trou à rats ?

Zak ne répondit pas. Cécile insista.

— S'ils pouvaient avoir la délicatesse d'intervenir avant que je me fasse violer par ces brutes…

— Les Nephilim ne viendront pas, répondit Zak dans un murmure. Personne ne viendra nous sortir de là. Ishak Pacha est gardé par une centaine d'hommes. Des professionnels. C'est une place imprenable. Même si les Nephilim envisageaient une attaque, elle se solderait par un échec, un échec qui coûterait des dizaines de vies.

Cécile médita en silence. Les doigts de Zak jouaient dans la poussière du sol dallé. La chercheuse fit encore une dizaine de fois le tour de la cellule avant d'exploser :

— Vous pouviez aller partout, Zak. Vous pouviez nous emmener dans n'importe quel point de la planète… et vous êtes venu ici ! Justement ici ! Dans la tanière des loups qui nous poursuivaient. Votre connerie dépasse tout ce que l'on peut imaginer.

Les doigts de Zak continuaient de glisser sur les pierres. Arsène s'enfermait dans le silence. Parastou Khan demeurait immobile sur son lit, tel un animal mort.

Les ténèbres envahissaient l'esprit fatigué de Parastou Khan. Des milliers de pensées se bousculaient. Chaque seconde du film de sa vie. Une vie volée. Comment avait-il pu être aussi stupide ? Aussi naïf ? Aussi aveugle ?

Le moment n'était pourtant plus à se lamenter sur son sort. Il n'était qu'un vieillard impotent qui allait mourir. Qu'il meure sur le lit d'une geôle ou dans celui de sa chambre ne changeait rien, au fond. Une seule question comptait désormais.

Comment réparer ?

Comment contrer l'effroyable projet de Kyrill ? Comment étouffer ce serpent qu'à son insu il avait nourri ?

L'obscurité progressait dans les méandres de ses pensées.

Lui qui avait été si puissant n'était aujourd'hui plus rien.

Que pouvait espérer un vieil infirme, seul contre une armée ?

72

Geôles d'Ishak Pacha, Nakhitchevan

La grille s'ouvrit dans un grincement sinistre. Zeytin entra, escorté de trois hommes qui pointèrent leur kalachnikov sur les captifs.

— C'est l'heure, déclara le mercenaire avec détermination. Par qui commence-t-on ?

Zeytin braqua successivement une puissante lampe torche sur chaque prisonnier. Le trait de lumière éclaira tout d'abord Arsène Parella, puis le visage de Zak, qui ouvrit sa main en visière au-dessus de ses yeux et soutint en cillant le regard du tortionnaire, invisible dans le contre-jour.

— Alors, pas de volontaires ? s'amusa Zeytin.

Le faisceau lumineux dansa encore dans le cachot, pour se fixer sur Cécile. Le rond clair de la torche remonta longuement le long du corps de la chercheuse, tel un projecteur de cabaret impudique sur les courbes d'une danseuse de charme. Une danseuse immobile. Cécile tentait de contrôler le tremblement de chaque pli de sa takchita, les bras serrés contre sa poitrine masquant maladroitement la naissance de ses seins.

— Champagne ? gloussa Zeytin à l'intention de ses complices. Ahmet, Hakki, Kerim, que diriez-vous d'une petite gourmandise parisienne ?

Des rires gras fusèrent dans l'ombre. Les jambes de Cécile ne la portaient plus. Elle allait s'effondrer. Proie résignée.

— Moi, fit soudain une voix faible.

Tous se turent. Un silence de chapelle.

— Moi, répéta la voix.

La torche de Zeytin éclaira le lit.

Parastou Khan s'y tenait toujours recroquevillé, incapable du moindre geste. Seules ses lèvres collées à la toile sale du matelas bougeaient.

— Tu ne peux pas me refuser cela, Zeytin, poursuivit le milliardaire en bavant. L'hospitalité azérie est sacrée, non ? C'est à moi, en tant qu'hôte, de passer en premier entre les mains de Skalpell.

— Pauvre fou, murmura Zeytin.

Il y avait presque de l'affection dans le commentaire du mercenaire. Une forme d'admiration peut-être.

Deux hommes attrapèrent l'infirme, chacun tirant un bras. Ils le traînèrent sans ménagement hors de la cellule.

Parastou Khan avait été emmené par les mercenaires depuis plus d'une heure. Zak et Arsène demeuraient assis, immobiles. On entendait au loin des sons étouffés. Impossible de savoir s'il s'agissait des cris de douleur du milliardaire ou du simple produit de leur imagination macabre. Cécile, incapable de rester inactive, sondait mètre après mètre les murs du cachot.

Le son régulier de son poing contre les pierres froides résonnait dans la cellule comme l'obsédant balancier d'une horloge.

— C'est inutile, Cécile, lâcha Zak en soupirant. Les cachots sont construits sous terre. Il n'existe aucune issue.

Cécile ne releva pas et continua au même rythme son exploration. Debout sur la pointe des pieds, elle tentait de frapper le plafond voûté. La robe de la chercheuse remontait un peu, dévoilant les muscles de ses jambes tendus par l'effort. Zak, à deux mètres d'elle, lui jeta un regard désolé. Cécile explosa :

— Vous avez raison, Zak, ne vous gênez pas. Matez, matez, profitez-en…

Elle reposa la plante des pieds sur le sol, puis, d'un geste de rage, arracha la rivière de rubis qui pendait à son cou.

— Quelle folie…

Les billes rouges s'éparpillèrent aux quatre coins de la cellule.

Au bord de la rupture, Cécile faillit fondre en larmes. Elle se contint pourtant et continua d'explorer le mur face à elle.

— Elle bouge, s'écria-t-elle soudain.

Zak et Arsène la regardèrent, stupéfaits.

Cécile venait de dégager une pierre mal scellée. Une seule.

— Un trou de souris, commenta Arsène. C'est un début…

— C'est le mur qui donne sur le cachot voisin, lâcha laconiquement Zak. Vous voulez agrandir la surface de notre loft ?

Cécile haussa les épaules. Elle colla son oreille à l'orifice qu'elle venait de dégager.

Elle entendait des pleurs !

La chercheuse se contorsionna pour tenter de discerner quelque chose par l'ouverture, mais, même en se concentrant, elle ne percevait qu'un trou noir.

— Il… il y a quelqu'un ? demanda Cécile de la voix la plus douce qu'elle put prendre.

Elle distingua des reniflements. Plusieurs. Puis une voix grelottante lui répondit. Un chuchotement aigu, à peine audible. Une fillette. Elle prononçait avec lenteur une suite de mots incompréhensibles.

— Zak, demanda Cécile. C'est l'occasion de vous rendre utile. Vous parlez turc ? Alors traduisez, ajouta-t-elle sèchement. « Petite, comment t'appelles-tu ? »

Zak se leva et se pencha lui aussi vers l'orifice. Une voix d'ange leur parvint à travers les ténèbres.

— Am… Aman…

— Continuez, ordonna Cécile. « Depuis combien de temps es-tu là ? »

— Elle est kurde, intervint calmement Zak.

— Comment cela ?

— Aman est un prénom kurde, pas turc.

— Et vous ne parlez pas kurde ?

— Si.

Cécile encaissa, impressionnée. N'en laissa rien paraître.

— OK, alors, continuez. « Ils… ils t'ont fait du mal ? »

Zak traduisait les questions et les réponses. La petite Aman ne s'exprimait que par des phrases très courtes. Un mot ou deux. Elle semblait perdue, traumatisée, se méfiant d'un nouveau piège.

— Pourquoi te retiennent-ils prisonnière ? insista Cécile. Qu'est-ce qu'ils te veulent ?

— Ils… ils veulent…

Un frottement sur la pierre fit office de réponse, comme si la fillette tentait de leur faire passer un objet à travers le petit orifice. Cécile tendit la main, sentit d'abord celle d'Aman, chaude, douce, qu'elle caressa longuement, avec une infinie tendresse. Des halètements lui firent comprendre que la fillette devait se tenir dressée sur la pointe des pieds pour atteindre le trou, dans une position sans doute terriblement inconfortable. Cécile lâcha à regret la main et tâtonna. Ses doigts se posèrent sur un objet en bois qu'elle tira jusqu'à elle.

Elle étouffa un juron.

Elle tenait une petite licorne sculptée.

— Qu'est-ce… qu'est-ce qu'ils te veulent ? reprit-elle, troublée.

Zak traduisit mot pour mot la réponse d'Aman.

— Ils veulent… ils veulent que je leur montre les licornes…

Une voix hurla dans la tête de Cécile. La chercheuse aurait voulu s'obstruer les tympans. Elle s'était embarquée à bord d'un train fantôme et chaque virage s'ouvrait sur un nouveau délire ! Les Nephilim, l'arche de Noé, le Livre d'Enoch, les anges déchus… Les licornes… Dans son cerveau, d'immenses toiles d'araignées remplaçaient ses neurones, chaque seconde plus denses, plus sombres, nouées à l'infini.

Cécile s'était perdue dans un cauchemar.

Elle devait se réveiller.

Cécile continua de discuter de longues minutes avec Aman par la brique descellée sans rien apprendre de plus, mais tentant de rassurer du mieux qu'elle pouvait la fillette terrorisée.

— Nous sommes là, murmurait Cécile. Fais-nous confiance. Nous ne te laisserons pas, Aman. Jamais.

Des paroles d'espoir prononcées autant pour la fillette que pour elle. Des pas résonnèrent dans le couloir. Elle replaça la brique avant que la grille ne s'ouvre. Deux mercenaires jetèrent sans ménagement Parastou Khan sur le lit. Le sang inondait sa chemise blanche à hauteur de l'abdomen.

— Ne te réjouis pas trop vite, Parastou, siffla Zeytin de l'entrée de la cellule. Tu souffres, mais tu ne vas pas en crever. Il nous reste du temps, beaucoup de temps, tu parleras la prochaine fois…

La grille se referma sur eux. Arsène, Zak et Cécile se précipitèrent vers le milliardaire. Parella déchira la chemise blanche : Zeytin ne mentait pas, Skalpell avait travaillé en expert ! La blessure entaillait la chair flasque de l'infirme sur plusieurs centimètres jusqu'à la paroi abdominale. L'incision chirurgicale devait faire souffrir le martyre à Parastou Khan, lui interdisant le moindre mouvement, mais ne présentait aucun danger mortel.

— Reculez-vous, murmura le milliardaire d'un souffle à peine audible. Reculez-vous tous, à l'exception du professeur Parella.

Les trois prisonniers se consultèrent, étonnés.

— Je souhaiterais parler au professeur Parella, insista Parastou. En particulier.

Zak et Cécile s'éloignèrent jusqu'à l'extrémité de la cellule. Arsène Parella s'agenouilla sur le côté du lit, dans la position d'un confesseur priant auprès d'un mourant. Les deux hommes échangèrent pendant de longues minutes. Arsène Parella finit par se relever.

Livide.

Les mains du professeur tremblaient. Il pivota comme une toupie fatiguée, comme s'il cherchait un objet qui n'existait pas. Ses yeux hagards paraissaient avoir croisé un spectre.

— Aidez-moi, eut-il le courage de demander à Zak.

— À quoi ?

— À arracher un ressort du lit !

— Pardon ?

Pour la première fois de sa vie, Cécile vit son professeur s'énerver. Un coup de tonnerre.

— Arracher un ressort, nom de Dieu ! Zak, vous n'êtes pas sourd !

— Pour… pour en faire quoi ? insista Zak.

— Me curer les dents !

Devant l'attitude hébétée de Zak, Arsène précisa, sans que sa colère retombe :

— Pour fabriquer une arme, imbécile. Voyez-vous dans cette pièce un autre objet capable de se transformer en arme mortelle ?

Zak ne bougeait toujours pas, incrédule.

— Vous… vous comptez tuer un de nos gardes avec un ressort rouillé ?

Le timbre du professeur baissa soudain de plusieurs octaves.

— Qui vous a dit que c'est un garde que je voulais tuer ?

73

Palais d'Ishak Pacha, Nakhitchevan

L'ange avait des allures de super-héros. Des muscles saillants, une épée longue et luisante à la main, des ailes d'aigle. Nimbé d'une lumière éblouissante.

Zeytin approcha en silence. Il hésitait à déranger Cortés, perdu dans ses pensées devant cette étrange photographie d'ange exterminateur, plein écran sur son ordinateur. Le mercenaire n'avait cependant pas été assez discret, Cortés fit pivoter son siège de bureau vers lui.

— Zeytin, tu tombes bien. Tu t'y connais en Kurdes ?

— En Kurdes ? (Zeytin hésita.) Ouais… Disons à peu près autant qu'un chasseur canadien s'y connaît en grizzlys.

Cortés éclata de rire. Zeytin se rengorgea, fier de sa repartie.

— Et en religions kurdes ?

— Ils ne sont pas tous musulmans ?

Cortés haussa les épaules.

— Mon brave Zeytin, heureusement que ce n'est pas pour ta culture générale que je t'ai choisi comme bras droit… Au moins un tiers des Kurdes ne sont pas musulmans ! Écoute-moi deux secondes, j'ai besoin de quelqu'un à qui parler maintenant que Parastou est hors jeu. Et après tout, dans quelques heures, tu vas te retrouver en première ligne sur les pentes de l'Ararat. Une petite formation accélérée ne te fera pas de mal… (Cortés fit glisser la flèche de la souris sur l'écran, le long des ailes de l'ange.) Zeytin, il faut que tu saches que le Kurdistan possède un rapport très particulier avec les religions. Le christianisme, le judaïsme et l'islam, les trois grandes religions monothéistes, sont tous originaires du Kurdistan. Étrange, non ? Cette terre aride fut autrefois surnommée le Croissant fertile, la patrie d'Abraham et des premiers prophètes. D'Adam et Ève, si on remonte encore… Le berceau de l'humanité. Le paradis terrestre devait se situer quelque part dans le coin, entre le Tigre et l'Euphrate. Mais, écoute-moi bien, Zeytin, il y a plus étonnant encore… Des millénaires avant les récits de la Bible, c'est également au Kurdistan que sont nées les plus vieilles religions du monde. Le yârsânisme, l'alévisme, le yézidisme…

Zeytin fit une moue signifiant qu'il n'en avait jamais entendu parler. Cortés poursuivit.

— Les chrétiens et les musulmans ont eu beau persécuter les Kurdes pendant des siècles, des centaines de milliers de Kurdes continuent de pratiquer ces religions primitives. Mais ce qui est important, Zeytin, c'est que ces vieux cultes kurdes ont tous un point commun. Un très étrange point commun. Ils ne croient pas en un dieu unique… (Cortés marqua un silence calculé.) Ils vénèrent les anges !

Zeytin digéra l'information. Faute d'un commentaire pertinent, il tenta le rapprochement avec la photographie du fond d'écran.

— Et lui, c'est un ange kurde ?

Cortés éclata de rire.

— Lui ? Non, pas vraiment. Il s'agit d'Uriel…

Le siège de bureau reprit sa place devant l'ordinateur. Cortés ouvrit une autre fenêtre. Des séries de pages défilèrent. Le chef des mercenaires jubilait, Zeytin ne l'avait jamais vu aussi euphorique.

— Approche-toi, Zeytin, je vais te montrer quelque chose d'incroyable. J'ai découvert une clé électronique dans la doublure du sac de Zak Ikabi, une clé avec huit gigas de fichiers dont le contenu dépasse l'imagination ! Pour commencer, Ikabi a copié sur cette clé la moitié de l'ordinateur personnel de Cécile Serval… dont l'intégralité du rapport RS2A-2014. Mais il y a plus extraordinaire encore, à croire que ce type nous est envoyé par la providence… (Cortés cliqua à nouveau.) Sais-tu ce qui défile devant tes yeux, Zeytin ?

Zeytin se pencha. Il découvrit des photographies assez floues de fragments de parchemin, griffés de signes cabalistiques impossibles à déchiffrer. Il demeura silencieux, attendant l'explication de son chef. Le visage défiguré de Cortés était irradié d'une extase démonstrative. Un monstre de foire amoureux.

— D'abord, je n'en ai pas cru mes yeux, Zeytin. Tu as devant toi des clichés de la quasi-totalité du Livre d'Enoch. Je te parle de la version censurée par l'Église, celle que le Vatican tient secrète depuis la nuit des temps. Je comprends maintenant pourquoi Ikabi tient le Parlement des curés par les couilles… Pour t'aider à recoller les pièces du puzzle, Zeytin, sache que les héros du Livre d'Enoch sont ces fameux Nephilim, les anges déchus, si tu préfères… Et parmi les anges, celui qu'Enoch cite le plus souvent est Uriel.

D'un clic, Cortés ferma la fenêtre active pour que Zeytin puisse à nouveau observer l'archange vengeur.

— Uriel, précisa Cortés, est le quatrième archange, avec Michel, Raphaël et Gabriel – le Jibril des musulmans. Uriel était même à l'origine le plus populaire des chefs des anges. Les archanges étaient au nombre de quatre, comme les points cardinaux, les saisons ou les éléments. Dans ce quatuor divin, Uriel représentait le sud, l'été, la foudre… Il était l'archange qui symbolisait l'initiation, les sciences alchimiques, l'astronomie… Bref, celui qui révéla aux hommes les secrets des dieux. (Cortés passa son doigt sur l'écran, comme pour le brûler au soleil éclatant qui auréolait l'archange.) Autre pièce importante du puzzle, Zeytin, selon la tradition biblique, Uriel n'est autre que l'archange qui prévint Noé de la menace du Déluge et lui conseilla de construire l'arche.

Zeytin hocha la tête. Il ne voyait dans cet archange belliqueux qu'une sorte de chevalier de la foi collectionnant au bout de son épée les têtes décapitées d'ennemis hérétiques.

— Quand j'étais gamin, les imams me prenaient la tête avec l'archange Jibril, celui qui parla à Mahomet. Mais Uriel, en revanche… Jamais entendu parler de celui-là.

— Rien de plus logique, Zeytin. La suite de l'histoire d'Uriel est assez stupéfiante… En 745, l'Église chrétienne décida purement et simplement d'interdire le culte d'Uriel. L'archange fut écarté de tous les textes liturgiques. Toute reproduction de lui, peinture, sculpture, icône, fut prohibée. Les œuvres qui représentent Uriel sont toutes antérieures à cette date, même si son culte demeura important en Orient jusqu'au XVIIe siècle. Qu'en penses-tu, Zeytin ? À ton avis, quelle menace Uriel, cet ange bavard, pouvait-il bien représenter pour le dogme de l'Église, une menace telle qu'il fut dégradé et relégué à l'oubli ?

— Du sang sur les mains, non ? Ce type m'a autant l'air d'un ange gardien que moi d'un moine bouddhiste…

Cortés se contenta de sourire.

— Pas seulement, Zeytin. Disons simplement que l'Église n'aime guère les anges qui révèlent aux hommes les petits secrets des dieux. D'ailleurs, Uriel n'est pas le seul à avoir fait l'objet d'une censure. Tous les anges y sont passés. Cela va te plaire, Zeytin, on leur a coupé le sexe !

Zeytin ouvrit de grands yeux. Cortés insista.

— Dans les premiers textes bibliques, les anges sont toujours représentés comme des êtres sexués, faits de chair et de sang, qui apprécient particulièrement les belles femmes et ne se privent pas de copuler avec elles… C'est écrit noir sur blanc dans la Bible, mais le Deuxième Concile de Nicée en 787, tout comme l'islam d'ailleurs, à peu près à la même époque, va réécrire définitivement l'Histoire : inutile de discuter du sexe des anges, ils n'en ont pas ! Prétendre, écrire, peindre l'inverse relèvera à partir de cette date de la pire hérésie… Les anges, dès lors, ne seront plus que des esprits éthérés et asexués…

L'œil de Zeytin pétilla.

— Dommage, hasarda-t-il. La version ancienne m'aurait davantage motivé à fréquenter la mosquée…

Cortés, décidément de bonne humeur, éclata de nouveau de rire.

— Tu n'as pas tort, Zeytin. Tu ne peux pas savoir à quel point. Rassure-toi, dans quelques heures, au pied de l'Ararat, tu auras toutes les explications que tu souhaites. (Il désigna des yeux une petite boîte d'allumettes posée à côté de la souris de l'ordinateur.) Pour en finir avec les bonnes nouvelles, regarde ce que j'ai également trouvé dans la poche d'Ikabi. La cerise sur le gâteau !

Cette fois, Zeytin saisit aussitôt.

— Le fragment d'arche de Navarra ? Celui du musée d'Aquitaine ?

— Dans le mille ! (Ses doigts jouèrent avec la boîte.) Nous avons réuni chaque côté du triangle, Zeytin, le rapport RS2A, le Livre d'Enoch, les morceaux d'arche… Sans oublier la gamine aux yeux gris qui va nous mener tout droit au centre de la cible ! Mais on ne va pas passer la journée sur le sexe des anges. Alors, m'apportes-tu toi aussi des bonnes nouvelles ? Parastou a-t-il craché les derniers numéros de ses comptes en banque ?

Zeytin grimaça, l'air désolé.

— Rien à faire. Le vieux a du cran ! Skalpell l'a charcuté pendant une heure, mais il est resté muet comme une tombe.

Cortés tiqua.

— J'espère que vous ne l'avez pas trop esquinté... J'ai beau avoir sa délégation de signature sur la plupart de ses comptes légaux, le gros de la fortune de ce vieux filou dort dans des paradis fiscaux.

— Ce ne sera pas long, Cortés. Skalpell connaît son métier. Une heure de souffrance, ce n'est rien à côté de ce que la jolie petite plaie ouverte qu'il lui a dessinée sur le ventre va lui faire endurer. La douleur va le cuire à petit feu. Sans aucun danger de mort, même pour un vieillard infirme.

— J'espère, j'espère...

— Et... hésita Zeytin. Pour les autres ?

Cortés cligna de son seul œil valide.

— Tu comprends vite, Zeytin. (Cortés fit à nouveau défiler les fichiers sur son écran d'ordinateur.) Tu as raison, le facteur est passé ! Ikabi, Parella et Serval ne nous sont plus d'aucune utilité. La petite Aman semble disposée à nous conduire dans l'antre des Nephilim... Bref, Zeytin, je crois que nous avons toutes les cartes en main.

Zeytin tournait déjà les talons.

— Doucement, le retint Cortés. Doucement, mon grand, ne sois pas trop pressé d'égorger nos invités avant de partir en croisade. Dans chaque village turc aujourd'hui, c'est une journée d'élections. Les Turcs n'ont qu'un défaut, ils sont très chatouilleux avec leur démocratie. Autant ne prendre aucun risque. Avant de lancer notre assaut sur l'Ararat, nous attendrons que toutes les attentions, comme les urnes, se dirigent à nouveau vers Ankara.

— Ce qui signifie ?

— Ce qui signifie, mon grand, que tu disposes de vingt-quatre heures pour t'amuser avec nos invités.

— Y compris la fille ? précisa Zeytin comme un chat se pourléchant les babines.

— Y compris la fille !

— Les hommes vont être cont…

Des bruits de pas dans le couloir interrompirent le mercenaire.

— Zeytin. Cortés. Vite. Ça se passe mal, hurlait une voix essoufflée.

— Qu'est-ce qui se passe ?

— Le vieux, s'écria Skalpell en ouvrant la porte à la volée. Le vieux Parastou Khan, il est en train de crever.

Cortés jeta un regard noir à Zeytin et se leva précipitamment.

74

Geôles d'Ishak Pacha, Nakhitchevan

Le rat noir hésitait entre laper les taches de sang qui suintaient dans le couloir ou s'aventurer dans l'autre pièce, derrière la grille, d'où provenait une délicate odeur de chair avariée. Le bruit de bottes qui couraient dans le couloir lui évita de réfléchir plus longuement, il disparut dans l'ombre. Résigné. Il reviendrait plus tard. Dans les geôles d'Ishak Pacha, la nourriture était fréquente et abondante.

Dix hommes se précipitèrent dans la cellule et braquèrent le canon de leur kalachnikov sur les trois prisonniers pour leur intimer l'ordre de se coller au mur opposé. Zeytin dirigea sa torche sur le lit. Le faisceau trembla.

Le matelas était inondé de sang. La toile imbibée gouttait, une mare poisseuse s'étalait sous le sommier. Cortés s'était avancé jusqu'au lit. Il se retourna vers Skalpell, furieux.

— Je croyais que la plaie ouverte devait le faire souffrir à petit feu ? Sans aucun danger ?

Le mercenaire bafouilla des excuses maladroites.

— On réglera cela plus tard, coupa Cortés. Tu en dis quoi ?

Skalpell se pencha pour examiner le milliardaire. Il possédait des doigts étrangement fins. Zeytin l'éclairait du mieux qu'il pouvait.

— Trop tard, diagnostiqua-t-il en se relevant. La blessure a percé la paroi abdominale. Visiblement, le vieux souffre d'une hémorragie digestive et urinaire. En clair, il a du sang dans la pisse et dans le foie, mais, sans imagerie, impossible de t'en dire plus. Si on pouvait le transporter dans un hôpital, lui faire au moins une anesthésie locale…

— Il en a pour combien de temps ? trancha Cortés.

— Quelques heures. Peut-être moins.

— Bordel, jura Cortés.

Skalpell, d'instinct, se recula. Dans un accès de rage, Cortés était capable de le tuer pour cette complication. Son premier faux pas lors d'une séance de torture. Skalpell n'avait pourtant commis aucune erreur, il ne comprenait rien à la dégradation soudaine de l'état du vieux.

Dans le bref silence qui enveloppa le cachot, une voix faible se faufila.

— Approche, Kyrill.

Cortés baissa les yeux, stupéfait.

— Approche, souffla encore Parastou, assieds-toi sur le lit, mon petit Kyrill. Poser ton cul dans une mare de sang ne devrait pas trop te déranger.

Cortés obéit. Le lit grinça.

Deux hommes, méfiants, dirigèrent leurs kalachnikovs vers l'infirme.

— Tes hommes sont des bouchers, Kyrill. Mais je ne leur en veux pas. Je vais même te proposer un marché.

— Cortés. Je m'appelle Cortés désormais…

— J'ai compris, mon petit Kyrill. Je suis impotent mais pas sénile. Mais si tu m'interromps sans cesse, je risque de ne pas avoir le temps de négocier avec toi. Tu le sais comme moi, ces choses-là prennent du temps.

— OK, Parastou. Abats tes cartes…

Parastou Khan grimaça de douleur, fut secoué par un spasme, puis poursuivit.

— Le marché est équitable, Kyrill. Je te donne ce que tu désires. Les numéros de compte au Liechtenstein. Mais en échange, tu me rends un service.

— Lequel ? demanda Cortés, méfiant.

La flaque de sang s'étendait, alimentée par le matelas pressé comme une éponge écarlate.

— Une cérémonie mortuaire musulmane. Je souhaite seulement que tes sbires ne jettent pas mon corps aux rats ou dans l'Araxe.

Cortés souffla, rassuré, presque amusé par la requête du milliardaire.

— Quelle divine conversion ! Parastou le laïque se retourne vers Dieu à l'heure du Jugement dernier ?

— Tu y penseras toi aussi, mon petit Kyrill, je te l'assure, lorsque ton heure viendra. La laïcité, que je sache, ne s'oppose en rien à une foi sincère. Et en ce qui concerne ma place au jardin d'al-Jannah, j'étais à peu près certain qu'elle m'était réservée avant d'apprendre que j'avais élevé sous mon toit une vipère de ton espèce…

Cortés éclata de rire.

— Je te regretterai, Parastou. Va pour le rite des funérailles ! Tu as ma parole. À ton tour de respecter ton engagement…

Parastou toussa. Il se tordit dans un nouveau spasme, mais se força à sourire dans l'instant qui suivit.

— Mon petit Kyrill. Je t'en prie… je te l'ai déjà dit. Je ne suis pas encore sénile. En ce qui concerne les rites, je souhaite que mon corps soit enterré dans le mausolée où repose ma femme Arina, depuis près de trente ans maintenant, pas très loin d'ici, sous la coupole au nord-est du palais…

— Accordé ! coupa Cortés, soulagé.

— Ce n'est pas tout. Je souhaite que mon corps soit tourné vers La Mecque, qu'il soit lavé trois fois par des hommes et enveloppé dans un linceul blanc. Mais, conformément à la tradition chiite en Azerbaïdjan, je veux également que mes proches pratiquent les *tèziyè*, le repas rituel, les chants traditionnels…

Cortés soupira, la voix légère.

— Accordé, Parastou. Accordé. À la minute de ton agonie, je te ferai moi-même boire le verre d'eau rituel et je poserai la cuiller de miel dans ta bouche avant…

Parastou Khan émit un douloureux son guttural.

— Tu as oublié ton Coran, Kyrill ! Les rites doivent être exécutés par des proches du défunt. Des fidèles. Des justes ! Cela n'est pas négociable, Kyrill, pas un de tes hommes ne touchera mon corps. Seuls Zak Ikabi, Arsène Parella et Cécile Serval pratiqueront les rites pour mon salut.

Cortés grimaça devant les précautions superstitieuses du milliardaire.

— D'accord, si tu y tiens.

— Bien. Dans ce cas, concluons l'échange. Je vais confier les numéros de mes comptes au professeur Parella. Lorsque je ne serai plus de ce monde et que tu auras respecté tes engagements, alors il te révélera le code.

L'éclat de rire de Cortés explosa à nouveau dans le silence.

— C'est un marché de dupes, Parastou !

Parastou Khan était calme, déterminé.

— Ce sera ma seule offre, mon petit Kyrill. Ne perdons pas de temps inutilement, nous savons tous que, si je ne prends pas de précautions, tu ne tiendras aucun de tes engagements.

— Je peux te retourner le compliment. Qu'est-ce qui me prouve que tu tiendras les tiens ?

— Rien, Kyrill. Rien. Mais je vais mourir, de toute façon. Quelle autre décision peux-tu prendre à part me faire confiance ? Le professeur Parella est un homme d'honneur. Si je lui dis de te confier ces numéros de compte, il le fera.

Parastou Khan fit l'effort de hausser la voix.

— Professeur Parella, je vous demande solennellement de respecter la parole donnée. De respecter mes engagements si Kyrill Eker respecte les siens.

La torche de Zeytin se braqua sur Arsène Parella, debout contre le mur de pierre, les traits épouvantés comme si son exécution était prévue dans les secondes suivantes.

— Il… il sera fait selon votre volonté, bafouilla Arsène.

Cortés força son rire. Il posa les deux mains à plat sur le matelas. Elles s'enfoncèrent dans une éponge d'hémoglobine.

— Tu es malin comme un vieux singe, Parastou. Mais tu as raison, après tout, je n'ai rien à perdre. Et si tu te joues de moi, je te promets de disperser ton cadavre, ainsi que le squelette de ta chère Arina, aux quatre coins du Nakhitchevan, en direction de tous les points cardinaux à l'exception de celui de La Mecque…

Il se leva, essuya ses mains au mur le plus proche, y traçant de grandes traînées sanglantes, puis cria à l'intention de Zeytin :

— Dès l'instant où il crève, faites porter son cadavre par les prisonniers sous le mausolée. Je veux en permanence dix hommes armés pour les escorter.

75

Mausolée d'Ishak Pacha, Nakhitchevan

Le corps de Parastou Khan reposait sous le mausolée, sur une dalle de marbre, couché sur le côté droit, pieds au nord-ouest et tête au sud-est, le coude posé contre le corps, l'index pointé vers le ciel.

Le milliardaire avait fermé les yeux une fois les mercenaires hors de la cellule, puis avait doucement laissé la vie s'évader de son corps. Sans un mot. Cela avait pris moins de trente minutes. Arsène s'était assis à côté de lui, avait écouté la respiration du milliardaire s'accélérer d'abord, puis ralentir, faiblir, jusqu'à s'arrêter définitivement.

C'était fini.

Comme Cortés s'y était engagé, une dizaine d'hommes avaient accompagné Zak et Arsène lorsqu'ils avaient porté jusqu'au mausolée le corps sans vie, étonnamment léger, de Parastou Khan. Cécile suivait. Dans le mausolée, selon les rites funéraires azéris, Cortés avait fait préparer des bassines d'eau pour laver le corps, un long linceul de coton blanc pour l'envelopper et des livres de prières *tèziyè*.

Trois mercenaires armés se tenaient derrière eux, raides comme des statues. Sept autres gardaient la porte dans le couloir.

Zak déplia le long linceul blanc.

— Sortez, maintenant, fit-il en se retournant vers les miliciens.

Zak s'exprimait en azéri. Les mercenaires restèrent de marbre.

— Vous êtes tous musulmans, continua Zak avec la détermination d'un imam courroucé. Vous avez tous enterré un parent. Y avait-il des hommes armés dans la pièce lors du rite ? Les trois gardes hésitèrent sur l'attitude à adopter face à ce chrétien qui leur donnait des leçons de morale religieuse dans leur langue natale.

— Faites le tour ! ordonna Zak.

Le mausolée se résumait à une petite crypte de pierre circulaire de cinq mètres sur cinq, creusée en sous-sol, sans aucune fenêtre. Sans issue autre que la porte. Zak insista encore, désignant chaque recoin de la pièce ronde avec son doigt.

— Nous n'allons pas nous envoler sur les ailes de Mounkar et Nakîr.

Les trois gardes se consultèrent brièvement, prirent le temps d'inspecter en détail la chambre mortuaire, chaque pierre, chaque dalle, puis consentirent à sortir. Ils tirèrent la porte derrière eux.

Cécile se retint de hurler de joie. Zak laissa tomber par terre le linceul.

— Vite, murmura-t-il au professeur. Pas une seconde à perdre, il faut soulever la pierre tombale.

Arsène Parella mit plusieurs secondes à réagir. Malgré lui, il n'arrivait pas à chasser une image obsédante de son esprit.

Il y a moins d'une heure, il avait tué un être humain de ses propres mains.

Il avait enfoncé l'extrémité métallique d'un ressort rouillé dans le ventre d'un homme. D'un homme qui lui avait demandé d'exécuter ce geste comme une faveur, comme sa dernière volonté. « Mon cher professeur, avait eu la force de murmurer Parastou Khan à son oreille, mon salut ne viendra pas du respect de superstitions ridicules, mais de ma capacité à réparer le mal que j'ai engendré. Et pour réparer, je dois vous aider à fuir de mon palais. J'ai eu beau retourner le problème dans tous les sens, le seul plan que j'ai trouvé pour que vous ayez une chance d'échapper aux hommes de Kyrill implique que je meure… »

— La stèle, vite, pressa Zak.

Arsène Parella s'extirpa de sa torpeur. Cécile s'arcbouta elle aussi sur l'épaisse dalle de marbre. Elle lut l'épitaphe tout en bandant les muscles de ses bras.

Arina Khan
1931-1983
À mon épouse, l'âme d'Ishak Pacha
Puisse ton esprit s'envoler par-delà les frontières
et séjourner avec les anges au-dessus de l'Ararat

La pierre de marbre devait peser plusieurs centaines de kilos. Au prix d'efforts démesurés, ils parvinrent à la faire glisser sur quelques dizaines de centimètres.

— Poussons-la encore vers l'entrée du mausolée, suggéra Zak à voix basse. Si nous parvenons à la poser entre la porte et la base de la tombe, plus personne ne pourra entrer !

Ils soufflèrent longuement, puis continuèrent de pousser le bloc de marbre. Arsène Parella laissait son corps agir, ses muscles souffrir, pendant que son esprit s'égarait encore. Il entendait les murmures de Parastou Khan. Sa parole apaisée.

« Professeur Parella, écoutez-moi avec attention. Il existe au Nakhitchevan tout un réseau ancien de canaux d'irrigation souterrains. On les appelle ici des chaheriz. Ils étaient creusés à la main, pour amener l'eau des montagnes jusqu'à la plaine. Mais les chaheriz ont été progressivement abandonnés avec l'introduction de systèmes modernes de canalisation. Tout le monde les a oubliés. J'ai financé, ces dernières années, beaucoup de programmes de restauration. Ce n'est pas le moment d'un bilan, mais j'ai la fierté de pouvoir dire que, grâce à mon argent, près de cinquante villages de notre république sont fournis en eau uniquement par la remise en service d'anciens chaheriz… »

La plaque de marbre continuait de glisser, centimètre après centimètre. Zak avait étendu par terre le linceul blanc afin d'atténuer le bruit.

— Cécile, ordonna-t-il. Inutile de pousser la plaque, vous ne nous êtes d'aucune utilité ! Essayez plutôt de couvrir le bruit en chantant des prières *tèziyè*. Dans les rites funéraires azéris, ce sont les femmes qui mènent les chœurs.

— Ben voyons ! pesta Cécile, vexée. Je n'en connais aucune.

Elle redoubla d'efforts pour tenter de pousser la stèle.

— Psalmodiez alors ! Lisez phonétiquement les livres de prières et récitez ! Le plus fort possible !

La chercheuse haussa les épaules, mais obéit. Elle se posta au plus près de la porte et cria dans une prononciation incertaine des prières azéries qu'elle choisissait au hasard. Elle se sentait ridicule autant que sacrilège. Zak et Arsène, épuisés, unissaient leurs dernières forces. Leur seul espoir reposait sur les ultimes révélations de Parastou Khan.

« Écoutez-moi, professeur, comme presque tous les caravansérails au Nakhitchevan, Ishak Pacha fut construit jadis sur un chaheriz. Je crois être le seul à me souvenir encore de son emplacement. (La voix de Parastou avait encore faibli sous le coup de l'émotion.) Il y a une trentaine d'années, lorsque le cœur d'Arina a cessé de battre, le lieu que j'ai choisi pour y ériger le mausolée de ma femme m'est apparu évident : l'emplacement même de l'arrivée du chaheriz oublié. Ma chère Arina était plus superstitieuse que moi. Elle avait ainsi l'impression que son corps serait protégé dans la crypte, mais que son âme pourrait plus facilement s'échapper si sa tombe comportait une ouverture, que les anges pourraient plus aisément circuler entre elle et le paradis.

— Où… où débouche ensuite le chaheriz ? avait demandé Arsène Parella, incrédule.

— Je ne sais pas exactement. Le chaheriz passe la frontière, sous l'Araxe. Ensuite, il grimpe sous les montagnes iraniennes, selon le principe d'une conduite forcée. L'exutoire doit se situer quelque part au-dessus de la gorge de Maku, dans le désert iranien. »

La plaque de marbre glissa sur le linceul pour s'arrêter derrière la porte. Zak s'effondra, trempé de sueur.

— Au moins, murmura-t-il, les hommes de Cortés ne peuvent plus rentrer. À moins de défoncer cette porte, mais ça leur prendra un sacré bout de temps…

— Reste à sortir, ajouta Arsène.

Cécile, n'ayant plus à couvrir le bruit des deux hommes, avait cessé de réciter les prières azéries. Elle s'avança vers la tombe ouverte. Elle ne put qu'à demi réfréner un cri.

— Mon… mon Dieu…

La chercheuse porta sa main devant sa bouche.

— Merde ! réagit Zak en se rapprochant.

Il se pencha au-dessus de la tombe. Le sol de la sépulture était recouvert de lattes de pierre cimentées avec du sable et de la chaux.

Posé sur un drap blanc, le squelette d'Arina Khan y dormait sagement.

— On… on ne peut pas passer par là… bégaya Cécile. Pas par une…

— Je crains que nous n'ayons guère le choix, répliqua Zak.

Il sauta à pieds joints dans la sépulture. Sa semelle heurta une phalange qui s'effrita en une fine poussière blanche. Cécile écarquilla les yeux. De minuscules tiges vertes poussaient sous les pierres et s'immisçaient entre les interstices du drap troué, courant telles des nervures le long des os blancs du squelette d'Arina Khan. Des tiges plus larges sortaient des orbites noires du crâne et serpentaient vers l'os nasal et le maxillaire. Cécile avait l'impression que le cadavre se transformait en quelque chose de vivant. Un squelette marbré de veines vertes irriguées de sève, mi-humain, mi-végétal.

Du bout du pied, Zak écarta l'omoplate de l'épouse défunte de Parastou Khan et se pencha pour dégager les joints de sable entre les pierres. Devant la mine horrifiée de Cécile, il se tourna vers la dépouille.

— Désolé de vous déranger, Arina, mais c'est pour la bonne cause, il faut vous pousser un peu. (Il écarta un tibia.) Nous ne faisons que passer…

Zak gratta la terre sous le drap blanc. Il arracha quelques tiges vertes.

— C'est bon signe ! Ces plantes prouvent qu'il y a de l'humidité. L'entrée du chaheriz doit être juste en dessous.

Il fouilla plus profondément. Sous le choc d'un geste incontrôlé, le crâne d'Arina se détacha et roula sur le côté. Cécile ferma les yeux, écœurée. Arsène passa derrière elle et posa tendrement sa main sur son épaule.

— C'était la volonté de Parastou, Cécile. C'est ce qu'il désirait. Que nous parvenions à nous sauver, y compris en profanant le tombeau de sa femme.

— Je… je sais.

— Là ! s'écria Zak.

Il jeta des pierres sur le côté, dégageant sous la tombe une ouverture circulaire d'une cinquantaine de centimètres.

— Parastou avait raison, murmura Arsène. Vite, maintenant…

Zak continuait d'agrandir l'ouverture. Elle atteignait maintenant près d'un mètre. Arsène serra la main de Cécile. Ils sautèrent ensemble dans la tombe.

Zak se faufilait déjà. Cécile hésita une dernière fois. Elle ne pouvait s'empêcher de penser à la petite Aman, seule dans sa cellule.

« Nous ne te laisserons pas. Jamais. »

Elle avait prononcé ces mots il y a quelques heures. Aman lui avait fait confiance. Mais quelle autre solution avaient-ils que de fuir ? Sans la fillette. En espérant revenir à temps la délivrer. Mon Dieu, était-elle devenue à ce point hypocrite ? Les événements lui échappaient… Il n'y avait aucune bonne décision à prendre. Juste survivre.

— Un conseil, Cécile, dit Zak. Attrapez le linceul de la tombe et entourez-le autour de vos cuisses.

— Le suaire sur lequel le cadavre d'Arina a pourri pendant toutes ces années ? Vous êtes dingue !

— Oh non… Cuisses nues sous votre robe, vous ne tiendrez pas cent mètres à ramper dans ce tunnel.

Cécile grimaça de dégoût.

— À votre avis, quelle longueur fait-elle, cette canalisation ?

— Impossible de savoir. Disons entre cinq et dix kilomètres. Mais c'est plutôt en dénivelé qu'il faut calculer. Le chaheriz doit monter à plus de mille mètres. Un autre conseil, Cécile, n'arrêtez pas vos prières…

— Pourquoi ?

— Pour qu'il ne pleuve pas pendant que nous ramperons comme des lombrics dans cette canalisation !

Nord de la Mésopotamie, 4370 av. J.-C., printemps

Gana resta immobile de longs instants en observant la carcasse.

Jamais la jeune fille n'avait vu un tel animal. Il était plus gros que tout ce qu'elle connaissait, trois fois plus haut qu'un ours, large comme dix buffles. Sa peau grise et ridée ressemblait aux croûtes de sol craquelées par le soleil, et ses oreilles pendaient comme des feuilles molles de palmier... mais le plus incroyable était son museau, assez long et fin pour traîner jusqu'au sol, et ses deux cornes blanches courbées. Leka observait elle aussi avec méfiance le monstre, reniflant l'odeur épouvantable de l'animal.

La bête était morte. Les serviteurs des dieux lui avaient enfoncé plusieurs lances de cuivre entre les yeux. Gana pensa avec horreur que son frère Bilik appartenait sans doute à la horde de bourreaux qui s'étaient chargés de ce massacre. Le cadavre du monstre avait été laissé sur place, au milieu du village, à proximité des autres dépouilles d'animaux ; des milliers de cadavres à perte de vue, des animaux les plus inoffensifs aux fauves les plus dangereux. Des chèvres, des poules, des loups, des renards, des buffles, des rats, des sangliers, des martres, des biches... Tous égorgés.

Des oiseaux avaient été abattus à l'arc. Des centaines de poissons avaient été tirés de la rivière grâce aux filets de lianes inventés par les dieux, et abandonnés sur la berge. Les canaux qui passaient sous les maisons charriaient des torrents de poils, de plumes, de griffes, de crocs, d'écailles...

Sa mère Majka tira Gana par l'épaule. Elle avait raison. Ils ne devaient pas s'attarder, pas se retourner, ils devaient continuer à gravir le sentier dans la montagne, même si, à chaque virage, ils découvraient à nouveau la vision d'épouvante de leur village à feu et à sang. Leka trottait devant, puis s'arrêta pour attendre Gana. La jeune fille, épuisée, progressait plus lentement que le groupe, les deux bras passés sous son ventre lourd.

Ils marchaient depuis longtemps à présent. Le soleil commençait à descendre sous la cime du plus petit des deux sommets. Ils étaient une quinzaine au total, hommes, femmes et enfants. Après les révélations de son fils, Majka avait convaincu quatre familles voisines de les rejoindre. Ils avaient fui la nuit précédente. Pour la plupart, les autres ne croyaient pas aux menaces des dieux. Après tout, malgré toutes leurs inventions, les dieux n'étaient jamais qu'une poignée, seulement protégés par quelques serviteurs, le plus souvent des gamins qui portaient pour la première fois une arme.

Quelle menace constituaient les dieux, en réalité ? Ils avaient eu tort de révéler leurs secrets aux hommes. Quel pouvoir leur restait-il ?

Majka avait renoncé à les faire changer d'avis, elle n'avait pas de temps à perdre. Bilik, son fils, leur avait assuré que les dieux avaient construit des barrages sur les fleuves, plus loin entre la plaine et la montagne. Ces barrages ne laissaient passer que de maigres filets d'eau, juste suffisants pour s'y laver et faire pousser les plantes.

« Tout va céder, avait juré Bilik. Les dieux veulent tout nettoyer avant de partir. »

Majka se laissa un peu distancer par le groupe et attendit sa fille. Elle passa sa main autour de la taille de Gana, avec tendresse, en cherchant des yeux un bâton suffisamment long et rigide pour fournir une aide à sa fille.

Même si elle était certaine d'avoir pris la bonne décision en fuyant le village, Majka se demandait comment allaient réagir les dieux. Pas ceux de la plaine, non ; ceux de l'Ararat ! Elle se souvenait du monstre aux langues de glace, des esprits des grottes, des cracheurs de feu sous le sol, au fond des gouffres noirs. À choisir, elle préférait ces dieux discrets, même s'ils n'inventaient rien pour eux, même si leur colère pouvait être tout aussi mortelle. Avec le temps, aidé par la mémoire des parents, et des parents des parents, on apprenait à connaître les réactions des dieux de la montagne, une terre qui tousse, une langue de glace qui bave, une roche qui fume. Majka aimait, au fond, revenir dans ces montagnes où elle avait toujours vécu. C'est ici qu'habitait son homme, Otek. Jamais ailleurs elle ne serait plus proche du ciel, des étoiles, plus proche des yeux d'Otek qui surveilleraient pour eux les humeurs des esprits de la montagne. Son père, Avo, avait raison. Il ne fallait faire confiance qu'aux dieux que l'on connaissait. Avo était mort dans les flammes bleues pour cela.

Gana trébuchait à chaque caillou. Leur ascension serait longue et pénible. Sa fille était courageuse, mais c'est le bébé dans son ventre qui inquiétait Majka, uniquement le bébé. La montagne n'aimait pas les très jeunes enfants. Son bébé Alum était mort là-haut, c'est pour cela qu'ils étaient descendus rejoindre les autres hommes. Le regard de Majka se perdit vers la plaine, désormais minuscule. D'épaisses fumées montaient du village, on percevait comme un écho sourd des hurlements mêlés de bêtes et d'hommes.

Majka souffla. Ils étaient partis à temps, à la bonne saison. Des fleurs bleues et rouges recouvraient les flancs de la montagne, le bébé naîtrait sous le soleil.

Le bébé des dieux, avait dit son fils Bilik. Il avait offert sa sœur aux dieux, dans la cabane près de la cascade. Il avait ainsi gagné leur confiance.

Mais il restait un bébé, qu'il soit ou non un demi-dieu.

Il aurait le temps de grandir, de prendre des forces suffisantes avant que la pluie d'étoiles froides ne recouvre à nouveau la montagne et qu'ils ne se réfugient dans une grotte comme des bêtes.

Majka frissonna.

C'est ce qu'ils allaient redevenir, des bêtes ; apeurées, mais vivantes.

Première course, Arménie, Vatican : l'arche de Noé
Deuxième course, Kaliningrad, Bordeaux, Toulouse, Melbourne : le théorème de Cortés
Troisième course, Ambert, Hong Kong : le Déluge
Quatrième course, Chartres, Igdir, Paris : les licornes
Cinquième course, Paris, Nakhitchevan : le bond en avant de l'humanité
Sixième course, Monreale, Nakhitchevan : le Livre d'Enoch
Septième course, Ishak Pacha : les Nephilim
Huitième course, Ishak Pacha, Bazargan, Dogubayazit : le protocole AHORA
Neuvième course, Grand Ararat : l'anomalie d'Ararat

HUITIÈME COURSE

Le protocole AHORA

76

Sous la terre, entre le Nakhitchevan et l'Iran

Nuit noire.

Depuis maintenant de longues minutes, Zak, Cécile et Arsène progressaient à l'aveugle dans le chaheriz. Zak ouvrait la marche, Cécile le suivait et Arsène fermait le cortège. Le boyau obscur était large d'environ un mètre, parfois un peu moins, jamais plus. Le tunnel semblait avoir été creusé dans une couche argileuse ; contrairement à ce qu'avait craint Zak, ils ne s'arrachaient pas la peau des mains et des genoux contre des parois caillouteuses, mais progressaient dans une sorte de boue gluante permanente.

C'était pire.

La glaise collante leur interdisait de glisser ou de ramper, mais les obligeait à lever les bras et les cuisses, pas après pas. Ils avançaient lentement, à quatre pattes, tels des animaux fouisseurs. La boue se collait à leur peau, durcissait sur leurs membres comme une carapace, rendant plus pénible encore chaque mouvement.

Ils devaient sans cesse arracher cette croûte avec leurs doigts, eux-mêmes transformés en boudins d'argile.

Soudain, ils sentirent que le chaheriz descendait, doucement, tel un long toboggan naturel.

— On passe sous l'Araxe, annonça Zak.

Ils sentirent d'abord un peu d'eau sous leurs coudes, leurs pieds, descendirent encore d'un mètre, puis d'un coup se retrouvèrent au bord d'un tunnel presque entièrement inondé. De l'eau stagnante filtrait par les parois meubles. Zak s'avança, immergé jusqu'au cou.

— Il faut que nous passions, cria-t-il dans les ténèbres. Il y a une trentaine de centimètres entre le plafond du boyau et le niveau de l'eau.

Ils avancèrent avec dégoût dans l'onde trouble, collant leur tête au sommet poisseux du souterrain, s'imaginant déjà devoir choisir entre continuer sous l'eau en apnée… ou rebrousser chemin vers le mausolée du palais d'Ishak Pacha.

— Ça va remonter, grognait Zak en tentant de happer un peu d'oxygène, il faut continuer, ça va forcément remonter.

L'eau était tiède. La paroi imbibée se déchirait en mottes dans leurs paumes. Depuis quelques mètres, ils progressaient davantage en nageant qu'en rampant. Leurs habits n'étaient plus que des linceuls trempés. Bientôt, ils ne disposèrent que d'une dizaine de centimètres d'espace à l'air libre ; ils avancèrent sur le dos, le cou tordu, pinçant les lèvres pour éviter d'avaler le liquide visqueux.

Impossible d'aller plus loin, pensa Cécile.

Fichu.

Plus qu'à faire demi-tour…

— Le chaheriz remonte ! hurla soudain Zak. Le niveau de l'eau baisse deux mètres plus loin. Le tunnel doit maintenant grimper à pic dans la montagne.

Cécile retint sa respiration. Elle étala d'un revers de manche la boue sur son visage, puis plongea un dernier mètre dans le goulot inondé.

La canalisation était désormais sèche, mais leur marche n'était pas plus aisée. Au contraire. Dans le tunnel en pente raide, ils avaient l'impression à chaque mouvement d'avancer d'un pas et de redescendre de deux, comme si le moindre déséquilibre pouvait les faire retomber, après une interminable glissade, dans l'eau croupissant sous l'Araxe.

Leurs habits séchaient, figeant en armure de terre leurs chemises, pantalons et robe, les obligeant à des efforts supplémentaires pour casser chaque pli du tissu. Mais ils montaient, mètre après mètre.

Chaque reptation les éloignait d'Ishak Pacha.

Des tueurs.

— À votre avis, demanda Cécile, on progresse à quelle vitesse ?

La voix cotonneuse de Zak résonna dans le tunnel.

— Je tente depuis tout à l'heure de faire le calcul. Je dirais que l'on parcourt environ vingt mètres à la minute…

— Je confirme, ajouta Arsène Parella dans un souffle derrière eux. On fait un pas toutes les deux ou trois secondes.

— Si nous sommes capables de tenir le rythme, reprit Zak, nous devons donc être capables d'avaler un kilomètre en moins d'une heure…

— Et le chaheriz est long d'une dizaine de kilomètres ? interrogea Cécile.

— Au plus ! répondit Zak sur un ton engageant. Courage ! Nous serons en Iran pour le petit déjeuner.

Dans son entrain, il fit un faux mouvement et glissa sur deux mètres, écrasant la main de Cécile qui, surprise, l'injuria dans les ténèbres.

— Désolé, bafouilla Zak.

— Doucement, intervint Arsène avec calme. Il faut trouver notre rythme, celui auquel nos muscles vont s'habituer.

Ils repartirent, silencieux, s'accroupissant dès que le tunnel était assez large ou moins pentu, rampant tels des vers lorsque le dénivelé s'accentuait ou que le boyau se rétractait. De longues minutes s'écoulèrent, des heures peut-être. À nouveau, Cécile rompit le silence.

— Que se passera-t-il s'il se met à pleuvoir sur la montagne ?

Seuls, derrière elle, les halètements d'Arsène lui répondirent, de plus en plus sourds.

— Si vous voulez vraiment savoir, répondit enfin Zak, l'eau va envahir le chaheriz, pour stagner dans le fond, dans la piscine de boue. Puis le niveau va monter…

— Peu importe, d'ailleurs, reprit Cécile. Si l'eau envahit le tunnel, nous n'aurons rien pour nous accrocher… Cela signifie que nous dévalerons en quelques secondes tout le terrain que nous venons de mettre une éternité à grimper…

— Et on aura intérêt à savourer cette glissade, commenta Zak. Ce sera la dernière avant la noyade.

— Que… que disait la météo ? s'inquiéta Arsène entre deux soupirs d'épuisement.

— Ciel bleu ! répondit Zak. Avec possibilité d'orage…

Un long silence encore.

— C'est une nouvelle plaisanterie ? grinça Cécile.

— Pour tout vous avouer, répliqua Zak, à Ishak Pacha, je n'ai pas trop eu l'occasion de discuter de la météo des jours prochains avec nos hôtes…

Nouveau silence. Juste les frottements des corps dans la terre.

— C'est vous la glaciologue, souligna Zak. Vous devez avoir des notions de climatologie, non ?

— Selon la classification de Köppen, répliqua Cécile, nous sommes en climat semi-aride. Cela signifie qu'il pleut entre trente et quarante jours par an, pas plus…

— Soit un petit dix pour cent de chances de périr noyé, haleta Arsène.

Le noir, toujours le noir.

— Dix pour cent ? s'écria gaiement Zak. Enfin une bonne nouvelle ! Depuis deux jours, nous n'avons jamais eu des statistiques de survie aussi élevées !

Des heures encore à ramper, comme si la montagne n'en finissait jamais ; comme des mineurs perdus dans des galeries sans fin ; comme des insectes grouillant dans les entrailles de la terre, se nourrissant de boue, la mâchant, la crachant ; comme des créatures des profondeurs aux yeux blancs et aveugles.

— À votre avis, s'inquiéta Cécile avec lassitude, nous avons combien de temps d'avance sur les hommes de Cortés qui doivent ramper derrière nous dans le tunnel ?

Zak qui était devant ralentit.

— Vous avez encore beaucoup de questions du même genre pour nous remonter le moral ?

— Désolée d'avoir le sens pratique…

— Au moins une heure, coupa Arsène. Ils n'ont pas dû se rendre compte immédiatement de notre fuite ; le temps qu'ils fassent sauter la porte, qu'ils s'organisent… À mon avis, dans ce boyau, ils ne peuvent guère progresser beaucoup plus vite que nous.

— Si vous le dites, conclut Cécile en continuant de guetter, oreilles tendues, le moindre bruit derrière eux.

Plus de cinq heures maintenant qu'ils se contorsionnaient dans le chaheriz. C'était du moins le temps que Cécile estimait. L'espoir lui donnait presque de l'entrain. À n'importe quel moment maintenant, les ténèbres pouvaient brusquement s'ouvrir, l'issue pouvait être à portée de leurs yeux… Quelques mètres… Ou quelques kilomètres encore.

— Ça ne passe plus ! lâcha soudain Zak, paniqué.

— Quoi ?

— Ça ne passe plus devant, le tunnel s'est effondré !

Un terrible silence tomba sur les trois fuyards.

Tous ces efforts pour rien ? Choisir entre périr asphyxié dans la galerie ou rebrousser chemin et retomber entre les mains des hommes de Cortés.

La torture, le viol, l'exécution…

— Qu'est-ce… Qu'est-ce qu'on fait ? balbutia Cécile.

La voix de Zak retentit, presque militaire.

— Les taupes ! On creuse !

Aucun ne posa de questions. Ils se collèrent à trois dans le boyau, tel un monstre à six bras. Ils évacuèrent frénétiquement la terre, creusant sur le côté, sous leur corps. Battant des pieds pour la pousser derrière eux.

— Et s'il y en a cent mètres comme ça ? couina Cécile, au bord de la crise de tétanie.

— Impossible, analysa Arsène. On parvient à respirer sans difficulté depuis des heures. Il y a forcément un jour entre la galerie et l'extérieur. Le bouchon nous bloque mais n'obstrue pas totalement le tunnel…

— Merci, Arsène ! jubila Zak. Ça fait plaisir de ne pas être le seul à remonter le moral des troupes.

Il redoubla d'efforts, expulsant des mottes de terre dans le visage de Cécile.

— Allez-y, enterrez-moi vivante !

— Désolé.

— Du rythme, calma Arsène. Du rythme et de la cohésion.

Ils creusèrent sur plus de trois mètres. Soudain, un bras traversa le bouchon de terre.

— Ça passe ! cria Zak…

Cécile s'effondra dans le lit de boue.

— Vite, enchaîna Arsène. Ne traînons pas, maintenant, nous avons perdu de longues minutes…

Il s'arrêta de parler, comme s'il réfléchissait.

— Nous avons créé un tumulus derrière nous ! reprit-il. Aidez-moi tous les deux. Allongez-vous sur le dos et, à l'aide de vos pieds, continuez de tasser la terre derrière nous.

— On va perdre un temps précieux, gémit Cécile.

Arsène prit à son tour une intonation autoritaire.

— Nous mettrons moins de temps à boucher le tunnel que les hommes de Cortés à le dégager !

Zak approuva.

— Vous êtes un génie, Arsène. (Il se tourna sur le dos, se collant à Cécile.) Nous allons nous obliger à créer des obstacles derrière nous… Disons, toutes les trente minutes… Cela retardera définitivement nos poursuivants.

Cécile soupira encore devant cette débauche d'énergie supplémentaire. Elle se sentait sale, épuisée, à bout de forces et de nerfs. La voix de Zak s'éleva, presque joyeuse.

— En route ! Au minimum, nous avons fait plus de la moitié du chemin.

S'il appelait cela remonter le moral des troupes…

77

Yarra River, Melbourne, Australie

Il pleuvait sans discontinuer sur Melbourne, mais, comme chaque matin, Viorel Hunor avait tenu à courir dans la ville. Ce matin plus qu'un autre. Il avait besoin de penser. De s'isoler également. La pluie redoubla.

Le métropolite fit une pause le long de la Yarra River, sous un kiosque de l'Alexandra Gardens. Après un dernier méandre dans l'immense parc d'East Melbourne, le fleuve s'enfonçait dans une forêt de gratte-ciel. Un mélange de pluie et de sueur coulait sur le front ridé du métropolite. Depuis la veille, Hunor n'arrivait pas à sortir ce mot de ses pensées : Nephilim… Le nom utilisé sur son site par ce Zak Ikabi… À dessein, bien entendu…

Nephilim. Pourquoi ce nom ?

Viorel Hunor s'épongea le front et les mains contre le tissu spongieux de son jogging puis saisit la petite bible qu'il avait glissée dans sa poche avant de s'élancer. Il l'ouvrit aux toutes premières pages. La Genèse, chapitre 6.

Les Nephilim étaient sur la terre en ces jours-là quand les fils de Dieu s'unissaient aux filles des hommes et qu'elles leur donnaient des enfants ; ce sont les héros du temps jadis.

Les « Nephilim » étaient cités trois fois dans la Bible. Dans la majorité des éditions, Nephilim était traduit par « géant ». Mais dans le même chapitre, le mot « Anak » était lui aussi synonyme de « homme de grande taille ». Le pléonasme avait intrigué des générations de traducteurs, et les éditions plus récentes de la Bible exploraient donc d'autres significations pour qualifier le terme de « Nephilim ». La Concordance de Strong proposait de traduire Nephilim par « tyran »... Il allait même plus loin et proposait tout un registre de nuances : oppresseur, persécuteur, usurpateur...

L'averse diminuait d'intensité et se muait en fine bruine. Les sportifs du matin réinvestissaient progressivement les larges allées de l'Alexandra Gardens. Le métropolite patienta en lisant un nouveau verset de la Bible.

Lorsque les hommes commencèrent d'être nombreux sur la face de la terre et que des filles leur furent nées, les fils de Dieu trouvèrent que les filles des hommes leur convenaient et ils prirent pour femmes toutes celles qu'il leur plut.

« Géants » ou « tyrans » ? s'interrogea Viorel Hunor. Une telle nuance n'intéressait qu'une poignée de spécialistes dans le monde. Et pourtant...

Et si toute l'histoire de l'humanité se jouait dans cette nuance ?

Il baissa à nouveau les yeux. La troisième citation biblique du terme « Nephilim » était incomplète : elle se limitait à sa racine primaire « Naphal », appliquée dans le chapitre 4 de la Genèse à la chute de Caïn aux yeux de Dieu. Tous les dictionnaires traduisaient « Naphal » par « abattre », « renverser », « chuter ».

Une troisième signification, murmura Viorel pour lui-même… En suivant cette exégèse, « Nephilim » pouvait alors logiquement se traduire par « tyran déchu », « roi banni », « souverain disgracié »…

Est-ce le sens que lui donnait Ikabi ?

Viorel Hunor rangea sa bible contre son cœur et s'élança en petites foulées le long d'Alexandra Avenue.

Non, Ikabi allait encore plus loin. Sa définition des Nephilim était forcément liée à celle du Livre d'Enoch… Les Nephilim étaient les véritables héros du récit apocryphe, y étaient décrits en détail de la première à la dernière ligne. Pour Enoch, d'évidence, la signification de « Nephilim » recouvrait toutes les nuances bibliques : géant, tyran, banni…

Viorel Hunor accéléra. Ses semelles accrochaient les gravillons mouillés.

Toutes les nuances, certes, mais en y ajoutant une dimension supplémentaire fondamentale : les Nephilim étaient des géants, des tyrans, bannis… *qui venaient du ciel* ! Pour Enoch, la définition du terme « Nephilim » était on ne peut plus claire : *des anges déchus* !

Viorel força le rythme de sa course, comme pour éprouver son vieil organisme. Dans les geôles de

Ceausescu, il pouvait marcher en rond dans sa cellule des heures durant.

Des anges déchus !

Zak Ikabi en savait trop, beaucoup trop.

L'espoir à présent serait qu'Ikabi, trop confiant, se soit associé avec le diable… Ces tueurs azéris. Peut-être feraient-ils le travail pour lui. Dans cette hypothèse, Arsène Parella et Cécile Serval seraient sacrifiés eux aussi. Un inévitable dommage collatéral. C'était le prix à payer, mieux valait trois morts qu'une humanité entière à la dérive. Viorel Hunor n'interviendrait pas cette fois, il ne commettrait pas deux fois la même erreur, il connaissait désormais le pouvoir concentré entre les mains de Zak Ikabi.

Il souffla en passant sous l'élégant pont de Swan Street. Désormais, un seul motif pourrait déclencher l'intervention du bras armé du Parlement mondial des religions.

Que l'anomalie d'Ararat soit approchée.

Pas vue de satellite, comme ils l'avaient demandé au DIRS, pas dans quelques décennies lorsque les glaces auraient fondu, pas décrite de façon allégorique comme dans le récit d'Enoch.

Non, dès à présent.

Approchée concrètement.

Que des preuves matérielles se retrouvent à portée de mains impies.

Alors, tout était prévu.

Viorel se signa en passant devant la Government House, noyée de verdure au cœur des Royal Botanic Gardens. La croix de bois pesait une tonne autour de son cou. Tout comme aucun chef d'État détenteur de la puissance nucléaire ne souhaite un jour avoir à donner l'ordre de lancer une bombe atomique, il espérait ne jamais avoir la responsabilité de déclencher le protocole AHORA.

78

Au-dessus de Maku, Iran

Ce furent d'abord leurs narines qui comprirent.

Elles rencontrèrent brusquement une bouffée d'air plus frais, comme l'eau d'une oasis dans la gorge d'un homme perdu depuis des heures dans le désert.

Comme si leur cerveau était à nouveau irrigué.

Leurs yeux se préparèrent.

Ils discernèrent d'abord un point lumineux, minuscule, telle une étoile solitaire dans un ciel de nuit.

Une étoile filante.

Une météorite fonçant sur eux.

Le point lumineux grossissait au fur et à mesure qu'ils rampaient vers lui, en mouvements désordonnés désormais. Plus rien ne comptait d'autre que d'atteindre cette lune.

Et puis soudain, le cercle clair bascula, se coupa en deux.

Un immense ciel bleu laiteux apparut.

Le jour !

Ils n'étaient encore qu'à une cinquantaine de mètres de la sortie, mais ils étaient déjà dehors. Euphoriques. Comme si l'air trop pur les droguait. Ils s'en fichaient, respiraient à pleins poumons.

Leurs corps revivaient.

Quelques secondes plus tard, ils se hissaient sur le rebord de l'ouverture du chaheriz. Ils se dressèrent, stupéfaits. Dans le matin naissant, ils découvraient un paysage désertique infini. Ils se tenaient sur le versant abrupt d'une montagne grise. Les cailloux roulaient sous leurs pas, des cendres volaient.

À perte de vue, ils étaient entourés de roche, des murs striés hauts de dizaines de mètres. Cécile avait l'impression d'être une cosmonaute débarquant sur la Lune ou sur n'importe quelle planète inhabitée. Ou la Terre, après l'explosion d'une bombe nucléaire. Ils étaient trois survivants, avec les insectes, les serpents et les scorpions, à retrouver la lumière du soleil après des siècles passés sous terre.

Toute vie avait disparu.

Au loin, dans la brume, l'horizon était dominé par les monumentales silhouettes du Petit et du Grand Ararat.

— Aidez-moi, fit Arsène Parella, dont la résistance physique continuait de stupéfier Cécile. Il faut faire rouler des pierres jusqu'au chaheriz. Nous devons bloquer l'issue.

D'un regard circulaire, Cécile constata qu'ils n'avaient que l'embarras du choix. Des dizaines de rochers, qui devaient peser des tonnes, ne demandaient qu'à être poussés pour dévaler en avalanche. Ils grimpèrent de quelques mètres au-dessus de l'ouverture et s'évertuèrent à faire glisser un maximum de blocs dans le tunnel. Au bout de quelques minutes le chaheriz fut complètement obstrué, empêchant de dégager le tunnel de l'intérieur. Cécile éprouva une joie sadique à la pensée que les hommes de Cortés, comme eux, ramperaient sans doute des heures dans le tunnel… pour se retrouver au final piégés comme des rats !

— Alors, fit la chercheuse en fixant l'horizon du regard. Où est-on ?

— En Iran, sans aucun doute, répondit Zak.

— En Iran ! Sans papiers, sans visa, sans rien d'autre que des montagnes de cailloux à perte de vue… Zak, vous croyez qu'on aura le temps de visiter le coin avant que les Nephilim viennent nous exfiltrer en hélico ? Ou descendent d'un nuage peut-être ?

— Jamais de répit avec vous, répliqua Zak.

— C'est vous qui me dites ça ? À l'heure qu'il est, je devrais être à lire mes mails dans mon laboratoire de Toulouse.

— Vous seriez égorgée ! Je vous ai sauvé la vie une dizaine de fois depuis deux jours…

— J'avais survécu avant de vous rencontrer, figurez-vous !

— Les enfants, on se calme, tempéra Arsène. Zak, vous connaissez un peu la région ? Quelle est la distance, selon vous, jusqu'au prochain village ?

Zak se gratta la tête.

— On ne trouvera pas de village dans la montagne. À ma connaissance, la vie se concentre dans la vallée. Il y a là-bas une grosse ville iranienne, Maku. C'est une immense rue qui s'étale sur plus de dix kilomètres.

— Là-bas, c'est-à-dire ?

— Maku est une ville frontière située à une petite quinzaine de kilomètres de la frontière turque, par la vallée… et à une quarantaine de kilomètres de la frontière du Nakhitchevan, par la montagne.

— Ce qui nous fait une bonne trentaine de kilomètres avant de retrouver la civilisation, calcula Arsène. En descente… Même après une nuit blanche, on devrait y parvenir !

Le regard de Cécile se perdit dans l'immensité de la steppe.

— Et une fois là-bas, qu'est-ce qu'on fait ? Vous connaissez un bon restaurant iranien ? Vous savez lire un menu en persan ?

— Possible, répondit Zak. Mais rassurez-vous, à Maku, comme dans toute cette partie de l'Iran, les populations parlent le turc azéri. Ou le kurde, bien entendu… On trouve dans cette région autant de monuments arméniens que musulmans. Vous savez, les frontières…

— Je commence à comprendre, on passe dessus. Dessous… On se débrouille…

Arsène observait le ciel avec inquiétude, comme s'il craignait que les hommes de Cortés ne disposent d'un moyen aérien pour les repérer. Un hélicoptère par exemple.

— Dépêchons-nous maintenant… On fera une pause en route, à couvert.

Ils entamèrent la descente.

Ils marchaient depuis deux bonnes heures, suivant un couloir d'éboulis dont les pierres glissaient sous leurs pieds comme un tapis roulant. Ils avançaient vite.

Le risque de se tordre une cheville, de s'écorcher les mains sur une pierre où ils prenaient appui semblait bénin à côté des souffrances qu'ils avaient endurées dans le chaheriz.

Seule la soif les tiraillait à présent.

— Là ! s'exclama Zak.

Il désignait une bassine naturelle, quelques mètres à l'écart du lit asséché d'un torrent qu'ils longeaient. La cuvette rocheuse, de trois mètres sur deux, était remplie d'eau douce.

— Un bon mètre de profondeur, évalua Zak. J'étais persuadé qu'on trouverait de l'eau. La région est semi-désertique, mais nous sommes à près de mille trois cents mètres d'altitude, avec sous nos pieds une bonne couche d'argile imperméable…

Cécile n'écoutait déjà plus. Elle s'était précipitée sur le rebord de la piscine naturelle et lapait comme un animal l'eau douce. Zak et Arsène firent de même. Ils se désaltérèrent bruyamment, joyeux comme des enfants, s'éclaboussant le visage.

Soudain, la lisse surface de la piscine de montagne se rida. Zak et Arsène levèrent les yeux : Cécile avait glissé un pied dans l'eau.

— Un peu froide, dit-elle en frissonnant. Mais je crois que jamais de ma vie je n'ai autant désiré un bain.

Devant les deux hommes éberlués, Cécile étala sur un rocher le linceul blanc d'Arina Khan qu'elle portait toujours autour de la taille.

— Je vous laisse la serviette de la morte !

L'instant suivant, en trois mouvements souples, Cécile avait fait glisser sur sa peau mate de terre la takchita couverte de boue. Le décolleté de la robe orientale n'autorisait pas le port d'un soutien-gorge. Cécile se retrouva entièrement nue, à l'exception d'une fine culotte transparente de dentelle rouge. Sans un regard pour les deux hommes, elle plongea dans l'onde.

Zak et Arsène hésitèrent.

Zak ne fit même pas l'effort de détourner les yeux de la terre ocre qui coulait sur le dos de Cécile, des mains de la chercheuse qui frottaient sa chair tendue par l'eau glacée, cambrée, pétrissant ses hanches, ses seins, ses cuisses, comme pour expulser la terre des pores de sa peau. Il lança un grand sourire à Arsène.

— Après tout, c'est elle qui a raison…

Zak se déshabilla lui aussi en un tournemain. Torse nu sur le rocher, il ôta son caleçon noir de boue. Son sexe, ses fesses étaient peints de la même couleur sombre que le reste de son corps.

Un mineur remontant du trou.

Il écarta les jambes, apprécia la tendre morsure du soleil naissant sur ses muscles libérés, puis plongea à son tour.

Ils demeurèrent de longues minutes à se laver. Zak et Cécile conservaient une distance physique qui contrastait avec leurs jeux de regards. Arsène finit par les rejoindre, nu comme un ver lui aussi, non sans avoir délicatement rangé ses habits auparavant.

Les ablutions s'éternisaient. Plusieurs fois, le corps de Zak frôla celui de Cécile. Le niveau de l'eau claire de la cuvette montait à hauteur du nombril de la chercheuse, mais s'arrêtait en haut des cuisses de Zak, baignant la moitié inférieure de ses parties génitales.

Cécile offrit son profil à l'Ararat, poitrine dressée sous l'effet de l'eau fraîche. La pointe de ses seins semblait agacer les neiges éternelles de la montagne sacrée. Lorsque Zak sentit son sexe doucement sortir de l'eau, il quitta prestement la piscine, évitant toutefois de se sécher avec le drap mortuaire.

79

Au-dessus de Maku, Iran

Ils prirent le temps d'une lessive et enfilèrent leurs vêtements trempés. Il n'y avait presque pas de vent. Le soleil allait se charger de les sécher en quelques heures. Le temps d'arriver à Maku, ils seraient présentables.

Le champ de pierres défilait, interminable. Ils marchaient sans effort, laissant la pente les entraîner. Il y avait quelque chose d'incongru entre leurs vêtements dégoulinants et la montagne sèche, grise à l'infini, sans autre végétation que de rares arbustes recroquevillés comme des insectes morts.

Les gouttes ruisselaient sur la peau de Cécile. Douces. Fraîches. Elle appréciait. Elle repensait à leur bain improvisé, au joli corps musclé de Zak ; rien à voir avec ceux, maigres ou bedonnants, des chercheurs universitaires croisés dans les piscines d'hôtel à l'occasion de colloques internationaux. L'eau limpide n'avait rien caché de l'anatomie de Zak. Cécile avait pu se livrer à une évaluation objective, bien davantage que lors de la fameuse nuit du Falcon 2000. Des sensations inédites agitaient son corps, comme si chaque parcelle se réveillait après une longue hibernation. Elle ne sentait plus la douleur sous la plante de ses pieds, le point de côté sur ses hanches, seulement le délicieux souvenir des doigts de Zak en elle, de sa bouche lui mordillant les seins, puis lui soufflant à l'oreille le secret d'Enoch. Lui dévorant à nouveau la peau. La sensualité envoûtante de la voix de Zak.

« Personne n'a jusqu'à présent entraperçu cette vérité qui crève les yeux. C'est si simple pourtant, il suffit de comparer les récits de Sumer et ceux de la Bible. — Comparez, docteur, avait-elle répondu. Comparez. »

La vérité s'inscrit en négatif... Ce que la Bible ne dit pas, ce que ses silences insinuent.

Zak s'était insinué. Sans dire un mot de plus.

La voix de Cécile déchira le silence, soudaine, à en réveiller les pierres.

— Zak Ikabi, puisque nous disposons de deux secondes de répit, c'est peut-être le bon moment pour reprendre notre conversation, non ? Nous nous étions arrêtés à la troisième bouteille de champagne, je crois. En quoi consiste-t-elle, exactement, cette comparaison fondamentale entre les récits de Sumer et ceux de la Bible ?

De surprise, Arsène trébucha dans les cailloux.

— Il faut économiser notre souffle, répondit sobrement Zak.

— Baratin !

Droit devant eux, au-delà des frontières, le double sommet du Grand et du Petit Ararat barrait l'horizon. Cécile insista.

— Si vous voulez que mes pauvres cuisses me portent jusqu'au sommet de votre montagne sacrée, il va falloir les motiver…

Zak soupira.

— Vous me feriez confiance ?

— Disons que j'accepte d'écouter votre plaidoirie.

— Trop aimable…

Zak ne ralentit pas l'allure, mais scanda son récit comme un marcheur entonne une chanson, pour rythmer son pas.

— Comme je vous l'ai déjà dit, la Bible a repris point par point le plus vieux récit du monde dont on dispose d'une trace écrite, l'épopée sumérienne de Gilgamesh, des tablettes d'argile remontant au XIXe siècle avant Jésus-Christ. Le Déluge, l'arche qui vogue sur l'eau, la colombe… La parenté avec l'histoire de Noé est indéniable. Mais ce sont les différences entre les récits qui importent, pas les ressemblances. Pourquoi la Bible n'a-t-elle pas retenu certains éléments du récit sumérien ? Ainsi, dans le récit de Gilgamesh, la punition par le cataclysme n'est pas décidée par un Dieu unique et tout-puissant, mais par une assemblée de divinités, après de longs palabres. Je vais être plus précis, Cécile. À votre avis, dans la Bible, quel mot désigne « Dieu » ?

— Elohim, répondit spontanément Arsène Parella.

Cécile laissait la voix de Zak la bercer. Mélange d'érudition et de fantasme.

— Elohim ! Exact, professeur Parella. Elohim est le pluriel d'Eloha, qui, en hébreu, signifie « celui qui vient du ciel ». Dans la Genèse, le pouvoir divin est donc très explicitement désigné par l'expression « ceux qui viennent du ciel ». Ne trouvez-vous pas diablement étrange de traduire le terme originel, Elohim, très proche du récit de Gilgamesh, par « Dieu unique » ?

Les pierres roulaient sous leurs pas. Les arguments de Zak troublaient Cécile. Une nouvelle fois, l'ironie lui parut la seule défense adaptée.

— D'accord, Zak, nous sommes face à un problème de traduction. Le scribe sumérien sur sa tablette d'argile a oublié un accord. Il était loin de se douter qu'un *s* en moins provoquerait des superstitions délirantes cinq millénaires plus tard. Excellent exemple, docteur Ikabi, je m'en resservirai pour convaincre mes étudiants des conséquences potentielles d'une orthographe approximative.

Zak soupira. Arsène laissa échapper un rire discret. Cécile lissa en arrière ses cheveux encore humides.

— Vous avez plus percutant, docteur Ikabi ?

— J'ai ! Dans le récit sumérien, les dieux traitent les hommes en esclaves. Enfin, pour être exact, il y a débat entre ceux qui traitent les hommes en esclaves et ceux qui ont un peu de compassion. En tous les cas, à l'inverse de la Bible, jamais les hommes ne sont décrits comme créés à l'image de Dieu.

Les mots dansaient. Cécile repensait à ceux qui avaient précédé leurs ébats dans le Falcon 2000. Les extraits du Livre d'Enoch pétillaient dans son cerveau comme autant de bulles de champagne.

— Je me souviens, ce vieil Enoch a fait les présentations. Certains dieux enseignaient les sciences aux hommes, d'autres s'accouplaient avec les femmes… D'autres encore s'offusquaient de telles pratiques…

— Exactement, Cécile… Mais si on se concentre sur le thème du Déluge, dans le récit de Gilgamesh, les dieux, ou les anges, ou les Nephilim, comme vous voulez, condamnent les hommes à la destruction parce qu'ils n'obéissent plus, commencent même à se rebeller contre leur autorité. Mais il y a débat parmi les dieux. La décision du cataclysme est prise dans l'urgence. Les dieux ont pour seul objectif d'exterminer la race humaine, pas, comme dans la Genèse, de la faire changer. Pour le dire autrement, il n'existe aucune morale dans le récit sumérien, à l'inverse de la Bible qui nous dit très explicitement : Dieu aime les hommes et les sauve d'eux-mêmes en les punissant.

Ils suivaient maintenant un sentier qui serpentait entre des blocs calcaires dans une pente raide et poussiéreuse. La vallée de Maku qui, quelques minutes plus tôt, se résumait à une cicatrice se dévoilait un peu plus à chaque nouveau lacet. Une oasis espérée au fond d'un canyon aride. Cécile roulait des yeux incrédules.

— Très bien, Zak, je vous suis. Avec le temps, les vilains dieux sont devenus plus gentils dans le souvenir des hommes. Mais j'ai du mal à comprendre en quoi cette nuance est importante.

— Pas importante, Cécile. Capitale ! Les auteurs des onze premiers chapitres de la Bible ont conservé dans les récits sumériens les événements qui leur semblaient historiques. Ils se sont contentés de les adapter à une croyance monothéiste. Ce n'est pas moi qui le dis, Cécile, tous les exégètes sont d'accord sur ce point !

Mais si l'on pousse le raisonnement jusqu'au bout, devant quelle évidence se retrouve-t-on ?

Un nouveau virage. Des reflets verts effilochaient l'océan gris. Zak enchaîna question et réponse.

— Une évidence historique ! Les religions monothéistes ont été créées dans un seul et unique but. Masquer une vérité antérieure !

Le rire de Cécile sonna faux.

— Mon Dieu, Zak, quel scoop ! Les religions, rien que des mensonges… Moi qui hésitais à me convertir.

Zak plissa le front. Il jaugea la vallée iranienne qu'il suivit du regard au-delà des frontières, jusqu'à ce qu'elle se perde en Turquie, dans les contreforts du massif de l'Ararat.

— Hum, je vais m'y prendre autrement pour vous faire comprendre. Qu'est-ce qu'adopter une religion, Cécile ? C'est se soumettre à une puissance supérieure, n'est-ce pas ? Un dieu ou plusieurs, peu importe. Le respecter, l'adorer. Il y a un terme pour cela : vénérer. Vous êtes d'accord ?

Cécile acquiesça. Ils accéléraient le pas sans s'en rendre compte. Arsène traînait quelques mètres derrière eux.

— Savez-vous ce que veut dire « vénérer » ?

— Eh bien…

— Eh bien, « vénérer » ne signifie pas « adorer » mais « travailler ». « Vénérer », au sens strict, c'est « être esclave ».

— Si vous voulez, mais…

Zak s'enflammait.

— Cécile, que fait le gourou d'une secte ? Il se fait passer pour un dieu, il invente une superstition pour réduire les crédules en esclavage. C'est un stratagème vieux comme le monde !

— Dieu nous oblige à travailler pour lui ? Je ne comprends rien !

— Double erreur grammaticale, Cécile. Erreur de temps d'abord. Dieu nous obligea, avant le Déluge. Erreur de sujet ensuite. Les dieux, au pluriel, pas un seul…

Zak se tut enfin. Cécile ne trouva rien à répondre.

Surprise.

Vexée également. Elle n'avait pas aimé la fin, le ton doctoral de Zak. *Double erreur grammaticale.* Pour qui se prenait-il ?

Elle ralentit l'allure pour laisser Arsène, toujours silencieux, revenir à sa hauteur. Zak était un indécrottable illuminé. Après tout, s'amusa-t-elle, c'est sans aucun doute cette douce folie qui faisait tout le charme de ce garçon qui marchait en cadence deux mètres devant elle. Cette touchante folie douce… et son joli cul aussi !

Ils continuèrent, sans échanger un autre mot.

La pente, petit à petit, s'estompait. Les champs de pierres laissèrent la place à une steppe aride, puis à des premières étendues d'herbes folles. Maku se devinait au fond de la gorge, sous la forme d'une multitude de toits plats, blancs et carrés. Observés de la montagne, ils ressemblaient à un gigantesque chemin pavé construit dans le jardin d'un géant.

Ils accéléraient, oubliant presque qu'ils n'avaient aucun plan, aucune stratégie. Ils aperçurent les premiers signes de vie, des sortes d'habitats troglodytiques à flanc de montagne, quelques poteaux électriques ensuite, puis, soudain, un immense champ de tournesols. Les milliers de fleurs jaunes tournées vers la Turquie réchauffèrent le cœur de Cécile.

La première couleur digne de ce nom depuis près de quinze heures !

Maku semblait endormie. La ville frontière se lovait contre les montagnes alentour comme contre de gros édredons et sommeillait paresseusement sous le soleil. Ils dévalèrent les derniers mètres, passant devant des maisons isolées, simples cubes ocre empilés jusqu'à quatre étages.

— C'est calme, glissa Cécile.

— Attendez de voir la route, répondit Zak. En Iran, la vie se concentre le long de la route… Le coût de l'essence est ridicule, il n'y a ici aucun bus, juste un convoi perpétuel de voitures bourrées à craquer !

Zak disait vrai. Autant la ville somnolait, autant la nationale grouillait de camions, de voitures rafistolées, de taxis Saipa jaunes frôlant au bord de la route les vendeurs de légumes, de pastèques, de pièces détachées…

Ils longèrent un rideau d'arbres sur ce qui ressemblait à un trottoir envahi d'herbes. De l'autre côté de la route, deux femmes voilées regardaient Cécile avec des yeux effarés. Instinctivement, la chercheuse croisa ses bras sur la dentelle de sa takchita rouge. Elle se sentait incroyablement ridicule.

— Suivez-moi, ordonna Zak.

— Ne me dites pas que vous avez encore un plan ? s'écria Cécile. Dans cette tenue, je ne vais pas faire dix mètres de plus en liberté. Mon plan est simple, direction les autorités iraniennes. On se fait connaître avant d'être accusés d'espionnage, et ouste, rapatriement à Téhéran à l'ambassade de France…

Zak leva les yeux droit devant lui.

— Trop tard, Cécile. Nous devons aller au bout maintenant. La Turquie n'est qu'à quinze kilomètres, l'Ararat à moins de cinquante. Nous avons un devoir, arriver là-haut. Avant Cortés… Et, surtout, Cécile…

Au bord de la route, des hommes occupés à réparer une voiture se retournèrent vers la chercheuse habillée en princesse. Interloqués. Elle pressa le pas, de plus en plus gênée.

— Et surtout, Cécile, vous l'avez promis… promis à Ishak Pacha, à une petite fille de dix ans.

Cécile sentait les dernières oasis de sa raison s'évaporer. Il n'y avait aucune issue à cette histoire de fous. Une histoire dont elle était l'actrice. Et pas la moins timbrée ! Elle s'était échappée d'un sérail déguisée en Schéhérazade, pour se retrouver à moitié nue dans la rue d'un bourg perdu au fond de l'Iran… afin de tenir sa promesse à une fillette torturée dans un cachot.

Trouver les licornes !

Démentiel…

— Et comment comptez-vous passer la frontière ? persifla-t-elle.

— Aucune idée. Il faudrait un petit coup de pouce du destin.

Formidable !

Zak baissa le regard vers une sorte de parc sur le côté de la route. Sur de très grosses pierres rondes de trois mètres de hauteur, on avait sculpté de grands personnages en tenue d'escalade.

— Un coup de pouce du destin, répéta Zak. Ou un coup de pouce des Nephilim…

Son visage s'était illuminé, comme s'il avait aperçu des anges descendre sur la ligne de crêtes. Cécile scruta le parc. Éberluée, elle découvrit un homme d'une trentaine d'années, adossé à un vieux pick-up, lunettes de soleil sur le nez et cigarette roulée entre les lèvres.

La scène était irréelle : l'Iranien agitait la main vers eux avec de grands sourires.

Comme s'il les attendait.

Mais il y avait plus stupéfiant encore.

Le type devant elle ressemblait comme deux gouttes d'eau à Zak Ikabi.

80

Au-dessus de Maku, Iran

Béchir vérifia sur l'écran rétroéclairé qu'il avait bien du réseau, puis composa, non sans hésiter, le numéro de Cortés.

Il s'attendait à la pire des colères. Il n'y était pourtant pour rien, il avait fait ce qu'il avait pu dans cet effroyable boyau de terre. Zeytin avait désigné cinq hommes, sans se proposer lui-même, bien entendu. Trop gros, il serait resté coincé dans le chaheriz.

— Allô, Cortés ?

— Alors ?

— Fichu. On les a ratés… Ils avaient trop d'avance, ils ont fait ébouler une partie du tunnel derrière eux. C'était peine perdue…

Béchir craignait une douche froide. Cortés demeura pourtant calme.

— Vous êtes où ?

— Au bout du chaheriz. Du moins, on suppose. Ils ont bouché l'issue avec des pierres. Impossible d'aller plus loin sans outils.

— Les petits malins, grinça Cortés. N'insistez pas, faites demi-tour.

Rien qu'à l'idée de passer à nouveau plusieurs heures dans le souterrain boueux, Béchir frissonna d'horreur. Il allait devoir annoncer cela aux quatre autres.

— Faites vite, insista Cortés. On a besoin de vous ici.

Ben voyons.

— On va les coincer, continua Cortés. Courir derrière eux n'est pas la bonne méthode. Il suffit de les attendre au bon endroit et de les cueillir.

— Et c'est lequel, le bon endroit, Cortés ?

— La frontière turco-iranienne. Ils ne peuvent pas passer ailleurs qu'à Bazargan.

81

Maku, Iran

Tout d'abord, tous demeurèrent figés, telles des reproductions miniatures et éphémères des colosses de pierre aux couleurs délavées qui gardaient l'entrée de Maku. La seconde suivante, Zak courut à la rencontre de son sosie. L'homme cracha sa cigarette, remonta ses lunettes sur son front, puis ouvrit les bras pour l'enlacer longuement.

Cécile se tenait à trois mètres du tandem improbable. Arsène lui aussi semblait troublé, plus que cela même, ému. Il dansait d'un pied sur l'autre comme s'il hésitait sur l'attitude à adopter.

— Toujours là quand il faut, cria Zak en tapant une nouvelle fois dans le dos de l'inconnu.

— Anticiper, mon grand. Toujours anticiper. Et toi, toujours à te jeter dans la gueule du loup ?

— Eh bien…

Cécile interrompit sèchement les retrouvailles.

— Vous pourriez peut-être faire les présentations ?

Zak se tourna, joyeux comme un gosse.

— Cécile Serval… Arsène Parella… Yalin…

Yalin s'avança pour la saluer.

— Notre guide de Nouvelles Frontières, je suppose ? fit Cécile en lui serrant la main. J'ai adoooré ce trekking… Surtout la nuit du lombric. Très, très originale…

Un sourire amusé éclaira le visage de l'inconnu.

— Yalin Ikabi, précisa-t-il. Je suis le grand frère de Zak.

Cécile aurait voulu un banc, une pierre, n'importe quoi pour s'asseoir. Il n'y avait rien d'autre que le pick-up de Yalin. Arsène semblait avoir tout autant de mal à rester debout.

Une histoire de famille, il ne manquait plus que cela.

— Si ce n'est pas confidentiel, demanda Cécile, êtes-vous également un…

— Un Nephilim, confirma Yalin en allumant une nouvelle cigarette.

— Ouah… Un Nephilim… Pour de vrai ! On sent qu'on approche de l'Ararat…

Yalin aida Cécile à monter sur le marchepied.

— Pour vous servir, Cécile. Allez, dépêchons-nous, passez dans le pick-up.

Cécile se hissa. Yalin attrapa ensuite la main de Zak et lui glissa sur le ton de la plaisanterie :

— Petit cachottier, tu as menti à ton grand frère…

Zak roula des yeux étonnés en grimpant dans le véhicule. Yalin se retournait déjà vers Cécile, lorgnant sans retenue ses courbes collées à la robe humide de sueur.

— Cécile, je vais vous faire une confidence, vous ne correspondez pas du tout à la description que Zak m'a faite de vous par SMS. Il me parlait d'une chienne de garde, genre intello coincée, croisée pitbull… Et je découvre une princesse de contes orientaux.

Cécile hésita à prendre la tirade comme un compliment. Elle foudroya Zak du regard.

— Euh, bafouilla Zak. Hum… c'était… c'était avant que…

Yalin adressa une œillade complice à Cécile. Aussi fou que son frère, diagnostiqua la chercheuse. En plus amusant…

— Vous allez me faire regretter ma stratégie, soupira Yalin en démarrant. Professeur Parella, vous trouverez à l'arrière des fruits et des kebabs et à côté des sacs de tissus. Ce sont des tenues iraniennes. Il y en a pour tous les trois. Surtout vous, Cécile, vous n'avez aucune chance de passer la frontière ainsi. Désolé pour le plaisir des yeux de mon petit frère, mais il va vous falloir enfiler une robe un peu plus chaste et couvrir votre visage d'un foulard.

— Même déguisés ainsi, commenta Cécile, je doute que l'on puisse passer en Turquie sans papiers ni visas…

Le pick-up sortait de Maku. Yalin offrit à son frère son visage hilare.

— Pas vraiment intello coincée, Zak… mais côté pitbull, en revanche, je te l'accorde, tu n'avais pas tort. Elle est toujours ainsi ?

— Oui…

— J'adooore, fit Yalin en klaxonnant après un camion qui occupait la totalité de la route.

Cécile se dispensa de tout commentaire. À y réfléchir, le frangin iranien était peut-être le plus taré des deux Ikabi ! Et pas si drôle...

Yalin lâcha le volant pour attraper une nouvelle cigarette.

— Professeur Parella, sous le siège, à côté des habits, il y a une grande enveloppe. Vous allez trouver tout ce qu'il faut, des badges, des papiers tamponnés, des autorisations diverses. Tous les papiers sont à l'en-tête de l'Organisation de la coopération islamique…

— Rien que ça !

— Rien que ça, répéta fièrement Yalin en tentant de doubler un nouveau camion dans la grande ligne droite qui courait à travers la steppe aride. Cela équivaut à un laissez-passer officiel… Depuis ce matin, on vote partout en Turquie pour les élections municipales. La Turquie grouille d'observateurs internationaux. ONU. Union européenne. Human Rights Watch… La Turquie est prête à tout accepter pour s'acheter une virginité démocratique. Avant l'ouverture des urnes et une fois qu'elles sont refermées, vous faites ce que vous voulez, mais pas le jour de l'élection ! Et s'il y a bien des observateurs internationaux qu'elle ne va pas refuser, ce sont ceux de l'Organisation de la coopération islamique !

— Vous me décodez ? dit Cécile qui essayait d'enfiler dans le bon sens sa longue robe iranienne, une large tunique sombre et brodée censée descendre du ras de son cou jusqu'à ses pieds.

— L'Organisation de la coopération islamique est une vénérable institution qui fédère près de soixante États musulmans dans le monde, dont l'Iran et la Turquie qui en sont membres fondateurs. C'est la seule organisation intergouvernementale musulmane. Elle possède même sa délégation officielle à l'ONU.

Arsène extirpa des badges et des affiches de l'OCI en différentes langues. Tout paraissait rigoureusement officiel.

— Vous êtes vraiment observateur électoral pour l'OCI ? demanda le professeur.

Yalin regardait le bord de la route, comme s'il hésitait à dépasser les poids lourds en coupant directement par la plaine.

— Mais non ! Tout est bidon, bien sûr. Il y a quelques milliers d'observateurs internationaux sur place, alors ils n'auront pas le temps de vérifier… Surtout au poste frontière de Gürbulak-Bazargan. Je peux vous assurer qu'aucun douanier iranien ne prendra le risque d'entraver le passage à des observateurs électoraux envoyés par Téhéran. On ne plaisante pas avec ces choses-là ici…

— Malin, mon grand frère, non ? glissa Zak.

Cécile pensait exactement l'inverse. Génétique chez les Ikabi, les plans foireux.

— Et côté turc ? s'inquiéta-t-elle.

Le pick-up roulait à présent à vive allure sur une quatre-voies impeccablement bitumée filant vers les cimes enneigées du Grand et du Petit Ararat.

— Je parie qu'ils seront ravis de recevoir des observateurs musulmans, histoire de prouver que la démocratie n'est plus le luxe de la chrétienté.

Ils pénétrèrent en trombe dans Bazargan. Tout d'abord, le poste frontière iranien leur parut ressembler à n'importe quel autre village-rue sans âme, dévoré par la poussière, recroquevillé entre deux montagnes de cailloux gris. Cécile poussa soudain un juron de dépit : devant eux s'étirait une incroyable file de camions ! L'interminable convoi de véhicules, long de plusieurs kilomètres, semblait au point mort, tel un train de conteneurs bariolés stoppé en pleine voie.

— C'est toujours ainsi ? demanda Arsène Parella.

— Toujours. Parfois pire encore... C'est la seule route de Téhéran à la mer Noire.

Cécile avait enfin enfilé sa robe.

— On y sera encore demain, soupira-t-elle.

Yalin sifflotait.

— Vous oubliez que nous sommes des émissaires de Téhéran.

Il braqua brusquement et gara son véhicule sur un vaste parking occupé par une cinquantaine de camions dont les chauffeurs conversaient, cigarette ou thé à la main, comme s'ils attendaient ici la fin du monde. Ou le Déluge.

Un nuage de terre rouge s'éleva des pneus du pick-up.

Le timbre de Yalin se fit soudain plus grave :

— Avant d'entrer au Kurdistan turc, je crois néanmoins nécessaire de prendre quelques précautions...

82

Frontière Arménie-Turquie

— Lieutenant Mahir Bey ? Ici Cortés. Vous vous souvenez ?

Comment oublier ce type au visage masqué par un turban déguisé en chef de razzia ? Le lieutenant serra le téléphone portable contre son oreille.

— Ouais, Cortés, je vous remets.

Mahir Bey soupira et gara le Condor sous les deux minarets de la mosquée de Dogubayazit. Les tours blanches aux sommets noirs ressemblaient à deux fusées pointées vers le ciel.

— Qu'est-ce que je peux faire pour vous, Cortés ?

— Ce serait plutôt l'inverse, lieutenant. Je viens vous proposer mes services. Zak Ikabi, cela vous dit quelque chose ?

Fahişe ! pesta Mahir Bey. Pas aujourd'hui !

Il coupa à regret l'autoradio qui déroulait une vieille cassette des Beach Boys.

— Ça me dit… j'ai dépensé des litres de colle pour afficher son portrait dans tout le Kurdistan.

— J'ai de bonnes raisons de penser qu'Ikabi va bientôt passer la frontière, lieutenant.

Mahir Bey tiqua. Tout juste si ce chasseur de primes n'avait pas remplacé « lieutenant » par « shérif ».

— Au pont de l'Espoir ? Merci du tuyau, Cortés, mais j'ai déjà une dizaine d'hommes là-bas.

— J'y suis aussi, lieutenant, l'interrompit Cortés. Je vous téléphone de la frontière du Nakhitchevan. Ils ne vont pas passer par là. Ils vont passer par l'Iran.

— Le poste de Gürbulak-Bazargan. Qu'est-ce qui vous fait dire ça ?

— Faites-moi confiance, lieutenant.

Plutôt crever...

— Cortés, l'armée turque contrôle le passage de Gürbulak ! Chaque camion est démonté pièce par pièce, vous savez cela mieux que moi. Ils ont la photo de ce type.

L'agacement croissant de Cortés était perceptible. Sa voix était heurtée comme s'il téléphonait d'un véhicule qui roulait sur une piste de terre.

— Ne le sous-estimez pas ! Ikabi est un type rusé, il sera aidé par la population locale une fois au Kurdistan. Je fonce sur Dogubayazit, lieutenant. Le temps de contourner le Petit Ararat, dans moins de deux heures je vous aurai rejoint. D'ici là, ouvrez les yeux...

Même le préfet de Van ne lui parlait pas avec un tel mépris... Mahir Bey fit l'effort de se contrôler. Il posa ses bottes sur le tableau de bord.

El cóndor pasa...

Conserver son calme, en toutes circonstances.

— On va les ouvrir, Cortés, rassurez-vous... Vous êtes au courant que c'est une journée d'élections ?

Il n'y a jamais eu autant de flics et de militaires dans les rues, et pourtant, d'ordinaire, on a déjà près d'un uniforme pour quatre habitants. Et même si le fantôme d'Ikabi passait par miracle à travers les mailles des douaniers, des militaires et des flics, on s'en occupera dès demain. J'ai cru comprendre qu'il s'intéressait à l'arche de Noé ou quelque chose dans le genre. L'arche dort depuis cinq mille ans en haut du mont, elle ne va pas s'envoler ce soir.

Direct du droit !

— Vous êtes un grand garçon, lieutenant, vous avez passé l'âge de croire aux histoires d'arche et de licornes, non ? Zak Ikabi est un criminel international ! Les délires autour de Noé ne sont qu'un leurre. Son seul objectif est de faire la jonction avec les terroristes kurdes sur l'Ararat. C'est cette jonction que vous devez empêcher.

Uppercut...

— Que *nous* devons empêcher, ajouta Cortés.

Double uppercut.

83

Bazargan, frontière Iran-Turquie

L'alignement de camions formait un épais mur de tôles qui isolait le parking de la route. Un chauffeur pissait ; un autre vidait des ordures sur un gigantesque tas de détritus. Visiblement, Yalin appréciait la discrétion du lieu ; il pressa ses passagers de la main.

— On ne traîne pas, messieurs-dames ! Mangez. Finissez d'enfiler vos tenues iraniennes. Cécile, je suis désolé, mon petit frère va vous trouver beaucoup moins sexy, mais c'est impératif, vous devez nouer ce foulard sur vos cheveux.

— Hors de question ! protesta Cécile. Porter ce truc est la dernière chose que je…

— Stop ! coupa Yalin. Vous reviendrez une autre fois à l'université de Téhéran faire une conférence sur la théorie du genre, mais, dans l'immédiat, je crains que vous n'ayez pas le choix…

Cécile, avec mauvaise volonté, enferma ses cheveux dans le tissu sombre. Elle grogna.

— Si on m'avait dit un jour que…

Yalin posa doucement son doigt sur la bouche de Cécile.

— Chut, Cécile. Nous ne disposons que de peu de temps. Avec tout mon respect, le foulard n'est qu'un détail, une superstition inventée par les hommes sous couvert de religion, nous sommes d'accord. (Il saisit la chercheuse par les épaules.) Il faut que vous compreniez, il ne s'agit pas d'un jeu, nous sommes lancés dans une course sans merci. Les hommes de Cortés contre nous, les Nephilim… Vous n'avez pas voulu croire Zak, même s'il vous a sorti le grand jeu. Le Livre d'Enoch, les vitraux, les tapisseries, les mosaïques… À mon tour, je tente ma chance, Cécile. Notre réussite est plus importante que tout ce que vous pouvez imaginer. Pas seulement pour le Kurdistan… Pour… pour l'ensemble de l'équilibre du monde ! (Son timbre se faisait solennel.) Tel est le véritable objectif des Nephilim, Cécile : protéger un secret qui fait tenir le monde en équilibre. Une clé de voûte. Enlevez cette pierre, tout s'effondre…

Cécile ouvrait de grands yeux.

Protéger un secret qui fait tenir le monde en équilibre…

Décidément, Yalin était au moins aussi fêlé que son frère.

— OK, fit-elle, résignée. Je vais le garder, votre voile. Mais s'il vous plaît, épargnez-moi le couplet sur le Déluge qui hisse l'arche de Noé à plus de cinq mille mètres d'altitude, les licornes qui en sortent et gambadent sur le mont, et surtout les vilains anges fornicateurs qui reluquent du haut du ciel les belles humaines à la jumelle… Sauf celles en tchador, bien entendu, qui se déguisent ainsi pour les faire enrager.

Zak allait intervenir, mais Yalin le retint.

— Comme vous voulez, Cécile. Je ne vous demande pas de nous croire, juste de nous faire confiance.

Il fouilla dans la boîte à gants du pick-up et en sortit une carte routière. Son doigt glissa sur le papier glacé.

— Regardez, le mont Ararat est un massif de cinquante kilomètres de circonférence. Largement de quoi se perdre, non ? (Il regarda longuement Cécile et Arsène Parella.) Écoutez-moi bien, tous les deux, je ne vous demande qu'une chose : retenez les coordonnées géographiques que je vais vous indiquer. Mémorisez-les ! Sans les écrire surtout. Jamais. Si nous sommes séparés, elles seront notre point de rendez-vous…

Yalin s'assura qu'aucun des chauffeurs présents sur le parking ne pouvait les entendre, puis épela, plusieurs fois :

39° 45' 41.96" N

44° 18' 36.54" E

Cécile se concentra.

— Je vous assure que j'y mets de la bonne volonté, Yalin, mais comment voulez-vous que l'on retienne une telle série de chiffres ?

— Essayons, Cécile, intervint calmement Arsène. Essayons… Yalin Ikabi a raison, nous devons leur faire confiance.

— Merci, professeur, approuva Yalin. Nous… nous avons toutes les raisons de penser que Cortés est sur le point d'obtenir ces informations. Notre destin se jouera là-haut.

Yalin fouilla à nouveau dans la boîte à gants et confia à Cécile un curieux petit étui de plastique d'un centimètre sur cinq.

— Tenez, Cécile. Un Inforad K1, le dernier cri des GPS miniatures. Vous n'aurez qu'à entrer les coordonnées géographiques, il fonctionnera même au milieu des pentes du mont Ararat.

Cécile soupesa dans sa main le GPS ultraléger. Une nouvelle question la taraudait.

Pourquoi lui confiait-on cet appareil ? À elle seule ?

— Et Arsène ? demanda-t-elle soudain.

La voix de Yalin tomba comme un couperet.

— Arsène restera avec vous.

Il sauta sur ses pieds pendant que Zak lui tendait des bandes adhésives portant les logos de l'OCI. Un croissant rouge, sur fond vert, dans une lune blanche. Ils collèrent en hâte les stickers sur les portières du pick-up, puis, sur le capot, le nom de l'organisation intergouvernementale, en plusieurs langues.

يمايملاسإلا نواعتلا ةمظنملسإلا رمتؤملا ةمظنم

İslam İşbirliği Teşkilatı

Organisation de la coopération islamique

Ils contemplèrent un instant le résultat, puis enfilèrent les badges au même logo autour de leur cou. Cécile et Arsène firent de même. Yalin démarra le pick-up alors que, devant eux, le bouchon de poids lourds avant la frontière s'était encore allongé. Cela ne semblait pas tracasser Yalin.

— Les routiers iraniens vont nous maudire, affirma-t-il, mais avec ces logos sur la carrosserie on va se faire du cent camions à la minute !

Can Muhsim, le chef du poste de douane turc, trempa les lèvres dans son gobelet de café, regarda avec lassitude, par les vitres poussiéreuses du bureau, l'interminable file de camions, puis tendit une photo à Sami, son adjoint.

— On a reçu un coup de fil du lieutenant Bey, expliqua Muhsim. Il insiste. Lourdement même. On doit ouvrir l'œil.

Sami attrapa la feuille en couleur tout juste sortie de l'imprimante.

— Ça vient d'Interpol, précisa Muhsim. Zak Ikabi. Un Français…

Sami scruta longuement le portrait afin de le mémoriser. Il lissa sa longue moustache.

— Difficile à rater s'il passe par ici.

— Ouais… Mahir Bey avait l'air plutôt sur les nerfs. Ça ne lui ressemble pas vraiment…

— Laisse tomber… C'est à cause des élections, ça ira mieux demain.

Can Muhsim vida le gobelet de carton en grimaçant et le broya de sa grosse main velue.

— En attendant, fais tourner la photo auprès de tous les hommes.

84

Bazargan, frontière Iran-Turquie

Le pick-up dépassait le long serpent endormi de camions. Conteneurs métalliques multicolores. Vieilles bâches trouées. Camionnettes bondées comme perdues entre les poids lourds.

Cinquante kilomètres à l'heure bloqués au compteur.

Les conducteurs, bras rougis dépassant des portières, visages mal rasés, observaient la voiture officielle de l'OCI les doubler avec une résignation blasée.

Le poste de douane de Bazargan fermait un col d'une dizaine de mètres. Sur leur droite, en haut de la colline, les drapeaux iranien et turc flottaient dans le même vent. Bien que chaque étendard soit planté d'un côté différent du barbelé, les tissus rouge et tricolore n'en formaient presque qu'un seul.

La frontière iranienne apparut, matérialisée par une longue grille de fer coulissante surmontée de deux immenses portraits d'ayatollahs. Turbans noirs et barbes blanches.

— Je parle un peu persan, murmura Yalin. Laissez-moi jouer le rôle de pilote et contentez-vous de celui de dignitaires hautains et silencieux.

Yalin avait imaginé une délégation d'observateurs électoraux hétéroclites. Cécile, le visage dissimulé sous un foulard noir, incarnait un professeur de sciences politiques de Téhéran ; Arsène, à l'inverse, arborait un costume gris de député, dont seules les coutures d'or rappelaient l'origine iranienne. Zak, enfin, avait enfilé la sobre robe noire d'un imam.

Le douanier iranien, vêtu d'un treillis et coiffé d'un turban noir, avança vers eux. Il examina avec gêne les papiers que lui tendit Yalin. Le militaire semblait hésiter entre son devoir et la crainte d'ennuyer les prestigieux émissaires de Téhéran, visiblement pressés.

— Ils ne restent en Turquie que quelques heures, ajouta Yalin. Juste le temps d'observer une dizaine de bureaux de vote de l'autre côté de la frontière.

Le douanier fit le choix de ne pas insister. La grille coulissa sur elle-même, laissant passer le pick-up. Pas un camion n'avait bougé d'un centimètre pendant tout ce temps.

Ils parcoururent une dizaine de mètres. La grille d'acier turque était semblable à la précédente, à l'exception de trois mots de bienvenue : *Gürbulak sinir kapisi.* Sur la droite, une statue de bronze d'Atatürk cintré dans un costume occidental remplaçait les portraits des ayatollahs.

Yalin avança le pick-up jusqu'à la guérite aux allures de kiosque avec son toit rouge et pointu. Derrière la grille, une longue route rectiligne s'enfonçait en

Turquie, droit vers l'Ararat dont la silhouette massive bouchait l'horizon.

Un douanier turc s'approcha, observant avec étonnement le logo de l'OCI sur les portières du véhicule devant lui. Il feuilleta les papiers que lui remit Yalin et ne put s'empêcher de sourire.

— C'est bon pour le tourisme, les élections.

Il tripota sa moustache du bout des doigts, se retourna et cria d'une voix forte.

— Can, des officiels pour toi !

La main de Yalin se crispa sur le volant.

Can Muhsim, le chef de douane turc, sortit sans se presser. Trois boutons de sa chemise kaki étaient ouverts sur son torse poilu.

— Bienvenue en Turquie, lança négligemment Muhsim à l'adresse des occupants du pick-up.

Il fit défiler entre ses doigts les papiers tamponnés, rapidement, puis releva les yeux et étudia avec concentration les occupants du véhicule. Il dévisagea tour à tour Cécile, qui baissait des yeux timides sous son voile noir ; Arsène qui singeait l'attitude un brin agacée d'un homme politique guère habitué à se soumettre aux ordres de la police… puis s'arrêta sur Zak.

Longuement.

Beaucoup trop longuement.

Can Muhsim plissait ses sourcils broussailleux, comme si son cerveau recherchait une connexion. Ou hésitait sur la bonne décision à prendre.

Yalin se concentra pour éviter tout signe extérieur de panique, mais la sueur inondait sa nuque. Il repensait aux affiches collées un peu partout dans le Kurdistan : la photographie de Zak était exposée aux yeux de tous. Des flics. De l'armée. Des douaniers.

Ce type allait hurler l'ordre de les arrêter. Le pied de Yalin se posa sur la pédale d'accélérateur.

Il avait été fou de tenter le diable...

Le douanier turc fixait Zak avec une insistance de plus en plus troublante. À tout instant, il pouvait sortir de son étui le Yavuz pendu à sa ceinture.

ARANAN, mentionnaient les affiches d'Interpol.

Zak Ikabi. Recherché. Mort ou vif.

Sans la moindre sommation, ce douanier pouvait choisir de coller une balle dans le front de son frère.

Le pied de Yalin se tendit sur la pédale.

Son regard embrassa les alentours. Six chars Altay T1 étaient stationnés à moins de dix mètres, canons pointés sur la route. Surplombant la grille de fer le long des barbelés, trois petits miradors étaient équipés de lance-roquettes TOROS-230. Forcer la douane aurait été une folie. Le pick-up n'aurait pas le temps de parcourir vingt mètres avant qu'un missile ne le fasse exploser.

85

Gürbulak, frontière Iran-Turquie

Le temps semblait s'être arrêté au poste de douane de Gürbulak, comme si le destin hésitait à basculer. Can Muhsim leva les yeux vers les miradors. Un jeune militaire au crâne rasé bâillait derrière son lance-roquettes. Un autre piquait du nez.

Le douanier respirait avec lenteur, à en faire sauter un quatrième bouton de sa chemise. Il passa encore de longues secondes à détailler les autorisations de l'OCI avant de faire un pas. Il tendit les papiers à Yalin en posant l'autre main sur la crosse de son Yavuz.

Un piège ?

Le douanier dévisagea Zak une dernière fois, puis lança :

— C'est bon. Circulez !

Yalin écrasa l'accélérateur. Le pick-up souleva un nuage de poussière et s'engagea sur la route déserte, à l'exception des dizaines de camions garés sur les parkings de terre.

— Waouh, hurla Yalin dès qu'ils se furent éloignés. Je savais qu'on passerait ! (Il leva les yeux vers les neiges dans le ciel.) L'Ararat nous protège.

La route se résumait à une longue ligne droite traversant une steppe d'herbe rase et jaune.

— Nous sommes à moins de quarante kilomètres de Dogubayazit, jubila encore Yalin. Droit devant ! Là-bas, nous serons en sécurité et nous trouverons tout l'équipement pour l'ascension de l'Ararat.

Zak, à l'arrière, posa la main sur l'épaule de son frère.

— Bien joué, Yalin. Maintenant que la douane est passée, je vais pouvoir ôter ces trucs immondes.

Yalin observa dans son rétroviseur son frère occupé à décoller les postiches dont il s'était affublé pour parfaire sa tenue d'imam : une fausse barbe noire lui mangeant la moitié du visage, des sourcils en broussaille, d'épaisses lunettes de vue et une perruque brune.

— Je ne te le conseille pas, petit frère. Sans vouloir te foutre la trouille, ta tête est mise à prix dans toute la région. Une véritable aubaine pour tous les chasseurs de primes…

Zak soupira en tentant de recoller sur son menton une touffe de poils récalcitrants.

— Moi, en tout cas, lança Cécile, je voyage incognito en Turquie !

Elle dénoua son foulard et le laissa voler au vent dans sa main, dans un geste de star hollywoodienne filant à bord d'une décapotable.

— C'est pour se libérer que les Iraniennes passent en Turquie, non ? Je suis une politologue iranienne libérée !

Yalin hésita, puis la laissa faire en lâchant un sourire. Le compteur indiquait près de cent kilomètres à l'heure, ils seraient à Dogubayazit dans à peine une demi-heure.

Bienvenue en Turquie !

Devant eux, sur les flancs de la colline la plus proche, des paysans, ou des militaires, avaient écrit le mot TURKIYE à l'aide de pierres blanches géantes.

HOLLYWOOD toujours, avec les moyens du bord…

Les trois Jeep roulaient à tombeau ouvert dans les lacets étroits des pentes du Petit Ararat. Fréquemment, des cailloux glissaient de l'amont. Les conducteurs les évitaient par de brusques mouvements de volant.

— Allô, Zeytin ? C'est Cortés. Nous longeons la frontière turco-iranienne. Par la montagne. Nous serons à Dogubayazit dans moins d'une heure. Et toi ?

Zeytin s'éclaircit la voix :

— Nous sommes déjà sur place. Je suis posté sur la nationale entre Gürbulak et Dogubayazit.

— Tu ne peux pas les rater, alors ! Il n'y a qu'une route, au milieu d'une plaine de cailloux.

— Je sais, Cortés. C'est le premier ordre que tu as donné quand ces salopards se sont échappés par le chaheriz. Pendant que Béchir leur coupait toute retraite dans le tunnel, tu m'envoyais à la sortie, côté turc. Faire charger la cavalerie, c'est bien cela ?

— Tout juste, Zeytin. Pendant que je rassemblais l'infanterie. Ils vont forcément passer devant vous. Ikabi et ses complices ne peuvent pas avoir eu le temps de rejoindre Dogubayazit.

— Et les flics ?

— Ils sont prévenus. Pour eux, Ikabi est un terroriste dangereux et armé… (Cortés lâcha un rire gras.) Mais tu connais les flics turcs, ils ont l'ordre de toujours commencer par tirer en l'air.

Zeytin adorait quand Cortés se comportait ainsi, cynique, sûr de lui, même quand il n'avait pas la main sur les événements.

— Et nous, les instructions ?

— Tu postes nos hommes au bord de la route, Zeytin, et tu leur donnes l'ordre de tirer dès que tu les vois.

Cortés prit le temps de regarder dans son rétroviseur la petite Aman, allongée, bâillonnée, poignets liés, vaguement dissimulée par une couverture poussiéreuse, puis il lâcha un nouveau rire.

— De tirer pour les tuer.

86

Nationale Gürbulak-Dogubayazit, Turquie

Yalin accélérait encore. Le pick-up bondissait sur chaque nid-de-poule. À la sortie d'un long lacet, un panneau bleu indiquait « Dogubayazit, 25 km ».

— Regardez sur votre gauche, cria soudain Yalin. L'arche de Noé ! La vraie !

Tous, à l'exception de Zak, tournèrent la tête. Ils découvrirent une étrange forme rocheuse, allongée, légèrement inclinée.

Vue de la route, on avait l'impression d'observer… la trace fossile d'un immense vaisseau !

— Le site de Durupinar ! précisa Yalin. Tous les guides de la région y emmènent les touristes. Parcourir quelques kilomètres en bus est moins fatigant que de monter en haut de l'Ararat, non ? Le lieu a été baptisé ainsi en l'honneur du capitaine Durupinar qui l'a découvert en 1959 lors d'une mission de cartographie aérienne pour l'OTAN, après que quelques séismes et glissements de boue locaux eurent nettoyé le coin. Forcément, la découverte attira les Américains, dont deux chercheurs d'arche du genre protestant, tendance canal fondamentaliste. Ils furent même aidés à l'occasion par l'astronaute américain James B. Irwin.

— James Irwin ? commenta Cécile. Rien que ça !

Zak, indifférent au site de Durupinar, s'amusait des patients efforts de son frère pour convaincre la chercheuse.

— Les chercheurs ne se contentèrent pas de repérer que les dimensions de la trace fossile correspondaient exactement à celles mentionnées par la Bible, trois cents coudées de longueur sur cinquante de largeur. Ils pilotèrent pendant trente ans une dizaine de missions scientifiques qui révélèrent une présence de carbone plus forte que celle des terrains environnants, ce qui attesterait l'existence de bois pourri et décomposé dans le sol, donc bel et bien une ancienne construction humaine ! Mieux, un sondage effectué au scanner révéla des traces de fer, qui s'entrecroisent dans des lignes régulières, interprétables comme les vestiges des clous utilisés pour fixer les poutres, ou les marques des cages des animaux.

Cécile pouffa.

— Parce que Noé a poussé le zèle jusqu'à fabriquer des cages pour les animaux ?

Yalin leva le pied de l'accélérateur.

— Clous, cages ou chaînes, peu importe, ce qui est indéniable, c'est qu'il y a sous cette forme fossile les traces d'une entreprise humaine. Et ce n'est pas tout, Cécile. En 1991, l'équipe de chercheurs a déterré sur le site une ancre de pierre percée d'un trou. Un autre forage à proximité de la supposée épave identifie des traces de vie animale. Des os. Des poils.

— Des traces de cadavres d'animaux dans la terre, ricana Cécile. Sacrées trouvailles !

Cette fois-ci, Yalin s'énerva. Le pick-up décélérait, comme s'il allait tomber en panne sèche au bord de la route.

— Toujours incrédule, hein ? Droite dans vos bottes bien fourrées de glaciologue ? Mon frère n'exagérait pas, votre incapacité à sortir de vos certitudes est consternante ! Cécile, sachez tout de même qu'au-delà des missions financées par les fondamentalistes américains, le gouvernement turc a envoyé sur place sa propre équipe d'archéologues, et que le lieu est désormais classé parc national. Reconnu officiellement comme le site de l'arche de Noé.

Cécile laissait ses cheveux voler au vent. Pas vexée le moins du monde.

— Formidable, Yalin ! J'adhère à tout, au contraire. Les poils, le bois pourri, le parc national. Une arche à portée de main, c'est plutôt pratique, non ? C'est votre certitude familiale qui me sidère. (Elle leva les yeux vers les cimes enneigées.) Si l'arche de Noé dort ici, pourquoi diable les frères Ikabi s'enquiquinent-ils à chausser leurs crampons jusqu'au sommet de l'Ararat ?

Cécile éclata de rire, ravie de sa repartie. Yalin crispa les mains sur le volant alors que le sourire narquois de Zak s'était figé sur son visage. Arsène estima que c'était le moment d'intervenir.

— On s'arrête ? suggéra-t-il.

— Pas le temps ! répliqua Yalin.

Il appuya à nouveau sur l'accélérateur. Le pick-up bondit. Quelques secondes plus tard, ils passaient un petit pont de fer sur le lit asséché d'une rivière.

Ils avaient parcouru une dizaine de kilomètres lorsque Yalin reprit la parole.

— Ouvrez encore grand les yeux. Toujours sur votre gauche, au milieu des rochers, sur l'éperon, vous allez bientôt voir surgir le vieux palais d'Ishak Pacha. L'ancien caravansérail de la route de la soie dont Parastou Khan a fait construire une réplique exacte au Nakhitchevan. Les ruines sont abandonnées aujourd'hui, mais c'est une autre étape obligée pour tous les touristes de la région.

Plutôt me faire coudre les yeux, pensa Cécile. L'idée de passer devant un lieu lui rappelant les geôles de Cortés, la salle des tortures et le sérail lui nouait le ventre.

Le palais surgit pourtant, étrange nid d'aigle perdu dans le désert ; une muraille ocre dominée par un minaret et une profusion de dômes. Le refuge des caravaniers pendant des siècles.

Magnifique. Presque irréel. Insolite.

« Dogubayazit, 11 km », précisait un nouveau panneau bleu.

— Nous y sommes presque, souffla Yalin.

•

87

Nationale Gürbulak-Dogubayazit,
Turquie

Jalil, les yeux vissés à ses jumelles, aperçut d'abord le nuage de poussière du bolide qui fonçait vers lui. Puis, lorsque le nuage se dissipa, il distingua le logo de l'OCI sur les portières. Le croissant rouge, le cercle blanc, le fond vert.

— Fausse alerte, pesta Jalil à l'intention de Zeytin. C'est une bagnole de l'OCI. Sans doute encore à cause de leur putain d'élections.

Zeytin cracha dans la terre.

Les douze hommes qu'il commandait étaient en poste depuis deux heures à présent à examiner chaque véhicule apparaissant au bout de la ligne droite.

— L'OCI turque ? demanda Zeytin par acquit de conscience.

Murat régla les jumelles.

— Pas sûr… Je lis *İslam İşbirliği Teşkilatı*… Mais c'est aussi écrit en persan sur le capot.

Des Iraniens, pensa Zeytin. Logique.

— Et les passagers ?

— Pas facile à cette distance… Ils sont quatre je dirais. Un type en noir, un imam, sûrement. Un autre en cravate…

Zeytin cracha à nouveau.

Encore raté.

Ils distinguaient maintenant à l'œil nu le pick-up fonçant vers eux, à plus de cent kilomètres à l'heure, entouré d'une brume de chaleur. La voiture fut sur eux en un instant, passa dans un nuage de poussière.

Murat avait vu juste.

Un véhicule de l'OCI. Quatre passagers. Un pilote, un imam, un type en costume, une femme en robe iranienne, les cheveux au vent.

Les cheveux au vent…

Une Iranienne les cheveux au vent ?

— Putain ! beugla Zeytin. Ce sont eux !

Le pick-up avait une bonne centaine de mètres d'avance. Dans un cliquetis de kalachnikovs, les trois Jeep des mercenaires s'élancèrent en rugissant sur la bande de goudron.

— C'était ce trépané de Zeytin ! hurla Cécile. Ils nous ont repérés ! Accélérez, nom de Dieu.

Yalin se tenait quasiment debout sur la pédale d'accélérateur. Le pick-up sautait sur la route défoncée.

— Nous sommes à moins de quatre kilomètres de Dogubayazit ! cria Yalin. Il faut tenir. Ils ne pourront pas nous poursuivre dans les rues de la ville.

Cécile éructa en se retournant :

— Vous plaisantez ? Ces tueurs ne nous lâcheront pas ! (Elle pivota vers Zak, furieuse.) La faculté de donner rendez-vous aux assassins, c'est un syndrome génétique chez les Ikabi ?

Zak ne répondit pas. Les Jeep des hommes de Zeytin se rapprochaient au bout de la route. Trois pelotes noires qui grossissaient en avalant le ruban de bitume.

Impossible d'évaluer leur distance. Cécile ne connaissait pas la portée d'une kalachnikov… et espérait ne jamais la connaître.

Arsène accrochait deux mains fébriles à la barre de fer du pick-up. Zak regardait droit devant dans l'espoir d'apercevoir les premières habitations de Dogubayazit. Yalin s'adressa soudain à son frère.

— Tiens-moi le volant deux secondes !

À bout de bras, Zak empoigna le volant.

— Vous êtes fous ! explosa Cécile.

Les Jeep des mercenaires avaient encore réduit l'écart, comme trois flèches qui allaient atteindre leur cible trop lente.

De sa main droite, Yalin saisit le téléphone portable dans sa poche.

Il…

Il envoyait un texto !

Cécile se sentait défaillir.

Le pick-up déviait et ralentissait.

Dogubayazit, trois kilomètres.

— Mahir Bey, c'est encore Cortés. Pas le temps pour les politesses, lieutenant. On a repéré Ikabi et trois complices. Ils foncent sur vous à bord d'un pick-up aux couleurs de l'OCI. Ils sont à moins de trois kilomètres de Dogubayazit. Mes hommes les rabattent. Postez les vôtres à l'entrée de la ville et tirez, bordel, tirez, sans sommation !

88

Dogubayazit, Turquie

Quatre Condors barraient l'entrée de Dogubayazit. Mahir Bey avait posté vingt hommes devant les véhicules blindés.

Si ce Cortés se foutait de sa gueule…

Le lieutenant aperçut le pick-up au bout de la route, à environ un kilomètre.

— Ce sont eux, confirma le flic à qui Mahir Bey avait confié les jumelles.

Tirer sur un véhicule de l'OCI… Mahir Bey allait prendre un gros risque.

En deux mouvements, il monta sur le toit du Condor le plus proche, tenant à la main un drapeau rouge qu'il agita frénétiquement.

— Postez-vous, ordonna-t-il à ses hommes.

Vingt flics s'agenouillèrent, alignés sur la largeur de la chaussée, en joue, pointant leurs fusils d'assaut Mehmetçik vers le bolide lancé dans leur direction.

Bey se racla la gorge.

— Ils doivent déjà apercevoir le drapeau rouge ! S'ils ne ralentissent pas, dès qu'ils sont à portée de tir, ouvrez le feu !

Le pick-up fonçait sur eux, moins de cinq cents mètres à présent. Il pouvait distinguer les occupants. Le lieutenant agita son drapeau à bout de bras. En pure perte. Le véhicule semblait accélérer encore.

— Ne visez pas les pneus, lança-t-il d'une voix blanche. Visez les visages. Ils ne nous feront pas de cadeaux, ce sont des tueurs.

Moins de deux cents mètres. Une bombe catapultée sur eux.

Collision imminente !

Les sécurités des Mehmetçik sautèrent dans un cliquetis. Mahir Bey empoigna la crosse de son Zigana M16, qu'il préférait au traditionnel Yavuz.

Encore cent mètres. « Feu ! » allait hurler Mahir Bey.

Son cri resta bloqué dans sa gorge.

Sortant à la fois de nulle part et de partout, de chacune des rues désertes de Dogubayazit, des dizaines de Kurdes surgirent, envahissant brusquement la chaussée, encerclant flics et Condors.

La plupart brandissaient des téléphones portables. D'autres, enfants ou vieillards, portaient devant eux des affiches électorales. Une manifestation soudaine, pacifique, irrépressible. Mahir Bey, en un éclair, détailla la forêt de téléphones portables pointés vers ses hommes au bout de cent bras tendus, des modèles les plus préhistoriques aux technologies les plus pointues.

Certains Kurdes se contentaient sans doute d'appeler en direct un cousin à Ankara ou à l'autre bout du monde, d'autres enregistraient la scène, les plus riches la filmaient…

Tous scandaient comme une prière :

« *Dünyanın gözleri ! Dünyanın gözleri*[1] ! »

— Stop ! hurla le lieutenant aux tireurs encerclés par la foule. Relevez vos armes, pas un coup de feu, vous m'entendez, pas un coup de feu !

Le pick-up pila presque devant la manifestation populaire. La foule s'écarta comme par enchantement devant le véhicule qui grimpa sur le trottoir sur une vingtaine de mètres avant de tourner sur sa droite. Il reprit de la vitesse jusqu'à une petite place. Une grille s'ouvrit devant lui ; le pick-up la franchit puis stoppa dans la cour.

« École Beyoğlu Cihangir », indiquait un panneau. « Bureau de vote n° 7 », précisait un carton accroché à côté.

Les occupants du pick-up se précipitèrent hors du véhicule.

— Il sort d'où, ce comité d'accueil miraculeux ? s'écria Cécile.

— Sans me vanter, répondit Yalin en haletant, je suis assez populaire dans la région. Une sorte de héros local, si vous voulez. Vite, dans l'école !

Cécile obéit sans se poser davantage de questions, suivie d'Arsène et de Zak. Ils s'engouffrèrent sous le préau en direction d'une porte éclairée. Tête baissée. Sur les murs de béton, les enfants avaient peint en

1. Aux yeux du monde.

couleurs vives un immense arc-en-ciel surmontant le mont Ararat. Des couples descendaient de la montagne, des éléphants, des chevaux, des moutons, Mickey et Minnie… et deux licornes !

89

École Beyoğlu Cihangir, Dogubayazit, Turquie

Un calme religieux régnait dans le bureau de vote n° 7 de Dogubayazit. Un asile inviolable, pensa Cécile. Rien à dire, Yalin Ikabi était sacrément malin…

Dans la salle de classe transformée pour l'occasion, de grandes urnes de bois clair étaient posées sur des petites tables qui portaient le nom de chaque élève, à proximité des isoloirs installés le long d'une petite bibliothèque. Une dizaine de personnes circulaient en permanence dans la grande pièce : le président de bureau, quatre assesseurs, les électeurs turcs… et une étrange délégation de l'OCI.

Eux !

Yalin tira un rideau et observa par la fenêtre.

— Ils n'attaqueront pas avant la fermeture. Ils ne peuvent se permettre de pénétrer armes à la main dans un bureau de vote.

Cécile s'approcha de la vitre.

— Et les bureaux ferment à… ?

— Dix-sept heures…

Malin, Yalin Ikabi… Mais il émanait de ce bureau de vote un parfum inquiétant de Fort Alamo.

— Et ensuite ? s'enquit la chercheuse.

— Nous aviserons.

Cécile hocha la tête.

— Et d'ici là, quel est le programme ?

— Vous serez surprise de l'hospitalité kurde, mademoiselle Serval. Vous pourrez à loisir dormir, manger, vous équiper. Vous n'allez tout de même pas grimper en haut de l'Ararat dans cette tenue ?

Cécile aurait voulu que ce diable entende les protestations de chaque cellule de son corps. « Qui vous dit que j'ai envie de grimper là-haut ? » Elle se contenta pourtant de répliquer avec un sourire malicieux :

— N'oubliez pas, Yalin, que je suis ici en ma qualité d'universitaire. Représentante officielle de l'OCI chargée de vérifier le bon fonctionnement des élections municipales kurdes.

Cécile tournait en rond dans la salle de classe. Elle avait dormi deux heures, puis on leur avait servi un repas. Poissons marinés, melons, brochettes de mouton, kebabs, riz. Raki pour les hommes.

Un véritable festin !

Les isoloirs ne désemplissaient pas, même à l'heure du repas. Cécile s'était fait expliquer en détail, dans un anglais approximatif, la procédure de vote par le président du bureau, un Kurde d'une quarantaine d'années visiblement troublé par son charme exotique de Française vêtue d'une chaste chasuble iranienne.

Cécile l'écouta distraitement en cherchant Zak des yeux, sans le trouver. Il semblait avoir disparu avec

Yalin dans une annexe de l'école. Incapable de rester inactive à attendre la fermeture du bureau de vote, elle rejoignit Arsène. Le professeur, réveillé lui aussi depuis quelques minutes, se tenait tranquillement assis derrière une urne à discuter avec les deux assesseurs qui distribuaient des enveloppes violettes. Visiblement, les sages kurdes appréciaient l'intérêt que leur portait le professeur Parella.

— Avant ces cinq siècles de guerre, se lamentait un vieil édenté, le Kurdistan était la plus riche de toutes les régions d'Asie occidentale. Trop riche, même. Pétrole. Eau. Vallées et vergers. Trop de convoitises pour les voisins ! C'est pour cela qu'on a écartelé le Kurdistan en quatre pays. Avec la complicité de la France et de l'Angleterre, d'ailleurs, professeur…

Arsène acquiesça.

— D'un point de vue historique, je suis entièrement d'accord avec vous.

Ravi, le vieux sage enchaîna.

— Ce fut le début de notre tragédie. Churchill nous a gazés dès 1925 ! Saddam Hussein a exterminé un million de Kurdes irakiens à l'arme chimique en 1987. Le gouvernement turc, de son côté, a déjà rasé près de trois mille villages kurdes et accélère encore la destruction de notre patrimoine… Routes, barrages, chantiers, tous les prétextes sont bons ! Sans oublier la guerre aux frontières, la spirale des attentats, les bombardements…

Arsène allait répliquer quand il entendit des pas dans son dos. Yalin et Zak, surgis de nulle part, se tenaient devant les isoloirs.

— Mais, depuis 2001, lança Yalin sur un ton joyeux, il y a au moins une avancée positive : on peut à nouveau grimper sur l'Ararat sans se faire tirer dessus par le PKK, l'armée turque ou les deux. Les touristes reviennent ! C'est l'or de Dogubayazit, non, les randonneurs de l'arche ?

Cécile s'étonna de l'ironie mordante de Yalin, qu'il exprimait dans un mélange de kurde, de français et d'anglais. Elle cadrait mal avec les valeurs théoriquement prônées par les Nephilim.

Aux pieds de Zak et Yalin s'entassaient des sacs à dos, des cordes, des pulls, des jeans.

— Vous n'avez pas entendu ? continua Yalin. La cloche a sonné. Cécile, Arsène, c'est l'heure. Le temps d'un petit débriefing et hop, en avant pour la grimpette sur l'Ararat…

Zak souriait aux paroles de son frère. Parfaitement détendu. Le regard malicieux. Tous les deux semblaient oublier que l'école était cernée par des dizaines d'hommes armés qui livreraient l'assaut dans moins d'une demi-heure. Qu'ils étaient pris au piège ici… et que, pourtant, une sorte d'évidence s'imposait : toute cette aventure devait s'achever là-haut, sur les glaces du mont Ararat.

Une évidence aussi naïve que ridicule.

Les coordonnées géographiques fournies par Yalin s'enroulaient en boucle dans le cerveau de Cécile. Dans la poche de sa robe, elle serrait le GPS miniature.

Concentre-toi, Cécile, concentre-toi, nom de Dieu. Tu es une scientifique ! Tu es bien capable de retenir une série de seize chiffres.

90

Dogubayazit, Turquie

Cortés se gara nerveusement devant l'école Beyoğlu Cihangir, en plein milieu de la route. Cinq Jeep pilèrent derrière lui.

Le mercenaire laissa plusieurs gardes surveiller les véhicules et se dirigea droit vers Mahir Bey. Son stetson était impossible à manquer ; sous les ordres du lieutenant, quatre Condors, six Kanunis[1] et trente hommes encerclaient l'école, laissant juste un corridor de trois mètres pour permettre aux électeurs de passer. Cortés portait un turban pourpre qui lui masquait tout le visage à l'exception des yeux, dissimulés derrière des Ray-Ban.

Le mercenaire, ivre de fureur, se posta devant le lieutenant.

— Lieutenant Bey ! Vous… Vous, vous les avez laissés passer !

Mahir Bey tira sur sa cigarette.

1. Principale marque de motos turques.

— Du calme, Cortés, du calme.

— Vous attendez quoi pour donner l'assaut ? insista Cortés.

Le lieutenant prit à nouveau le temps d'évaluer la situation. Dans la cour de l'école, une cinquantaine de Kurdes s'étaient installés pour manger et discuter, assis sur le rebord du bac à sable ou appuyés contre les montants rouillés des balançoires. Les affiches électorales étaient étalées en évidence auprès d'eux. Tous conservaient leur téléphone portable à portée de main.

Mahir Bey se retourna lentement vers Cortés.

Garder son sang-froid, c'était son job. C'est pour gérer des situations extrêmes comme celle-là qu'on lui confiait ces putains de responsabilités.

— Cortés, écoutez-moi bien. Si vous voulez continuer à jouir de votre impunité par ici, vous allez la jouer piano avec votre armée de mercenaires. Compris ? Je ne sais pas si vous vous rendez compte des enjeux. Une fusillade dans un bureau de vote kurde, le jour des élections ! (Mahir Bey contempla son reflet dans les Ray-Ban de Cortés.) Une école ! On n'est pas en Tchétchénie ici, hein ? On n'est pas en Guinée ou dans je ne sais quelle jungle. On est dans une démocratie. OK ?

Cortés n'avait pas écouté. Des veines bleues striaient son cou, la seule partie visible de sa peau.

— Lieutenant, ce sont des terroristes ! Prenez vos responsabilités, bordel. Il n'y a aucun observateur international dans les parages.

— Non… Aucun… Seulement trente Kurdes avec leurs portables braqués sur nous. Des dizaines de civils. Allez-y, Cortés, si vous voulez passer en direct sur

CNN ou Al-Jazeera. Entrez dans cette école et tirez sur tout ce qui bouge…

Cortés pesta. Il désigna le pick-up encore garé près du préau.

— Ikabi est entré en Turquie en utilisant un faux véhicule de l'OCI ! Vous ne pouvez pas rester les bras croisés. J'ai de l'influence, lieutenant Bey, j'ai les moyens de vous faire sauter…

— OK, Cortés, très bien. Faites jouer vos relations, faites-moi sauter.

Mahir Bey s'accrochait à la certitude inverse, c'est à la moindre bavure qu'il ferait office de fusible. Devant eux, dans la cour de l'école, le maire kurde de Dogubayazit paradait au milieu de ses administrés, l'Ay Yildiz[1] porté en écharpe sur la poitrine.

Un élu de la République !

Intouchable, au moins aujourd'hui.

— Patience, Cortés, fit Bey sur un ton apaisé. Patience. Ils finiront bien par sortir. La trêve des élections est éphémère. Très éphémère, croyez-moi. Mais jusqu'à 17 heures, nous n'avons pas le choix, il faut laisser ces braves gens voter !

— On en reparlera, lieutenant.

Cortés consulta sa montre.

16 h 35.

Il fit signe à ses hommes de se déployer autour de l'école.

1. Nom du drapeau turc.

91

École Beyoğlu Cihangir, Dogubayazit, Turquie

Zak était négligemment installé sur un sac à dos. Regard fuyant, glissant tour à tour sur Cécile et Arsène ; Yalin, à l'inverse, était resté debout. Ses gestes théâtraux monopolisaient maintenant l'attention de l'ensemble du bureau de vote. Il tenait un piolet d'alpiniste comme s'il s'agissait d'un micro. Son monologue semblait particulièrement rodé, sans doute testé sur nombre de touristes perdus dans ce bout du monde.

— Croyez-moi, j'ai dû effectuer près d'une centaine de fois la montée jusqu'au sommet de l'Ararat. Nous ne sommes que trois, à Dogubayazit, à posséder une telle expérience. Il y a Fox, Parachute… et moi. Nous avons accompagné des dizaines de randonneurs, bien avant 2001. Avec ou sans autorisation. (Des vieillards ridés opinaient de la tête, comme s'ils se souvenaient de ces temps glorieux.) Aujourd'hui, pschitt, terminé… Le sommet de l'Ararat et ses 5 165 mètres, c'est quoi… ? Le Fuji Yama ? Le mont Olympe ? Presque une randonnée du dimanche, à croire les agences de voyages. Il en fleurit une nouvelle chaque mois à Dogu… Trois cents euros par client… Des gamins démarchent les touristes dans la rue, dans les hôtels, jusqu'à Istanbul. Parrot doit se retourner dans sa tombe.

Les électeurs qui entraient s'arrêtaient pour écouter Yalin. Cécile scandait dans sa tête les coordonnées géographiques, comme une prière lui évitant de penser à autre chose.

39° 45' 41.96" N, 44° 18' 36.54" E, 39° 45' 41.96" N 44° 18' 36.54" E

Yalin continuait de brandir le piolet. Il s'adressait à Cécile et Arsène, mais jouait tout autant la scène pour les habitants de la ville. Yalin ne mentait pas, il était le héros du coin. Une tête brûlée, appréciée par les Kurdes. Adoptée.

— Il faut imaginer la ville de Dogubayazit l'hiver. Nous sommes déjà à près de deux mille mètres d'altitude ! L'hiver, ici, c'est quatre mois de neige. Des températures à moins vingt.

Les auditeurs kurdes en grelottaient rien que d'y penser.

— En sortant de Dogu, avec un bon 4×4, on peut grimper encore un peu par les pistes, mais il faut attaquer le reste à pied. Avec l'aide d'une mule si vous avez les moyens, avec votre barda sur le dos sinon… Tous les tour-opérateurs proposent un camp pour les randonneurs entre trois mille et trois mille cinq cents mètres. Le bivouac est assuré au milieu des bergers kurdes. Attention, de l'authentique, du vrai !

L'auditoire souriait à pleines dents.

— Les chiens de berger qui vous courent après dans les champs de pierre, l'agneau égorgé devant vos yeux, puis grillé sur un feu alimenté par de la bouse séchée, parce qu'on vous expliquera qu'il n'y a plus de bois au-dessus de trois mille mètres, à part les poutres de l'arche, bien entendu !

Éclat de rire général. Yalin était un excellent conteur.

— Les touristes tentent d'attraper le morceau de viande le plus cuit à même la plaque de fer brûlante, puis, selon leur envie, ils expérimentent la traite des chèvres, les chants kurdes ou la séance de géopolitique sur les malheurs du peuple maudit.

Les rires se firent un peu plus gênés. Yalin enchaînait.

— Et enfin… la figue sur le baklava, le coucher de soleil sur l'Ararat… les lumières d'Erevan au loin, une pensée pour les Arméniens et hop, au dodo ! On se lève tôt le lendemain.

Comme les autres Kurdes dans la salle de classe, le président du bureau de vote battit des mains. Il désespérait de voler une œillade à Cécile. La chercheuse lui tournait le dos, fascinée par Zak et Yalin Ikabi.

Qui étaient ces deux hommes ?

Zak, un universitaire brillant, puis déchu. Fou d'arche…

Yalin, une petite gloire locale épousant la cause kurde. Fou d'arche…

Que cachaient ces deux hommes ?

Yalin continuait, intarissable.

— Le lendemain, départ à 4 heures du matin. Il reste encore deux mille mètres de dénivelé, en pente douce, à l'exception de la traversée des névés lorsqu'on arrive près du but. Les derniers pas. La grande solidarité. Tous encordés. Le risque est moins de dévisser sur le glacier que de se perdre dans la brume. Le sommet de l'Ararat est un plateau de glace de plusieurs kilomètres carrés... Je n'ai jamais perdu un type là-haut, mais, tous les ans, des alpinistes qui tentent l'aventure en solo ne redescendent jamais. Écoutez-moi bien, au sommet, il y a une règle d'or : ne jamais y rester plus d'un quart d'heure !

Les Kurdes confirmaient du regard. Yalin insistait.

— Même par beau temps, même sans vent, même si la vue est dégagée jusqu'à la Caspienne. Le froid vous engourdit sans que vous vous en rendiez compte. Alors, les ordres sont stricts : on plante le drapeau, on fait la photo, on gratte un peu la glace histoire de chercher un morceau d'arche de Noé, on ne sait jamais, et zou, demi-tour. La descente se dévale en une journée.

Yalin pivota vers Cécile et Arsène. Comme pour les saluer.

— Génial, non ?

Cécile grimaça.

Génial...

Le show était terminé. Zak et Yalin se penchèrent sur les sacs à dos, vérifiant méticuleusement l'équipement. À y repenser, un détail troublait Cécile. Dans la tirade de Yalin, il manquait un détail, un seul détail dont on lui rebattait pourtant les oreilles depuis trois jours.

Les licornes...

Yalin n'avait pas évoqué les licornes, même pour en rire.

Pourquoi ? Pourquoi s'en priver ?

Le président du bureau de vote leva les yeux vers la pendule de l'école au-dessus du bureau du maître.

16 h 50.

Le bureau de vote fermait dans dix minutes.
Comme indifférent au danger imminent, aux mercenaires et à la police encerclant l'école, Yalin, un grand sourire aux lèvres, se baissa pour attraper un sac à dos et lança presque joyeusement :
— C'est le moment de vérité !

92

Dogubayazit, Turquie

La trotteuse de la Rolex tournait autour de la petite couronne d'argent. Cortés la fixait avec concentration, comme si sa volonté était capable d'accélérer sa course.

16 h 55.

Zeytin surveillait l'arrière de l'école.

— Prépare-toi, mon grand, murmura Cortés dans son portable. Le feu d'artifice va commencer.

Cortés s'approcha de Mahir Bey. Le lieutenant se tenait toujours devant la cour de l'école, cigarette à la bouche, stetson relevé.

— Très bien, fit Cortés, arrêtons de jouer, maintenant. Les habitants ont pu exercer leur devoir civique en toute sérénité ? On passe aux choses sérieuses ?

— Doucement, répondit le lieutenant. Ce n'est pas si simple.

— Quoi, encore ?

Mahir tourna la tête. De toutes les rues de Dogubayazit, seuls, en couple ou en famille, des centaines de Kurdes convergeaient vers le bureau de vote n° 7. Calmement. Habillés comme pour une cérémonie. Des chapeaux, des robes, des costumes. Comme on se rend à la messe.

— Qu'est-ce qu'ils viennent foutre ? pesta Cortés.

— Ils arrivent pour le dépouillement, répondit avec nonchalance un flic posté dans le dos des deux hommes. Les distractions sont rares au fond du Kurdistan.

— Bordel…

La procession se densifiait. Grouillante. Joyeuse. Des grands-pères poussaient des gamins sur des vélos rafistolés. Des fillettes en dentelles portaient leurs plus belles poupées. Des adolescentes gloussaient devant les hommes en chemise blanche.

Cortés n'aimait pas ça.

— Ouvre l'œil, Zeytin, glissa-t-il dans le combiné. Ils préparent un…

Il n'eut pas le temps de terminer sa phrase.

Soudain, comme par magie, la procession s'ouvrit, telle la foule qui s'écarte sur le côté quand passe le peloton d'une course cycliste. Le 4×4 Isuzu D-Max jaillit de la cour d'école. La bâche grise sous laquelle il était garé, dans l'angle mort du préau, s'envola sur quelques mètres avant de retomber sur le bac à sable. Le 4×4 renversa trois Kanunis sur son passage. Les flics turcs plongèrent sur le côté, stupéfaits.

Cortés hurla :

— Tirez, bon Dieu. Ce sont eux. Tirez…

Trop tard.

La vague humaine se referma aussi vite qu'elle s'était ouverte. Une foule de *feria* esquivant un taureau lancé au galop. Les portables au bout des bras continuaient de filmer. Des Kurdes anonymes bousculaient

Cortés, le pressant contre la grille de l'école dans une agitation d'entrée de stade avant une finale disputée par le club local.

— Zeytin ! s'époumonait le mercenaire dans son portable. Tu es où, bordel ?

Une voix haletante lui répondit.

— Coincé dans cette putain de foule... Impossible de bouger.

D'un coup de coude en plein visage, Cortés assomma un homme qui le serrait de trop près.

— Dégage-toi, nom de Dieu ! Fais le ménage, flingue ces cons s'il le faut, il faut les rattrap...

— NON !

L'exclamation était suffisamment forte pour que Cortés et Zeytin l'entendent tous deux. Le canon d'un Zigana M16 se colla sur la tempe de Cortés.

— NON, répéta le lieutenant Mahir Bey, le doigt crispé sur la détente. Foutez le camp avec vos hommes, vos Jeep et vos flingues. Poursuivez ces types jusqu'en haut de l'Ararat si cela vous chante... mais si vous touchez au moindre civil dans ma juridiction, je me ferai un plaisir de faire un joli trou dans votre turban, histoire de découvrir enfin ce qui se cache dessous.

Cortés l'écarta d'un mouvement d'épaule. Un insondable dédain se lisait dans ses yeux. Alors que les plus hautes autorités turques lui mangeaient dans la main, il se retrouvait à la merci d'un petit chef. Contraint de se soumettre à ses ordres.

— Aux Jeep, Zeytin, siffla Cortés dans le portable. Dans le calme.

Il se retourna vers Mahir Bey.

— Vous me le paierez, lieutenant. Cher, très cher...

Bey braquait toujours son Zigana. Quatre de ses hommes, derrière lui, pointaient eux aussi leurs Mehmetçik. Cortés cracha par terre et s'éloigna vers la Jeep la plus proche, slalomant dans la foule qui affluait en sens inverse.

Il s'était écoulé à peine une minute. Tandis que les Jeep de Cortés disparaissaient à l'angle de la rue, les derniers citoyens kurdes pénétraient dans l'école, patientaient dans la cour, se pressaient sous le préau, la petite salle de classe ne pouvant accueillir tout le monde. Les rues de Dogubayazit étaient de nouveau désertes, à l'exception des hommes de Mahir Bey, brusquement désœuvrés. Les flics jetaient des regards interrogateurs à leur chef.

Mahir Bey savoura l'instant. Il savait qu'il venait d'éviter un massacre. De son mégot, il souffla un nuage de fumée.

Putain, que cette clope avait bon goût…

Il leva les yeux vers l'immense Ararat.

Qu'ils s'entretuent, pria le lieutenant. Les mafias, les terroristes, les chercheurs d'arche… Il se dit qu'il allait lancer mollement quelques patrouilles dans la région. Et passer sa nuit sur son vieux PC à rédiger un rapport pour tous les étages de la bureaucratie turque.

Il avait bien mérité une autre cigarette.

Le silence, il savourait le silence.

Une seconde, pas plus.

Une clameur, aussi soudaine qu'intense, s'éleva derrière lui.

Nom de Dieu, pensa Mahir Bey, crispant la main sur la crosse de son Zigana.

Face à lui, l'agent Osman afficha une face hilare.

— Les Kurdes acclament les résultats, chef… Leur maire a été réélu… À les entendre, un vrai plébiscite !

93

Nationale Dogubayazit-Gürbulak, Turquie

Le 4×4 Isuzu D-Max filait à près de cent vingt sur la longue ligne droite qui reliait Dogubayazit à la frontière iranienne. Les vestiges du caravansérail d'Ishak Pacha défilèrent à nouveau.

— À gauche quand je te le dirai, cria Zak.

— Je sais, petit frère, je sais… Je bourlingue depuis quinze ans dans la région.

Yalin Ikabi jeta un coup d'œil dans le rétroviseur.

Personne.

Yalin souffla. Ils disposaient de longues secondes d'avance sur les hommes de Cortés. C'était plus qu'il n'en fallait. Dans la prairie, des brebis noires suivaient avec indifférence le passage du véhicule. Parfois un berger sortait d'une yourte d'été et observait le bolide comme s'il s'agissait du concurrent d'un rallye automobile.

Ils avaient parcouru moins de cinq kilomètres lorsque Yalin braqua sur sa gauche pour s'engager sur une piste de terre. Il ralentit à peine l'allure.

— Ça va un peu secouer, prévint le conducteur, mais la piste nous rapproche au maximum du passage entre le Petit et le Grand Ararat.

Cécile puisait dans sa mémoire les souvenirs des images satellite qu'elle avait étudiées.

— La tranchée d'Ahora, celle de tous les mystères du mont Ararat, ne se situe-t-elle pas au nord-est ? Pile à l'opposé ?

— Exact. En temps de paix, le parcours idéal consiste à suivre la frontière arménienne en partant du poste frontière d'Aralik. Mais, de Dogubayazit, il faut contourner l'Ararat par la route d'Igdir. Cinquante kilomètres. Une folie avec ces tueurs à nos trousses. Nous n'avions pas le choix, il fallait quitter le bitume au plus tôt…

Hélas, pesta Cécile en se cramponnant de toutes ses forces à son siège.

Le 4×4 progressait en bondissant sur une piste de terre grise qui grimpait en longs lacets entre des blocs de basalte. Ils traversèrent quelques hameaux, passèrent devant une ou deux maisons basses en pisé devant lesquelles les montagnards avaient empilé des murs de briques de paille et de bouse mêlées. L'unique combustible dont ils disposaient.

— Pendant une partie de l'hiver, précisa Yalin, ces maisons sont coupées du monde ! Par la route du moins…

Cécile nota que chaque maison, même la plus délabrée, disposait d'une antenne parabolique.

Ils montaient encore. Ils croisèrent un gosse qui descendait la piste derrière un âne chargé de sacs, une dernière maison en ruine, puis plus rien. L'Isuzu s'enfonçait dans un désert volcanique, un paysage lunaire, hérissé de petits cônes de cendres. À chaque virage, le chapeau blanc de l'Ararat surgissait, contrastant avec le paysage anthracite.

Yalin lança un nouveau regard méfiant dans le rétroviseur, puis ralentit. La piste était tracée sur un terre-plein qui dominait d'un mètre un cône d'éboulis.

— Allez, dépêchons-nous, Cécile, Arsène, attrapez chacun votre sac. Vous disposez de toutes les informations. Rendez-vous au point convenu.

Cécile se raidit à l'arrière du 4×4, stupéfaite.

— C'est une blague ?

Nouveau coup d'œil dans le rétroviseur. Zak tenta de se montrer plus convaincant.

— Vite, Cécile. Ce n'est pas un jeu. Nous avons un peu d'avance.

— Vous… bafouilla Cécile. Vous voulez nous abandonner dans ce désert de pierres ?

Zak se pinça les lèvres. Arsène, assis à l'arrière à côté de Cécile, ouvrit avec précaution la portière alors que le 4×4 roulait encore. Il s'exprima avec douceur.

— Je ne crois pas qu'ils nous abandonnent, Cécile. Je crois à l'inverse qu'ils se sacrifient pour nous. Les hommes de Cortés suivront la trace du 4×4.

Zak hocha la tête.

— Tout pigé, Arsène. Une vieille ruse de Sioux, se séparer quand on a la cavalerie aux fesses…

Le 4×4 roulait maintenant au pas.

Cécile ne bougea pas.

Quelque chose clochait. Quelque chose ne collait pas dans ce plan. Zak scruta avec inquiétude le bout de la piste, puis cria :

— Cécile ! Si au moins une fois dans votre vie, vous pouviez nous faire confiance !

Hors de question ! Pourquoi les laisser ici, elle et Arsène ? Pourquoi abandonner le binôme le moins adapté pour survivre dans ce massif ?

Le 4×4 reprit un peu de vitesse pour aborder un virage. Cécile sentit soudain une violente poussée dans son dos. Elle glissa sur la banquette et percuta Arsène. Le professeur attrapa sa main alors qu'une seconde poussée, plus puissante, la propulsait, comme si les deux frères Ikabi avaient uni leurs forces. Elle s'écroula sur Arsène dont les épaules sortaient déjà de l'habitacle. Ils basculèrent ensemble dans le vide.

Le fossé de cendres amortit leur chute.

Ils continuèrent de glisser sur la pente du talus, sur trois mètres, avant d'être freinés par une butte d'herbe rase. Jean et pull couverts de poussière. Devant leurs yeux incrédules, le 4×4 effectua un brusque demi-tour. Une autre portière s'ouvrit, une main éjecta deux sacs à dos. La seconde suivante, l'Isuzu rebroussait chemin sans ralentir.

Cécile resta plantée, agenouillée, les yeux embués de larmes. Son regard monta lentement, droit devant. À l'infini, elle apercevait un mur. Un bloc de pierre haut de près de quatre mille mètres.

Le plus grand dénivelé du monde...

Elle se retourna vers son professeur avec une furieuse envie de déverser sa colère.

— Taisez-vous, Arsène, je vous en prie. Ne me dites surtout pas qu'ils ont raison. Ni même qu'ils ont leurs raisons. Nous sommes perdus. Nous ne survivrons pas une nuit…

Arsène se leva, épousseta la poussière grise sur ses habits puis posa sa main sur l'épaule de la chercheuse.

— Il faut suivre leurs instructions, Cécile. Il faut leur faire confiance.

Cécile avait envie de s'effondrer. De tout abandonner. Là.

— Que… quelles instructions ?

— Yalin nous a fourni des tentes, des vivres, de l'eau, des habits chauds. Nous disposons des coordonnées géographiques exactes du point de rendez-vous. Nous possédons un GPS.

Une fois de plus, l'énergie de son vieux professeur sidérait Cécile. Elle qui l'avait toujours pris pour un intellectuel incapable du moindre effort physique…

Il avait raison cependant.

Ils possédaient un GPS !

Elle fouilla dans la poche de son jean à la recherche de l'appareil miniature. Lorsqu'elle l'extirpa avec difficulté, les mains tremblantes, elle poussa un hurlement de dépit, à en réveiller tous les volcans de l'Ararat.

Le GPS était brisé.

Net. Fendu en deux dans la chute. L'appareil était fichu, le voyant ne s'allumait même plus. Cécile jeta un regard de désespoir vers son professeur. Il lui tendit la main.

— Venez, Cécile. Portons nos sacs.

Juste devant eux, ils distinguaient l'élégante courbure de la pente entre le Petit et le Grand Ararat.

— Yalin nous a laissé des cartes, Cécile. Nous devons d'abord rejoindre la tranchée d'Ahora, sur le versant opposé du massif. Nous allons devoir marcher. Longtemps.

94

Parlement mondial des religions, Melbourne

— Padma, qu'on ne me dérange pas !

Viorel Hunor tira la porte de son bureau derrière lui. Il savait que le sourire et le corps frêle de sa secrétaire dissimulaient le plus efficace des cerbères. Par sécurité supplémentaire, le métropolite poussa le verrou de son bureau, puis il souffla. De sa fenêtre du Parlement mondial des religions, il pouvait embrasser toute la baie de Melbourne. Le spectacle permanent des voiliers, des kitesurfeurs, des paquebots constituait pour l'ancien prisonnier la promesse d'une liberté éternelle.

Lentement, il ôta la croix de bois sculptée qu'il portait autour du cou, la soupesa, avant de l'introduire dans la serrure du troisième tiroir de son bureau.

Le mécanisme joua.

Le métropolite remit son collier. Il avait trouvé astucieux le procédé imaginé par les services de sécurité : une clé en forme de croix dont la sculpture garantissait l'unicité.

Hunor tira le tiroir et en tira un épais dossier blanc. Deux simples mots barraient la couverture.

Protocole AHORA.

Il dénoua de ses fines mains la corde qui fermait le document. C'était la première fois depuis plus d'un an qu'il l'ouvrait. Il fit tourner les pages, simplement pour se remémorer des procédures. Les noms défilaient, les références, les numéros de téléphone. Tous des gens fiables. Le protocole AHORA était le résultat d'années de patientes négociations entre les plus hauts représentants de l'islam en Turquie, les gouvernements successifs, les services secrets, l'armée au Kurdistan. Chacun n'était au courant que d'une des parties de l'enjeu que représentait l'anomalie d'Ararat. Une seule… bien suffisante. Une pièce du puzzle ne permettant pas de reconstituer l'image entière. L'essentiel était qu'ils soient capables de réagir lorsqu'il le faudrait.

Viorel Hunor sortit du dossier une carte d'état-major. Il l'étala sur le bureau impeccablement rangé. Son index suivit au hasard les courbes de niveau, bistre sur la terre, bleues sur les glaces.

Il lui manquait encore l'essentiel…

Le protocole AHORA était une lourde machinerie bloquée. Une fusée puissante, précise… mais sans carburant.

Son doigt glissait sur la carte. Le massif de l'Ararat occupait un espace plus vaste qu'une province de Turquie. La cible n'était qu'une tête d'épingle dans cet immense désert.

Où ?

Viorel Hunor l'ignorait. Le rapport RS2A-2014 n'apportait aucun nouvel indice. Toutes les recherches sur les Nephilim se heurtaient à une impasse. Zak Ikabi !

Viorel Hunor attrapa un crayon. Il les aimait parfaitement taillés. Bien entendu, il espérait ne jamais avoir à déclencher le protocole, cette foudre tombant du ciel comme un châtiment divin. La punition d'Icare, d'Enoch, de Prométhée… Mais s'il y était contraint, il n'aurait aucune hésitation. Il avait été élu pour cela. Pour éviter que les fondements du monde, patiemment édifiés sur une faille béante, ne basculent.

D'un geste sec et précis, Viorel Hunor planta au hasard la fine mine de son crayon sur la carte, quelque part dans les hauteurs de l'Ararat.

Oui, s'il y était contraint, la foudre s'abattrait sur les imprudents.

Où qu'ils soient…

Mont Ararat, 4370 av. J.-C., été

L'immense tas de bois s'élevait devant les grottes. Le ramasser était un travail long et pénible, nul arbre ne poussait à proximité du camp. Cela prenait des journées entières. Certains, surtout les plus jeunes de la tribu, protestaient, prétendaient qu'ils n'avaient pas quitté le village pour être réduits à une existence de fourmi, mais Majka ne cédait pas. C'est elle qui commandait à présent les hommes de la montagne. Elle savait d'expérience qu'il n'y avait jamais assez de bois à brûler pour survivre à la saison froide. Parfois, lorsque certains en venaient à regretter l'eau de feu des dieux de la plaine, Majka s'emportait : c'était dans ces maudites flammes bleues que son père Avo avait été jeté vivant.

Gana était dispensée de cette corvée. Le plus souvent, le bébé dormait dans les bras de la jeune maman. C'était un nouveau-né magnifique, mais étrange. Il fixait le moindre mouvement autour de lui de ses yeux gris clair, luisants comme une pierre au fond d'une rivière ; ses longs cheveux noirs, au lieu de tomber après sa naissance, semblaient s'épaissir. Il était grand aussi, plus grand que les autres bébés. Le nouveau-né pleurait peu, mais Gana dormait mal, sujette à des cauchemars : son bébé ressemblait terriblement à ceux que les serviteurs des dieux de la plaine avaient sacrifiés dans les flammes bleues.

Parmi les tâches réservées aux enfants, la plus importante était de disposer dans la montagne des morceaux de bois croisés, comme le faisait auparavant Otek dans la neige. Seuls les membres de la tribu savaient lire ces signes qui leur permettaient de ne jamais se perdre. Lorsqu'il était impossible d'enfoncer les morceaux de bois dans le sol, les enfants gravaient le même signe sur les pierres ou à l'entrée des grottes : deux traits, un long et un court, qui se croisaient au centre.

Ils vivaient en paix, désormais. Sa fidèle Leka en était peut-être le symbole le plus évident. Leka attendait un bébé, elle aussi ! Leka avait disparu pendant près d'une lune dans la montagne, Gana l'avait cherchée, appelée, pleurée, longtemps, jusqu'à l'épuisement. Puis, un matin, Leka était revenue. Une lune plus tard, le doute n'était pas permis : Leka avait fugué pour rejoindre un amoureux ! Elle n'avait que l'embarras du choix, ses amants potentiels vivaient en troupeau, plus haut dans la montagne, là où les hommes s'aventuraient peu. Gana songea qu'il fallait qu'elle en parle à la tribu, qu'elle parvienne à convaincre les hommes de monter, de s'approcher des troupeaux, de tenter de les apprivoiser, afin que Leka soit moins seule, mais surtout pour que la tribu soit protégée. Leka était non seulement la plus intelligente de toutes les créatures des dieux, mais elle était aussi la plus vive. Leka avait la taille d'une chèvre, mais Gana l'avait vue combattre des animaux deux fois plus gros qu'elle, des prédateurs qui avaient à peine eu le temps d'ouvrir leur gueule avant que l'unique corne de Leka, plantée bien droit au milieu de son front, aussi mortelle et rapide qu'une flèche tirée d'un arc, ne leur transperce la gorge.

Là-haut, même les loups n'attaquaient pas les troupeaux.

Le soleil venait de se coucher et les coulées de glace à l'horizon devenaient rouges et charnues telles des langues de géants.

La silhouette sombre apparut à l'horizon, chancelante, comme un arbuste secoué par le vent. Tout d'abord, Majka ne le reconnut pas. Il avait beaucoup maigri et son corps était couvert de blessures. Majka n'ouvrit ses bras que lorsqu'il fut à ses pieds.

Bilik. Son fils. Il s'effondra contre la lourde poitrine de sa mère. Il y demeura longtemps, tremblant, incapable d'articuler une parole. D'autres femmes de la tribu l'allongèrent sur des peaux. Majka prépara un breuvage d'herbes pendant que Leka léchait ses plaies. Enfin, après une nuit de délire, Bilik s'exprima. Il avait retrouvé la trace de sa tribu grâce aux bâtons croisés dans le sol ou gravés sur les pierres...

Il parvint à s'asseoir, puis dévisagea longtemps sa sœur Gana. Elle tenait son bébé sur son cœur. L'enfant avait beaucoup grandi, il se tenait déjà assis, accroché à sa mère, fier et droit.

Bilik bafouilla, ne parvenant pas à masquer son émotion.

— Co... comment l'as-tu appelé ?

— Il... il n'a pas encore de nom, répondit Gana.

— C'est bien... C'est mieux ainsi.

Majka passa la main sur le front de son fils. Dans les bras de Gana, le bébé ouvrait ses grands yeux gris. La jeune fille se pencha vers son frère.

— Bilik, dis-nous, que s'est-il passé dans la plaine ?

Le garçon respirait difficilement.

— Ne t'inquiète pas, petite sœur, je vais te raconter. Il faudra vous souvenir de tout, il faudra à votre tour le répéter aux enfants de la tribu, au bébé surtout, il sera intelligent, très intelligent. Rassure-toi, Gana, dans la plaine, des hommes vont survivre, la plupart des hommes. Ils oublieront les dieux mais se souviendront de leurs inventions. Pour les hommes, plus rien ne sera jamais comme avant. Mais vous, votre tribu, vous devrez rester ici, rester et vous souvenir de la vérité que je suis seul à connaître. Il vous faudra conserver ce secret, pour l'éternité...

Majka tendit à son fils un bol d'eau chaude où infusait de l'herbe.

— Tais-toi, Bilik, tu es blessé, tu délires. Bois, tu iras mieux demain.

Sous les yeux courroucés de sa mère, Gana s'approcha encore. Elle écarta d'un revers de main les longs cheveux devant les yeux de son bébé.

Son frère repoussa le bol et cracha des glaires visqueuses sur le sol. Il se tourna vers sa sœur. Elle portait toujours le collier qu'il lui avait offert devant la cascade, le rond de cuivre marqué de deux traits croisés.

Le signe des dieux.

— Je... je ne vais pas vivre longtemps, Gana. Inutile de nous mentir. J'aim... j'aimerais... que le bébé porte mon nom.

— Bilik ? demanda Majka, étonnée.

— Non, pas Bilik... J'aimerais que le bébé porte le nom que m'ont donné les dieux de la plaine.

Sa mère fronça les sourcils.

— Quel nom ?

— Enoch.

Personne n'osa répondre. Le long silence fut rompu par une nouvelle quinte de toux mêlée de bave gluante.

— Tais-toi, Bilik, répéta sa mère. Repose-toi...

Mais Gana voulait une ultime réponse. Elle planta son regard dans celui de son frère.

— Bilik, ou Enoch, je ne sais plus, comment as-tu fait, dans ton état, pour monter nous rejoindre ?

Le garçon regarda longuement les yeux gris du bébé, si grand, si différent, comme si tous les deux se comprenaient sans même se parler, puis répondit d'une voix traînante.

— Gana, pour vous retrouver, je ne suis pas monté dans la montagne. J'en suis descendu.

Première course, Arménie, Vatican : l'arche de Noé
Deuxième course, Kaliningrad, Bordeaux, Toulouse, Melbourne : le théorème de Cortés
Troisième course, Ambert, Hong Kong : le Déluge
Quatrième course, Chartres, Igdir, Paris : les licornes
Cinquième course, Paris, Nakhitchevan : le bond en avant de l'humanité
Sixième course, Monreale, Nakhitchevan : le Livre d'Enoch
Septième course, Ishak Pacha : les Nephilim
Huitième course, Ishak Pacha, Bazargan, Dogubayazit : le protocole AHORA
Neuvième course, Grand Ararat : l'anomalie d'Ararat

NEUVIÈME COURSE

L'ANOMALIE D'ARARAT

95

Entre le Petit et le Grand Ararat, Turquie

Cécile et Arsène marchaient depuis près d'une heure. Le soleil de fin d'après-midi frappait les pierres noires. La randonnée à travers les blocs de basalte n'était pas très difficile, la seule gêne réelle résidait dans la chaleur des roches. Cécile avait l'impression de progresser dans l'âtre tiède d'une cheminée géante, comme si la lave couvait encore sous le bouchon rocheux. Arsène s'arrêta et tendit à Cécile la gourde isotherme.

— Buvez, Cécile, buvez sans retenue. Nous pourrons puiser des litres à Sardar Bourlakh, l'un des deux points d'eau naturels du massif de l'Ararat. Nous passerons tout près de la source, dans le col entre le Grand et le Petit Ararat.

Le professeur consulta rapidement la carte.

— Droit devant, confirma-t-il.

Il hissait déjà son sac sur son dos. Cécile ne bougea pas, étonnée.

— Comment savez-vous tout ça ?

— Ma… ma foi, j'ai regardé la carte.

— Si peu ! Tout juste vérifié, à la limite…

— Vérifié quoi ?

— Je ne sais pas, justement.

Arsène posa ses mains sur les épaules de la chercheuse.

— Cécile, tout comme vous, j'ai étudié en détail cette région pour le rapport RS2A-2014… J'ai mémorisé, j'ai…

— À partir d'images satellite ! coupa Cécile.

Son regard se perdit dans le chaos de basalte.

— Une fois sur le terrain, cela modifie un peu la réalité, non ?

Parella sembla hésiter, puis finalement choisit de sourire.

— D'accord, Cécile, je vais vous faire un aveu. (Il marqua une pause.) J'ai… j'ai lu les récits de Fernand Navarra, l'aventurier bordelais. Dans les années 1950, Navarra a parcouru dix fois l'itinéraire que nous devons suivre.

Cécile haussa les épaules.

— Allez, en route, trancha Arsène. Nous avons dix kilomètres de marche pour atteindre la base de la gorge d'Ahora. Si nous tenons le rythme, nous pouvons y être avant la nuit.

Cécile et Arsène s'enfonçaient entre les deux sommets enneigés. Le trait régulier de leurs courbes semblait avoir été tracé à la main ; celui du Petit Ararat, pointu, se dressait comme pour se hisser à la hauteur de celui, plus doux, du Grand Ararat, culminant mille mètres plus haut. Un aquarelliste les avait ensuite coloriés : prairies vertes et jaunes à la base, strate basaltique dès qu'on s'élevait, puis nouvelle steppe, à plus de trois mille cinq cents mètres, mêlée aux neiges éternelles lorsque l'altitude s'élevait encore. Un prodige de la nature, Cécile devait bien l'admettre. Il fallait l'affronter pour comprendre pourquoi, depuis la nuit des temps, la montagne avait inspiré les légendes les plus folles.

Arsène Parella se retourna vers Cécile.

— Magnifique, non ? L'ascension est plus impressionnante que dure ! Le col entre les deux Ararat ne présente aucune difficulté, il monte au maximum à deux mille huit cents mètres, jusqu'à la naissance de la tranchée d'Ahora, au nord-est du Grand Ararat. C'est après que les choses vont se corser. Cette immense fissure dans le mont sera le point de départ vers notre lieu de rendez-vous, à près de quatre mille mètres d'altitude cette fois. Notez, Cécile, que c'est le couloir par lequel sont passés tous les chercheurs d'arche, de Parrot aux adventistes chinois, le corridor mythique où se concentrent tous les témoignages de ceux qui prétendent avoir vu le vaisseau de Noé dans les glaces, dans un lac gelé ou dans les ruines du monastère Saint-Jacob…

Cécile n'écoutait plus. Les précisions fournies par son professeur la troublaient, comme si la méfiance permanente qu'elle avait éprouvée envers Zak, puis envers Yalin Ikabi, se déplaçait maintenant sur Arsène. Avaient-ils tous raison, n'était-elle qu'une intellectuelle bornée incapable de se débarrasser de son armure ? Un pitbull hermétique à toute spiritualité ?

Les tufs s'éboulaient sous ses pieds. La chercheuse en glaciologie se contrefichait pourtant de cette somptueuse vallée glaciaire encadrée de spectaculaires moraines. Seules comptaient ses interrogations existentielles, ses certitudes jetées aux quatre vents.

Arsène imprimait la cadence. La voix du professeur lui parut lointaine.

— On s'arrêtera pour dormir dans les ruines du monastère-château de Koran, au pied de la gorge d'Ahora.

Les mots s'échappèrent sans que Cécile puisse les retenir.

— Toujours des informations tirées des Mémoires de Navarra ?

— Exact ! Il raconte même que le lieu est infesté de vipères… Le cameraman de l'expédition s'était même fait piquer !

Cécile ne répondit pas. Elle emboîtait le pas assuré de son professeur. « Impossible ! hurlait une voix dans sa tête. Impossible de se diriger ainsi dans cet océan de roche, avec pour seuls repères le souvenir d'images satellite et la lecture d'un récit vieux de plus de cinquante ans. » Chaque geste, chaque regard, chaque pas de son professeur ancrait davantage en elle une certitude, une certitude qui n'avait aucun sens.

Arsène Parella était déjà venu sur le mont Ararat. Il en connaissait la moindre pierre.

96

Piémont du Grand Ararat, Turquie

La musaraigne sprinta avec une énergie désespérée lorsque les phares jaunes l'aveuglèrent. Des graviers volèrent autour d'elle, son cœur se bloqua ; le pneu avant droit la manqua d'un poil. Le 4×4 n'avait pas ralenti, au contraire.

Yalin roulait comme un fou !

Zak s'accrochait à son siège. La nuit tombait, la piste qui longeait le versant de l'Ararat se résumait désormais à une longue tache grise. L'obscurité angoissait Zak, pas seulement à cause de la conduite hallucinée de Yalin, à cause de Cécile surtout, seule avec Arsène sur les versants de la montagne noyés par la nuit. Ils avaient longuement hésité à inverser les rôles, à ce que ce soit lui et non Arsène qui saute du 4×4, qui monte au rendez-vous avec Cécile.

Yalin avait fermement refusé.

« Vous formez déjà un vieux couple, Cécile et toi, avait-il plaisanté. Elle est capable de te planter au milieu de l'Ararat rien que par défi. Elle écoutera davantage son professeur, elle a confiance en lui. Ne va pas tout gâcher, Zak, c'est sur cette confiance en Arsène que repose tout notre plan. Tu le sais bien ! » Il n'avait rien répliqué. Son frère avait évidemment raison sur toute la ligne.

Yalin braqua et s'engagea sur un sentier qui tenait davantage du torrent de montagne.

— C'est bon, maintenant, suggéra Zak à son frère. Lâchons la voiture. Contourner l'Ararat par les pistes devient trop risqué. Les hommes de Cortés disposent d'une dizaine de Jeep, on va finir par tomber sur eux…

Yalin leva les yeux. Les neiges de l'Ararat se couvraient d'orange et d'indigo.

— De nuit, on passera ! Je connais le secteur comme ma poche, petit frère. Personne n'est plus rapide.

— Pas besoin d'enfiler ton costume de héros pour moi. De jour comme de nuit, je maintiens que c'est de la folie…

— Non !

L'Isuzu menaçait de basculer à chaque tour de roue et de partir en tonneaux sur les flancs de la montagne. Yalin avait élevé la voix.

— Non, Zak ! La folie, c'est de perdre du temps. Ils tiennent la petite Aman… Nous devons à tout prix arriver là-haut avant Cortés ! Le secret importe plus que tout. Plus que nous. Plus que…

— Nom de Dieu !

Zak n'écoutait plus. Une stupéfiante hallucination venait de se matérialiser dans les phares du 4×4. Yalin pila.

Vingt mètres devant eux, au beau milieu des flancs de l'Ararat, Zak distinguait l'arche de Noé.

Pas un bloc rocheux qui ressemblerait, une sculpture ou un dessin.

Non, l'arche !

Un vaisseau en bois verni, immense, rigoureusement semblable aux représentations bibliques.

Zak se pinça les lèvres. Il rêvait, forcément. Il ferma les yeux, les rouvrit.

L'arche de Noé était toujours là, bien réelle, comme descendue du ciel pour leur barrer la route.

97

Gorge d'Ahora, Turquie

Il faisait déjà nuit noire lorsque Arsène et Cécile atteignirent les ruines de Koran. Ils avaient parcouru les derniers hectomètres à la lumière de leurs torches. Cécile n'avait pas eu le temps d'avoir peur. Une nouvelle fois, Arsène n'avait pas hésité dans le choix de leur itinéraire.

Étrange.

Ils avaient quitté la strate de basalte pour retrouver une zone arborée. Ils arrimèrent leurs deux minuscules tentes Quechua puis rassemblèrent rapidement du bois, allumèrent un feu, dînèrent d'une soupe lyophilisée tiède, de fromage et de fruits secs, presque sans un mot. Peu après le dîner, pour la première fois depuis le début de la journée, Arsène Parella manifesta des signes de fatigue.

— Je vais me coucher, Cécile, annonça-t-il en bâillant. Vous devriez en faire de même. Nous partirons très tôt demain matin. Un dénivelé de deux mille mètres nous attend !

— Promis, Arsène… Je me réchauffe juste quelques instants auprès du feu.

Parella se leva, tira la fermeture Éclair de sa tente.

— À propos des vipères, fit Arsène en se retournant, je ne plaisante pas, Cécile. Le coin en est infesté. Ne vous éloignez surtout pas du foyer.

Le professeur disparut sous l'igloo de toile.

Les derniers mots d'Arsène Parella continuaient de cogner dans la tête de Cécile.

« Le coin est infesté de vipères, je ne plaisante pas… »

Arsène avait prononcé cette recommandation sur un ton de certitude… mais il avait prétendu tenir cette information du bouquin de Navarra… Un livre écrit en 1956 !

Arsène mentait !

Arsène lui avait recommandé de ne pas s'éloigner du feu parce qu'il disposait d'informations précises, crédibles. Récentes ! Sa prévenance pour Cécile l'avait trahi.

La chercheuse se recroquevilla autour de l'âtre où quelques dernières branches maigres se consumaient. Les pierres des ruines du monastère-château de Koran, à quelques mètres, dansaient dans la lueur des flammes timides comme un temple interdit qu'ils profaneraient. Leurs deux tentes igloo, d'un modernisme incongru, défiguraient le site, tout comme leurs sacs à dos, trop volumineux pour entrer sous les tentes.

Son sac.

Celui d'Arsène. À portée de main.

Une méchante idée taraudait la chercheuse.

Cécile attendit que la lumière dans la tente d'Arsène s'éteigne, puis patienta encore de longues minutes, blottie dans son coupe-vent X Bionic. Le top de la technologie de haute montagne. Rien à dire, Yalin Ikabi leur avait fourni du matériel de premier choix !

Le feu était presque mort lorsque Cécile se leva. Elle s'approcha à pas de loup du sac à dos d'Arsène. « Tu n'es qu'une grande malade, ingrate et parano », susurrait une voix dans sa tête. Elle la fit taire sans un remords. Elle trouva ce qu'elle cherchait dans la troisième poche : elle extirpa avec précaution le portefeuille de son professeur.

Une sorte d'instinct la taraudait, une délirante prémonition, comme si elle pressentait que ce qu'elle allait découvrir bouleverserait sa vie… Après tout, lorsqu'elle avait rencontré Arsène Parella à l'université de Toulouse, le professeur avait déjà près de cinquante ans. Il vivait seul. On le disait veuf. Ses enfants étaient élevés depuis longtemps… Cécile n'avait jamais cherché à en savoir plus.

Elle allait ouvrir le portefeuille, tremblante, lorsque des bruissements dans les pierres lui firent lever la tête. Elle se tint aux aguets, un coup d'œil hagard vers la tente d'Arsène, un autre vers les ruines. Terrifiée, Cécile aperçut la forme longiligne d'une vipère qui rampait d'une ombre à l'autre, comme si le serpent attendait que le feu agonise. Son X Bionic n'était d'aucun secours pour la réchauffer. Cécile gelait de l'intérieur, par le cœur, le sang, les tripes. « Tu es complètement cinglée, ma fille, soufflait sa conscience. Seule dans la nuit. Au milieu de nulle part. Fous le camp. Réfugie-toi sous ta tente. Ce coin est infesté de serpents que la chaleur des braises va attirer. »

Elle ne bougea pas.

Elle tenait le rectangle de cuir entre ses mains, elle devait le feuilleter, juste une seconde, puis le remettre en place. Et seulement ensuite, filer se couch…

Le portefeuille tomba de ses mains fébriles.

Mon Dieu…

Quatre photographies étaient glissées dans le rabat. Elle cilla, incrédule. Elle reconnaissait chacun des clichés ! Elle les avait déjà vus, dans les mêmes circonstances, en fouillant l'intimité d'un homme qu'elle croyait aimer.

Les quatre photographies étaient identiques à celles que Zak conservait dans son portefeuille.

Zak et Yalin enfants, l'un tenant une licorne en peluche bleue, l'autre déguisé en mousquetaire ; les trois silhouettes dans la neige qui portaient fièrement une longue poutre de bois ; elle, sur un glacier du Groenland pendant sa thèse ; Arsène Parella, jeune, posant devant un désert de cailloux anthracite qu'elle reconnaissait maintenant : la strate basaltique de l'Ararat !

Elle devenait folle.

Les serpents l'entouraient. Pas seulement ce soir, depuis toujours. Le cercle se refermait autour d'elle. Son professeur, comme les autres, appartenait au club des créatures venimeuses qui l'étouffaient, qui avaient planté leurs crocs empoisonnés dans sa chair. La toile de l'X Bionic sur sa peau n'était plus qu'un emballage isotherme sur une viande congelée.

Arsène Parella n'était pas seulement le professeur de Cécile. Il était également son mentor, depuis dix ans ; son second père…

Les vipères, innombrables, la guettaient dans le noir.

Elles s'approchaient. Cécile était prise au piège.

Bientôt, à l'aube au plus tard, tout serait terminé.

98

Piémont du Grand Ararat, Turquie

Zak se frotta les yeux, espérant que l'arche de Noé de bois devant eux disparaîtrait, tel un rêve qui se dissout dans les brumes du réveil. Peine perdue ! Le vaisseau de bois n'avait rien d'un mirage. Zak pouvait distinguer chacune des planches vernies incurvées de la coque, chacun des hublots carrés sous le toit pentu. Une arche intacte. Neuve, pour ainsi dire !

Yalin éclata de rire :

— Eh bien, petit frère, on voit que cela fait longtemps que tu n'as pas remis les pieds sur l'Ararat…

Zak devait avoir l'air d'un parfait imbécile. Yalin roula lentement dans l'herbe rase pour s'approcher de l'arche.

— Celle-ci ne date pas de cinq mille ans, précisa Yalin en s'esclaffant. Elle a été construite en 2007 par des militants de Greenpeace, juste avant le G8, pour protester contre les catastrophes climatiques imminentes.

Il adressa un clin d'œil complice à son frère.

— Le jour de l'inauguration, ils ont lâché deux cent huit colombes, une pour chaque pays du monde. (Il braqua les phares du 4×4 sur la porte de l'arche.) Je crois qu'aucune n'est revenue avec un brin d'olivier dans le bec, mais toutes portaient dans une bague ce qu'ils ont appelé la « déclaration d'Ararat ».

La lumière jaune éclairait une plaque clouée sur la coque de l'arche. Zak lut avec consternation les mots gravés dans le bois.

Déclaration d'Ararat

Au nom du peuple et des communautés du monde, qui vous ont confié, à vous, dirigeants élus ou nommés, la gestion de notre terre et de ses ressources naturelles dont notre vie et notre bien-être dépendent.

Nous exprimons notre grave préoccupation devant les effets dévastateurs du changement climatique qui va provoquer des sécheresses extrêmes, des crises de l'eau, des pénuries alimentaires, des guerres, des migrations de masse, l'élévation du niveau de la mer, des phénomènes météorologiques extrêmes et des inondations sur une échelle sans précédent depuis que l'histoire de Noé a été racontée.

Nous vous tenons responsables, en tant que dirigeants publics, de négliger ce désastre imminent...

— Rien que ça ? siffla Zak.

— Rien que ça ! confirma Yalin. Utiliser l'histoire de Noé comme symbole universel de la planète à sauver… pour un Nephilim, c'est assez cocasse, non ?

— Pitoyable, tu veux dire !

Yalin éclata de rire et démarra.

— Reconnaissons au moins à ces écolos un mérite, ajouta-t-il, c'est un sacré exploit que d'avoir construit cette arche de dix mètres sur quatre en pleine montagne, à plus de deux mille cinq cents mètres d'altitude.

Ils roulèrent encore plus d'une heure dans la nuit presque noire. Yalin tentait de passer plein est pour rejoindre le plus haut possible la gorge d'Ahora. Plusieurs fois encore, Zak lui proposa de couper le moteur, de laisser le véhicule sur place et de poursuivre à pied. Ils pouvaient marcher de nuit. Ils étaient équipés, entraînés. Ils seraient au rendez-vous en quelques heures.

Encore quelques mètres, s'entêtait Yalin.

Ils longeaient à présent une petite crevasse. Le 4×4 progressait à moins de vingt kilomètres à l'heure, avalant les blocs de tufs comme s'il s'agissait de graviers. Yalin était jusqu'alors parvenu à éviter les principaux pièges du versant pour se glisser entre les reliefs en baïonnettes, tel un insecte se faufilant entre les aspérités d'un mur lézardé.

— Là-bas ! s'écria Zak.

Un bref instant, il avait cru percevoir une lumière dans la nuit. Étrange… La lueur avait surgi trop bas dans le ciel pour être une étoile derrière un nuage… et trop haut dans la montagne pour trahir une forme de vie humaine. Zak scruta l'obscurité, tous les sens aux aguets.

Rien !

Rien d'autre que des ombres de pierre surprises par leurs phares épileptiques.

Le 4×4 parcourut encore dix mètres. Zak hurla soudain dans l'habitacle.

— Bouge, Yalin. Putain, bouge !

Un petit point rouge dansait sur le tableau de bord. L'instant suivant, le pare-brise explosa dans la nuit.

Sans réfléchir, Yalin écrasa l'accélérateur. L'Isuzu bondit comme un fauve brisant sa chaîne. De nouveaux impacts s'écrasèrent contre la carrosserie.

— Les snipers de Cortés ! suffoqua Zak.

Yalin coupa les lumières. Le 4×4 poursuivit sa folle ascension dans le noir complet – un aveugle dans une pièce encombrée, se cognant à chaque meuble. Yalin, recroquevillé au fond de son siège, se contentait de tenir le volant, crispant ses mains à chaque obstacle invisible. Un nouveau point rouge vibra sur le capot puis explosa un bloc de basalte à deux mètres du véhicule.

Le 4×4 ne ralentit pas, continua de s'enfoncer dans les ténèbres. Une pierre, un arbre, un talus, n'importe quel obstacle de la montagne pouvait à chaque instant se transformer en piège mortel… ou les protéger des tireurs. L'Ararat déciderait…

Yalin tentait vainement d'habituer ses yeux à l'obscurité. Il retint son souffle, accélérant encore. Depuis plusieurs secondes, plus aucune pastille mortelle n'était venue se poser sur eux. Yalin et Zak échangèrent un bref regard. Ils les avaient semés.

L'instant d'après, tout bascula.

La course du 4×4 ne s'arrêta qu'après une dizaine de tonneaux au fond de la crevasse. Le vacarme se perdit dans l'immensité de la montagne, comme n'importe quelle avalanche ignorée des hommes. Quatre ou cinq secondes de bruit assourdissant, puis le silence régna à nouveau.

Zak était vivant ! Il pouvait bouger. Une jambe au moins. Une seule. La gauche. Il ne sentait plus l'autre. Il tira sur ses bras pour s'extraire du 4×4.

— Yalin, murmura-t-il, pétrifié d'inquiétude. Yalin, tu es là ?

— Oui, petit frère. Je suis encore vivant, rassure-toi… nous avons eu de la chance. Nous sommes échoués sur une moraine, le plus gros airbag que la nature ait inventé !

Zak sentit son cœur chavirer de soulagement.

— Il faut se tirer, Yalin. Ils ne doivent pas être loin. Il faut fuir dans la nuit. J'ai une jambe niquée mais ça ira…

— D'accord, Zak. On met les voiles. Juste un petit détail à régler.

Zak se relevait et vérifiait s'il pouvait s'appuyer sur sa jambe blessée.

— Lequel ?

— J'ai un 4×4 de deux tonnes coincé sur mes jambes.

99

Gorge d'Ahora, Turquie

Le soleil matinal cuisait déjà les tufs de la strate de basalte. Plus aucun arbre n'offrait d'ombre aux marcheurs depuis des centaines de mètres. À chaque nouveau pas d'Arsène et Cécile, la plaine en contrebas rapetissait. Les tentacules d'Erevan poussaient en étoile, le long des routes, jusqu'aux méandres de l'Araxe. La vision panoramique de la région rendait inimaginable qu'une frontière infranchissable barre le paysage, tel un fou qui se serait amusé à lacérer un tableau de maître.

Arsène et Cécile progressaient sans forcer l'allure. Arsène avait réveillé Cécile un peu plus d'une heure auparavant. Le professeur avait ouvert sa tente et passé une tête joyeuse entre les deux pans de toile.

« Debout, Cécile, c'est le grand jour. »

L'odeur du café chauffant dans la casserole d'alu avait chatouillé agréablement les narines de la jeune femme. Prise par surprise comme elle l'était, les demandes d'explication qu'elle avait ressassées pendant sa nuit agitée étaient restées bloquées dans sa gorge. La veille au soir, Cécile avait remis le portefeuille à sa place dans le sac d'Arsène, à l'exception des quatre photographies, qu'elle avait glissées dans la poche de son jean. Puis elle était rentrée sous sa tente et avait rêvé de vipères toute la nuit.

Cécile avait dévoré un paquet entier d'une sorte de bouillie de polenta compressée, supposée hautement nutritive, arrosée d'un litre de café bouillant.

Ils longeaient un long couloir d'éboulis, ouvert telles deux grandes lèvres sombres sur une bouche de cendres. L'ascension était à présent pénible. Ils se cognaient fréquemment les genoux sur les laves coupantes, se râpaient les mains en prenant appui sur des trachytes, retombaient parfois les deux pieds dans la boue : au fur et à mesure que l'altitude s'élevait, la neige apparaissait, de plus en plus fréquemment. Quelques centaines de mètres au-dessus d'eux, ils distinguaient la moraine frontale du glacier Parrot d'où, goutte à goutte, s'écoulait un mince filet d'eau grise.

— La gorge d'Ahora, expliqua Arsène en prenant le soin de reprendre son souffle entre chaque mot, fut pendant des millénaires le seul versant habité du massif de l'Ararat. On y cultivait même la vigne, conformément à la légende qui prétend que Noé serait descendu de l'arche par cette voie et aurait planté un cep. (Il respira lentement, posant avec précaution un pied au bord de la brèche.) Outre Koran, le village d'Ahora était situé sur les hauteurs, un peu en contrebas du monastère Saint-Jacob, près de l'ancienne source. C'est après avoir séjourné plusieurs jours chez les moines, en 1829, que Friedrich Parrot réussit la première ascension du mont Ararat. Ironie du sort, le 20 juin 1840, un terrible tremblement de terre suivi d'une éruption phréatique détruisit en quelques heures toute trace de vie sédentaire sur le mont. La source Saint-Jacob en fut même déplacée, tandis que toute trace du village et du monastère disparaissait dans le gouffre, comme si l'Ararat, vexé d'avoir été violé, avait décidé d'enfouir pour l'éternité ses secrets dans ses entrailles. Hommes, maisons et églises.

Cécile demeurait silencieuse. Il fallait s'exprimer le moins possible pendant les longues ascensions, elle savait au moins cela. La leur devait durer une dizaine d'heures.

Elle parlerait plus haut.

Ils longeaient la brèche depuis de longues minutes lorsque Arsène tourna la tête et cria, surexcité :

— L'arche, Cécile, l'arche…

Le doigt d'Arsène se dressa, désignant aux deux tiers de la montagne une proue noire dépassant d'un ensemble de roches plus claires. Cécile suivit des yeux la direction indiquée par l'index du professeur.

L'illusion d'optique était parfaite ! On aurait pu jurer apercevoir la proue d'un vaisseau encastré dans le bloc de rochers. Ils s'approchèrent… et la proue se transforma en un simple piton rocheux. Arsène pointait toujours le doigt.

— C'est cet éperon que les moines arméniens d'Etchmiadzine observèrent pendant des siècles à la lunette, affirmant aux voyageurs qu'il s'agissait là de la preuve irréfutable que l'arche reposait bien sur la montagne interdite. Du coup, pas besoin d'aller la déranger. L'illusion est parfaite, non ?

— Trop, répondit Cécile à voix basse.

Arsène tendit l'oreille.

— Trop parfaite ?

— Tout est trop parfait, murmura Cécile entre ses dents.

Ils se turent pendant plus de deux heures, échangeant simplement la gourde et quelques barres de céréales. Arsène Parella montait toujours à un rythme régulier, faisant preuve d'une étonnante résistance pour son âge. Il y a encore quelques jours, Cécile n'aurait pas cru son directeur de laboratoire capable de courir un cent mètres… Un mensonge de plus, songea-t-elle.

Ils contournaient maintenant des névés. Parfois, entre les glaciers et la paroi rocheuse, des boues s'écoulaient, trouées de bulles de gaz sulfureuses. Plus loin, ils apercevaient des champs de petits cônes de cendres et de terre orangée, comme autant de volcans miniatures. Le décor devenait plus lunaire que terrestre.

— Nous devons avoir dépassé les trois mille mètres, indiqua Arsène.

Les poumons de Cécile n'avaient jamais travaillé autant, même lors de ses explorations dans le cercle polaire. Arsène semblait parfaitement s'adapter à l'altitude, parvenant à la fois à marcher en cadence et à commenter le paysage.

— Le légendaire lac de Kop se trouve juste au-dessus de nous, en surplomb derrière la falaise.

Son professeur s'attendait sans doute à ce qu'elle demande : « Pourquoi légendaire ? » Cécile ne lui offrit pas ce plaisir, se contentant de remarquer que deux langues glaciaires venaient se perdre dans le lac invisible. Parella soliloquait avec l'aisance d'un guide qui réciterait son topo à des groupes différents toutes les demi-heures.

— Beaucoup d'explorateurs de l'Ararat ont passé des jours et des nuits sur les rebords du gouffre d'Ahora à rechercher ce mystérieux lac de Kop… Il faut dire que, si vu du ciel on repère assez facilement sa tache sombre, il est particulièrement difficile d'accès à pied.

Cécile continuait de marcher, tête baissée. Arsène insista.

— C'est dans ce lac que l'aviateur russe Roskovitsky prétend avoir vu l'arche de Noé à moitié immergée, en 1917. C'est en direction du lac de Kop que le tsar Nicolas II lança sa fameuse expédition dont le rapport fut égaré pendant la révolution d'Octobre.

Cécile prit enfin la parole. Elle adopta le ton cassant de celle qui sait de quoi elle parle.

— Ce n'est pas à vous que je vais apprendre que les glaciers sont des êtres vivants qui se déplacent, glissent, chaque saison, chaque année… Vouloir repérer aujourd'hui un lac glaciaire localisé il y a un siècle, qui plus est dans un contexte tectonique aussi instable, est une aberration géologique.

— C'est vous la spécialiste, commenta laconiquement Arsène.

Il sortit la gourde, en but une longue rasade et la tendit à la chercheuse.

— Courage, Cécile, encore quelques centaines de mètres au milieu des tufs et nous atteindrons un premier plateau. Des herbages d'altitude. Une prairie presque sans rochers où coule la fameuse fontaine Saint-Jacob !

Là-haut, pensa Cécile. Je parlerai là-haut. Près de la fontaine. Puisque Arsène Parella apprécie les symboles, la source sera un excellent endroit pour faire jaillir la vérité.

100

Piémont du Grand Ararat, Turquie

Une infatigable colonne de fourmis s'employait à convoyer les miettes de céréales tombées aux pieds de Zak et Yalin. Toute la nuit, Zak avait forcé son frère à boire et à grignoter ; autant de prétextes pour qu'il ne perde pas conscience. Les dernières ombres nocturnes se dissipaient maintenant. Au-dessus de leurs têtes, le bruit de semelles s'intensifiait.

Zak serra plus fort encore la main de son frère.

— Ce sont eux, murmura faiblement Yalin. Fous le camp, Zak. Ils seront là d'une seconde à l'autre.

Zak ne répondit pas. Des heures durant, il avait tenté de dégager le 4×4, poussant au-delà de toute douleur sur sa jambe blessée. En pure perte. Les deux tonnes du véhicule encastré dans la crevasse, qui coinçaient Yalin entre la tôle et la roche, n'avaient pas bougé d'un millimètre.

Yalin souffrait le martyre. Il demeurait lucide pourtant. Déterminé. Mille fois, il avait imploré Zak de l'abandonner, de prendre une lampe torche, de rejoindre le point de rendez-vous.

Zak n'avait pas pu.

Des voix approchaient. Un bruit de moteur.

— Dégage, idiot, le supplia une nouvelle fois Yalin. Inutile que nous soyons pris tous les deux…

— Ce sont peut-être des secou…

Zak ne termina jamais sa phrase.

Une terrifiante pastille rouge se colla sur son front. Leur sang se glaça.

— Pas un geste, Ikabi !

Un rire sinistre ponctua la menace. Vingt hommes apparurent en haut du ravin où le 4×4 avait basculé. Cortés. Zeytin. Les mercenaires. Kalachnikovs braquées. Les tueurs descendirent, faisant pleuvoir une averse de cendres sur Zak et Yalin.

— Nous commencions à désespérer de vous retrouver, déclara Cortés. C'est l'inconvénient des projectiles Exacto. Ces petites merveilles américaines trouvent leur cible sous viseur infrarouge jusqu'à plus de mille huit cents mètres… Avec seulement dix hommes bien placés, vous couvrez la montagne… Mais ensuite, pour retrouver votre gibier, amusez-vous !

La face ronde de Zeytin s'élargissait à chaque trait d'humour de son patron. Cortés évalua la situation. Yalin immobilisé sous son véhicule. Zak blessé. Il se frotta les mains : la chance tournait enfin ! Il s'accroupit devant Yalin. Épousseta du bout des doigts la poussière qui maculait le visage humide du frère de Zak.

— Vous souvenez-vous de la dernière fois où nous nous sommes croisés, jeune homme ?

Zak serrait les poings. Zeytin pointait sur lui son Makarov PM. De l'index, Cortés traça une petite croix sur le front couvert de cendres de Yalin, puis entreprit de dérouler le long turban qui lui masquait le visage.

— Oui, forcément. Comment oublier ? Vous vous appeliez Victor Peyre et j'avais la gueule coincée sous le 4×4 que vous conduisiez. Étrange coïncidence, non ? Vous voulez contempler votre œuvre ?

Lentement, Cortés dévoila son visage mutilé. Le turban pourpre descendit vers le sol, centimètre après centimètre, comme la bandelette d'une momie exhumée exposant à la lumière son corps putréfié.

Yalin, le visage dans les cendres de tuf, bavait une salive grise. Une sueur sale coulait de ses tempes. Les jambes broyées sous le 4×4, il masquait la souffrance qui suintait par chaque pore de sa peau.

Zeytin braquait toujours son arme sur le ventre de Zak. Les autres tueurs s'étaient positionnés en cercle autour d'eux, à l'exception de deux guetteurs, postés en amont, qui scrutaient le flanc désert de l'Ararat. La précaution était inutile, Zak ne se faisait aucune illusion, personne ne viendrait. La voix de miel de Cortés le rendait fou.

— Longtemps, susurra le mercenaire à l'oreille de Yalin, je me suis demandé pourquoi vous possédiez toujours une longueur d'avance sur nous… Au musée d'Aquitaine à Bordeaux, au Noah's Ark à Hong Kong…

Yalin, au prix d'un effort désespéré, parvint à lever la tête. Il empoigna soudain le pan du turban qui pendait devant son visage et tira Cortés vers lui.

Deux miliciens allaient intervenir. Ce ne fut même pas nécessaire. Cortés se contenta de poser la main sur la poitrine de Yalin et, de l'autre, de lui tordre le poignet. Yalin grimaça, puis lâcha prise. Lorsque sa nuque retomba dans la poussière noire, Cortés raffermit son étreinte.

— Une longueur d'avance, disais-je. Zeytin peut en témoigner, vous m'avez, comment dire… agacé. Puis j'ai compris… Je me suis souvenu du téléphone que vous m'aviez volé à la cathédrale Sainte-Etchmiadzine. Il y avait tout dans ce portable. Numéros, rendez-vous, agenda…

— Ravi de vous avoir pourri la vie, cracha Yalin avec mépris.

Cortés accentua la pression sur sa poitrine.

— C'était une arme à double tranchant, jeune homme. Vous saviez où j'allais, mais, en retour, je savais où vous m'attendiez, vous ou Zak Ikabi.

Zak, muscles bandés, piaffait d'envie de se jeter sur le mercenaire, conscient pourtant qu'un tel baroud serait suicidaire : les miliciens l'abattraient au moindre geste.

Au-dessus d'eux, venant sans doute des Jeep stationnées le long de la corniche, Zak crut entendre des pleurs d'enfant.

La petite Aman ?

Tout était donc perdu ?

— Vous avez eu de la chance, jeune homme, siffla encore Cortés. Une chance insolente.

Il tourna son visage monstrueux vers Zak.

— Monsieur Ikabi, je vais vous faire une faveur… (Il observa sa jambe blessée.) Si vous ne nous retardez pas trop dans l'ascension, vous aurez le privilège de revoir une dernière fois vos amis kurdes…

Zak enfonçait ses ongles dans la chair de ses poings fermés. Il n'était qu'un chien enragé enchaîné à une laisse trop courte. Cortés pivota vers Yalin.

— En revanche, jeune homme…

L'énorme main de Cortés se posa sur la carrosserie tordue de l'Isuzu.

— Je crains que, même avec la meilleure volonté du monde, nous n'ayons pas le temps de dégager ce véhicule.

Il considéra avec mépris les jambes prisonnières de la tôle froissée.

— Vous avez commis une erreur en Arménie, jeune homme, lorsque vous m'avez renversé. Une regrettable erreur…

Cortés se remit à dérouler le turban de son visage. La chair à vif apparaissait, bande après bande. Même ses hommes détournèrent les yeux. Pas Zak. Il connaissait déjà ce visage écorché, comme si la violence coulant dans les veines de Cortés avait fini par ronger son épiderme, à le réduire à un magma de haine à vif.

— Admirez, jeune homme, miaula Cortés en présentant son visage à Yalin. Admirez votre travail. Oui, vous avez commis une erreur en Arménie. Il faut toujours achever la bête blessée. Pas de chasse sans curée…

Zak perçut l'ombre mortifère dans l'œil de Cortés.

Sans réfléchir, d'un vif revers de main, il balaya devant lui le Makarov PM de Zeytin et se précipita, droit devant.

L'instant suivant, deux crosses de kalachnikovs lui explosèrent le ventre. Il s'effondra, genoux à terre, à cinquante centimètres de son frère.

Cortés ne prêta pas la moindre attention à Zak, tout à son homélie funèbre.

— Je ne commets jamais cette erreur, jeune homme. C'est une question de respect pour le gibier, surtout lorsque la chasse a été belle.

Cortés tendit la main. Zeytin lui fit passer son Makarov PM.

— Nooon ! hurla Zak à s'en déchirer les poumons.

Sa main rampa, saisit celle de Yalin.

Son frère eut encore le courage de sourire. Il était beau. Le visage couvert de poussière anthracite, une statue de granit. Zak vit le canon du Makarov s'immobiliser à dix centimètres du visage de Yalin.

Il garda les yeux ouverts, jusqu'au bout.

Les deux frères se contemplèrent intensément, chacun se mirant dans la pupille de l'autre, comme liés pour l'éternité par l'arc-en-ciel de leur iris. Les yeux de Yalin pétillèrent une dernière fois. Il serra la main de Zak, plus fort encore.

— *So long*, petit frère…

La détonation rendit Zak sourd à jamais.

Le crâne de Yalin explosa comme un fruit trop mûr. Zak, livide, continua de fixer les yeux morts de son frère jusqu'à ce que l'épais filet de sang qui coulait de son front béant les recouvre, telle une cascade de l'enfer derrière laquelle l'âme de Yalin s'envolait.

101

Fontaine Saint-Jacob, gorge d'Ahora, Turquie

Arsène repéra la fontaine Saint-Jacob à l'églantier rabougri, le seul arbuste sur la prairie qui montait en pente douce vers l'ombilic glaciaire. Il courut jusqu'à lui, radieux.

— C'est la seule source du massif, jubila Arsène. À cette altitude du moins. Le reste n'est que torrent boueux ou eaux de fonte.

Cécile suivait quelques mètres derrière.

— Curieux phénomène géologique, commenta-t-elle en observant le filet d'eau couler de la roche, les résurgences dans les roches basaltiques sont rares… Pas étonnant qu'il ait donné naissance à la légende de l'ange qui fait jaillir la source après avoir confié la poutre de l'arche de Noé au moine Jacob.

Elle repensa au massacre perpétré par les hommes de Cortés dans la cathédrale d'Etchmiadzine.

— Ce n'est pas tout, ajouta Arsène, les Kurdes racontent également que la source est miraculeuse.

Il faut nouer un ruban à cet églantier. Alors seulement, on peut se désaltérer et le vœu est exaucé dans l'année.

Il joignit le geste à la parole, posa son sac et en sortit un mouchoir à carreaux.

— Les bergers kurdes prétendent qu'en 1840 la source s'est arrêtée de couler un mois avant le séisme.

— Logique, commenta Cécile. Le volcan travaillait. Aujourd'hui, avec une telle alerte, on aurait évacué toute la population des alentours…

Arsène noua son mouchoir à une branche, puis s'allongea près de la source.

— Vous ne buvez pas, Cécile ?

La chercheuse s'était assise dans l'herbe. Elle prit une dernière inspiration, puis, soudain, éleva la voix.

— Qui êtes-vous, professeur Parella ?

Arsène se redressa, la chemise trempée. L'eau gouttait sur sa barbe naissante. Il roula des yeux stupéfaits vers Cécile.

— Pardon ?

Cécile ne se donna pas la peine de répéter. Sa main fouilla dans la poche arrière de son jean et en extirpa quatre photographies cornées qu'elle aligna devant elle sur l'herbe jaune.

— Elles proviennent de votre portefeuille, Arsène. J'ai… j'ai trouvé les mêmes dans celui de Zak.

Arsène Parella se redressa lentement. Il prit le temps d'observer le décor autour d'eux : le glacier noir qui venait mourir à leurs pieds, les enrochements en tuyaux d'orgue au-dessus d'eux, la plaine minuscule au loin. Il s'exprima avec calme.

— Ce moment devait arriver, Cécile. Je l'avais programmé un peu plus tard, un peu plus haut sur l'Ararat… Après tout, c'est sans doute mieux ainsi.

L'eau pure continuait de couler sur sa chemise. Avec précaution, il l'ôta et l'étendit dans l'alpage. Autant pour la sécher que pour répondre à la question de Cécile.

Une licorne ridée ornait son omoplate.

Il vint s'asseoir à côté de Cécile, juste devant les clichés. L'herbe était un peu humide. Cécile fixa le tatouage.

— Forcément, dit-elle…

— Forcément quoi ?

— Forcément tout… Votre obstination à ne pas prévenir la police en France, votre étrange intérêt pour ces légendes, votre insistance à me convaincre que Zak Ikabi n'était pas fou. Et même, si on y pense, à me pousser à accepter le contrat RS2A-2014… (Elle explosa soudain.) Combien êtes-vous dans le monde ? Combien de Nephilim ? Combien d'agents dormants, combien de types qu'on croit normaux et qui roulent pour cette secte ? S'ils sont capables de recruter un scientifique comme vous, Arsène, combien d'autres ? Combien d'autres ?

— Aucun, murmura-t-il.

Cécile s'immobilisa, les yeux embués de larmes.

— Quoi, aucun ?

— Aucun autre Nephilim.

Il hésita un long moment. Il baissa les yeux, trouva dans les clichés la force de poursuivre.

— Cécile, écoutez-moi bien. Cette licorne tatouée sur l'omoplate n'est portée que par trois hommes au monde. Zak, Yalin et moi. (Il sourit en touchant de l'index la peau flasque de son épaule.) Ah oui, j'oubliais, si je veux être précis, elle l'est aussi depuis quelques jours par un jeune Chinois, Hou-Chi. Yalin lui a collé une terrible frousse en le marquant au fer rouge. Mais c'était l'unique façon de lui sauver la vie.

Cécile ne comprenait rien.

— Trois… Qu'est-ce que vous me chantez ?

À son tour, Cécile posa son regard sur les photos que le vent agitait doucement. Trois silhouettes portant une poutre dans la glace. Un homme, deux adolescents. Sa raison refusait l'évidence.

Arsène attrapa la photographie, caressa le papier glacé du bout des doigts.

— J'avais dix ans lorsque je suis tombé sur le livre de Fernand Navarra. *J'ai trouvé l'arche de Noé.* Je me fichais bien de tous ces récits bibliques, mais, en revanche, j'étais fasciné par les histoires d'escalade, d'avalanches, de ruines infestées de vipères, de frontières passées à la barbe des douaniers turcs. Comme tous les garçons de mon âge, au fond. Cela aurait aussi bien pu être *L'Île au trésor*, *Moby Dick* ou le capitaine Nemo… Adulte, j'ai beaucoup randonné sur l'Ararat. Puis, lorsque mes enfants ont été assez grands, j'ai cédé à la tentation. Je suis parti avec eux… Peut-être aussi à cause de Navarra qui prétend avoir découvert l'arche de Noé seulement aidé de son fils de treize ans.

— Yalin et Zak sont…

Arsène tordait la photographie entre ses doigts.

— Vous avez déjà compris, Cécile. Les Nephilim ne sont pas une secte, et encore moins un obscur réseau terroriste aux ramifications internationales… Le site de

Zak sur Internet a fait beaucoup pour notre publicité… mais les Nephilim ne sont en réalité qu'une famille. Consternant, non ? Juste un père et ses deux fils ! Ça a l'air dingue, c'est au contraire très efficace. Les services secrets du Parlement mondial des religions, tout comme les hommes de Cortés, butent depuis des années sur ce réseau… Logique. Il ne s'agit que d'un écran de fumée. Une baudruche. Un épouvantail, Zak vous l'a expliqué chez Parastou Khan.

— Zak ? Yalin ?… Vos fils ?

Arsène troqua la photographie de la poutre contre celles de Zak et Yalin enfants.

— Mes deux grands garçons. L'histoire n'a rien de très original. Un père passionné de montagne. Deux fils qui épousent sa passion. Des vacances passées à randonner partout dans le monde dès qu'ils ont l'âge de marcher. Lorsque leur mère leur dit adieu, après des mois de lutte face à une saloperie de cancer des ovaires, ils n'ont que six et huit ans, leur passion commune pour la montagne resserre encore les liens entre eux, sans prudence féminine pour les assagir…

Cécile avait l'impression que la montagne tournait autour d'elle.

— Nous avons découvert en famille la gorge d'Ahora, la fontaine Saint-Jacob, le lac de Kop. Zak avait onze ans et Yalin treize. C'était en 1989, un mur venait tomber à l'autre bout du monde. J'avais présumé des forces des garçons. Nous étions en automne, nous nous sommes fait surprendre par des pluies diluviennes et leurs conséquences : coulées de boue, chutes de pierres… Zak resta coincé plusieurs heures sur le versant opposé d'un couloir d'éboulis sans que nous puissions le secourir. Sans l'aide des bergers kurdes, il y serait mort. Nous sommes restés deux mois chez eux, hébergés par nos sauveurs, comme Navarra et son fils l'avaient été des années auparavant.

Arsène leva les yeux vers le sommet du mont.

— Nous… nous avons fini par partager leur secret. Ils avaient préféré le révéler plutôt que de laisser mourir un enfant. Dès lors… (Arsène pesa ses mots.) Dès lors, il fut évident que, pour notre petite famille comme pour Fernand Navarra avant nous, plus rien ne comptait d'autre que de protéger ce secret…

— Et… bafouilla Cécile. Et moi, qu'est-ce que je viens faire dans cette histoire ?

— Depuis quelques années, les événements se sont accélérés. Cortés et ses hommes se sont mis sur la piste de la vérité cachée, avec la complicité de l'armée turque. Les Nephilim ont été créés contre eux. S'ajoutait l'inquiétude du Parlement mondial des religions face à la fonte des glaces. Le rapport RS2A-2014 a été un excellent cheval de Troie pour comprendre leur stratégie.

— Vous n'avez pas répondu, Arsène. Et moi ?

— J'étais passionné de haute montagne, de glaciologie, de paysages extrêmes. J'ai fondé le DIRS il y a trente ans. Être un scientifique reconnu n'empêche pas de passer ses vacances en Turquie, même si, depuis dix ans, je n'ai plus l'âge de multiplier les escapades à plus de quatre mille mètres. Ça fait deux jours que je soumets mes pauvres jambes à la torture sans savoir à quel moment elles vont m'abandonner. Désormais, mes fils me remplacent sur le terrain. Zak était l'intellectuel. Il a choisi de servir le secret de l'arche par la voie académique, sous la direction du professeur Jean-Bernard Patte. Yalin était la tête brûlée. À dix-huit ans, il n'a pas voulu rentrer de notre dernière expédition sur l'Ararat. Il est resté ici, au Kurdistan, avec le peuple qui l'a adopté, comme guide de haute montagne, entre autres métiers…

Des larmes embuaient le coin des yeux du professeur.

— Zak et Yalin sont différents. Complémentaires. Ils sont toute ma vie.

L'émotion gagnait Cécile.

Un père. Deux fils.

— Et moi ? répéta-t-elle. Qu'est-ce que je viens faire dans cette histoire ?

— Je vous ai recrutée, Cécile. Souvenez-vous, le DIRS proposait un sujet de thèse sur les glaciers du Groenland pour lequel pas moins de trente-deux candidats titulaires de masters ont postulé. J'ai choisi celui qui me semblait le plus apte, lorsque le moment serait venu, à nous aider…

Il ramassa une troisième photographie, celle de Cécile prise sur le glacier du Maniitsoq.

— Qui d'autre que votre directeur de thèse, Cécile, aurait pu se procurer ce cliché ?

Cécile fronça les sourcils.

— Vous entendez quoi par « le plus apte » ?

— Beaucoup, en fait. Beaucoup de qualités. Des compétences scientifiques, bien entendu. Télédétection, glaciologie. Il me fallait former une sommité sur le sujet. Mais…

— Mais vous n'avez pas prévu que vous tomberiez sur une tête de mule. Un pitbull…

Arsène rit. Il frissonna puis se leva pour enfiler sa chemise.

— Pas autant, c'est vrai. Mais je me doutais dès le départ qu'il serait difficile de convaincre une scientifique rationnelle, quelle qu'elle soit, de croire aux anges, aux licornes et à l'arche de Noé. D'ailleurs, pour tout vous avouer, Cécile, c'est votre laïcité revendiquée comme un étendard, votre profil de fille modeste issue de l'école républicaine qui m'a fait vous choisir. Pas question pour moi de tomber sur une croisée de la foi !

Cécile lâcha un sourire franc.

— Cela, Arsène, je le prends comme un compliment.

— Prenez, Cécile, prenez. Vous le méritez. Il faut nous excuser de vous avoir menti, au moins par omission. De vous avoir embarquée dans une telle folie… Les hommes de Cortés n'étaient pas prévus au programme et… et vous comprendrez là-haut que l'enjeu nous dépasse tous.

Les yeux de Cécile glissèrent un instant vers le sommet du glacier.

— Je jugerai sur place, professeur. (Elle le regarda fixement.) Cela n'a pas dû être facile, Arsène, ces derniers jours, vivre à trois, entre moi et votre fils, et de réagir en permanence comme si Zak était un inconnu.

— Mon Dieu, oui… Nous avons dû improviser en permanence. J'ai cru mille fois que vous alliez nous démasquer…

Cécile passa son doigt sur la photographie de Zak et Yalin enfants. La licorne bleue et le mousquetaire.

— Pourquoi ce nom, Ikabi ?

— Parella signifie « couple » en catalan. Il faut croire que j'étais destiné à croiser la route du mythe de Noé… Ikabi est la traduction de « couple » en thaï. Le jeu de mots est le même pour les autres noms d'emprunt de mes fils. « Coppia » en italien, « Peyre », en français. Ces facéties amusent beaucoup Yalin et Zak.

Comment ai-je pu être aussi sotte ? pensa Cécile. Arsène se pencha et passa le bras sous les courroies de son sac à dos.

— Allons-y, maintenant. Nous devons être là-haut avant Cortés. Rassurez-vous, Cécile, si vous doutez encore, les preuves, les plus scientifiques qui soient, vous seront fournies dans quelques heures. Zak avait la certitude que vous ne pourriez comprendre qu'ici, sur l'Ararat.

— 39° 45' 41.96" N ; 44° 18' 36.54" E. Ai-je bien retenu la formule magique ?

Cécile se dirigea vers la source. Elle sortit de sa poche le foulard noir qu'elle avait porté pour passer la frontière iranienne, le noua à l'églantier puis leva les yeux au ciel, comme pour confier son vœu à l'Ararat. Enfin, elle s'accroupit pour se désaltérer d'eau pure. Alors qu'Arsène hochait la tête, elle se releva, la peau ruisselante, et poursuivit sa tirade.

— Mais je persiste à penser que vous auriez dû choisir n'importe lequel des trente et un autres candidats… Il en faudra beaucoup pour me faire croire à la légende de Noé.

— Si je ne vous avais pas choisie, cela aurait été dommage, non ?

— Pour vous ?

— Non… (Arsène Parella sourit.) Pour vous !

— Pour moi ?

— Pour vous, oui. Si je ne vous avais pas choisie, vous n'auriez pas rencontré Zak.

Arsène lui tournait déjà le dos, sac à l'épaule. Cécile hésita un instant à lui emboîter le pas.

Consternée.

Visiblement, son vieux professeur ne recherchait pas seulement l'arche de Noé. Il recherchait également… une belle-fille !

Il l'interpella d'une voix joyeuse.

— Pressons l'allure, Cécile. Évoquer tous ces souvenirs a fait fondre mon vieux cœur de papa poule. J'ai hâte de retrouver Zak et Yalin. Ils doivent déjà se trouver au point de rendez-vous…

102

Gorge d'Ahora, 3 190 mètres, Turquie

3 190 mètres...

Cécile et Arsène progressaient de plus en plus lentement et, pourtant, les pentes de l'Ararat semblaient désormais moins abruptes. À l'étage de basalte brûlant succédaient, au-dessus de 3 000 mètres, d'interminables herbages d'altitude en pente douce, piquetés de myosotis fanés et de chardons.

Au fur et à mesure qu'ils s'élevaient, Cécile sentait ses muscles gagner en assurance, en résistance, mais elle devait caler son rythme sur celui d'Arsène. La fatigue accumulée rattrapait maintenant le vieil homme ainsi que le mal des montagnes et la raréfaction de l'air. Même s'il n'en laissait rien paraître, Cécile avait repéré à plusieurs reprises son directeur de laboratoire se massant la tête ou s'épongeant les tempes.

Le soleil kurde les grillait autant que les vulgaires graminées jaunies et rabougries qu'ils écrasaient sous leurs semelles. Les glaciers sur le versant nord de la vallée d'Ahora suaient à grosses gouttes, comme des êtres pâles et obèses allongés sous les néons d'un sauna.

Ils avaient laissé la fontaine Saint-Jacob derrière eux depuis cinq ou six heures maintenant. Ils économisaient l'eau. Arsène Parella suivait précisément leur trace sur la carte. Il s'arrêtait toutes les demi-heures et laissait glisser son doigt sur les courbes de niveau.

3 120 mètres, ânonnait-il…

3 190, une demi-heure plus tard.

3 240…

3 330…

3 400…

Le point de rendez-vous, avait précisé Arsène, se situait à 3 750 mètres. Le sommet du Petit Ararat, plein est, qui culminait à près de 4 000 mètres, faisait office de toise, même si, par illusion d'optique, Cécile avait l'impression de l'avoir atteint depuis déjà de longues minutes.

3 470 mètres…

Arsène Parella replia la carte avant de la ranger dans la poche arrière de son jean, but une gorgée puis grimaça un sourire :

— En route…

3 680 mètres…

Plus de trois heures s'étaient écoulées.

Arsène Parella avait laissé à Cécile les derniers centilitres d'eau. Il avait accéléré le rythme, comme s'il reconnaissait les lieux à présent. Ils avançaient sur un long plateau à la végétation rase, très légèrement incliné. Au nord, le gouffre d'Ahora était constellé d'une multitude de grottes, plus ou moins visibles selon la neige.

— Là ! s'écria soudain Cécile.

Elle tendit le bras. Pour la première fois depuis des heures, les formes sombres qui rompaient la monotonie du paysage n'étaient pas de simples blocs de pierre… mais des êtres vivants. Les ombres bougeaient !

Arsène Parella plissa les yeux et mit la main en visière sur son front.

— Le campement, murmura-t-il. Nous y sommes. Ainsi le destin m'aura accordé le privilège d'y revenir.

— Ce… ce sont des hommes ? demanda Cécile. Les habitants d'un village ?

— Non, répondit Parella avec un sourire. Continuons, nous sommes presque arrivés.

Ils avancèrent, se retenant presque de courir. Au loin, si certaines ombres demeuraient immobiles, d'autres se déplaçaient rapidement. Les silhouettes étaient hautes d'un mètre environ, bien trop petites pour être celles d'êtres humains.

— Cécile, précisa Parella en haletant comme un marathonien qui entre dans le stade olympique, ne vous attendez pas à découvrir un village. Il n'existe plus aucun habitat sédentaire sur l'Ararat. Seules vivent ici des tribus kurdes nomades. Les campements sont composés de quelques bergers et de leurs familles, vingt ou trente personnes au maximum, qui se déplacent au fil des saisons, selon une symbiose avec la montagne organisée depuis des millénaires.

— Et vous, Arsène ?

— J'ai passé des dizaines de mois dans ce campement… À toutes les saisons. J'ai partagé leur vie.

Le mystère qu'ils défendent. C'est… c'est ici ma véritable maison. Vous allez comprendre, Cécile, vous comprendrez bientôt.

Sur la ligne d'horizon formée par un léger replat, une cinquantaine de mètres au-dessus d'eux, une des ombres s'immobilisa. De profil.

Cécile chancela.

Le cauchemar cognait à nouveau aux portes de sa raison. Ce qu'elle voyait n'avait aucun sens. Elle gravissait depuis des heures un escalier sans fin, jusqu'au vertige, jusqu'aux cimes de la folie.

Distinctement, sur la ligne d'horizon, la silhouette d'une licorne se détachait.

103

Mont Ararat, camp kurde, Turquie

Arsène Parella tourna vers Cécile sa face réjouie, rougie par le soleil et le vent d'altitude. Au-dessus d'eux, l'alpage s'élevait encore sur une centaine de mètres, puis disparaissait dans un long plateau invisible fermé par les glaciers de la gorge d'Ahora. Le professeur observait avec une émotion visible le profil de l'animal mythique, comme un homme qui retrouve ses animaux domestiques après une longue absence. La licorne broutait paisiblement sur le rebord du plateau. Arsène fouilla dans sa poche et tendit à Cécile une poignée de miettes de barre de céréales.

— Ouvrez la main, Cécile. Prenez. Elle va s'approcher.

Les miettes glissèrent dans sa paume telle une poudre d'or.

Cécile obéit. Hypnotisée. Elle avança le bras, ouvrit la main et patienta dans la même attitude qu'elle adoptait lorsque enfant, à la lisière d'un champ, elle espérait attirer un cheval, sans l'effrayer, derrière un grillage. La licorne leva la tête, hésita un instant, puis dévala avec grâce la colline.

Tout d'abord, Cécile remarqua la taille de l'animal qui galopait vers eux : moins d'un mètre au garrot, les proportions d'une grosse chèvre. La chercheuse repensa aux paroles de Zak dans le musée du Moyen Âge. « Dans les textes anciens, la licorne est toujours figurée sous l'apparence d'une chèvre. »

L'animal trottait maintenant à une dizaine de mètres de sa main. La chèvre unicorne était recouverte d'un pelage brun, assez ras, plus proche de la robe d'un cheval que d'un lainage.

Quelques mètres encore. L'animal lui jeta un regard méfiant, le dirigea vers Arsène comme pour s'assurer qu'il n'y avait pas de danger, puis avança le museau. Le bourrelet de sa lèvre supérieure se frotta contre la peau de la jeune femme pendant qu'une langue avide happait les miettes.

Cécile éclata d'un rire cristallin qui se propagea en écho dans la gorge d'Ahora, comme un torrent coulant jusqu'au Nakhitchevan. Les explications de Zak dans l'hôtel de Cluny étaient tout sauf anodines. « Il existe une pratique courante chez certaines tribus de bergers : la tradition consiste à tordre les cornes encore tendres de jeunes chevreaux, de boucs angora ou d'antilopes, et les entrelacer, afin qu'à l'âge adulte elles n'en forment plus qu'une, bizarrement torsadée. »

Toute cette histoire de licorne n'était qu'une farce ! La chèvre qui broutait dans sa main n'était pas un animal unicorne. En l'examinant, on voyait distinctement que les deux cornes avaient été rassemblées, comme parfois deux troncs d'arbres trop proches poussent en se mêlant.

Cécile souffla. La raison l'emportait. Aucune licorne ne se promenait en liberté sur l'Ararat, la légende était simplement entretenue par la défiguration de ces pauvres bêtes, une coutume pastorale aussi pathétique qu'ancestrale, évidemment liée au mythe de l'arche de Noé.

La main de la chercheuse s'égara dans le doux pelage brun de la chèvre qui lui léchait tendrement la paume. Cécile fouilla dans sa poche à la recherche d'une autre friandise. Elle songeait aux mots prononcés par Aman, la fillette prisonnière d'Ishak Pacha. « Ils veulent que je leur montre les licornes... » Elle comprenait à présent. Depuis la nuit des temps, les enfants des nomades gardent les chèvres. Toutes sortes de races de chèvres... Chèvres naines en Guinée, chèvres paon en Suisse, chèvres angora en Anatolie... Chèvres artificiellement unicornes sur l'Ararat.

Elle se tourna, rayonnante, vers Arsène Parella. Après une longue apnée dans l'irrationnel, son esprit de chercheuse cartésienne retrouvait à nouveau l'air frais. Un mystère de plus s'éclaircissait.

— Le reste du troupeau doit paître derrière la colline, précisa le professeur, sur le plateau, autour du campement.

— Allons-y...

Cécile caressait toujours tendrement la chèvre qui passait maintenant sa langue sur son poignet, sa corne tressée se frottant contre son bras.

Tout se déroula alors très vite.

Un cri désespéré d'abord, qui traversa l'herbage.

— Nooon !

Un cri aigu, à peine humain, qu'en tous les cas aucun adulte n'aurait pu pousser avec un tel accent de terreur. Ensuite, la minuscule silhouette apparut. Une fillette d'une dizaine d'années, peut-être plus, car elle était grande. Un visage d'ange horrifié. Puis, dans la même seconde, une détonation retentit et la tête de la chèvre unicorne explosa.

— Bienvenue, fit une voix d'outre-tombe. Nous vous attendions. Vous êtes presque les derniers.

Une vingtaine d'hommes armés de kalachnikovs surgirent sur le rebord du plateau. Deux d'entre eux saisirent sans ménagement la fillette par la taille.

Cortés se montra enfin. Le turban pourpre qui dissimulait son visage se détachait à peine sur le ciel indigo. Il triomphait.

— Chers amis, vous noterez que, cette fois-ci, j'ai retenu la leçon. Rien ne sert de vous poursuivre, il suffit de vous attendre… au bon endroit !

Les fusils d'assaut se braquèrent sur eux.

— Montez, je vous en prie.

Cécile et Arsène découvrirent le campement dès qu'ils eurent gravi la colline. Il était installé dans une petite cuvette au centre du plateau, à quelques centaines de mètres du gouffre d'Ahora. Une dizaine de tentes, en peau de chèvre pour les plus robustes, en roseaux tressés pour les autres, se dressaient en arc de cercle. Au centre, sous la menace d'une dizaine de miliciens armés, des familles kurdes se tenaient assises. Hommes, femmes, enfants, vieillards.

Alors qu'ils s'approchaient, entourés par l'escorte, Cécile porta la main à sa bouche et réfréna une remontée de bile. Devant eux, une nuée de mouches bourdonnait autour des cadavres de sept *karabash*[1]. À en juger par le sang frais, ils avaient été abattus il y a moins d'une heure. Aman se débattait entre les bras de ses tortionnaires.

— Kangy ! hurlait-elle en découvrant la dépouille d'un des chiens. Kangy !

Un homme leva la crosse de son fusil, mais une des femmes kurdes fut la plus prompte.

— Ça suffit, Aman !

La fillette se tut avant que la crosse ne s'abatte. Cortés éclata de rire :

— Que cette petite furie retourne voir sa mère. Elle l'a bien mérité, après tout. C'est elle qui nous a conduits ici.

La fillette courut se réfugier parmi les siens. Cécile observa plus en détail le campement. Curieusement, tous les bergers kurdes et leur famille possédaient des caractéristiques communes : une haute taille, y compris les femmes, des cheveux noirs, raides, assez longs, et surtout d'étonnants yeux clairs, presque gris, comme elle en avait rarement vu. Il se dégageait de cette communauté de nomades, même réduits à la condition de prisonniers, une force et une dignité impressionnantes. Quasiment surnaturelles.

Au loin, dispersées sur le plateau, des chèvres, indifférentes au drame qui se jouait, erraient à la

1. Chiens de berger kurdes.

recherche de maigres touffes à brouter, certaines unicornes, d'autres non. Le regard de Cécile embrassa l'ensemble du site. Tentes. Bergers. Mercenaires. Alpages. Roches et séracs. « Nulle trace de Zak et de Yalin ! » Tout espoir n'était donc pas perdu. Les deux frères connaissaient la montagne sur le bout des doigts. Ils n'allaient pas se jeter comme eux dans la gueule du loup. Ils…

— Docteur Serval, ironisa Cortés, si c'est pour ce brave Zeytin que vous vous inquiétez, rassurez-vous, il ne va pas tarder. Hisser ses cent kilos à près de quatre mille mètres d'altitude est une sacrée épreuve pour lui. On ne l'a pas attendu… Nous tenions à ne pas manquer votre arrivée. Mais notre Zeytin est têtu ! Il sera là d'ici peu. Avec une surprise…

Il éclata de rire tout en les faisant avancer au centre du campement.

— Prenez place, professeur Parella, docteur Serval. L'hospitalité des Kurdes de l'Ararat est légendaire, non ?

Cécile et Arsène s'accroupirent au milieu des bergers. Un nomade moustachu aux dents pourries se poussa pour leur laisser une place. Aman se tenait juste en face d'eux, blottie dans les bras de sa mère, serrant entre ses doigts sa petite licorne de bois.

Cortés fit signe à ses hommes de s'éloigner, sans abandonner toutefois leur surveillance. Les miliciens formèrent un cercle autour du camp, d'autres se postèrent sur une arête rocheuse de basalte dominant la cuvette.

Cortés s'éclaircit la voix.

— Nous serons plus tranquilles pour discuter. Docteur Serval, je dois vous remercier, votre rapport RS2A-2014 m'a été d'une aide plus que précieuse. En toute courtoisie, je me dois en retour de vous raconter une histoire, comment pourrais-je dire pour être précis ?… une histoire édifiante…

104

Mont Ararat, camp kurde, Turquie

La luminosité commençait à baisser. Le soleil s'était depuis de longues minutes dissimulé derrière la large silhouette du mont Ararat, sans que la lune ait encore pris son tour de garde. Une fraîcheur subite s'était abattue sur la montagne, que le feu timide, au centre du campement, tentait laborieusement de combattre. Dans la lueur des flammes, les iris gris des nomades kurdes prenaient l'éclat rougeoyant d'une lave en fusion dévorant un champ de cendres. Aman tremblait dans les bras d'Estêre. La plupart des hommes de Cortés, prudents et méthodiques, avaient allumé les capteurs infrarouges de leurs fusils. Les pastilles rouges dansaient entre les bergers kurdes assis en cercle et les toiles de tente comme autant d'insectes de nuit attirés par la chaleur du feu et des corps.

Cortés, seul, demeurait debout. Il se frotta avec satisfaction les mains au-dessus des flammes.

— Docteur Serval, l'heure est venue de vous révéler le secret de l'Ararat. Tout le monde le connaît ici, du plus ignare des bergers kurdes à votre très cher professeur. Ne serait-il pas injuste que vous seule mouriez sur le mont sans être dans la confidence ?

Cécile serra les lèvres. Cortés continua, indifférent à son silence.

— Pour vous aider à comprendre, je vais commencer par une métaphore. Un conte, si vous préférez. N'est-ce pas la méthode la plus efficace pour expliquer des évidences scientifiques à un profane qui peinera à les croire ? Vous m'excuserez donc de débuter d'une façon on ne peut plus classique mon histoire… Il était une fois… il était une fois un jeune homme qui rêvait d'aventures… Comme tant d'autres, me direz-vous… Comment l'appellerons-nous ? Je vous propose Hernán. Hernán vous convient-il ?

Mutisme de Cécile. Cortés chauffa à nouveau ses mains.

— Hernán vivait à cette époque que l'on baptisa les « grandes découvertes ». Une époque propice aux aventuriers, n'est-ce pas ? Le temps de tous les possibles. Hernán rêvait de longs voyages, de butins, de découvertes invraisemblables… Un matin, il s'embarqua. Il avait engagé un équipage improbable. D'autres aventuriers, quelques malfrats prêts à tout pour partir, loin, mais des savants également, un prêtre, un médecin, un géographe… Et vogue le vaisseau ! Ils naviguèrent des mois, sans orientation autre que celle que leur donnait la position des étoiles, jusqu'à ce qu'un beau jour ils trouvent une terre ! Une île peuplée d'indigènes, un véritable petit paradis, une jungle regorgeant d'eau, peuplée d'animaux qu'Hernán n'avait jamais vus, de plantes inconnues, d'hommes au langage différent. Que fit Hernán, à votre avis ?

Le feu crépitait dans le silence. Cortés promenait son immense ombre au milieu du cercle de lumière.

— Ne soyez pas timides. Vous connaissez la suite, évidemment. Elle n'a rien d'original. Les indigènes prirent Hernán et ses hommes pour des dieux et Hernán se garda bien de les détromper. Quelques petits tours suffirent. Le médecin sauva quelques vies, les mercenaires tuèrent en échange quelques indigènes par des armes qui leur parurent aussi puissantes que la foudre tombée du ciel ; leurs armures les firent passer pour immortels ; les savants leur apprirent l'écriture, l'agriculture, l'architecture… Bref, Hernán et sa bande devinrent aussi craints que respectés. Ils se contentèrent un moment de cette vie de rêve. Eux, anonymes dans leur pays natal, étaient devenus des divinités, à la tête d'une armée d'esclaves dociles et d'une caste de serviteurs zélés qu'ils eurent l'habileté d'entretenir par quelques privilèges distribués avec parcimonie. Et des femmes bien entendu. Si différentes de tout ce qu'ils avaient pu connaître. Libre à eux de choisir les plus jeunes, les plus belles. De s'accoupler à elles. Oui, ils se contentèrent de cette existence paradisiaque, un long moment. Mais Hernán savait qu'un jour ou l'autre il lui faudrait rentrer au pays. La véritable gloire consistait à revenir chez lui en héros, puissant, richissime, pas à régner sur une bande de sauvages comme un caïd sur une cour de récré. Appelez cette envie comme vous voulez. Ambition. Ennui. Mal du pays. Hernán devait quitter le paradis. Ils eurent beau chercher, ils ne trouvèrent pas d'or sur l'île, ni de pierres précieuses ni de minerai… En revanche, l'île était riche de sa biodiversité, du moins, c'est ainsi qu'on l'appellerait aujourd'hui. Sa faune, surtout. Hernán comprit que cela suffirait à sa fortune. Imaginez un instant la tête des hommes qui virent les premiers perroquets, les premiers iguanes, les premiers jaguars… Autant d'animaux dont il n'aurait même pas soupçonné l'existence… Imaginez quelle somme ils auraient été prêts à débourser pour les voir, les toucher, les posséder, pourquoi pas ? Hernán était un aventurier habile. Il échafauda en une nuit la stratégie qu'ensuite tous les conquistadors ont appelée « théorème de Cortés »…

Le mercenaire cessa brusquement de parler. Dans le contre-jour, une ombre surgit face à lui, tendit le bras pour s'emparer d'un tison enflammé et le jeter sur le chef de la milice. Avant même qu'elle n'atteigne le feu, une tache rouge se colla sur son cou. La détonation retentit. L'ombre s'écroula, fauchée. Sa chute fut couverte par le hurlement d'une femme.

— Ferhad…

La Kurde se dressa. Elle était presque aussi grande que Cortés ; sa tunique tachetée sur son long corps souple lui donnait des allures de panthère. Ses pupilles scintillèrent de fureur dans le jour finissant.

— Vous n'êtes qu'un…

Un éclair lui traversa la mâchoire. Elle s'effondra. La danse des pastilles rouges sur les silhouettes des bergers kurdes dissuada quiconque de lui porter secours. Un vieil homme serra de toutes ses forces un garçon de six ans agité d'un tremblement épileptique. Les yeux gris du garçon, embués de larmes, prenaient la teinte trouble de l'eau stagnante d'un lac.

Cortés ne parut pas plus importuné par les deux cadavres à ses pieds que si deux papillons de nuit l'avaient frôlé.

— Une stratégie, disais-je. Simple, mais d'une redoutable efficacité. Un soir, Hernán décida de réunir tous les indigènes sur la plus grande plage de l'île. « Les dieux sont déçus, leur déclara Hernán. Vous n'êtes pas dignes de leur amour. Les dieux vous ont tout appris, vous ont dévoilé les secrets de la connaissance, et pourtant, le péché, l'orgueil, la concupiscence n'ont cessé de progresser dans vos cœurs. Les dieux ont donc décidé que leur colère s'abattrait sur vous. » Vous m'excuserez de passer les détails du discours d'Hernán, mais je pense que vous avez compris l'idée générale… Peut-être l'accompagna-t-il de quelques sacrifices pour marquer les esprits. Concrètement, Hernán avait hésité entre incendier l'île ou rompre les barrages patiemment construits pour inonder l'ensemble des terres. Mais auparavant, il avait discrètement convoqué la caste des indigènes promus au rang de serviteurs des dieux. « Vous seuls serez épargnés », leur promit-il. En réalité, cette promesse revenait à les embarquer comme esclaves sur son navire pour les vendre au plus offrant. « Vous seuls serez sauvés, affirma encore Hernán, à condition que vous nous aidiez ! »

Cortés s'approcha du feu. Les reflets dansants des flammes dessinaient des motifs macabres sur son turban. La femme kurde étendue à ses pieds agonisait avec de longs râles.

— Terriblement naïfs, ces indigènes, n'est-ce pas ? Une telle soumission m'a toujours sidéré. L'aide demandée par Hernán aux traîtres tenait en quelques mots : les convaincre de piller l'île ! Hernán n'avait pour ainsi dire jamais quitté la plage sur laquelle il avait installé son trône. Les indigènes dans la jungle étaient bien meilleurs chasseurs que ses compagnons, même armés de foudre et vêtus de cuirasses.

Cortés saisit avec prudence une branche enflammée, puis l'approcha du visage de Cécile, comme s'il avait deviné la colère difficilement contenue de la chercheuse.

— Patience, docteur Serval. Autorisez-moi quelques mots encore. J'en viens à l'essentiel. Le professeur Parella connaît déjà la fin de mon histoire, mais, pour vous, sa conclusion sera instructive, n'en doutez pas. Hernán, disais-je, s'adressa en ces termes aux indigènes félons : « Les dieux seront cléments avec vous si vous les aidez à sauver la vie sur cette terre. Éparpillez-vous dans l'île avant que la colère des dieux ne s'abatte, fouillez, cueillez, chassez… Capturez un couple, mâle et femelle, de chaque être vivant. Rapportez-le sur la plage. Lorsque le jour du cataclysme viendra, nous les ferons entrer dans le vaisseau, avec vous, afin qu'ils puissent repeupler votre terre lorsque la colère des dieux sera apaisée. »

Cortés marqua un long silence. Les pensées de Cécile se bousculaient. Cortés enfonça le clou, comme si elle n'avait pas compris où il voulait en venir.

— Sacrément crédules, ces indigènes, ne trouvez-vous pas ? Avaler cette histoire de rédemption divine après le cataclysme ?

La flamme de la torche éclairait le turban pourpre de Cortés. La voix s'échappait de son invisible visage, comme soufflée d'un buste de porphyre qui aurait miraculeusement été doté de la parole.

— Je vais maintenant vous demander un petit effort, docteur Serval. Un jeu de l'esprit d'une grande simplicité. Tout le secret de Noé repose sur un simple changement d'échelle. Repensez à toute cette histoire, mais imaginez seulement que les aventures d'Hernán ne se déroulent pas il y a cinq cents ans, lorsque l'Europe découvrit les autres continents, mais il y a cinq mille ans… Imaginez seulement que ce ne soient pas des océans que traverse le vaisseau d'Hernán, mais l'espace. Que ces terres à découvrir ne soient pas des îles, mais des planètes. L'histoire demeure pourtant la même, strictement la même. Et c'est celle dont les premiers hommes conservent la mémoire ! C'est très précisément celle que nous racontent la Torah, la Bible, le Coran. Celle de Gilgamesh le Sumérien, du Livre d'Enoch et de toutes les autres légendes universelles du Déluge et de l'arche. C'est tout simplement l'histoire de Noé !

Cécile tourna la tête vers Arsène Parella, cherchant dans ses yeux un soutien, un secours, le moindre signe. Le professeur restait de marbre. Cécile aurait voulu se boucher les oreilles, se lever, hurler, au mépris des snipers. Elle hésita. Après tout, Cortés finirait par les abattre, d'un instant à l'autre, lorsqu'il aurait terminé de jouer avec eux.

La main d'Arsène se posa sur son genou.

— Non, Cécile, murmura-t-il.

— Votre professeur a raison, insista Cortés. Ne soyez pas si impulsive, docteur Serval. Je crois vous avoir déjà prévenue. À la différence du professeur Parella, vous ne m'êtes plus d'aucune utilité.

Les pastilles rouges des fusils à lunette, telles des flammes échappées de l'âtre, dansèrent un instant autour d'eux avant que deux ne se posent sur la poitrine de Cécile. Cortés semblait les commander d'un simple mouvement de bras. La voix d'Arsène Parella s'éleva soudain dans le silence :

— Comment avez-vous deviné ?

Cortés jubilait. D'un geste, il chassa les points rouges.

— Une évidence, professeur Parella. Une étrange évidence. Depuis mon enfance, curieusement, je me suis senti proche de Noé. Quel rapport pouvait-il y avoir entre ce prophète, ce vieux sage barbu père des nations, et moi, la petite frappe azérie pillant les mausolées arméniens ? Quel autre rapport que le mont Ararat dominant l'horizon ? J'ai lu, Parella. J'ai dévoré ces histoires de conquistadors qui me faisaient fantasmer, ces effroyables colonisations, ces hommes devenus dieux, le fascinant théorème de Cortés, tout détruire jusqu'à devenir l'unique possesseur d'un chef-d'œuvre inestimable. Alors, Parella, la vérité m'est apparue d'une logique absolue. (Il marqua une pause.) L'épisode du Déluge dans la Bible raconte l'histoire d'un pillage. Noé n'est ni un prophète ni un juste. Il se contente d'appliquer le théorème de Cortés, voler les richesses de la Terre, les détruire toutes sauf quelques-unes, puis s'enfuir avec son butin. L'arche n'avait pas pour but de sauver l'humanité mais d'en emporter les vestiges. Noé n'est qu'un vulgaire aventurier. Si quelqu'un devait le comprendre, c'était moi, Parella.

Cortés se recula vers le feu, étirant encore son ombre. Du pied, il poussa le cadavre de Ferhad et observa des lueurs à quelques mètres du campement.

— Le vieil Enoch n'était que le serviteur des pseudo-dieux, un indigène recruté pour servir d'intermédiaire zélé, comme tant d'autres ; son récit ne raconte pas autre chose que sa trahison envers les siens, son recrutement par les dieux, jusqu'à ce qu'ils échouent… Mais je parle, je parle, et je néglige mes invités. Je crois que nous avons de la visite. Notre brave Zeytin est arrivé, mais il n'a pas osé nous déranger en pleine conversation. Entre, Zeytin, entre. Romps le cercle, je t'en prie.

Zeytin avança dans la lumière. Son dos était trempé de sueur. Sans ménagement, deux mercenaires derrière lui jetèrent une silhouette à terre. La forme sombre s'effondra aux pieds d'Arsène et Cécile dans un cri de douleur.

Zak !

Vivant. Pris, mais vivant.

Vivant, mais blessé.

Tout de suite, Cécile remarqua la plaie ouverte à la jambe. Le sang avait séché autour d'une entaille d'une dizaine de centimètres qui s'ouvrait sur son tibia. Par quel miracle était-il parvenu à monter jusqu'au campement kurde ? Au prix de quelles souffrances ?

L'instant suivant seulement, elle pensa au pire.

Yalin ?

Zak fixa longuement Arsène, puis Cécile, puis à nouveau Arsène.

— Yalin ? murmura Arsène.

Zak ouvrit la bouche, mais ne put prononcer un mot. Il se contenta de baisser les paupières sur un océan de larmes.

105

Mont Ararat, camp kurde, Turquie

Sous le regard méprisant de Cortés, Cécile saisit la main droite de Zak tandis qu'Arsène prenait la gauche. Ils le tirèrent vers eux. Cortés observait Zak, infirme, se tortiller dans la poussière tel un vulgaire insecte. Il les toisa.

— Notre ami Zak Ikabi a fait preuve d'un courage inouï pour monter nous rejoindre sur une seule jambe. Presque autant que Zeytin ! (Cortés laissa filer un bref éclat de rire.) Pour tout vous avouer, il était motivé. S'il s'arrêtait, Zeytin avait l'ordre de l'abattre !

Cortés s'accroupit et se pencha lentement vers Zak.

— Je vais vous faire une confidence, Ikabi. Mieux que cela, un compliment ! Je dois vous avouer qu'avec votre histoire de Nephilim vous m'avez beaucoup retardé. J'ai réellement cru à votre mythe de secte millénaire protégeant le secret de l'arche, vos tatouages de licornes et votre site Internet ! J'ai mis du temps à comprendre que je n'avais face à moi qu'un vieil illuminé et ses deux fils, protégeant une tribu de bergers dégénérés, trois familles qui élèvent des chèvres depuis la nuit des temps et les vénèrent comme des licornes… Quelle ironie ! Dire que j'ai passé des mois à constituer une véritable armée pour affronter une poignée de Kurdes en fin de race.

Cortés approcha encore le visage. Son turban pourpre était trempé de sueur.

— Bien joué, messieurs, mais la partie était perdue d'avance. (Le mercenaire se tourna vers la petite Aman, prise en étau dans les bras crispés d'Estêre.) Surtout à partir du moment où cette charmante fillette a fini par accepter de me conduire ici.

Cécile serrait la main froide et tremblante de Zak dont la jambe virait au bleu.

— Quelle folie ! s'écria la chercheuse, au mépris de toute prudence. Tous ces meurtres pour une telle fable… c'est… c'est…

Cortés se contenta de sourire.

— Votre scepticisme est stimulant, docteur Serval. Agaçant, mais stimulant.

— C'est votre arrogance qui est pitoyable ! explosa Cécile. Les dieux seraient des extraterrestres doués d'une avance technologique sur nous. C'est cela, votre théorie ? C'est ce que raconterait la Bible si on la lit entre les lignes ? Sacrée trouvaille ! Ouvrez Internet, des dizaines de sites ressassent cette version délirante.

— Cela ne prouverait pas que j'ai tort, répondit calmement Cortés. La théorie de l'origine extraterrestre des anges, vous avez raison, a fait l'objet de quelques publications depuis des siècles, d'ailleurs souvent censurées. Mais, à ma connaissance, personne, vous m'entendez bien, personne à part moi n'a échafaudé la théorie suivante pour expliquer le mythe de Noé : l'arche est le vaisseau d'un conquistador, les couples d'animaux rassemblés par lui constituent son butin, le Déluge est une mise à sac avant la fuite des pseudo-dieux… Vous ne pouvez pas nier, vous qui avez lu le Livre d'Enoch, à quel point une telle théorie est séduisante… Dois-je vous rappeler ces indices convergents qui nous crèvent les yeux ? La Bible, Genèse, chapitre 6, qui évoque les Nephilim, qui les décrit comme des géants qui forniquent avec les humaines. Vous savez lire, docteur Serval, vous connaissez le poids des mots : c'est écrit noir sur blanc dans l'Ancien Testament. *Elohim !* Ceux qui viennent du ciel ! La Bible nous parle d'un peuple venu du ciel, pas d'un Dieu unique. Vous êtes une scientifique, docteur Serval, ne pensez-vous pas que le comportement le plus irrationnel est de croire en ce Dieu unique, miséricordieux et omniscient ? N'êtes-vous pas consciente que les religions monothéistes ont monté la plus belle opération d'intox de ces derniers millénaires ? Pour ne prendre qu'un exemple, à votre avis, pour quelle mystérieuse raison l'islam et le christianisme auraient-ils condamné à ce point toute référence au sexe des anges ? Vous avez rencontré Jean-Bernard Patte, n'est-ce pas ? Lui a dû vous convaincre. Le bond en avant de l'humanité, la brusque éclosion de nouvelles connaissances, de nouvelles technologies, d'un nouvel ordre moral, ici, au Kurdistan, le berceau des religions, du yazdânisme, du culte des anges déchus, la traduction littérale du terme Nephilim. S'agit-il d'un hasard ? D'une coïncidence, docteur Serval ?

Zak se tordait de douleur. Il posa la main sur le bras de Cécile, comme pour lui intimer l'ordre de se taire. La chercheuse n'en avait aucune intention. Cortés se prenait à son propre piège, il cherchait à la convaincre parce qu'elle était rationnelle, une scientifique qui représentait l'élite intellectuelle laïque non corrompue par la religion. S'il ne parvenait pas à la convaincre, qui parviendrait-il à convaincre ? Qui le croirait ? C'était le seul atout qu'avait trouvé Cécile. Elle surjoua le sarcasme.

— Désolé, mon petit Kyrill, votre éloquence ne me suffit pas. Il me faut des preuves, pas seulement des théories…

Cortés serra le poing mais ne céda pas à la provocation.

— Des preuves ? Vous avez besoin d'arguments concrets, c'est cela ? D'accord, docteur Serval, prenons le problème dans l'autre sens. Depuis plus d'un siècle, des témoignages variés, mais convergents, attestent la présence de bois ancien sur les pentes de l'Ararat, trouvé au-delà de la limite de la végétation. Je vous dresse la liste ? Le prélat Jean Joseph Nouri, le glaciologue britannique Gascoyne, le capitaine russe Roskovitsky, l'aviateur George Jefferson Greene, le fermier turc prénommé Résit, George Hagopian, Fernand Navarra, et encore très récemment l'expédition adventiste chinoise… Rien que cela ! De la même façon, autour du site fossile de Durupinar, près de Dogubayazit, les chercheurs ont découvert des indices tout aussi troublants : ancres de pierre, clous, traces importantes de carbone dans le sol. Qu'en conclure ? Si on ne peut raisonnablement admettre qu'un navire en bois ait pu s'échouer à une altitude de cinq mille mètres, prétendre que tous ces témoignages ou ces découvertes relèvent de l'hallucination collective n'est pas plus admissible. Les éliminer de l'équation ne serait pas scientifiquement acceptable. Pensez-y, docteur Serval. Tournez le problème dans votre tête. Il n'existe qu'une solution, en réalité.

Zak claquait des dents. Cécile le pressa contre sa poitrine. Elle ne parvenait pas à deviner où Cortés voulait en venir. Le mercenaire hurla presque.

— Une seule hypothèse résout l'équation, docteur Serval ! Tous ces indices ont été placés là pour que des aventuriers les découvrent. Délibérément. Comme les messages préparés à l'avance lors d'une chasse au trésor. Poutres de bois antique dans les grottes du glacier Parrot, proue d'un vaisseau qui émerge du lac de Kop, ancre et clous enterrés à Durupinar. Ils ont été disposés intentionnellement pour une raison toute simple : détourner l'attention ! Les plus crédules y verront la preuve d'une interprétation littérale de la Bible… Les autres, comme vous, docteur Serval, seront renforcés dans leur scepticisme face au mythe. Dans tous les cas, l'attention est détournée. Depuis des décennies, les chercheurs d'arche marchent dans les pas de Navarra, de Greene, d'Irwin. Fouillent, expédition après expédition, le gouffre d'Ahora, le site fossile de Durupinar. Ils cherchent du bois et pas autre chose, ils le recherchent ici et pas ailleurs… Personne, ou presque, ne s'intéresse au site qui, à l'évidence, devrait concentrer tous les regards et tous les moyens. Vous avez compris lequel, docteur Serval : le sommet de l'Ararat ! Le lieu où, pourtant, la seule preuve qui n'a pas pu être fabriquée par l'homme s'affiche, entêtante, indéniable : l'anomalie d'Ararat ! Ne trouvez-vous pas étrange que l'accès au sommet du mont Ararat ait été interdit aux Arméniens et aux Ottomans pendant des siècles, mais que, dès que le sommet fut atteint par Parrot, les découvertes de reliques de l'arche de Noé se soient multipliées sur tous les autres lieux du massif de l'Ararat ? Ne peut-on imaginer que toutes ces preuves aient été fabriquées, placées à dessein par une tribu locale de Kurdes ou par quelques Occidentaux partageant leur secret ? Appelons-les Nephilim, par exemple. Les Navarra il y a soixante ans. Les Parella aujourd'hui… Écoutez-moi bien, docteur Serval, j'ai étudié en détail l'histoire de la conquête de l'Ararat : toutes les preuves exhumées par les chercheurs d'arche depuis 1850 étaient des leurres, des pièges, dans le seul but de masquer une vérité trop évidente. Souvenez-vous, des siècles auparavant, les moines d'Etchmiadzine eux-mêmes inventèrent la légende de saint Jacob et montrèrent à la lunette, dans la gorge d'Ahora, la silhouette d'un piton rocheux ressemblant à s'y méprendre à un vaisseau pris dans les roches. Quel est le plus crédible, docteur Serval ? Que ce soit la nature qui ait taillé une roche de la forme d'un navire, justement sur l'Ararat, bien visible du monastère dans la plaine ? Ou que ce ne soit qu'un habile trompe-l'œil, sculpté par les hommes qui déclarèrent le mont maudit à une époque où les glaces ne recouvraient pas encore entièrement son sommet ?

— L'anomalie d'Ararat, murmura Cécile. C'est bien cela, votre explication. Tout le reste n'est que leurre. Les glaces dissimulent un vaisseau échoué au sommet du mont. Pourquoi, si ce vaisseau n'est pas un navire voguant sur l'eau, mais une fusée extraterrestre, ou quelque chose dans le genre, se serait-il échoué ?

Cortés sourit.

— La vérité est inscrite très explicitement dans le Livre d'Enoch. Relisez les passages. Les dieux ne sont pas d'accord entre eux. Certains reprochent aux autres leurs exactions envers les populations locales, les viols, les sacrifices. D'autres, à l'inverse, sont condamnés parce qu'ils révèlent trop de secrets aux hommes. Lorsqu'il est décrété, le Déluge est décidé par certains dieux, d'autres s'y opposent au nom de leur conscience. Voulez-vous que j'achève l'histoire d'Hernán, docteur Serval ? Elle est heureuse, au moins pour les indigènes. Lorsque Hernán eut rassemblé dans ses cales un couple de chaque animal de l'île et un nombre de serviteurs indigènes suffisant, il rompit tous les barrages de l'île pour l'inonder, puis largua les amarres… Mais Hernán ignorait qu'il était surveillé depuis des mois par les autorités de son royaume natal, un de ces royaumes dits civilisés qui se partageaient le monde connu, qui se donnaient la mission suprême de le coloniser avec ordre, méthode, principes… Surveillant les aventuriers, les pirates qui sapaient leur autorité. Hernán ne navigua pas une heure. Son vaisseau fut intercepté. La lutte fut brève et inégale avec la flotte royale. Le vaisseau d'Hernán s'échoua sur le rivage. La plupart des indigènes furent ainsi sauvés, comme la faune et la flore de l'île. Les indigènes conservèrent à jamais le souvenir mythifié de cette colonisation avortée. Des écrits, des récits, de ces dieux versatiles qui vinrent et repartirent.

Les arguments martelés par Cortés fissuraient les mailles de certitudes dont était tissée l'armure de Cécile. Pourtant, elle savait qu'elle ne devait rien changer à sa tactique. Douter. Douter pour faire parler Cortés. Douter pour gagner du temps.

— Vous avez beaucoup d'imagination, Kyrill. L'arche de Noé est donc en réalité un vaisseau spatial qui décolla, emportant son butin, et qui, intercepté par la police intergalactique, dut atterrir en catastrophe au sommet de l'Ararat…

— Un vaste plateau quasiment sans glace il y a cinq mille ans… Souvenez-vous de ce que nous racontait Enoch dans la nuit des temps. « Je fus enlevé ainsi jusqu'au ciel, et j'arrivai bientôt à un mur bâti avec des pierres de cristal. Des flammes mobiles en enveloppaient les contours. » N'est-ce pas là la description imagée d'une fusée qui décolle ?

— Ridicule, cracha Cécile.

Cortés broncha.

— N'abusez pas de ma patience, docteur Serval. En ce qui concerne vos doutes sur la vigilance d'une police intergalactique, peut-être Noé fut-il victime d'une banale avarie, ou d'une mutinerie… Qui peut savoir ? Après tout, certains conquistadors virent leur trois-mâts coulé par des pirogues ou finirent dévorés par des tribus cannibales.

— Et le Déluge ? Comment votre pillard Noé s'y est-il pris ? Supprimer toute vie sur une planète n'est pas aussi facile que d'inonder l'île de votre Hernán.

— Nous parlons de technologies dont nous ignorons la puissance, docteur Serval. Sans doute avait-on les moyens de modifier les conditions météorologiques, ou tout simplement de faire exploser une bombe. Certains scientifiques expliquent le déluge universel par une légère modification de l'axe du globe, sans doute provoquée par un impact exceptionnel à la surface de la Terre. On peut penser qu'un tel exploit n'est pas très difficile pour des êtres qui maîtrisent une énergie capable de les faire voyager dans l'espace, pas plus difficile que pour Pizarro ou Cortés d'utiliser de la poudre à canon afin de faire sauter des temples précolombiens…

Cécile caressa le torse de Zak. Il peinait à maintenir les yeux ouverts. Elle épongea sur son front brûlant des gouttes de sueur ; la plaie ouverte suintait à nouveau. L'obscurité s'était maintenant totalement installée sur le campement. Les derniers rougeoiements du ciel dessinaient encore pour quelques minutes les courbes de l'Ararat, avant qu'elles ne disparaissent à leur tour. Dans l'herbage, seules se distinguaient les masses sombres des chèvres qui broutaient au loin, indifférentes.

— Vous… vous êtes fou, articula Cécile.

— Peut-être, après tout, fit calmement Cortés. Peut-être pas. Mon hypothèse en vaut bien une autre, non ? Vous n'allez pas me contredire, docteur Serval. Il n'y a qu'un moyen de la valider ou de l'invalider : aller sur le terrain et vérifier ! Votre rapport RS2A-2014 m'a été d'une grande utilité. D'ailleurs, faites preuve d'un minimum de lucidité : si le sommet de l'Ararat n'avait pas une importance stratégique, pourquoi le Parlement mondial des religions vous aurait-il commandé cette étude ? Les grandes religions se sont partagé la planète sur la base d'un mensonge millénaire. Les récits sacrés ont habilement détourné la mémoire de l'humanité. Il suffirait de dévoiler au monde le secret de l'anomalie d'Ararat, une preuve, une seule, de l'origine extraterrestre de toute notre connaissance, pour que tout cet équilibre se rompe.

— Vous… vous…

— Elle est là-haut, docteur Serval. Là-haut, à portée de main. La preuve unique que toutes les religions ne sont qu'un vaste foutage de gueule… (Il se tourna vers le visage fermé d'Arsène.) Si vous ne me croyez pas, demandez au professeur Parella. Son mutisme n'est-il pas plus éloquent que tous les discours ?

106

Mont Ararat, camp kurde, Turquie

Aux pieds de Cortés, allongée contre le cadavre de son mari, la Kurde râlait encore, mâchoire brisée, prise à espaces réguliers de spasmes violents. Son fils, toujours fermement retenu par son grand-père, bandait ses muscles de rage. Cortés laissa Cécile, Zak et Arsène pour s'intéresser à l'enfant. Il pencha son immense carcasse vers le garçon.

— C'est bien, petit, laisse monter la haine en toi. La haine t'aidera toute ta vie. Il n'existe aucun sentiment qui pousse autant au dépassement de soi. C'est une valeur qu'on n'enseigne plus assez.

L'éclat du cadran de sa Rolex scintilla dans la lumière des flammes.

— Mais je ne cesse de parler, et personne n'ose me rappeler l'essentiel.

Il fouilla dans sa poche et en sortit un collier. Celui d'Aman, arraché au cou d'une morte aux yeux verts. Il fit osciller le rond de cuivre, tel un pendule, tenant le bijou par le cordon de cuir. Il s'approcha d'Estêre et d'Aman. La mère et la fille étaient pressées l'une contre l'autre.

— Petites cachottières, dit-il enfin. Ainsi, votre misérable tribu kurde a conservé son secret pendant tous ces millénaires… le secret d'Enoch ! La seule chose que les conquistadors venus du ciel ont laissée sur terre avant de partir. Après avoir pillé la terre et violé les indigènes… Leurs bâtards ! C'est écrit depuis l'aube de l'humanité. Genèse. Chapitre 6. « Les géants, les fils de Dieu, virent que les filles des hommes étaient belles. Ils les prirent pour femmes toutes celles qu'il leur plut ; elles leur donnèrent des enfants. »

Il avança le collier vers la lumière du feu qui éclaira les deux traits gravés en croix dans le rond de cuivre. Un long et un court. Aman semblait hypnotisée par le bijou oscillant au bout des doigts du mercenaire.

— La croix, continua Cortés, je ne vous apprends rien, professeur Parella, représente depuis toujours l'union des forces opposées, en particulier de l'homme et de la femme ! C'est le cas dans presque toutes les religions du monde. Les imbéciles pensent que ce symbole a été inventé par les chrétiens après que Jésus a été crucifié… alors qu'il était utilisé plusieurs siècles, plusieurs millénaires avant qu'on ne cloue ce pauvre prédicateur !

Cortés se tourna alternativement vers Cécile, Estêre et Aman, Arsène Parella, tout en poursuivant son monologue.

— Savez-vous pourquoi les conquistadors, Cortés et les autres, ont pu si aisément exterminer les Aztèques et les Incas ?

Il n'attendit pas la réponse.

— Parce que, avant l'arrivée des Espagnols, les Aztèques honoraient déjà la croix ! On plaçait les nouveau-nés sous sa protection ! Stupéfiant, non ? Les conquistadors n'ont eu qu'à brandir leur propre crucifix pour être accueillis en sauveurs… en dieux !

Il marqua un silence, puis se baissa à la hauteur d'Aman, faisant danser le pendentif devant ses yeux.

— Une croix… certes… mais celle-ci, conservée jalousement par votre tribu, est un peu différente ! Et étrangement proche de celle que les chrétiens vénèrent : une longue branche croisée avec une plus petite.

Il s'approcha d'Aman.

— Alors, ma chérie, tu pourras répondre à cette question toute simple, je suppose. Si la croix qui protège les enfants représente l'union de l'homme et de la femme, que représente une croix dissymétrique, un grand et un petit trait ?

La pièce de cuivre, tournoyant près des flammes, passait de l'ombre à la lumière puis de la lumière à l'ombre. Cortés triompha.

— L'union d'un géant avec une humaine, bien entendu ! C'est tellement évident quand on y pense ! Cette croix, accrochée au-dessus de millions d'églises partout dans le monde, au-dessus des tombes, des lits nuptiaux, à chaque coin de rue… Comme une gigantesque blague ! La preuve même qu'il n'existe pas un Dieu, mais juste des barbares un peu plus évolués que d'autres, et qui en profitèrent pour raconter deux ou trois légendes, exécuter deux ou trois tours de magie, le temps de voler aux races inférieures leurs richesses… et leurs femmes.

Le mercenaire se remit à rire.

— Vous ne croyez pas les hommes aussi crédules ? Alors réfléchissez à ce simple fait : aujourd'hui, en Amérique latine ou en Afrique, des milliards d'êtres humains sont chrétiens, ou musulmans, simplement parce qu'il y a quelques siècles une poignée de missionnaires ont baratiné leurs ancêtres pour mieux les réduire en esclavage ! Eh bien, ces barbares évolués, appelez-les comme vous voulez, Nephilim, anges ou extraterrestres, n'ont rien fait d'autre avec notre pitoyable humanité à l'âge des cavernes.

D'un geste brusque, Cortés jeta le collier dans le feu, puis il lança un regard dédaigneux sur le corps immobile de Zak. La main de Cécile, posée sur sa poitrine, bougeait à chaque respiration. Le mercenaire hocha la tête puis s'immobilisa face à Arsène Parella.

— Mais je parle, je parle… et j'en oublie que nous devons nous lever tôt demain matin. (Il leva les yeux vers le sommet de l'Ararat, perdu dans la nuit.) Je suis vraiment désolé, professeur, mais je vais être contraint de vous demander un service. Je dois reconnaître mon erreur, j'ai eu la gâchette trop facile il y a quelques heures, je n'aurais pas dû tuer votre fils aîné… Je n'y ai pas pensé sur le moment, mais il est monté sur le sommet de l'Ararat près d'une quarantaine de fois, il était incontestablement le meilleur des guides possibles. Cela dit, quelle idée aussi de se coincer sous un 4×4…

Arsène ne cilla pas. Son visage de marbre ne laissait transpirer aucun autre sentiment qu'un mépris profond. Cortés enchaîna :

— Dans son état, impossible de compter sur Zak Ikabi pour me guider à plus de cinq mille mètres. Il ne reste que vous, cher Arsène… (Le tissu du turban se plissa sous la tension de son sourire de dément.) Je me suis renseigné, professeur, vous ne possédez pas seulement une connaissance théorique du mont Ararat. Vous l'avez gravi des dizaines de fois… Il y a des années, certes, mais ces choses-là ne s'oublient pas !

— Hors de question ! s'écria Cécile.

Arsène Parella avança le bras vers la chercheuse pour la calmer. Il ne put cette fois retenir ses larmes, elles se perdirent dans le labyrinthe de ses rides.

— Allons, docteur Serval, insista Cortés. Une bonne marche ne va pas tuer votre vieux professeur. Des centaines de touristes grimpent chaque année en haut de l'Ararat et la plupart sont bien moins en forme que lui. Voulez-vous m'obliger, pour le convaincre, à tuer ces pauvres Kurdes les uns après les autres ?

— Vous le ferez de toute façon ! cracha Cécile.

— Un peu plus tard. Et, qui sait, si je trouve là-haut l'objet de mon désir, je serai peut-être clément… J'aurai besoin de témoins crédibles.

Au moment où Cécile allait répliquer, Arsène Parella posa sa main avec tendresse sur son épaule et s'exprima d'une voix claire et calme :

— Nous partirons à 5 heures du matin. Chaque homme devra disposer d'un piolet et de crampons pour franchir les névés, ainsi que de cordes, de fusils pour signaler sa position en cas de brouillard… Une fois au sommet, nous y resterons quinze minutes au grand maximum.

Cortés se redressa.

— Vous voyez, docteur Serval, le professeur Parella est beaucoup plus raisonnable que vous. Vingt hommes monteront avec moi, Arsène Parella, et cinq bergers. Zeytin restera au campement avec les quinze autres hommes, le reste des Kurdes et leur famille, ainsi que Zak Ikabi et vous.

107

Mont Ararat, camp kurde, Turquie

Le feu mourait lentement au centre du camp. Les corps de Ferhad et de sa femme Mydia avaient été recouverts d'un tissu sombre. Les bergers dormaient sous de grandes tentes ouvertes se réduisant à de longs rectangles de poils de chèvre tissés posés sur trois pieux de bois. Le froid intense dévorait maintenant chaque portion de chair nue dépassant des couvertures de laine. Les gardes de Cortés tournaient sans cesse, par groupes de deux, kalachnikov à l'épaule, autant pour surveiller leurs prisonniers que pour se réchauffer.

Cécile grelottait. Estêre, la mère d'Aman, couchée à côté d'elle, avait proposé de lui prêter sa couverture. Par fierté, Cécile, emmitouflée dans son anorak, avait refusé.

Idiote, jusqu'au bout !

Pendant près d'une heure, Estêre, aidée d'Aman, avait appliqué sur la plaie de Zak des onguents composés d'herbes de la montagne. Les gardes de Cortés les avaient laissées faire en haussant les épaules.

« Elles guérissent les morsures de loup », avait confié Estêre sur le ton de la plaisanterie.

Elle parlait un français approximatif, appris jadis par Arsène Parella et ses fils.

« Il faut qu'il se repose », avait conclu Estêre.

Elle avait pris la main de Cécile.

« Il va vivre, mademoiselle. Ne vous inquiétez pas. Il se réveillera bientôt. »

Arsène Parella dormait dans une autre tente avec les cinq bergers kurdes désignés pour monter au sommet de l'Ararat. Les plus jeunes et les plus forts, sélectionnés avec soin par Cortés.

Cécile se retourna une nouvelle fois, frigorifiée, incapable de trouver le sommeil. À trois mètres d'elle, à hauteur de son regard, les bottes de deux gardes martelaient l'herbe rase. Plus haut, une myriade d'étoiles s'accrochait au ciel, presque à portée de main. Des souvenirs d'enfance la submergeaient, les longues nuits d'été où son père lui apprenait à repérer les constellations. Orion, Andromède, la Couronne australe… Elle n'avait pas dix ans alors. Avec le temps, les étoiles étaient devenues ses compagnes. Cécile ne s'était pas sentie aussi proche d'elles depuis sa dernière expédition près du Pôle. Il y avait de cela une éternité. Les doigts tremblants de Cécile tracèrent les lignes imaginaires reliant les astres pour composer les constellations. Le Grand Chien, le Navire Argo, la Lyre… La Licorne évidemment, au carrefour de l'Équateur céleste et de la Voie lactée. Pour la repérer, il suffisait de dessiner un triangle entre trois des étoiles les plus lumineuses de la voûte céleste, Sirius, Procyon et Bételgeuse. Trois étoiles qui, depuis la nuit des temps, symbolisaient la fortune… Les marins perdus, les explorateurs inquiets, les amoureux transis imploraient leur protection, plaçaient leur espoir dans le soutien que leur accorderait ce triangle d'or situé à des milliers d'années-lumière.

Quelle dérision, si l'on y pensait ! Comment s'empêcher d'y croire, pourtant ?

Comment ne pas faire confiance à ces constellations, à ces étoiles qui semblaient.si proches ? La terre n'était qu'une île, minuscule. D'autres rivages existaient, forcément, au-delà de l'océan galactique. Seuls les imbéciles ne pouvaient l'admettre. Il y a des milliards d'étoiles dans notre galaxie et des milliards de galaxies, pensa Cécile. Dix mille étoiles pour chaque grain de sable présent sur terre, avait-elle lu quelque part. Il existait forcément des centaines de milliers de planètes dans l'univers susceptibles d'abriter la vie, même les scientifiques les plus sceptiques étaient d'accord. C'était l'inverse, l'absence de signal d'une autre vie intelligente quelque part dans l'univers, qui constituait une énigme pour les savants.

Mon Dieu, grelotta Cécile. Et si Cortés disait vrai…

La main d'Estêre se referma sur son poignet :

— Ça ira, Estê…

— Chut, mademoiselle, murmura Estêre. Chut, ne bougez pas, écoutez-moi juste. Nous pouvons tenter quelque chose. C'est risqué, mais je crois qu'Aman peut y parvenir…

Cortés se tenait à une dizaine de mètres du camp. Zeytin, à ses côtés, faisait courir sur l'herbage désert le faisceau d'une puissante lampe.

— Demain matin, Zeytin, quand nous serons partis pour l'ascension avec Parella et les quelques hommes kurdes, rassemble tous les autres habitants du campement.

— Tous les témoins ? demanda Zeytin avec gourmandise.

— Tous les témoins ! Tu les exécuteras discrètement.

— Les Français aussi ? Serval et Ikabi ?

— Aussi.

Zeytin promena la lumière de sa torche au hasard. Il surprit deux chèvres unicornes dans leur sommeil, à l'abri d'un amas rocheux. Les animaux clignèrent des yeux étonnés. Le mercenaire se fit la réflexion que le nombre d'individus dans la confidence du secret de l'Ararat tendait à diminuer de plus en plus rapidement. *Ce putain de théorème de Cortés*… Comme si la valeur du secret augmentait en fonction du nombre d'initiés éliminés. Il ne poussa pas l'idée plus loin, ce genre de raisonnement lui collait la frousse.

— Quand ? demanda encore Zeytin.

— Laisse-nous une avance d'au moins deux heures afin de nous assurer la collaboration sincère des bergers kurdes et du professeur Parella.

La torche de Zeytin chercha à réveiller d'autres chèvres, rien que pour le plaisir. Le mercenaire souffla, doublement satisfait. D'abord de ne pas avoir à monter au sommet de l'Ararat et de se tenir loin de cette satanée malédiction que Cortés allait y réveiller. Ensuite de disposer d'une bonne vingtaine de civils, comme autant de jouets entre ses mains expertes.

108

Mont Ararat, camp kurde, Turquie

Le corps mince et souple d'Aman rampa devant la tente, sur environ deux mètres, avant de s'immobiliser dans l'ombre. Les gardes venaient de passer et lui tournaient le dos. Elle observa un instant les ombres, comme si elle recherchait la présence rassurante des chèvres unicornes. De la sienne, au moins, de Leka.

— On l'a enterré au milieu du camp, expliqua Estêre dans le creux de l'oreille de Cécile.

Aman creusait la terre meuble. Cécile tremblait, les gardes allaient repasser devant leur tente dans quelques minutes. Le sourire confiant d'Estêre la rassura. Une seconde plus tard, Aman se faufilait à nouveau sous la tente. Les doigts noirs de terre, elle tendit à Cécile un téléphone enveloppé dans un sachet plastique transparent. Cécile bafouilla un remerciement pendant qu'Estêre chuchotait.

— Les hommes de Cortés ont volé tous les téléphones. Ils ont fouillé les tentes. Mais nous ne sommes pas stupides. On capte bien sur l'Ararat ! (Estêre se fit presque implorante.) Mademoiselle, il faut appeler quelqu'un. Ils vont tous nous tuer.

Appeler quelqu'un ?

Qui ? pensa Cécile, affolée. Qui ? La police ? L'armée turque ? Ridicule ! Aucune troupe n'accepterait de se déplacer à trois mille neuf cents mètres d'altitude pour secourir une tribu kurde fantôme sur la seule foi d'un message téléphonique… Zak, allongé à côté d'elle, fut saisi d'un spasme. Son demi-sommeil était de plus en plus agité, Cécile se forçait à y voir un signe positif.

La chercheuse glissa soudain le portable sous la toile pendant qu'Estêre et Aman se couchaient sur le flanc. L'instant suivant, deux ombres armées masquèrent les étoiles. Le cercle lumineux de la torche glissa sur elles, sans s'arrêter, comme une goutte d'eau sur une vitre.

Les bruits de pas s'éloignèrent.

Cécile avait pris sa décision. Sous la couverture, à la lueur de l'écran, ses doigts dansèrent sur le clavier tactile. Estêre l'interrogeait du regard. Cécile chuchota en tapant son message.

— J'ai travaillé avec le Parlement mondial des religions, pour le rapport RS2A-2014, pendant plus de six mois. J'ai été en contact direct avec leur président, Viorel Hunor, un orthodoxe roumain. J'ai une bonne mémoire, je connais son numéro. Il nous a déjà sauvés une fois. Désolée, Estêre, je n'ai rien de mieux à proposer. Ils sont notre seule chance, à condition de tout révéler…

Alors qu'elle pianotait sur le clavier, Zak marmonna un grognement incompréhensible dont Cécile ne parvint à isoler aucun mot. Il délirait ! Cécile lui caressa le front pour l'apaiser en relisant son message.

Cécile Serval. Arsène Parella. Mont Ararat. Camp kurde. Aux mains tueurs azéris. Tout compris. Noé = Cortés. Sommes danger mort.

Elle ajouta la série de chiffres qu'elle connaissait par cœur.

39° 45' 41.96" N

44° 18' 36.54" E

Zak gémit encore. Cécile massa ses tempes pendant que son pouce appuyait sur la touche verte.

Message envoyé.

Elle atténua de la paume le carillon électronique indiquant le départ du texte, l'imaginant aussi puissant qu'une sirène dans le silence nocturne.

Rien ne bougea.

Les gardes repassèrent, plusieurs fois.

Ronde interminable.

Cécile ne dormait pas.

Quelques longues minutes plus tard, peut-être quelques heures, des gardes repoussèrent bruyamment à coups de crosse deux chèvres qui tentaient de s'approcher pour se réchauffer aux cendres du feu de camp. Ils rirent bruyamment comme des soudards éméchés. La voix sourde de Zeytin les rappela à l'ordre puis le camp retomba dans le silence. Le froid grignota à nouveau la peau de Cécile. La main brûlante de Zak se glissa sous son anorak, sous son pull polaire, et se posa sur sa poitrine.

Il se colla à elle.

Elle finit par succomber au sommeil, persuadée de mourir gelée dans la nuit.

109

Église Sainte-Marie de Thornbury,
Melbourne, Australie

Les six énormes seins des trois blondes tendaient le tissu élastique de leurs tops moulants à chaque fois qu'elles montaient d'une octave. À en faire craquer les coutures.

Why should I be discouraged
And why should the shadows fall

Leurs longues jambes nues sous leurs jupes ultra-courtes ondulaient au rythme de l'orgue.

When Jesus is my portion
My constant friend is He

Les trois fidèles paroissiennes assuraient depuis des années la chorale de l'église catholique Sainte-Marie de Thornbury en chantant le gospel à gorge déployée… l'expression n'était pas usurpée !

Viorel Hunor soupira, résigné. On aurait dit trois sœurs, mais il s'agissait en réalité d'une mère et de ses deux filles… peut-être vierges, mais pas vraiment immaculées ! Plutôt le modèle bronzé… sans la marque du maillot.

Viorel Hunor s'efforçait de ne pas seulement assister aux messes orthodoxes organisées par la communauté grecque de Melbourne, la plus importante au monde après celle de Chicago. Melbourne tenait à sa réputation œcuménique et le métropolite surfait entre les offices des Églises arménienne, apostolique, catholique, copte et anglicane. Depuis quelques mois, il traînait les pieds pour se rendre aux offices catholiques… Certaines Australiennes assistaient à la messe pour ainsi dire en bikini. Compte tenu de la raréfaction des fidèles, le curé de Sainte-Marie n'imaginait pas leur refuser l'entrée. Bientôt, il en viendrait à ériger des chapelles sur la plage de Saint Kilda.

— Excusez-moi, mesdemoiselles, fit Viorel Hunor dont la soutane noire frôla une rangée de jambes cuivrées.

Son téléphone venait de vibrer dans sa poche.

Les trois blondes continuaient de hurler leur karaoké liturgique lorsqu'il referma avec soulagement la porte de l'église. Il se retrouva au cœur de Collins Street, au milieu d'une foule bigarrée arpentant la rue piétonne et ses enseignes commerciales universelles. Il extirpa le téléphone de sa poche avec une dextérité d'homme d'affaires et lut le SMS.

Aussitôt, Collins Street sembla se figer autour de lui.

Un message de Cécile Serval.

Cette petite sotte de chercheuse française lui servait toutes les informations sur un plateau, y compris les coordonnées géographiques, au degré près, de ce campement kurde fantôme qui se fondait depuis des années dans les basaltes de l'Ararat. La seule pièce qui manquait pour mettre en branle l'engrenage du protocole AHORA.

Des piétons pressés le bousculèrent, certains s'excusant, d'autres s'énervant de le voir rêver ainsi au milieu de la chaussée.

Viorel Hunor relut le message de Cécile Serval. Un type en sueur qui courait torse nu le rasa.

Camp kurde.

Aux mains tueurs azéris.

Sommes danger mort.

Combien de personnes habitaient dans ce camp kurde ? Combien d'enfants ? Combien de femmes ? Combien d'heures de prière lui faudrait-il pour expier ? Jamais, lorsqu'il avait confié sa vie à l'Église, à une époque où Ceausescu n'était encore qu'un apprenti cordonnier, jamais il n'aurait imaginé que son devoir lui imposerait un jour de condamner à mort des êtres humains.

Les condamner pour éviter que des millions ne meurent.

Viorel repensa brièvement au chantage de Zak Ikabi, le vol des fragments secrets du Livre d'Enoch, sa menace de les révéler au grand public… S'il ne bluffait pas, les Églises du monde devraient se fendre de démentis, la main sur le cœur, dépenseraient sans compter pour prouver qu'il ne s'agissait que d'un canular, allumeraient des contre-feux pour que l'actualité mondiale se tourne vers d'autres urgences… Il serait infiniment plus aisé de nier la véracité d'écrits millénaires que de neutraliser l'effet d'une preuve matérielle cueillie au sommet de l'Ararat. Une preuve capable de faire tomber le masque des religions aussi brutalement qu'un enfant qui, un soir de réveillon, surprend ses parents à la place du père Noël. En quelques minutes basculeraient des siècles de lentes constructions cléricales, de rituels sacrés, de lieux saints, de contrôle social, de morale, de cérémonies ponctuant la naissance, la mort, l'amour… Le chaos. La désespérance pour des milliards d'humains.

Impossible !

Impossible, bien entendu.

C'est pour cela qu'il avait été élu à la tête du Parlement mondial des religions.

Pour son intransigeance.

Viorel Hunor se trouvait encore dans Collins Street lorsque la porte de l'église Sainte-Marie de Thornbury s'ouvrit sur des fidèles endimanchés. Les plus jeunes et les moins vêtues des bigotes se précipitèrent vers d'autres enseignes, de vêtements, de parfums et de restauration rapide.

Les religions ne sont plus que des marques, pensa Viorel Hunor. Des multinationales qui se partagent le monde.

Il laissa passer la foule et s'écarta jusqu'au porche vert pelouse d'United Colors of Benetton. Il composa le numéro de téléphone de la ligne sécurisée, puis se contenta de taper cinq lettres sur son portable.

AHORA.

110

Mont Ararat, camp kurde, Turquie

La douleur intense réveilla Cécile en sursaut, comme si on lui déchirait le ventre.

La première chose qu'elle entendit et vit fut un rire démoniaque et une semelle de cuir tachée. Le mercenaire semblait beaucoup s'amuser à réveiller les bergers kurdes à coups de botte. Zak, Estêre, Aman subirent le même sort.

— Debout ! hurla Zeytin. Vous n'avez pas honte de faire la grasse matinée alors que votre professeur a chaussé les crampons depuis près de deux heures ?

Un soleil rouge affrontait déjà le sol gelé en un duel thermique matinal. Cécile se frotta les yeux et observa le camp. La tente d'Arsène était vide, et avec lui avaient disparu ses compagnons de chambrée, les sacs de matériel ainsi que Cortés et la moitié de ses hommes.

Zak s'étirait. Il inspecta ses côtes meurtries du bout des doigts, le visage apaisé, visiblement reposé. Estêre cligna un œil complice à Cécile…

La vertu magique de ses plantes.

Zak se leva et grimaça en tentant de prendre appui sur sa jambe gauche.

— Doucement, recommanda Estêre. Tu ne vas pas courir jusqu'en haut de l'Ararat après ce salopard de Cortés.

Cécile l'aida à garder son équilibre. La chercheuse accrocha un large sourire à ses lèvres, observa avec méfiance les groupes de mercenaires occupés à partager dans des gobelets de fer une casserole de café frémissant, puis se pencha vers l'oreille de Zak.

— Ils nous retiennent en otage, ils sont nombreux et armés… Mais il nous reste une chance infime. Pendant que vous déliriez cette nuit, j'ai prévenu Viorel Hunor.

Zak se redressa. Il roula des yeux horrifiés qui firent frémir Cécile, puis saisit les deux épaules de la chercheuse et s'adressa à elle comme à une gosse maladroite.

— Nom de Dieu, Cécile, c'était la dernière chose à faire !

Pour ne pas attirer l'attention des mercenaires, Cécile se retint de lui jeter à la figure une salve de contre-arguments ; qu'il était un peu facile de se réveiller et de s'insurger contre son initiative, que si Estêre et elle n'avaient pas été là…, qu'elle connaissait sans doute Viorel Hunor mieux que lui… que…

Estêre coupa le fil de ses pensées.

— Ils ont tracé une ligne…

La petite Aman sanglotait à côté d'elle, Estêre mit une éternité à terminer sa phrase.

— Une… une ligne droite dans la terre… Là-bas, près de la brèche.

Tous se retournèrent. Muets.

Pendant la nuit, les hommes de Cortés avaient creusé dans le sol gelé une longue tranchée rectiligne d'une vingtaine de mètres. Plusieurs hommes, face au sillon, essuyaient le canon et la crosse de leurs armes, humides de rosée, conversant comme s'ils cherchaient la meilleure position.

Tous pensèrent à la même chose.

Un peloton d'exécution.

Derrière eux, la voix de Zeytin les glaça :

— Vous avez découvert votre surprise ? Charmante attention de notre part, non ? Je vous en prie, approchez-vous, il y aura de la place pour tout le monde.

Le campement se composait de quatre hommes plutôt âgés, de sept femmes et de treize enfants, dont Aman. Zeytin disposait d'une quinzaine d'hommes, tous armés.

— Au départ, commenta le bras droit de Cortés, j'avais pensé vous brûler vifs. Mais Cortés m'a fait remarquer que le brasier se serait vu de trop loin. Dommage… Nous allons donc nous contenter de vous abattre à l'ancienne, à la kalachnikov.

Il éclata d'un rire satisfait, comme si, en l'absence de Cortés, il se sentait obligé de s'exprimer avec le même cynisme.

— Je ne suis pas certain que l'armée turque vous aurait traités avec une telle délicatesse.

Cécile n'écoutait plus. Elle tentait de faire le vide dans sa tête afin d'échafauder les stratégies possibles. Peine perdue. Toutes se réduisaient à une seule.

Fuir.

Courir dans tous les sens, tous ensemble. Les tueurs de Zeytin les tireraient comme des lapins, mais peut-être qu'un ou deux d'entre eux s'en sortiraient.

Un enfant.

Tout sauf se laisser mener à l'abattoir sans rien tenter.

Dans la clarté du matin, on disposait d'une vue panoramique sur toute la plaine de Dogubayazit, trois mille mètres plus bas. L'Iran, la Turquie et l'Arménie ensevelis sous la même poussière ocre.

— Assez traîné, décréta Zeytin.

Les mercenaires armèrent leurs fusils d'assaut. Aucun Kurde ne bougea. Seule Estêre s'avança au centre du camp. Elle se planta dans les cendres froides du feu, puis prononça quelques mots d'une voix claire, sans doute en kurde ou dans un dialecte proche. Ni Cécile ni aucun milicien n'en comprirent le sens. Seul Zak réagit et saisit Cécile par la taille. Ses lèvres bougèrent à peine lorsqu'il lui glissa à l'oreille :

— Contentez-vous de les imiter.

Zeytin, méfiant, n'eut pas besoin de jouer de son autorité. Étrangement docile, la tribu de bergers se dirigea vers la tranchée creusée par les hommes de Cortés. Lentement. Religieusement, pour ainsi dire. Tous murmuraient les mêmes paroles incompréhensibles.

Ils récitent une prière funèbre, pensa Cécile.

Zak la pressait de se joindre au groupe. Elle céda. Ainsi, ces bergers kurdes allaient se laisser fusiller en se contentant de psalmodier la gloire de divinités sourdes et incompétentes, anges célestes ou diables au chaud dans les entrailles du volcan.

Tirés comme des lapins.

Et elle avec.

Cécile jeta un dernier regard autour d'elle. À l'exception des hommes de Zeytin disposés de façon à quadriller le terrain, l'immense steppe était déserte. Seules les chèvres unicornes, entre deux maigres chardons à brouter, observaient, étonnées, le manège des humains. Aman chantait aussi à présent, ainsi que les autres enfants kurdes, en tenant la main de sa mère.

— Faites comme eux, Cécile, supplia Zak. Répétez leurs paroles.

— Sans… sans rien tenter ?

— Si, Cécile… Prier…

Les bergers kurdes s'alignèrent. Paresseusement, les hommes de Zeytin se positionnèrent face à eux. Indifférents, comme s'ils n'exécutaient qu'un travail de routine. Les chargeurs que l'on enclenche claquèrent. Le métal des canons brilla. Cécile ne put s'empêcher de lever les yeux au ciel, attendant le miracle, que quelqu'un en descende, n'importe qui, les anges déchus, Enoch, Viorel Hunor…

Le ciel demeurait d'une pureté désespérante.

Pour couvrir les prières kurdes, Zeytin hurlait des ordres.

111

Sommet du mont Ararat, Turquie

Dans l'étroit couloir d'éboulis, au gré des variations de l'inclinaison de la pente, la colonne de vingt-cinq hommes s'étirait ou se rétractait, tel un collier élastique de perles multicolores. Les couleurs vives des vestes polaires et des sacs à dos contrastaient avec l'immensité noire et blanche.

— Les nappes de brouillard vont maintenant devenir plus denses, prévint Parella d'une voix monocorde.

Cortés, le visage couvert d'une cagoule noire, emboîtait le pas du professeur. Derrière eux, la rangée d'hommes s'étirait sur une quarantaine de mètres. Cortés relaya l'information vers Ahmet qui le suivait. Depuis son réveil, Parella faisait preuve d'une coopération résignée, qui se limitait à donner des ordres avec la précision d'un chirurgien blasé. Cortés savourait le dilemme dans lequel il avait enfermé le professeur. Celui-ci, en coopérant, croyait épargner ses compagnons… Des compagnons que Zeytin, à cette heure, devait déjà avoir exécutés.

Un vent froid cinglait leur visage. Avant de partir, Parella avait égrené mécaniquement la liste du matériel à emporter : collants chauds, anoraks, bonnets et gants de ski, crampons, cordes, comprimés anti-mal des montagnes…

Cortés n'en demandait pas plus à Parella. Au retour, il l'exécuterait, comme les autres.

L'ascension demeurait aisée, même si la voie devenait moins large et si la pente se raidissait progressivement. L'herbe avait maintenant complètement disparu. La neige s'accumulait au pied des roches basaltiques, parfois lisses comme un miroir, parfois piquées de myriades d'alvéoles. Cortés consulta son altimètre. On approchait des cinq mille mètres…

Le vent soufflait de façon continue, soulevant des flocons de neige épars. La plupart des hommes avaient chaussé des lunettes de ski. Entre eux et la plaine qui s'étendait à perte de vue, trois mille mètres plus bas, des nappes de brouillard flottaient, comme en apesanteur. Parella marmonna :

— Impossible de garantir qu'on pourra monter jusqu'en haut. Le brouillard devient imprévisible à cette altitude.

Cortés pesta. Que le vieux ne s'amuse pas à lui jouer un tour ! Il n'était pas du genre à croire la nature capable de se liguer contre eux pour refuser de livrer le secret de l'Ararat. Ils continuèrent, silencieux.

De longues minutes plus tard, Parella ralentit l'allure. Il fouilla son sac et en sortit une Thermos.

— Même s'il fait un froid glacial, commenta le professeur, il ne faut jamais cesser de s'hydrater.

Le vent violent empêchait d'entendre à plus de cinq mètres les conseils du professeur. Cortés demanda que l'on transmette les consignes d'homme à homme. Les lourdes chaussures de Parella s'enfonçaient dans la fine couche de neige. Il repartait déjà, conservant une allure lente mais régulière. Visiblement, le vieux professeur n'était pas gêné par la raréfaction de l'oxygène. L'expérience de la haute montagne, sans doute. Cortés, à l'inverse, sentait son rythme cardiaque s'accélérer. Il se força à se concentrer sur chaque pas, sur chaque inspiration, pour éviter que l'excitation ne prenne le pas sur toute autre pensée.

Le sommet n'était plus qu'à quelques centaines de mètres. Le vent incessant l'enivrait. Désespérant de se faufiler par ses poignets ou ses chevilles, le souffle enveloppait ses lèvres, ses yeux, baignant l'atmosphère d'un flou irréel. Le grand névé apparut presque par surprise derrière une nappe de brouillard qui s'ouvrit devant eux avec l'élégance d'un rideau de théâtre.

Tous s'immobilisèrent. Ils connaissaient les consignes. La seule difficulté de l'ascension de l'Ararat, toute relative, consistait à gravir les derniers deux cent trente mètres de dénivelé sur les flancs d'un glacier. Il fallait chausser les crampons et s'encorder, même si la pente n'était pas très raide. Le principal risque n'était pas de dévisser, mais de s'égarer dans le brouillard aux mouvements imprévisibles. Les accidents mortels sur l'Ararat n'avaient jamais pour cause des chutes, mais la disparition de touristes imprudents se séparant un instant du groupe et ne le retrouvant jamais.

Plus que quelques dizaines de mètres.

Le glacier écorché s'infléchissait à présent sous leurs pieds.

— Il y a moins de brouillard au sommet, précisa Parella en tirant sur le lien qui l'attachait au reste de la cordée. Nous n'y resterons pas plus de quinze minutes. Le vent a l'avantage de disperser la brume, mais vous frigorifie sans même que vous vous en rendiez compte.

Dix derniers mètres.

Ils s'agglutinèrent au sommet, s'immobilisant un à un. Devant leurs yeux stupéfaits s'étendait à perte de vue le Kurdistan, et bien au-delà l'Arménie, l'Iran et la Turquie.

Un mercenaire russe tendit la main vers le nord.

— L'Elbrouz !

Parella consulta sa montre. Cortés, d'un doigt ganté, déclencha le chronomètre à son poignet, puis il leva les yeux. Il se figea soudain, incapable de croire ce qu'il voyait. Devant lui, bouchant l'horizon, se dessinait une pyramide, noire, aux formes géométriques parfaites.

Le triangle gigantesque recouvrait la plaine.

Cortés trembla malgré lui. Quelque chose dérapait. Il ne comprenait plus.

Était-il victime d'une monumentale hallucination ?

112

Ankara, Turquie

Les flûtes indiennes du deuxième mouvement de *La Symphonie du Nouveau Monde* couvraient depuis quelques secondes les cordes des violons.

Le téléphone sonna à cet instant précis.

5 h 03

Veysel Erogun, le chef des services secrets turcs, s'endormait toujours en programmant une compilation symphonique de plusieurs heures. Il se plaisait à imaginer que la musique classique puisse repousser ses pires cauchemars.

Il s'empara du téléphone avant que Lamia ne se réveille.

Trois clics.

Il lut.

Cinq lettres.

Il se dressa dans le lit, incapable de tout autre geste, laissant les lentes vagues de l'adagio noyer ses pensées.

Cinq lettres.

AHORA.

Il transpirait à présent. Ce n'était pas la première fois que Veysel Erogun allait commanditer un assassinat au nom de la raison d'État, mais jamais il n'avait ordonné un crime de cette ampleur.

Autant de civils.

Il alluma la lampe de chevet.

Lamia grogna – la musique, la lumière, le bruit…

Veysel ne voyait d'elle que son dos nu. À près de soixante ans, il continuait d'adorer le dos de sa femme. Son visage s'était ridé, sa poitrine s'était doucement affaissée, son ventre s'était plissé… Mais il avait continué d'adorer le dos de Lamia, allongée sur une plage d'Anatolie, sertie dans une longue robe lors d'un dîner officiel…

Collé à lui dans le lit.

Il caressa la colonne vertébrale de Lamia pour qu'elle retrouve le sommeil, de la nuque jusqu'aux fesses. Elle se tordit dans les draps, partagée entre inconscience et plaisir.

De l'autre main, Veysel Erogun tapa d'un doigt un court message sur l'écran tactile de son iPhone.

Faruk Yildin, le ministre turc de la Défense nationale, aimait se lever tôt et lire pendant une heure. Il dévorait un roman, entre 5 et 6 heures du matin, lorsque tout le monde dormait dans son immense villa, puis épluchait les journaux internationaux dès qu'on les lui apportait. Depuis le début de la semaine, il était plongé dans les rocambolesques aventures de Kéraban-le-Têtu. Ce sultan de pacotille imaginé par Jules Verne, qui refusait de payer une taxe pour la traversée du Bosphore et préférait contourner le détroit en faisant le tour de la mer Noire, le faisait mourir de rire !

Le téléphone sur la table basse, posé entre son paquet de Marlboro et un jus de fruit pressé, vibra contre le verre.

Faruk Yildin grimaça. Il détestait être dérangé pendant cette heure bénie. Il hésita même à répondre. Ministre d'État à trente-huit ans, tous les médias le prenaient pour un arriviste brûlant les étapes, alors qu'il n'était au fond qu'un romantique dépassé par les événements. Il prit le temps de terminer son chapitre, puis laissa à contrecœur l'irascible Kéraban au bord de l'hystérie, tira une bouffée de blonde et se pencha vers cette invention du diable capable de vous relier aux tumultes du monde jusqu'aux confins de l'univers.

La fumée se bloqua dans sa gorge. Il toussa à en réveiller ses six enfants.

Un seul mot

AHORA.

Tous les détails de ce putain de protocole étaient conservés dans le coffre de son bureau, mais il en connaissait par cœur les modalités. Elles avaient été négociées bien avant qu'il ne soit nommé à ce poste, par un prédécesseur qui s'occupait également de la sécurité intérieure et des cultes. Faruk Yildin avait été stupéfait de découvrir au bas du protocole AHORA les paraphes de plusieurs imams, des représentants des religions aléviste, yârsâniste et yézidiste, ces cultes des anges auxquels les Kurdes s'accrochaient… et le président de la République turque lui-même ! Un vieux deal entre l'État laïque et les religions de la région.

Et après cela, on allait raconter que la Turquie n'était pas une république consensuelle !

Il se prit la tête entre les mains et se donna le temps de la réflexion. Dans ce protocole, il n'était qu'une des courroies de transmission, celle du gouvernement. La décision revenait au chef des services secrets, Veysel Erogun, et l'application, à l'état-major de l'armée. Le reste, le nombre de morts et le nom des têtes brûlées qu'il faudrait sélectionner pour exécuter avec discrétion le massacre, les motifs archaïques d'un tel déploiement de force, il ne souhaitait en aucun cas les connaître.

Il entendit du bruit à l'étage.

Il repensa à sa maudite quinte de toux.

Foutu !

Les gosses allaient descendre, grimper sur ses genoux, se transformer en dictateurs hauts comme trois pommes et réclamer câlins, bols de céréales et DVD… Il rangea avec prudence *Kéraban-le-Têtu* sous la table du salon, empoigna le téléphone et se dirigea vers son bureau pour s'y enfermer.

Le général Ağar chevauchait avec une raideur toute militaire sa svelte et sportive aide de camp. Il tenait à ce qu'Ajda, de trente-trois ans sa cadette, n'ait aucun motif de se plaindre d'avoir choisi comme amant le doyen de la garnison, et mettait un point d'honneur à la faire jouir trois fois par nuit, deux fois le soir et une le matin. À cinquante-neuf ans, le général Ağar pouvait se vanter de conserver une érection à satisfaire le harem de Topkapi… et ce n'est pas le joli petit cul bronzé de son aide de camp qui allait lui couper la bandaison.

Le téléphone sonna.

Ağar s'en moqua. La brunette, à quatre pattes sur le matelas beige, s'accrochait aux barres de fer rouillées du lit de camp, les muscles des bras et des cuisses tendus par l'effort… Ajda avait une nette préférence pour la levrette, Ağar n'avait rien contre, même si une petite voix dans sa tête lui soufflait que sa jeune maîtresse préférait les positions qui lui évitaient la vue imprenable sur le gros ventre flasque du général gigotant au rythme de son va-et-vient.

Le téléphone insistait.

Ağar jura, accéléra la foulée. Ajda tenait la cadence, la garce avait de l'endurance. Le général ahanait. Après la dernière courbe, une longue ligne droite, en sprint s'il vous plaît !

Toujours ce putain de téléphone. Ağar se pencha, colla son ventre mou comme un sac de linge sale sur les fesses de la belle pour regarder par-dessus sa chute de reins.

Nom de Dieu !

Cinq lettres s'affichaient sur l'écran tactile.

Sa légendaire vigueur se mua en un ersatz de baudruche crevée…

AHORA.

Ajda se retourna et grimaça une moue furieuse de gamine attendant la friandise promise. Ağar l'envoya valser sur le côté du lit.

AHORA…

Le général s'assit au bord du lit. Son ventre dégoulina sur ses cuisses poilues.

5 h 11, indiquait le réveil sur le chevet.

Il connaissait parfaitement la suite macabre des événements. Dans les minutes qui allaient suivre, il allait devoir trouver parmi les trois mille cinq cents gradés qui dirigeaient l'armée turque un homme suffisamment nourri de haine, froid comme un serpent et malin comme une anguille, pour diriger un commando qui exécuterait sans état d'âme des dizaines de civils kurdes.

Hommes, femmes, enfants.

113

Sommet du mont Ararat, Turquie

Le vent violent du sommet de l'Ararat aveuglait Cortés, givrant sa cagoule, soulevant puis plaquant ses paupières comme des volets battants. Le mercenaire ôta ses lunettes pour mieux scruter le miraculeux triangle noir qui continuait de le narguer, s'étendant sur des kilomètres, posé dans le vide comme un nuage qu'un dieu aurait tracé à la règle.

Cortés éclata soudain de rire. Il venait de comprendre : il contemplait l'Ararat ! La pyramide n'était en réalité que l'ombre immense du sommet qui s'étalait dans le vide abyssal en des proportions aussi démesurées que rectilignes. Même si l'illusion était troublante, il pesta contre sa stupidité.

Les vingt-cinq hommes, toujours encordés, se tenaient serrés les uns contre les autres, transis, attendant un ordre.

— Venez, fit Cortés à Parella.

Le tueur se rapprocha du professeur en tirant sur la corde, laissant entre lui et le mercenaire le plus proche un écart de deux mètres. Avec le vent soufflant dans leur direction, c'était suffisant pour que nul n'entende ce qu'il avait à confier à Parella.

— J'ai détaillé votre rapport RS2A-2014, professeur. Votre analyse de l'épaisseur des glaces est implacable. Le satellite ne ment pas. Vous ne localisez pas l'anomalie d'Ararat à cet endroit, mais un peu plus loin, à une cinquantaine de mètres au sud-est. Quasiment affleurant depuis les dernières fontes, à portée de main…

Parella sourit.

— Mieux vaut me détacher, alors. Nous disposons de peu de temps.

Cortés sembla amusé. Une furieuse excitation brillait dans ses pupilles.

— N'y comptez pas, professeur. Je pense avoir suffisamment étudié votre rapport pour ne pas me perdre sur le plateau sommital.

Il se retourna et hurla contre le vent :

— Béchir, Ahmet. Détachez-vous, vous venez avec moi ! Tous les autres restent encordés. Je serai de retour dans dix minutes.

— Folie ! réagit Parella. Le brouillard peut surgir n'importe quand. Dès que vous descendrez d'un mètre ou deux vers le sud, vous vous retrouverez dans une véritable purée de pois.

Cortés ne l'écoutait déjà plus. Il progressait à pas réguliers sur le plateau, encadré de Béchir et Ahmet. Le glacier descendait en pente douce. Les trois hommes marchaient depuis moins d'une minute et, déjà, ils ne distinguaient plus le groupe.

Cortés, tête baissée, consultait sans discontinuer le GPS qu'il tenait dans le creux de son gant.

Ils progressèrent encore pendant de longues secondes, guidés par la voix de leur chef. Un vent terrible fouettait leur visage. Le brouillard, aussi dense que glacial, les empêchait de voir à plus de deux mètres.

— Béchir, tu nous attends là, cria Cortés.

— Ne… ne pas se séparer, bredouilla le mercenaire pris de panique au point de contredire son chef.

Cortés n'avait pas le temps de lui faire payer son impertinence.

— Tu restes là, les yeux sur ta montre ! Toutes les dix secondes, tu cries de toutes tes forces. Toutes les minutes, tu sors ton Makarov et tu tires un coup de feu en l'air. Compris ?

— OK, se résigna Béchir.

Cortés et Ahmet s'engagèrent dans la nappe de brume à couper au couteau. Le froid s'engouffrait dans leurs chaussures, leur cou, entre les doigts de leurs gants, comme si le vent avait vaincu leurs cuirasses.

Derrière eux retentit un coup de feu.

Déjà sept minutes qu'ils arpentaient le sommet.

Cortés jura. Il consulta encore le GPS en cillant des yeux sous le grésil piquant comme une pluie d'éclats de verre, marcha quelques mètres puis s'arrêta.

— À ton tour, Ahmet. Même consigne. Tu ne bouges pas. Un cri toutes les dix secondes et un tir toutes les minutes. Tout, absolument tout dépend de vous. Vous êtes mes phares…

— Cortés, tu es certain de ce que tu fais ?

— Certain !

Cortés appuya sa main sur l'épaule d'Ahmet, lui adressa un ultime sourire et disparut dans la nuit blanche.

114

Mont Ararat, camp kurde, Turquie

Le soleil naissant brillait dans les yeux des hommes de Zeytin, alignés devant les bergers kurdes. Dans l'immense steppe déserte, les deux lignes se faisaient front. La lutte était inégale. Elle n'aurait même pas lieu. Les mercenaires, armés de kalachnikovs, faisaient face à une rangée de vieillards, de femmes et de gosses.

Et un blessé.

Zak se tenait difficilement debout. Il prenait appui sur l'épaule de Cécile. La chercheuse levait toujours les yeux au ciel, embués de larmes.

— N'espérez rien de ce côté, gémit Zak.

— Viorel Hunor ? Ses gardes suisses nous ont déjà sauvés à Palerme dans la même situation, non ?

Zak Ikabi esquissa un sourire désabusé.

— Cette fois-ci, n'y comptez pas.

Le psaume des Kurdes résonnait dans la steppe. Estêre continuait de scander des paroles et les autres bergers répondaient. Leur chœur gagnait en puissance maintenant. Tous se donnaient la main, formant une longue chaîne. Cécile, peu convaincue, plaça néanmoins sa main droite dans celle de Zak et la gauche dans celle d'Aman.

— Vous aussi, Cécile, murmura Zak. Répétez. Phonétiquement. Répétez les paroles d'Estêre.

Cécile observa Zak, les yeux noyés. Ainsi, lui aussi avait perdu tout espoir.

— Le plus fort possible, insista Zak. De toutes vos tripes.

Il se mit à son tour à scander les incantations kurdes. Cécile ânonnait sans comprendre.

— *Haval, dilber. Haval, dilber. Hatin hana. Hatin hana*...

— La ferme ! hurla Zeytin.

Le mercenaire positionna sa main en visière pour se protéger du soleil. Les chœurs kurdes, indifférents à ses ordres, continuèrent de plus belle. Zeytin haussa les épaules de dépit. Le soleil qui rougissait l'Ararat se multipliait sur les canons métalliques des kalachnikovs.

— Arme en joue ! ordonna-t-il.

La dizaine de fusils d'assaut s'orientèrent à l'horizontale. Cécile ferma les paupières, les rouvrit. À travers un écran de larmes, elle eut du mal à croire ce qu'elle voyait. Comme une réponse aux prières kurdes, un invraisemblable phénomène s'orchestrait. Dans le dos des miliciens. Dans le plus grand silence.

Pure coïncidence ?

— OK, dit Zeytin, qu'on en finisse. En joue !

Les mains se crispèrent sur la détente, crosses à l'épaule. Toutes sauf une. Un des miliciens reposa son fusil et s'adressa à son chef.

— Zeytin ?

— Ouais, Zako ?

— Je suis irakien, mais je parle un peu kurde, par mon oncle. Ils ne prient pas, Zeytin.

Zeytin soupira.

— Qu'est-ce qu'ils baragouinent, alors ?

— *Haval* veut dire « ami », *dilber* signifie « ma belle », et… et *hatin hana* peut se traduire par quelque chose comme « venir au secours ».

Zeytin éclata d'un rire gras.

— Ils prient les anges, Zako. Depuis la nuit des temps, ces cons de Kurdes prient les anges !

Il leva des yeux brillants. Les derniers nuages teintés de rose s'effilochaient derrière le mont, dévoilant un pur azur. Zeytin se tourna vers ses hommes.

— Surveillez aussi le ciel, les garçons. Si des types ailés se pointent, dégommez-les !

Des rires accompagnèrent celui de Zeytin. Le mercenaire se rengorgea. Pas si difficile d'être cynique dans le feu de l'action ; Cortés aurait apprécié. La voix forte d'Estêre couvrit les derniers éclats de rire.

— *Kirin !*

— *Kirin*, reprirent les Kurdes, Zak et Cécile.

Immobiles. Unis sur une même ligne. Poitrines offertes. Mains serrées.

— En joue, répéta Zeytin. Visez le cœur.

Une main moite se posa sur son épaule.

— Ils ne prient pas, Zeytin. *Kirin*, en kurde, signifie « attaquez ». Ils manigancent quelque chose.

— Tu m'emmerdes, Zako !

Zeytin observa stupidement le ciel. Sa cicatrice le faisait souffrir. Généralement, c'était mauvais signe. *Attaquez ?* Ces Kurdes étaient alignés devant lui, aussi inoffensifs que des agneaux qu'on mène à l'abattoir. Le cri d'Estêre s'éleva soudain, à en faire trembler la montagne :

— *Kerx ! Kirin kerx !*

Zeytin interrogea Zako du regard. Le Kurde irakien trembla en traduisant :

— « Tuez. Attaquez pour tuer. »

Zeytin passa sa main sur son crâne chauve. Il fallait en finir. Fusiller ces paysans et se tirer.

— *Kerx !* crièrent vingt voix à l'unisson.

Cécile ferma les yeux. Elle avait vu la menace se rassembler dans le dos des tueurs, discrète, invisible, organisée, répondant à chaque ordre de ses maîtres.

Les miliciens n'eurent pas le temps de réagir, pas même d'esquisser le moindre geste de défense. Ils sentirent dans le même instant les tendons de leurs chevilles céder en une douleur fulgurante, leurs cuisses criblées d'invisibles flèches tirées derrière eux. Ils s'effondrèrent, fauchés comme de vulgaires tiges.

À peine furent-ils à terre, agenouillés, hébétés ou résistant encore, que des dizaines de lances foudroyantes leur transpercèrent le dos.

Le sang jaillissait en geyser. Ceux qui tentaient de rouler sur eux-mêmes virent les cornes s'enfoncer dans leur ventre, leur poitrine, leur cou, aussi aisément qu'un couteau aiguisé dans une pièce de viande.

Trois coups de feu furent tirés.

Dérisoires.

Zeytin rampa sur quelques mètres. Son corps gras laissa sur l'herbe rase un sillage rouge. Lorsqu'il comprit que ses forces l'abandonnaient, il se recroquevilla en position fœtale, les mains collées sur son visage.

Une ombre le recouvrit, puis la corne lui perfora le front, avec une précision chirurgicale, à l'endroit précis où la cicatrice lui barrait le visage. Zeytin hurla d'horreur. La peau de son visage se déchira en deux, comme si la couture de son épiderme avait brusquement cédé.

Le silence.

Seulement le râle de quelques mercenaires agonisants.

— *Kerx*, répéta Estêre, implacable.

Les cornes percèrent le cœur des survivants. Tout était terminé. Le massacre n'avait pas duré plus de trois minutes.

Les chèvres unicornes se rassemblèrent devant les bergers kurdes. Elles étaient plus d'une cinquantaine. Vives. Rapides. Chaque homme de Zeytin avait été attaqué par quatre ou cinq animaux.

— *Raweste*, murmura Estêre. Ça suffit.

Le troupeau se dispersa. Les chèvres unicornes n'accordèrent aucun intérêt au monceau de cadavres qu'elles laissaient derrière elles. Elles piétinèrent la mare de sang qui s'écoulait vers le centre du campement et retournèrent vaquer à leurs occupations habituelles : paître dans l'herbe rare.

La petite Aman serrait très fort sa main, suivant du regard Leka, sa licorne, qui s'était éloignée avec les autres animaux, aussi calme, paisible et douce qu'à l'accoutumée. Bouche bée, oubliant de respirer, Cécile écarquillait les yeux. Les questions restaient bloquées dans sa gorge.

— Qu'est-ce que… ? Qu'est-ce que… ?

— Il ne faut pas rester ici, répondit Zak. Il faut fuir maintenant. Le plus rapidement possible. Les grottes d'Ahora nous fourniront le meilleur abri.

Il scruta le ciel.

— Les anges ? demanda Cécile.

— Pire. Et cette fois-ci, les licornes ne nous seront d'aucun secours.

115

Sommet du mont Ararat, Turquie

Cortés ne fit pas plus de dix pas, juste assez pour disparaître de la vue d'Ahmet. Toutes les dix secondes, il entendait son cri strident d'animal qu'un boucher sadique égorgerait. Ahmet était un milicien obéissant, mais combien de temps tiendrait-il avant de se transformer en bloc de glace ? Ou de fuir ?

Les semelles de Cortés s'enfonçaient dans la glace molle, plus molle que sur le reste du glacier, exactement comme le rapport RS2A-2014 l'indiquait. Cette particularité était le résultat complexe du jeu de la réfraction solaire et de la microgéologie, parfaitement décelable par télédétection en calculant l'albédo de la neige. Rien à dire, Serval et Parella étaient des petits génies dans leur domaine.

Fébrile, Cortés glissa la main dans son sac à dos pour en extraire son piolet d'escalade.

Il consulta sa montre.

Neuf minutes.

Il n'aurait jamais le temps, il aurait déjà dû être sur le chemin du retour, rejoindre Ahmet, puis Béchir, puis le reste du groupe. Pourtant, il n'avait subitement plus froid. Son corps irradiait une chaleur rassurante, en osmose avec son esprit en fusion. Le piolet s'abattit une première fois dans la glace. Puis encore. Encore. Des dizaines de fois.

Un coup de feu se fit entendre.

Dix minutes !

Cortés, halluciné, se jeta à terre. Il posa le piolet et dégagea de ses gants la glace brisée, tel un estivant hystérique creusant un château de sable. Il saisit à nouveau le piolet, accéléra le rythme. La sueur ruisselait sous son tissu Thermolactyl.

Il avait déjà creusé un trou d'un mètre. Il ne distinguait toujours que la neige immaculée. Seulement la neige, des milliers de tonnes de neige, sur des centaines de mètres carrés de glace. Il était un naufragé du désert espérant échapper à la soif en creusant un puits de ses mains. Il poursuivait une chimère.

Un nouveau tir.

Onze minutes.

Cortés changea son piolet de main. Surtout ne pas douter ! Il avait encore le temps, il n'avait pas froid. Cette fable des quinze minutes fatidiques au sommet avait été inventée par Parella et les guides de hautes montagnes kurdes pour détourner l'attention des touristes curieux. Quelle différence entre quinze, vingt ou trente minutes ?

Le piolet avait dégagé un cratère de plus de deux mètres. Cortés, à genoux dans la cuvette, s'acharnait. La neige s'infiltrait dans ses gants et dans ses chaussures, l'inondant de givre et d'eau glacée. Il gagnait pourtant en précision, en rythme. Percer la glace. L'évacuer. Percer à nouveau.

Une détonation dans la brume ouatée.

Douze minutes.

Il était près, si près du but. Le brouillard se dissipait par petits voiles, il apercevait indistinctement la silhouette d'Ahmet, sautillant sur place dans le vain espoir de se réchauffer.

Treize minutes.

Il n'allait pas abandonner maintenant. Impossible. Plutôt mourir gelé que de renoncer. Cortés perdait toute lucidité. Son corps entier disparaissait maintenant dans le trou, comme s'il creusait sa propre tombe.

Seize minutes.

L'étincelle jaune illumina la neige pendant une irréelle fraction de seconde.

Un électrochoc secoua Cortés, tel un court-circuit se propageant entre chacun de ses neurones.

Son piolet avait heurté quelque chose.

Il frappa encore, cette fois avec la précaution d'un archéologue. Le métal au bout de sa main vibra, déclenchant un infime tintement : le son de métaux qui s'entrechoquent !

Rien à voir avec le bruit d'un piolet sur une roche.

Cortés avait l'impression qu'on entendait le bruit jusqu'à l'Elbrouz. Perdant tout contrôle, il s'allongea dans la glace et il fouilla la neige avec une frénésie aveugle. Presque immédiatement, ses gants se refermèrent sur un objet rigide ; il tira, sans rencontrer de résistance.

Avec une infinie précaution, il porta l'objet devant ses yeux. Cortés découvrit un cylindre rond et fin d'une dizaine de centimètres de long et de cinq centimètres de diamètre. Fasciné, il se mit à genoux. Un examen rapide aurait pu laisser croire qu'il ne s'agissait que d'une pièce de métal, mais Cortés devait se rendre à l'évidence : l'objet était d'une matière qu'il n'avait jamais vue, une texture de pierre lisse rappelant vaguement le marbre, mais d'une extrême légèreté, proche d'un plastique extraordinairement rigide.

Au mépris de toute prudence, Cortés ôta un gant. Le cylindre était tiède. Un objet enfoui dans la neige depuis l'aube de l'humanité ? Cortés, fébrile, en caressa de son pouce la surface. Apparemment lisse, elle était en réalité composée de milliers de microfissures rappelant un texte gravé dans la pierre ou rédigé en braille, mais taillé avec une finesse qu'aucune main humaine n'aurait pu égaler. On aurait dit des milliers de croix, minuscules, chacune différente, elles-mêmes divisées en d'autres milliers de croix, de simples points microscopiques qui semblaient se décliner à l'infini.

Un langage inconnu ? Des hiéroglyphes à décrypter ?

Cortés hésita.

Le rapport RS2A-2014 mentionnait une forme ovale de cent soixante mètres de long sous la glace, à cet endroit. Tout était là, échoué sous ses pieds, à portée de piolet. La plus incroyable découverte de tous les temps. L'arche échouée de Noé. Il n'avait exhumé qu'une pièce d'un immense ensemble, l'équivalent de l'écrou d'un vaisseau. Le reste dormait dans la glace.

Un coup de feu le tira de sa torpeur.

Dix-sept minutes.

Cortés se leva en enfilant son gant. Il devait conserver la tête froide. Il avait bénéficié d'une chance inouïe, il ne devait pas tout gâcher maintenant. À quoi servirait sa découverte s'il périssait stupidement au sommet du mont ?

La découverte d'une matière inconnue sur terre, la découverte du premier objet façonné par une intelligence extraterrestre !

La preuve absolue !

Ce seul échantillon de la véritable arche suffirait à lui ouvrir toutes les portes, à monter une autre expédition. À revenir. Lui seul avait percé la vérité, s'était persuadé, toutes ces années, avait cru en son hypothèse folle jusqu'au bout. Il tenait la plus irréfutable des pièces à conviction.

Il se retourna et vit dans la brume changeante la silhouette impatiente d'Ahmet qui lui faisait face.

Ahmet observa Cortés s'approcher en écarquillant des yeux ahuris. Sa moustache et ses épais sourcils n'étaient plus que des blocs de givre. Le mercenaire interrogea son chef d'une voix à peine rassurée.

— Tu… tu as vu quelque chose ?

Cortés ne se donna pas la peine de répondre.

— On rentre, fit-il. On prévient les autres, donne-moi ton arme.

Ahmet comprit une seconde trop tard, lorsque l'arme changea de main. La balle lui déchira l'oreille et la moitié de la tempe.

Cortés pesta. Ses doigts gelés l'avaient empêché d'assurer son tir. Ahmet gisait à ses pieds et se tordait de douleur. Cortés ne lui jeta pas un regard et, sans perdre une seconde, marcha vers le nord pour rejoindre Béchir, le second phare, dont il entendait maintenant les cris réguliers. Achever Ahmet aurait été la dernière des idioties. Béchir aurait entendu deux coups de feu de suite, il était malin, qui sait comment il aurait réagi ? Ahmet allait crever à cinq mille cent trente-sept mètres d'altitude, dans quelques minutes ou quelques heures. Peu importe. Cortés retrouverait son cadavre intact, dans les glaces, lors de sa prochaine ascension.

La silhouette de Béchir se dégageait déjà de la brume. Il vit venir vers lui Cortés, seul, une arme à la main. Son instinct de survie, décuplé par le froid, lui souffla la bonne stratégie.

Ne poser aucune question !

Lorsque Cortés s'approcha, Béchir consulta sa montre pour se donner une contenance.

Vingt-deux minutes.

— Il faut y aller ! souffla Cortés sans ralentir.

Béchir lui emboîta le pas.

Deux minutes plus tard, ils rejoignaient leurs camarades au sommet de l'Ararat, frigorifiés, serrés les uns contre les autres comme des rats dans une cage.

Deux hommes gisaient dans la neige, détachés de la cordée. Deux bergers kurdes. Les yeux clos, le visage bleui. Cortés se souvint qu'au campement, il manquait deux anoraks. Mauvaise intendance ! Il avait grondé Zeytin en souriant, puis avait ordonné de faire tout de même monter les hommes avec des blousons de fortune. Il tenait à diviser les hommes valides du village. Qu'est-ce que cela changeait, au fond ? Tous allaient mourir dans la journée.

La voix de Parella traversa le silence :

— Il est temps, redescendons.

Cortés n'ajouta pas un mot. Il se contenta de croiser le regard du professeur pour qu'il puisse y lire sa jubilation ; pour qu'il soit persuadé, sans qu'aucune parole soit échangée, que lui, Cortés, le petit Kyrill Eker, l'orphelin azéri du Nakhitchevan, possédait entre ses mains la preuve ultime.

Qu'il détenait le destin de l'humanité au creux de sa paume.

116

Garnison d'Hakkari, Turquie

L'eau laiteuse coulait sur les muscles du colonel Alim Sorgun. Le mince filet de la douche froide peinait à rincer la mousse. Le colonel n'aimait que les douches glacées et ne supportait rien d'autre sur son corps que l'empreinte rude du savon ménager El Kef pressé dans sa main tel un fruit à peine mûr. Des dizaines de cicatrices zébraient sa peau lisse et tendue, comme autant de dédicaces sanglantes de chaque combat de sa vie.

La chasse aux Grecs le long de la ligne verte chypriote et dans les rues de Nicosie ; les incursions dans le Kurdistan irakien ; le Kurdistan turc, depuis dix ans ; l'ennui, à présent, dans cette ville fantôme d'Hakkari, à des kilomètres au sud-est de Van où il commandait le quartier général de l'armée turque au Kurdistan.

Le savon blanc cherchait à s'échapper. Un mot s'entêtait dans l'esprit de Sorgun, telle une promesse.

Nettoyage.

Sorgun adorait ce mot.

Il repensait à chaque syllabe prononcée par le général Ağar. Au départ, Sorgun avait cru à une blague. Depuis près de dix ans maintenant, les soldats de sa garnison ne valaient guère mieux aux yeux des habitants que ces chiens errants hantant l'Anatolie, méprisés, à peine tolérés. Leur mission la plus excitante se résumait à bloquer l'accès des sites engloutis au nom du projet d'agriculture intensive de la Grande Anatolie et des barrages sur l'Euphrate, à déporter la population et à foutre quelques jours en tôle les intellectuels locaux qui s'entêtaient à raconter que l'on détruisait des sites archéologiques ; à regarder l'eau monter en empêchant les Kurdes les plus têtus de se noyer. Un boulot de maître-nageur… et encore ! Aujourd'hui, on confiait ces missions aux hommes de ce cow-boy dégonflé de Mahir Bey. Le comble avait été atteint hier, lorsqu'il avait dû donner l'ordre à ses hommes de convoyer sous haute sécurité des urnes bourrées de vote pro-kurdes !

Un ennui profond. Jusqu'à ce que le général Ağar l'appelle, lui…

Sorgun caressa chacune de ses cicatrices, comme s'il lisait sur son corps, en braille, le récit de son existence. À près de cinquante ans, il aimait cette sensation de force sur ses biceps, ses abdominaux dessinés, son large trapèze sans un millimètre de graisse.

Jusqu'à ce que le général Ağar l'appelle, lui ! Alim Sorgun !

Il le méritait. Aucun autre militaire turc ne connaissait mieux l'Ararat que lui. Depuis combien de temps en rêvait-il, de nettoyer les pentes de l'Ararat ? Il repensa aux mots du général. Les tuer tous. Hommes, femmes, enfants et animaux. Ne faire aucun prisonnier, ne laisser aucun témoin.

— Aucun ?

— Aucun. Kurde, Turc ou étranger. Aucun.

Il se sentait envahi d'une immense fierté, presque du trac. Jusqu'à hier, le colonel avait cru que ce type de mission ne lui serait jamais confié. Les grands nettoyages ethniques appartenaient à un âge d'or révolu. Arménie, Rwanda, Bosnie. Que jamais il n'aurait la chance de connaître cette extase. Tuer tous les civils d'un coin du monde, y compris les intrus, journalistes, touristes, fouille-merde en tout genre.

Oui, *nettoyage* était le mot juste. Respect à celui qui avait inventé ce terme. Massacrer sans concession avait quelque chose à voir avec la pureté, la pureté absolue.

Il sortit de la douche. Il fallait qu'il se concentre sur sa mission. Il était un homme efficace. Trois hélicoptères allaient décoller de Hakkari et deux autres de Van, à leur bord près de trente hommes choisis par lui. Des tireurs d'élite. Le reste avancerait en blindés jusqu'à Emli, au-dessus de Dogubayazit, à près de deux mille mètres, puis grimperait à pied. Une centaine d'hommes au total. Ils arriveraient après, bien après. Lorsque tout serait terminé. Il ne leur resterait plus qu'à nettoyer, à rendre à l'Ararat sa pureté.

Sorgun jeta un coup d'œil à sa montre posée sur l'émail ébréché du lavabo.

6 h 51.

Ne plus traîner maintenant.

Devant ses yeux dansaient déjà trente fusils d'assaut Mehmetçik, surgissant du ciel pour cracher la mort.

117

Gorge d'Ahora, mont Ararat, Turquie

Les cailloux roulèrent sous leurs pieds, libérant un torrent de pierres. Tous se retournèrent, regard braqué sur l'amont du couloir de moraine dans lequel ils progressaient, redoutant l'avalanche. Le corridor par lequel les bergers kurdes cherchaient à rejoindre le gouffre d'Ahora était plus glissant qu'un névé gelé.

— Merde ! hurla Zak.

Son pied avait dévissé sur le sol meuble. Il roula sur trois mètres pendant que sa béquille de fortune, un tuteur de tente en cyprès, s'échouait dans la neige fondue. Il se releva presque aussitôt, grimaçant, chancelant. Pour conserver son équilibre, il accepta l'aide d'Estêre. Un filet de sang inondait son pantalon clair, à l'endroit de sa plaie à peine cicatrisée.

— Filez, ordonna-t-il. Je vous ralentis. Je vous retrouverai plus tard. Je connais les grottes d'Ahora comme si j'y étais né…

Cécile ramassa la canne.

— Ne faites pas l'enfant, Zak. C'est avec ce genre de baratin que vous nous retardez ! On se relaiera s'il le faut, on vous portera, mais on avancera. Ensemble ! Ce n'est pas difficile, il n'y a qu'à suivre les croix gravées dans les pierres par les tribus kurdes prédiluviennes !

La chercheuse planta avec détermination la branche dans le sol. Avant de quitter le camp, Zak lui avait expliqué que la gorge d'Ahora était percée d'un inextricable dédale de grottes, qui constituaient depuis des millénaires un refuge pour les bergers kurdes. Navarra les mentionnait dans sa première expédition de 1952, s'étonnant de trouver des croix préhistoriques gravées sur les parois rocheuses.

Quelle ironie de découvrir qu'il s'agissait de signes ancestraux indiquant la direction ! Gravés sur un bijou de cuivre ensuite ! Devenus le symbole de l'union entre un homme et une femme, entre un géant et une humaine.

Zak grogna mais se laissa faire lorsque deux Kurdes de plus de soixante ans, Nisko et Soran, le saisirent sous les aisselles.

Au-dessus d'eux, une chèvre unicorne les observait, perchée sur un piton de basalte. Implorante.

La petite Aman s'arrêta. Estêre tira sa fille par la manche.

— Am…

Des larmes inondaient les yeux de la fillette. Elle s'exprima en kurde, mais Cécile comprit au geste de ses doigts et à la répétition compulsive d'un mot. D'un seul mot.

Leka.

Elle refusait de laisser la chèvre unicorne derrière elle. Seule.

Personne n'osa la contredire.

Estêre leva la main et sourit. Nul besoin de mots entre la mère et la fille. Aman sauta sur place, contenant difficilement sa joie. Un sifflement jaillit entre ses dents. La chèvre unicorne dévala le talus, agile, excitée tel un chien accourant vers un maître qui l'autorise à pénétrer dans un lieu interdit.

Sur le piton de basalte, une dizaine de chèvres apparurent.

Cécile se frotta les yeux. Tout s'était déroulé extrêmement vite depuis le massacre du campement. Chacun avait ramassé ses maigres affaires. Cécile avait suivi la cohue. Elle ne put cette fois retenir la question qui lui brûlait les lèvres :

— Ce… ce sont des…

Zak répondit en grimaçant, sans cesser de marcher. Le vieux Nisko, courbé comme un arc bandé, lui servait de seconde jambe.

— Oui, Cécile… Ces mignonnes petites chèvres pourraient sans aucun doute être qualifiées de licornes par un zoologue. En réalité, elles ne sont qu'une sous-espèce un peu particulière de caprins. Une espèce unicorne, un petit caprice de la nature. Mais elles sont bien les descendantes directes de cet animal que les textes anciens appellent *licorne*, avant que les principales religions monothéistes ne la représentent sous la forme d'un cheval fantastique, et que, petit à petit, la fable ne fasse oublier la réalité antérieure.

Leka, la chèvre sifflée par Aman, s'approcha de Cécile, dansant avec élégance sur les anfractuosités de la roche. Discrète et gracile escorte.

Zak reprit son souffle, comme si parler apaisait sa douleur.

— À votre avis, Cécile, quelle est la meilleure façon de dissimuler une espèce animale menacée ? Menacée tout autant par les chasseurs que par les dépositaires des religions universelles qui voient en elle la preuve de leur mensonge ?

— Détourner l'attention ?

— Bien entendu ! L'astuce des bergers kurdes est assez géniale, non ? Tordre à la naissance les cornes de quelques chèvres pour les déguiser en animaux unicornes et faire passer cette pratique pour un rituel cruel et archaïque. Qui pourrait soupçonner qu'en réalité il s'agit d'un leurre, et que les quelques bestioles unicornes, crétines et inoffensives, exposées à la vue des rares touristes, protègent un troupeau dispersé en haute montagne, d'apparence similaire ? D'apparence seulement !

Les doigts de la petite Aman se perdaient dans les poils de Leka qui grognait de plaisir. Zak continua. Sa voix haletante rythmait ses pas mal assurés.

— Les Kurdes racontent que la licorne était l'animal préféré de Noé, l'animal le plus intelligent de la Création, le seul qu'il n'a pas eu le courage de supprimer pour n'en conserver qu'un seul couple dans son vaisseau. Un animal fidèle au point de demeurer sur l'Ararat après que l'arche se fut échouée… des millénaires durant !

Il fit signe au vieux Nisko de ralentir et souffla un instant.

— Vous les avez vues à l'œuvre, Cécile. Doutez-vous toujours des légendes de l'Ararat ?

La chercheuse prenait garde à ne pas se tordre les pieds dans les minuscules cratères qui déformaient la corniche.

— Non, Zak. Non... Taisez-vous. Reposez-vous...

Soran, un Kurde râblé aux longs cheveux gris, vint relayer Nisko. Zak se pinça les lèvres comme un enfant ne résistant pas à partager une cachotterie.

— Cécile, pour être tout à fait honnête, je vais vous faire une confidence qui ne va pas beaucoup plaire aux bergers kurdes. (Il lança un clin d'œil à la petite Aman, comme s'il s'amusait à narguer la fillette.) Les Kurdes exagèrent beaucoup l'intelligence des licornes ! Ils font d'elles un animal sacré qu'ils dissimulent jalousement sur l'Ararat depuis des millénaires, mais pour les avoir beaucoup fréquentées, ce ne sont jamais que des chèvres disposant d'un QI un peu supérieur à la moyenne et d'un instinct de chasseur rare chez les ruminants.

Une intelligence supérieure à la moyenne.

Un instinct de chasseur rare...

Cécile revoyait les images atroces du massacre des hommes de Zeytin. Zak poursuivit sur le même ton.

— En réalité, les licornes ne possèdent guère plus d'intelligence qu'un chien. Elles comprennent une dizaine de mots au maximum. Manger, boire, dormir, jouer.

Cécile compléta dans sa tête : « Attaquer, tuer... »

Tout en dévalant la pente accrochée aux poils de sa licorne, Aman lança une salve de mots kurdes à l'intention de Zak. Il éclata de rire devant la mine furieuse de la fillette.

— Qu'est-ce qu'elle dit ? s'enquit Cécile.

— Rien, rien. Toutes les petites bergères de l'Ararat sont amoureuses des licornes… J'étais comme elle à son âge. Aman prétend que je ne suis qu'un crétin jaloux qui ne comprend rien à leur psychologie. Selon elle, les licornes sont capables d'apprentissages incroyables. Davantage encore que les dauphins ou les chimpanzés. Si on les aime, elles vous…

Zak n'eut pas le temps de terminer sa phrase. Son pied gauche dérapa avant que le pauvre Soran n'ait eu le réflexe de le retenir. Il s'effondra sur sa jambe blessée, hurlant à en faire dévaler toutes les pierres de l'Ararat. Les bergers kurdes s'arrêtèrent. Soran passait ses doigts dans ses cheveux gris, l'air désolé. Zak, livide, la peau hérissée de tremblements, ne put supporter les regards de pitié fixés sur lui.

— Nous n'y parviendrons jamais ainsi !

Il évalua la distance abyssale qui les séparait du gouffre d'Ahora, leva les yeux au ciel, puis les posa sur les familles kurdes, parlant alternativement en kurde et en français.

— Écoutez-moi tous. Depuis déjà plusieurs heures, Cécile Serval a envoyé à Viorel Hunor, le président du Parlement mondial des religions, un message indiquant les coordonnées exactes du campement et annonçant que Cortés allait dévoiler l'anomalie d'Ararat. Ils n'ont pas le choix, ils ne peuvent laisser la vérité exploser. Ils vont intervenir…

La plaie ouverte suintait. Le ton de Zak se durcit.

— Cécile, vous avez commis une incroyable sottise en envoyant ce message ! Évitez d'en ajouter une seconde en forçant le groupe à m'attendre. Il y a ici des femmes, des enfants, des vieillards. Fuyez ! Ou tout le monde va mourir sous un tapis de bombes.

Une incroyable sottise.

Cécile apprécia le compliment !

Elle ne remarqua pas qu'Aman levait des yeux paniqués vers Zak, observant ses gestes, ses cris, l'horizon désert ; personne ne la vit regarder, horrifiée, les licornes sur le piton au-dessus d'eux.

Cécile leva à son tour les yeux vers les sommets, écouta le silence, cherchant tout indice de la présence imminente des gardes suisses d'Hunor.

Rien. Personne.

La plaine s'étendait à perte de vue, plusieurs milliers de mètres plus bas, sous un ciel désespérément vide.

Cécile s'avança devant Zak, vexée, la poitrine gonflée de colère.

— Moi aussi, je vais être claire, Zak Ikabi. Je suis encore plus idiote que vous croyez. Hier, sur cette même montagne, j'ai commis une autre sottise. Votre père m'a emmenée boire à la fontaine Saint-Jacob. Il m'a demandé auparavant de nouer mon foulard à l'églantier et de faire un vœu. À votre avis, Zak Ikabi, quelle idée a bien pu passer dans la tête d'une petite sotte de mon espèce ?

Zak ne répondit pas ; il souffrait, agenouillé, luttant pour ne pas perdre sa lucidité. Cécile ressemblait à une louve en furie. La licorne l'observait, étonnée.

— J'ai fait le vœu débile que vous soyez le bon !

Zak ferma les yeux. Une sueur glacée coulait sur son front. La blessure rongeait son tibia, sa concentration s'échappait.

— Le… le bon quoi ?

— Le bon quoi ? répéta Cécile, comme si elle avait mal entendu.

La chercheuse explosa.

— Le bon quoi ? Mais quelle conne ! Pourquoi n'ai-je pas formulé le vœu d'un poste à Princeton !

Les familles kurdes patientaient calmement, incapables de comprendre le sens du torrent de vociférations de la chercheuse.

Seule Aman ne les écoutait plus. Dans leur dos, silencieuse, elle avait entrepris d'escalader la paroi derrière eux, presque aussi rapide que Leka, se rapprochant des licornes qui l'attendaient, dix mètres plus haut.

Cécile reprit sa respiration, puis pointa le doigt vers les grottes qui trouaient la paroi.

— Zak Ikabi, maintenant que nous avons pris le temps d'écouter vos jérémiades, il est l'heure d'avancer. Relevez-vous et traduisez mes ordres à ces braves gens. Nous allons suivre ces foutues croix, ensemble, ou je vous pousse de mes propres mains dans le précipice !

Personne n'entendit jamais la réponse de Zak que couvrit le cri d'Estêre.

— Aman !

La fillette s'accrochait aux poils de Leka pour franchir le dernier abrupt la séparant du troupeau de licornes. Elle se retourna, leur sourit, et prononça quelques mots en kurde avant de disparaître avec Leka et les autres animaux.

Ils durent demander à Estêre de leur traduire. Plusieurs fois.

La bergère kurde semblait tétanisée, scrutant le ciel comme si la foudre pouvait en tomber à n'importe quelle seconde.

— *Les licornes*, finit-elle par murmurer. *Elle ne veut pas les laisser mourir.*

Elle resta de longues secondes à fouiller du regard le ciel bleu, l'horizon vide, la paroi rocheuse où sa fille avait disparu. Enfin, elle se tourna vers les familles kurdes, vers Zak et Cécile, et désigna les grottes quelques centaines de mètres plus bas, balisées par un chemin de croix.

En route.

118

Mont Ararat, camp kurde, Turquie

Les épaisses semelles des chaussures de montagne de Cortés et d'Arsène Parella baignaient dans une flaque de sang. Les deux hommes étaient menottés l'un à l'autre. Cortés avait pris cette précaution à l'approche du camp, de peur que Parella ne tente une fuite désespérée. Il avait imaginé pour le professeur une agonie plus sophistiquée qu'une balle dans le dos. Il avait attendu avec délectation le moment où Parella aurait découvert, criblés de balles, les cadavres de Zak, son second fils, de Cécile, sa chercheuse adorée, et de ses chers bergers.

Le destin était farceur !

C'était lui, Cortés, qui se trouvait devant les corps déchiquetés de Zeytin et de ses hommes, abandonnés au milieu du camp comme de vulgaires détritus éparpillés par un chien errant, comme si le campement avait été attaqué par une horde barbare, massacrant sans discernement à coups de sagaies et de machettes. Son regard glissa vers l'alpage désert, uniquement peuplé des unicornes qui broutaient au loin.

Aucune trace des Kurdes.

Arsène Parella restait silencieux, indifférent au spectacle macabre. À l'inverse, les compagnons de Cortés, incrédules, les yeux exorbités, détaillaient les dépouilles de leurs compagnons. Cortés tira sur la chaîne qui le reliait au professeur. Une nouvelle fois, Cortés apprécia que son visage soit dissimulé par son turban pourpre. Cela lui évitait de jouer la comédie, de devoir afficher sa consternation. De sangloter devant ses hommes.

Cortés n'avait aucune envie de pleurer !

Bien au contraire. Les événements lui étaient de nouveau favorables. Quelqu'un avait fait le travail à sa place ! Un jour ou l'autre, il aurait été obligé de se séparer des témoins de l'Ararat. Tous seraient devenus indésirables. Zeytin comme les autres.

Cortés soupesa le cylindre dans sa poche. Désormais, il n'était plus le simple chef d'une milice comme il en existait des milliers en Asie centrale. Son destin imposait de recruter une armée neuve. De lever une croisade qui…

Son regard se posa sur la chèvre la plus proche.

Sa corne était couverte de sang.

Comme s'il devançait ses pensées, Parella tira à son tour sur la chaîne d'acier, se colla presque au mercenaire et murmura :

— Vous avez enfin compris, Kyrill. Ce sont elles, les gardiennes du secret…

Cortés crispa la main sur la crosse du Makarov PM coincé à sa ceinture, hésitant à coller une balle entre les deux yeux du ruminant.

— Êtes-vous prêt ? continua Parella.

— Prêt à quoi ?

— Prêt à savoir…

Une petite mouche bourdonnait dans le ciel bleu.

— Au fond, poursuivit le professeur, peu importe que la Bible, le Talmud ou le Coran se soient inspirés de mythes humains ou nous racontent une vieille visite extraterrestre. Cela ne change rien à la question originelle.

La mouche était à présent accompagnée de cinq autres, comme crachées par l'horizon. Le bruit des pales résonnait contre la montagne. Tous les mercenaires se crispèrent sur leurs armes, attendant les ordres de Cortés.

La chaîne entre Cortés et Parella se tendit. Le professeur ne bougea pas.

— Oui, Kyrill, au fond, la question originelle demeure la même. Y a-t-il un Dieu derrière tout ça ? Existe-t-il un paradis et un enfer ? La mort est-elle une fin ou une autre naissance ?

— Arme au poing, ordonna Cortés.

Les hélicoptères grossissaient à une vitesse vertigineuse. Ils surplombaient presque le groupe d'hommes.

Une touffe d'herbe explosa, puis dix autres, puis cent autres, traçant une ligne de mort. Six mercenaires s'effondrèrent, fauchés sans avoir tiré une cartouche.

Cortés voulut plonger, mais Arsène Parella s'arcbouta, souriant de la panique des miliciens perdus sur le plateau nu, cibles inoffensives pour les hélicoptères qui décrivaient un cercle serré afin de les survoler à nouveau.

— Que croyez-vous, Kyrill ? Qu'ils allaient vous laisser faire ? Vous avez ouvert la boîte de Pandore, ils vont se contenter de la refermer. Les superstitions ont la vie dure, vous savez. Cinq mille ans, vous rendez-vous compte ? Vous n'êtes qu'un moucheron, Kyrill.

Cortés sentait le cylindre peser dans sa poche. La voix de Parella grinçait dans son cerveau comme celle d'un ange gardien rancunier.

— N'ayez aucun regret, Kyrill. Personne ne vous aurait cru. Personne n'aurait eu envie de vous croire. On ne croit que ce qui nous arrange. Dieu. Les anges gardiens. Le paradis…

Les hélicoptères semèrent à nouveau la mort. Des grenades explosèrent aux pieds des mercenaires n'ayant trouvé aucune autre protection que les cadavres de leurs compagnons ; leurs kalachnikovs projetaient des rafales dérisoires dans le vide.

— Parella, hurla Cortés, plongez avec moi ou nous allons mourir tous les deux…

Arsène agrippa la chaîne des deux mains. Debout.

— Soyez beau joueur, Kyrill. On ne peut pas donner tort au Parlement mondial des religions. S'ils ne nous tuent pas, beaucoup plus d'hommes mourront…

La menotte s'enfonça jusqu'au sang dans le poignet de Cortés.

— Pauvre fou ! cracha le mercenaire.

Le professeur ne bougea pas, défiant du regard l'hélicoptère qui plongeait vers lui. L'instant suivant, la mitraille dessina un trait net et franc.

Une ligne pure.

Dix balles déchiquetèrent Arsène Parella, du ventre au front.

La panique obscurcissait l'esprit de Cortés

Tirer le corps. Chercher la clé dans la poche. Ouvrir les menottes.

Fuir...

Les hélicoptères décrivirent une ellipse avant de fondre à nouveau sur le camp.

Les doigts de Cortés tremblaient. Parella pesait une tonne. Un boulet. Le boulet du condamné ; la chaîne d'un fantôme.

Ses doigts fébriles poussèrent le cylindre dans sa poche, se refermèrent sur une clé d'argent.

Se libérer.

Plonger vivant dans le charnier.

Attendre une éternité s'il le fallait.

Cortés ne vit pas la grenade tomber, bien droite, comme un fruit trop mûr, juste derrière lui.

Il sentit juste le souffle chaud, une force colossale le soulever, arracher ses deux jambes et la moitié de son dos.

— C'est terminé, les garçons, commenta le colonel Alim Sorgun dans le micro de l'hélicoptère pilote. (Il détendit ses immenses jambes pliées en deux dans le cockpit.) On rentre à la maison ! Les fantassins seront sur place dans moins de deux heures pour tout nettoyer.

119

Mont Ararat, camp kurde, Turquie

Jamais elle n'avait vu autant de morts.

Aman aurait voulu fermer les yeux. Couvrir ceux de Leka également.

Plusieurs dizaines de corps étaient allongés sur le sol crevassé. Une trentaine, peut-être, ce n'était pas facile de compter. L'armée turque n'avait pas fait de détail, elle avait crevé la prairie de bombes, transformant l'alpage en terrain vague.

Aman ouvrit pourtant grands les yeux.

Avant que les hélicoptères ne noircissent le ciel comme un nuage de mouches, elle n'avait eu que quelques minutes pour se cacher. Elle connaissait une grotte, minuscule ; néanmoins assez large pour s'y faufiler, elle et Leka, en s'y tassant. Aman avait crié un ordre aux autres licornes, amplifié en écho sur les flancs de l'Ararat.

Dispersez-vous. Ne restez pas en troupeau.

Elles avaient disparu en un éclair.

Aman avait juste eu le temps de ramper dans le trou, de se blottir contre Leka ; d'attendre que passe l'orage de feu.

C'était fini. Une courte éclaircie. Elle avait compris. Elle savait qu'elle n'avait pas beaucoup de temps. Les hélicoptères étaient repartis, les soldats turcs allaient arriver. À pied.

Aman se souvenait des paroles de sa maman, le jour de ses dix ans : « C'est à toi de protéger le secret maintenant. Celui de notre tribu. Celui de la montagne et de la glace. Celui de notre troupeau. »

Elle devait ouvrir les paupières. Pour elle. Pour sa famille. Pour Leka.

Elle avança parmi les corps. Elle n'eut aucun mal à repérer Cortés. Il la dévisageait, les yeux grands ouverts. Impossible de deviner s'il pouvait encore parler, ou l'entendre : sa tête était enroulée dans un interminable turban pourpre.

Aman se mordit les lèvres pour ne pas pleurer, pour trouver le courage.

Cortés n'avait plus de jambes ! Et pour ainsi dire plus de tronc… Une momie cul-de-jatte ! Le mercenaire était menotté à un autre homme, le Français le plus âgé, Arsène, criblé d'une dizaine d'impacts de balles.

La main d'Aman se crispa sur les poils de Leka. Elle ne ressentait aucune haine, aucun désir de vengeance pour son séjour dans la cellule d'Ishak Pacha, pour les meurtres des membres de sa tribu, des licornes et des chiens. Elle avait seulement envie que tout redevienne normal. Comme avant, comme toujours. Qu'il n'y ait plus d'autres morts quand les soldats turcs auraient enterré ceux-ci. Aucun. Que la montagne soit à nouveau un terrain de jeu immense et silencieux.

Cortés n'avait pas la force de bouger. Son bras était simplement posé sur un sac à dos éventré. Il tenait dans sa paume ouverte un cylindre. Cinq centimètres sur dix.

D'un geste brusque, Aman arracha le cylindre de la main du mercenaire infirme. Elle fut surprise par sa consistance, légère et tiède.

Elle n'avait jamais rien vu de tel. Il était décoré de milliers de croix minuscules, toutes différentes. Aman était dotée d'une vue incroyablement perçante, comme celle des aigles au-dessus de l'Ararat, mais, pourtant, il lui semblait que les symboles sur l'objet avaient été gravés avec une finesse que seule une main magique, de fée, de Dieu ou d'ange, aurait pu tracer.

Soudain, un murmure lui glaça l'épiderme. Cortés cherchait à parler, mais il ne parvenait qu'à émettre un son rauque, guttural. Des bribes de mots dont Aman reconstituait machinalement les syllabes manquantes.

Anomalie.

Ararat.

Secret.

Fortune.

Elle entendit une rumeur au loin. Ses yeux de rapace devinaient des fourmis qui s'avançaient en colonne sur les flancs de l'Ararat.

Les soldats turcs. Déjà.

Il fallait faire vite.

Cortés agonisait, crachant de désespoir ses derniers mots.

Noé.

Cortés.

Théorème.

Vite, Aman fila. Leka trottait à ses côtés.

Elle confierait l'objet à Estêre. Les bergers iraient le reposer au sommet de l'Ararat, tout en haut, dans les glaces, là où nul ne peut rester plus que quelques minutes ; là où personne ne le retrouverait.

Et tout redeviendrait comme avant.

Aman eut juste le temps de se dissimuler derrière un bloc de granit, quelques centaines de mètres au-dessus du charnier, quand les premiers soldats parvinrent au campement bombardé.

Elle sentait dans son cou le souffle chaud de Leka, allongée derrière elle.

Chaque homme était muni d'une aiguille, avec pour mission de vérifier que chaque témoin était mort. De l'achever, au besoin.

Les soldats chargés de cette corvée macabre progressaient avec méthode. D'autres avaient déjà sorti des pelles et commençaient à creuser.

Elle vit un soldat, plutôt jeune – il ne devait pas avoir dix ans de plus qu'elle –, s'approcher de Cortés.

Le mercenaire avait toujours les yeux grands ouverts.

Le militaire ne prit même pas la peine de se servir de son aiguille. Il se contenta de coller le canon de son Kanuni sur la tempe de l'homme-tronc.

Aman le vit presser la détente. Collée à Leka, elle serra fort le cylindre entre ses doigts.

Elle entendit la détonation.

Tout d'abord, rien ne se produisit. Puis, lentement, le turban pourpre se gorgea de sang.

120

Grottes des gorges d'Ahora,
mont Ararat, Turquie

Le téléphone portable était posé au centre de la grotte, en équilibre sur une petite pierre plate. Tous l'observaient, assis en cercle comme s'il s'agissait d'une relique vénérée. Ils avaient pris leur décision à l'unanimité. Y compris Aman, qui les avait rejoints.

Même si les hélicoptères avaient disparu depuis plusieurs heures derrière l'Ararat, ne laissant derrière eux que l'écho d'un effroyable tonnerre, les pentes de la montagne demeuraient infestées de soldats turcs. Zak, Cécile et les Kurdes avaient longuement discuté : ils attendraient trente-six heures dans le dédale des grottes d'Ahora, puis ils appelleraient Amnesty International. Zak avait milité pour cette solution. L'association déclencherait un réseau efficace de journalistes, de politiques indignés, de lobbies influents. La diaspora kurde disposait de relais importants dans le monde : une fois les caméras braquées sur l'Ararat, toute opération militaire d'envergure contre eux deviendrait difficile à entreprendre par quelque autorité que ce soit, laïque ou religieuse. Tous s'étaient rangés à l'avis de Zak. Depuis quelques heures, il souffrait moins. Les mixtures d'Estêre appliquées sur sa jambe valaient toutes les drogues de la planète, même s'il avait refusé que les deux licornes lèchent sa plaie. « Leur baiser est magique ! » avait pourtant assuré Aman. Foutaises…

Cécile somnolait, épuisée, la tête penchée sur l'épaule du vieux Nisko qui semblait apprécier le rôle d'oreiller. Jamais Zak ne l'avait trouvée aussi belle qu'à cet instant, seul son visage de poupée dépassant d'un long châle de laine beige serré jusqu'au cou, ses cheveux tombant de fatigue sur un visage enfin apaisé. Un volcan sage entre deux éruptions.

Zak essayait par tous les moyens d'éviter de penser à Yalin et à Arsène. Il ne devait pas s'effondrer. Il devait lutter, quelques heures encore. Il devait concentrer ses pensées sur la suite des opérations. Il était confiant, les événements suivraient un engrenage inéluctable : les autorités turques diligenteraient une enquête qui conclurait à la légitime défense : l'armée s'était contentée de liquider une milice azérie connue pour ses exactions. Bon débarras ! La mort de leur otage, le professeur Arsène Parella, serait présentée comme une regrettable bavure. La Turquie enverrait ses excuses officielles à la France. Le père de Zak aurait droit à un hommage posthume de la part d'une communauté scientifique ignorant tout de son œuvre réelle. On publierait un ouvrage *in memoriam*. On proposerait de donner son nom à un amphi du Mirail…

Zak sentait un torrent de larmes monter en lui.

Pour le reste, tout s'arrangerait.

Le gouvernement turc, appuyé par les imams et les cardinaux, profiterait de l'incident pour classer à nouveau en site militaire protégé les flancs du mont Ararat. *Exit* les touristes et les curieux de toutes confessions ! On tolérerait le silence des Kurdes à condition qu'ils se fondent à nouveau dans la montagne. L'Ararat bouclé, Cécile et lui ne représenteraient plus aucune menace sérieuse pour le Parlement mondial des religions.

Zak jouerait le jeu et assurerait à Viorel Hunor que jamais les fragments secrets du Livre d'Enoch ne seraient révélés. Que tous les indices rassemblés par Cortés seraient à nouveau dispersés. Enfouis. Qu'il n'existait pas de meilleurs gardiens du secret d'Enoch que ses descendants, d'inoffensifs bergers kurdes éleveurs de chèvres. Comme depuis des millénaires.

Tout s'arrangerait.

En attendant que fondent les glaces.

Épilogue

Un an plus tard, au large du Groenland

La calotte de glace, un grand plateau gelé de vingt mètres sur trente, dérivait doucement au milieu de l'océan Arctique. Cécile se tenait debout à l'une des extrémités de l'iceberg.

— Qu'est-ce que tu fabriques ? cria-t-elle avec énervement.

— Je cherche du réseau…

La moufle de Zak écrasait cinq touches simultanément chaque fois qu'il la posait sur le clavier de son Samsung. Il pesta et arracha sa moufle d'un coup de dents. Un doigt bleu et raide tenta d'aligner trois lettres de suite…

Cécile haussa les épaules et se pencha vers la longue tige de métal qu'elle s'efforçait de tourner en rythme. Après de longs efforts, la vrille s'était enfoncée d'une trentaine de centimètres dans la couche de glace. Épuisée, elle s'arrêta pour encourager Zak.

— Tu devais t'en douter, en tombant amoureux d'une glaciologue, que ton voyage de noces ne serait pas la Barrière de corail…

Zak soufflait sur sa main pour la réchauffer.

— J'assume ! Mais si tu veux que nos fans aient leur ration quotidienne d'informations sur notre blog, il faut du réseau ! Pense à ces millions d'internautes qui ne se posent qu'une seule question : mon Dieu, combien de centimètres de glace en moins aujourd'hui sur la calotte ? Si tu ne veux pas que le monde entier, pétrifié d'angoisse, s'arrête de tourner, je dois me connecter…

Cécile continuait d'enfoncer la tige de fer.

— Cesse deux secondes de grogner. Même ici, tu ne peux pas te passer d'Internet ?

Zak s'effondra dans la glace, comme si on lui avait coupé les jambes. Cécile se retourna, ravie de sa mauvaise foi. Elle ahana en poussant de petits cris jusqu'à ce que la carotte s'enfonce de dix centimètres supplémentaires.

— De quoi te plains-tu, mon chéri ? Je t'offre la plus extraordinaire des croisières ! Trois semaines. Pas un Esquimau pour nous reluquer à plus de mille kilomètres…

Zak prit le temps d'observer Cécile, emmitouflée dans un anorak qui la faisait tripler de volume.

— Je te préférais en robe orientale dans les geôles de Cortés.

Cécile consultait sur la tige de métal une sorte de thermomètre.

— Très drôle ! Concentre-toi et retiens le chiffre. 1,8542 centimètre en moins. Ce n'est pas encore le déluge mais…

— Réseau ! hurla Zak. Lance les amarres, Cécile, que cet iceberg ne bouge plus d'un millimètre.

Cécile esquissa un sourire. Elle laissa Zak se débrouiller avec Internet pendant qu'elle poursuivait ses opérations de carottage. Quelques minutes plus tard, elle sentit la présence de Zak dans son dos. Elle frissonna au baiser dans son cou, entre le bonnet et la fourrure de son col.

— Regarde, Cécile.

Il lui montra l'écran du smartphone.

— C'est Aman…

Cécile découvrit une photographie d'une résolution incroyablement nette. Aman était assise sur un petit cratère enneigé, devant le rebord du gouffre d'Ahora. Le Petit Ararat et le plateau de Dogubayazit se devinaient en arrière-plan. Dans ses bras, la fillette serrait une minuscule licorne.

Les larmes aux yeux, Cécile déchiffra le SMS qui accompagnait le cliché.

« C'est un petit garçon. C'est le bébé de Leka ! Je l'ai appelé Yalin. Il ne tient pas encore debout. Quand on le pose, il glisse sur la glace, comme Bambi. C'est mon bébé, en attendant celui à vous. »

Zak passa la main sur le ventre de Cécile.

— Bébé à nous ?

— Avec toutes les peluches en double ! Ça va nous coûter une fortune ! Deux girafes, deux éléphants roses, deux nounours…

Cécile éclata de rire. Son doigt glissa sur l'écran tactile pour faire défiler les autres photographies envoyées par Aman. Sur la suivante, Aman, berçant toujours la petite licorne, posait aux côtés d'Estêre, de Soran, de

Nisko et de tous les autres bergers kurdes. Au-dessus de leurs têtes, comme une traîne laissée par un aéronef fabuleux qui aurait survolé l'Ararat, se déployait un immense arc-en-ciel.

Cécile serra la main de Zak.

Heureuse.

Devant eux, des centaines d'autres icebergs dérivaient dans l'océan rose et blanc.